L'ABC
des filles

2015

CATHERINE GIRARD-AUDET

SPÉCIAL
Léa Olivier
NOUVELLE
INÉDITE

Les éditions
malins

Gouvernement du Québec – Programme de crédit d'impôt
pour l'édition de livres – Gestion Sodec

info@lesmalins.ca

Auteure : Catherine Girard-Audet
Éditeur : Marc-André Audet
Éditrice adjointe : Katherine Mossalim

Correctrices : Fleur Neesham, Dörte Ufkes, Violaine Ducharme, Véronique Veilleux

Conception graphique et montage : Shirley de Susini
Conception de la couverture : Shirley de Susini
Dessins de Léa Olivier : Veronic Ly

Photographies de Catherine : Shany Bélanger et Karine Patry
Crédits photo : shutterstock.com

Dépôt légal – Bibliothèque et Archives nationales du Québec, 2014
Dépôt légal – Bibliothèque et Archives Canada, 2014

ISBN : 978-2-89657-266-3

Imprimé en Chine

Nous reconnaissons l'aide financière du gouvernement du Canada
par l'entremise du Fonds du livre du Canada pour nos activités d'édition.

Les éditions Les Malins inc.
Montréal (Québec)

Remerciements

Déjà la septième édition ! 🙂
Un gros MERCI aux personnes qui ont permis de lui donner vie !

♥ À mon éditeur Marc-André Audet.

♥ À Katherine Mossalim, Margot Cittone, Marianne Dunberry et Shirley de Susini des éditions les Malins. C'est grâce à elles si l'ABC est de plus en plus beau chaque année ! Un merci tout particulier à la talentueuse Shirley de Susini qui a travaillé d'arrache-pied sur le design et le montage.

♥ À Prologue pour leur soutien et à mes autres patrons des Malins : Éric, Daniel et Alain.

♥ À toutes mes collaboratrices : Despina Sourias, Caroline Gauthier, Ericka Alnéus, Joannie Roy et Ewa Demianowicz. Merci pour vos super textes.

♥ À mes correctrices : Violaine Ducharme, Fleur Neesham, Véronique Veilleux et Dörte Ufkes.

♥ À toutes les personnes qui font partie de ma vie et qui m'encouragent lorsque j'ai besoin d'un *pep talk* !

♥ ♥ ♥

À mes fans qui sont les plus fidèles et les plus géniales au monde.

C'est EXTRAORDINAIRE de pouvoir COMPTER SUR VOUS d'année en année.

MERCI ! 😊
🙂

Changer de look
pour pas cher

Tout le monde a besoin de changement de temps à autre. Le problème, c'est de trouver une façon de changer de look sans vider son portefeuille ! La bonne nouvelle, c'est que c'est tout à fait possible. Voici quelques idées qui t'aideront à retravailler ton style et même à changer de tête sans devoir casser ta tirelire !

1 ORGANISE UN ÉCHANGE DE VÊTEMENTS ET D'ACCESSOIRES AVEC TES COPINES !

C'est le temps de sortir les chandails, pantalons, camisoles et accessoires que tu ne portes plus et de les mettre dans un grand sac. Je suis certaine qu'une de tes amies craquera pour tes tenues ! Ce sera aussi génial de piger dans les vêtements de tes copines et de dénicher de nouveaux bijoux sans débourser le moindre sou ! C'est une façon amusante, économique et efficace de recycler ce que tu possèdes et de te refaire une garde-robe !

2 VISITE LES FRIPERIES DU QUARTIER !

Les friperies sont remplies de vêtements et d'accessoires uniques que tu ne trouveras jamais ailleurs ! Comme il s'agit généralement de tenues qui ont déjà été portées, tu arriveras à y dénicher des bijoux pour très peu de sous.

3 AGENCE TES VÊTEMENTS DIFFÉREMMENT !

Si tu es un peu tannée de porter toujours les mêmes ensembles, il te suffit d'agencer tes vêtements de façon différente pour obtenir un nouveau look. Par exemple, pourquoi ne pas enfiler des bas collants bleus royaux ou roses avec ta robe noire ou ta jupe marine, ou pourquoi ne pas porter ton cardigan rayé ou coloré avec ton jean préféré? Tu obtiendras peut-être un résultat satisfaisant! N'hésite pas à étendre tes articles préférés sur ton lit pour t'amuser à créer différents ensembles et obtenir de nouvelles options originales !

4 LA MAGIE DES ACCESSOIRES !

Comme je raffole des bagues originales, des gros colliers, des sacs à main de toutes les formes et des bas collants de toutes les couleurs, je suis bien placée pour te dire que les accessoires peuvent faire des miracles quand vient le temps de remanier ton look !

5 ESSAIE UNE NOUVELLE COIFFURE !

Pas besoin d'aller chez le coiffeur pour obtenir une nouvelle tête! En effet, il suffit de passer quelques minutes devant le miroir pour parvenir à des résultats épatants ! Tu manques d'idées ? Alors, pourquoi ne pas essayer de placer ta frange autrement, ou alors de relever tes cheveux en chignon ou de les attacher sur le côté ? La tresse bandeau et les cheveux lisses ou bouclés peuvent aussi faire des miracles !

6 OSE PORTER LES VÊTEMENTS QUI TE PLAISENT VRAIMENT !

Je crois que très souvent, on hésite à porter ce qu'on aime vraiment de peur de se faire juger. Ce qu'il faut te rappeler, c'est que l'essentiel est d'être à l'aise et bien dans ta peau, et que la façon la plus efficace d'y parvenir, c'est en étant fidèle à toi-même. Bref, n'aie pas peur de prendre des risques et de montrer qui tu es vraiment en portant ce qui te fait envie !

Où magasiner à petits prix ?

Voici quelques boutiques où tu arriveras à dénicher des tenues géniales sans dépenser une fortune ! Tu peux évidemment visiter leur site internet ou leur page Facebook pour plus de détails.

- 👕 Forever21
- 👕 H&M
- 👕 Le Garage
- 👕 L'Aubainerie
- 👕 Winners
- 👕 Old Navy
- 👕 Stitches

- 👕 Urban Planet
- 👕 Urban Behavior
- 👕 Ardène
- 👕 Simons
- 👕 Joe Fresh
- 👕 Tigre géant

Une autre façon de changer le look d'un vêtement usé ou de renouveler ta garde-robe est d'utiliser des **pièces thermocollantes** ! La compagnie québécoise **Bellemine** en confectionne d'ailleurs de très jolies ! En visitant son site web, tu découvriras qu'elle offre différents motifs convenant à tous les goûts.

Les pièces thermocollantes s'appliquent en quelques secondes avec un fer à repasser, et elles adhèrent à la plupart des tissus tels que le jeans, le coton tissé et le tricot fin. De plus, elles sont lavables à la machine à l'eau froide. Voilà une façon écologique et originale d'ajouter une touche personnelle à tes vêtements !

Pour plus d'informations : **www.bellemine.ca**

Choisir une coupe
selon la forme de ton visage

Ça y est ! Le temps est venu de changer de tête ! Mais avant de te rendre au salon de coiffure, tu veux être bien certaine de trouver la coupe qui te convient le mieux. Comme tu le sais peut-être déjà, tu peux déterminer la coiffure qui te va le mieux selon la forme de ton visage.

Si tu ne sais pas si tu as un visage carré, rond, ovale ou en forme de cœur, il existe une façon assez simple de le savoir. Place-toi devant un miroir en restant bien droite et attache tes cheveux pour dégager ton visage. Procure-toi un crayon à yeux, un rouge à lèvres ou un feutre facilement effaçable, puis dessine le contour de ton visage sur le miroir. C'est très important que tu utilises quelque chose qui se nettoie facilement par la suite !

Visage allongé :

Si tu as un visage allongé comme celui de Gisèle ou de Megan Fox, tu peux choisir une coupe dégradée ou alors opter pour des cheveux aux épaules qui te permettront de gagner du volume! Tu peux aussi essayer la frange !

Visage ovale :

Chanceuse ! Tu as la même forme de visage que Blake Lively et Taylor Swift, et ce ne sont pas les choix qui manquent pour toi ! En effet, tu peux couper tes cheveux très courts, ou alors essayer une frange pour donner l'impression que ton visage est plus carré. Si tu préfères les cheveux longs, alors tu peux essayer un dégradé pour plus de volume et de mouvement.

Visage carré :

Si tu veux une frange, tu peux essayer de garder quelques mèches plus longues sur les tempes pour équilibrer le tout, ou alors opter pour une frange séparée au centre. Pour ce qui est de la coupe, tu peux mettre ton visage en valeur avec des cheveux courts ou même une coupe carrée, ou alors opter pour garder tes cheveux longs, comme Angelina Jolie.

Visage en cœur ou triangulaire :

Si tu as le visage en forme de cœur comme celui de Katie Holmes ou de Rachel Bilson, tu as de la chance, car tu peux assumer une frange complète ! Pour ce qui est de la coupe, tu peux opter tant pour une coupe plus courte à l'arrière que pour des cheveux pleine longueur !

Visage rond :

Si, comme Selena Gomez et Jennifer Lawrence, tu as un visage arrondi, tu sais que tu peux opter pour une coupe classique si tu veux avoir les cheveux longs ou mi-longs, et qu'une coupe au menton t'ira aussi à ravir !

IL EST

TOUT À FAIT ACCEPTABLE ...

- DE TE RÉJOUIR EN REMARQUANT QUE LA FILLE LA PLUS POPULAIRE DE TON NIVEAU A UN GRAIN DE POIVRE ENTRE LES DENTS... COMME QUOI ÇA ARRIVE À TOUT LE MONDE !

- DE PASSER UNE JOURNÉE ENFERMÉE DANS TA CHAMBRE À ÉCOUTER DE LA MUSIQUE ET À RELIRE TOUTES TES VIEILLES LETTRES ET TES ANCIENS JOURNAUX INTIMES ! ÇA FAIT PARFOIS DU BIEN DE REVISITER LE PASSÉ !

- DE TE CACHER LORSQUE TON *KICK* APPROCHE PARCE QU'IL T'A PRISE DE COURT ET QUE TU NE SAIS PAS COMMENT RÉAGIR. TU N'AURAS QU'À TE REPRENDRE ET À LUI SOURIRE LA PROCHAINE FOIS.

- DE PRENDRE TON COURAGE À DEUX MAINS ET DE TÉLÉPHONER À TON KICK, MAIS DE RACCROCHER À LA DERNIÈRE MINUTE PARCE QUE TU ES TROP NERVEUSE POUR LUI PARLER. LA PROCHAINE FOIS, TU POURRAS T'Y PRENDRE PAR SMS OU PAR COURRIEL POUR ÉVITER DE TE DÉFILER !

- D'ENVIER TAYLOR SWIFT PARCE QU'ELLE EST AMIE AVEC SELENA GOMEZ, QU'ELLE EST DÉJÀ SORTIE AVEC HARRY STYLES ET QU'ELLE SERAIT JOLIE MÊME EN ÉTANT VÊTUE D'UN COSTUME D'HIPPOPOTAME !

- DE T'IMAGINER AVANT DE T'ENDORMIR UNE SCÈNE OÙ TON KICK T'AVOUE SON AMOUR ÉTERNEL DEVANT TOUTE L'ÉCOLE (ET DEVANT LES NUNUCHES) !

- DE RESTER À LA MAISON UN VENDREDI ET UN SAMEDI SOIR POUR REGARDER DES FILMS AVEC TA FAMILLE !

- DE RÊVER QUE TU POSSÈDES UNE GARDE-ROBE INCROYABLE, ET DE TE SENTIR UN PEU DÉÇUE EN OUVRANT LES YEUX LE MATIN.

- DE TE LAISSER DORLOTER PAR TA MÈRE LORSQUE ÇA NE VA PAS.

- D'ÉCRIRE LE NOM DU GARS QUI FAIT BATTRE TON CŒUR PARTOUT OÙ TU EN AS LA CHANCE.

- DE CHANGER LE NOM DE TON KICK DANS TON JOURNAL INTIME DE PEUR QUE QUELQU'UN LE LISE !

LECTURE D'ICI

Seconde Terre - Priska Poirier, *Éditions de Mortagne*

Tome 1. *La fuite*

Tome 2. *Identité cachée (sortie prévue à l'automne 2014)*

La dernière année a été marquée par la conclusion d'une série très aimée des jeunes, soit le Royaume de Lénacie, dans lequel Priska Poirier nous a entraînés dans le monde fantastique des sirènes. Si vous êtes fan des aventures de Marguerite et de Hosh, vous serez heureuses d'apprendre que l'auteure a déjà lancé une nouvelle série qui s'intitule **Seconde Terre**. Cette fois-ci, vous serez propulsées dans le futur, plus précisément en l'an 2162, pour faire la rencontre de Benjamin, le protagoniste qui semble mener une vie paisible semblable à celle de tous les autres adolescents. Jusqu'au jour où il arrête accidentellement le temps pendant quelques secondes pour sauver ses parents d'une mort certaine. C'est alors que sa vie prendra une tournure inattendue, que Benjamin réalisera qu'il n'est pas celui qu'il croyait être et que tous ceux qui l'entourent ont beaucoup de choses à cacher. Le jeune garçon deviendra alors le garçon le plus recherché de la planète par une multinationale qui cherchera à analyser son sang pour comprendre ce qui le rend si spécial. Benjamin devra prendre la fuite pour sauver sa vie et le destin de la planète.

Les secrets du divan rose - Nadine Descheneaux, *Éditions Boomerang*

Tome 10 : *Un cœur sur le sable*

Après des années de confidences, de rires, d'amitié et de moments forts, la série Les secrets du divan rose se termine avec le 10e tome intitulé Un cœur sur le sable. On y retrouve Frédérique qui est loin d'être enchantée à l'idée de passer l'été à Cape Cod, où sa mère a décroché un boulot dans un théâtre. Trop têtue, elle refuse de voir le bon côté des choses et s'obstine à rouspéter. À ses yeux, elle ne sera jamais l'amie de Kathy, la fille trop parfaite qu'elle a croisée sur la plage, et elle n'aimera jamais la petite maison qu'elle habite ! Elle ne pardonnera jamais non plus à sa mère de l'avoir éloignée de ses amies et de Frédéric pendant deux longs mois. Pourtant, la mer, le sable et l'air salin feront tourner le vent, et peu à peu, Frédérique découvrira qu'elle ne peut se braquer éternellement et que l'amour, l'amitié, les souvenirs et les promesses peuvent survivre à tout !

C'est un dernier tome qui vient boucler la boucle et montrer à l'héroïne qu'il ne faut pas toujours se fier aux apparences et que ça vaut souvent la peine d'accorder une deuxième chance aux gens qui nous entourent.

Bine - **Daniel Brouillette**, *Éditions les Malins*

Tome 3 : *Cavale et bobettes brunes*

Tome 4 : *Au royaume des 1000 mouches noires* (sortie automne 2014)

L'histoire de Benoit-Olivier Lord (alias Bine) se poursuit dans le 3e tome de la série alors que ses amis et lui se rendent à Ottawa pour leur sortie de fin d'année. Mais ce qui devait être un voyage ennuyant se transforme bientôt en véritable cauchemar. Dans le 4e tome, notre héros excentrique doit mettre un terme à ses vacances estivales pour participer à un camp de vacances. C'est là qu'il devra faire face aux dangers de la nature et à l'inconfort du camping ! Les fans de BINE ne seront pas déçus !

M'as-tu vu ? - **Simon Boulerice**, *Éditions les Malins*

Tome 1 : *Hors-champ*

Tome 2 : *En contre-plongée*

Cybèle Campeau-Grégoire est en troisième secondaire lorsqu'elle apprend que son école fait partie des concurrents de la première édition de *M'AS-TU VU ?*, une téléréalité produite par la chaîne Cool comme tout! Pendant cinq semaines, des caméras suivront les élèves de 5 écoles de 9 h à 16 h en essayant de récolter le vote du public. Cybèle devra donc se plier aux diktats de la télé et à la prestation de Magali pas de E Loiselle-Bienvenue, une fille populaire de sa classe qu'elle trouve insupportable. Lorsque la directrice de son école la reléguera au fond de la classe afin de ne pas choquer les téléspectateurs avec son physique peu avantageux, Cybèle se ralliera alors à ses voisins et gagnera peu à peu confiance en elle. Dans le deuxième tome de la série, on suit Cybèle alors qu'elle et sa nouvelle amie Marie-Jeanne entreprennent la deuxième moitié de leur troisième secondaire dans une toute nouvelle école. Cherchant à se venger, les deux copines inscrivent leur collège à la seconde édition de *M'AS-TU VU ?* Pour gagner la compétition, Cybèle s'alliera à Flavie Ross, la reine des réseaux sociaux, et apprendra vite à vivre avec les revers des caméras.

Entre sœurs - **Amy Lachapelle**, *Éditions Z'ailées*

Tome 1 : *Dans la peau d'Alexane*

Tome 2 : *Dans la peau de Maïka*

Dans la nouvelle trilogie d'Amy Lachapelle, on suit l'histoire d'Alexane, Maïka et Laurie, trois sœurs à la fois unies, mais bien différentes. Le premier tome nous transporte dans l'univers d'Alexane, la plus jeune de la famille, alors qu'elle s'apprête à souffler ses treize bougies et à rejoindre ses deux grandes sœurs au secondaire. Mais l'étape qu'elle attendait avec joie est loin de se dérouler comme prévu. En effet, Alexane est maintenant confrontée à un tyran , doit endurer Laurie qui se prend pour sa mère et Maïka qui ne fait que penser à son nombril. Heureusement que le beau Olivier est là !

Dans le deuxième tome (prévu en août 2014), c'est Maïka qui se retrouvera au centre des aventures, tandis que le dernier tome de la trilogie nous transportera dans l'univers de Laurie, l'aînée de la famille, alors qu'elle s'apprête à terminer son

MUSIQUE

Partout dans le monde, depuis des millénaires, les humains font et écoutent de la musique. Vous êtes-vous déjà demandé quels genres musicaux sont populaires d'un pays à l'autre ? Vous connaissez déjà les courants principaux, comme le rock, la pop ou le hip-hop, mais il existe des styles musicaux un peu moins connus qui, grâce à internet, sont de plus en plus accessibles à tous.

La pop en Asie

Quand on pense à la musique pop, nos références sont souvent les artistes américains tels que Lady Gaga ou Justin Timberlake, et avec raison, puisque ce sont des artistes connus internationalement qui jouent à la radio de presque tous les pays du monde. Nous, occidentaux, sommes rarement exposés à de la musique pop qui n'est pas chantée en anglais. Pourtant, elle se fait partout, dans plusieurs langues. La musique pop varie d'un pays à l'autre et elle se teinte de la culture dans laquelle elle évolue. La musique pop qui se fait en Asie est particulièrement importante. Prenons par exemple la Corée du Sud. Le monde entier a été initié au K-POP (K pour « Korea ») avec l'artiste PSY qui, grâce à internet et à un vidéoclip des plus colorés, a réussi à devenir une star mondiale. Au Japon (J-POP) aussi, des centaines de groupes voient le jour chaque année. Allez jeter un coup d'œil au groupe BABYMETAL. Trois jeunes adolescentes japonaises qui font un mélange de pop et de... métal ! Décidément, la pop n'a pas de limite !

Le slam

Le slam est plus lié à la poésie et aux mots qu'à la musique. C'est un véritable art oratoire où, à l'origine, un artiste récite devant public un texte qu'il a composé sur un ton rythmé et dynamique. Le genre s'est par la suite développé avec les années, et plusieurs artistes y ont ajouté de la musique. Certains artistes slam, comme Grand Corps Malade, ont réussi à populariser le genre auprès des fans de musique. Le slam est une merveilleuse façon de s'initier à la poésie. Impossible de ne pas se laisser porter par les mots de ces artistes qui ont le don de nous raconter des histoires remplies d'émotions et d'images. Les Français sont particulièrement bons pour mélanger slam et musique. Le groupe Fauve, par exemple, qui s'inspire du slam, gagne en popularité rapidement. On ne pourra plus dire que la poésie, c'est ennuyant !

Le Britpop

Le britpop, malgré son nom, représente un sous-genre de la musique rock alternative et non de la musique pop. Le terme apparaît dans les années 1990, mais il est encore présent de nos jours. Vous l'aurez deviné, le britpop est une musique qui nous vient de l'Angleterre. L'Angleterre est un pays très influent pour la musique occidentale, et ce depuis longtemps. En effet, des groupes légendaires tels que Led Zeppelin et les Beatles en sont originaires, et plusieurs genres musicaux comme le punk, le new wave et l'indie rock ont des racines anglaises. Le britpop caractérise les groupes rock anglais qui ont un son bien représentatif de leur pays d'origine. Aujourd'hui, un groupe comme Arctic Monkeys témoigne d'une deuxième vague de britpop qui déferle sur l'Amérique du Nord. Les Arctic Monkeys sont d'ailleurs bien de leur époque. Le groupe s'est d'abord fait connaître en produisant ses propres disques et en distribuant leur musique gratuitement sur internet.

Des mouvements en musique naissent et meurent chaque année, et certains seront plus éphémères que d'autres. L'important, c'est d'explorer et de découvrir de nouvelles choses !

EWA.

Trucs et Astuces
pour écrire sans faute.

Lorsque vous m'envoyez vos courriers du cœur, vous êtes plusieurs à demander des excuses pour les petites fautes de français et vous êtes nombreux à me demander des trucs pour vous améliorer. Voici quelques exemples d'erreurs assez courantes ainsi que de petites astuces pour vous aider à les corriger!

é ou er : pour savoir s'il s'agit d'un verbe à l'infinitif (er) ou au participe passé (é), vous pouvez le remplacer par **mordre** ou **mordu**.

Par exemple :
J'ai essayé (**mordu**) de ne pas faire de fautes !
Je vais essayer (**mordre**) de ne pas faire de fautes !

ça ou sa : pour déterminer s'il s'agit d'un pronom démonstratif (ça) ou d'un adjectif possessif (sa), vous pouvez remplacer ça par « **cela** » ou sa par « **ses** ».

Par exemple :
J'ai mangé sa pomme. J'ai mangé **cela** pomme ne fonctionne pas, mais j'ai mangé ses pommes fonctionne !

Ça me tente d'y aller. **Ses** me tente d'y aller ne fonctionne pas, mais cela me tente d'y aller fonctionne !

À LIRE ABSOLUMENT

ce ou se :

ce peut être soit adjectif démonstratif (ex. : ce chien est laid) ou pronom démonstratif (ex. : c'est ce que je pense). On se souvient qu'un pronom remplace un nom, une idée ou une proposition, donc si vous pouvez remplacer le « ce » par une idée plus longue, c'est bien un pronom et on l'écrit ce.

Pour déterminer si vous devez écrire l'adjectif démonstratif ce ou se, vous pouvez remplacer par « **un** ». Si ça fonctionne, c'est qu'il faut écrire « ce ». En plus, « se » est généralement suivi d'un verbe.

Par exemple :

Ce chien est gentil = Un chien est gentil/Regarde ce cahier de notes = Regarde **un** cahier de notes

Il se lève tôt le matin : se est suivi d'un verbe, et on ne peut pas dire « Il un lève-tôt le matin » ! On écrit donc se.

mes ou mais :

pour déterminer si tu dois écrire mes, qui est un déterminant possessif, ou mais, qui est une conjonction de coordination, tu peux remplacer mes par « **tes** » et mais par « **cependant** ».

Par exemple :

Mes/Mais mitaines sont chaudes = **Tes** mitaines sont chaudes, mais on ne peut pas dire « Cependant mitaines sont chaudes », donc on écrit mes.

J'aime mes/mais mitaines, mes/mais elles sont trouées = J'aime **tes** mitaines, **cependant** elles sont trouées.

Mais on ne peut pas dire « J'aime cependant mitaines, tes elles sont trouées », donc on écrit « J'aime mes (qui se remplace par **tes**) mitaines, mais (qui se remplace par **cependant**) elles sont trouées. »

Bonne rédaction!

L'ABC
de l'estime de soi

J'ai la fâcheuse habitude de me comparer aux autres filles et de me trouver moins jolie, ce qui affecte vraiment ma confiance en moi. As-tu des trucs ?

Je pense que ça ne donne rien de te comparer aux autres. La vérité, c'est que tu es unique, et ce sont ces différences qui te rendent aussi géniale. Tu pourrais te faire une petite liste des choses qui te plaisent chez toi et te les remémorer chaque fois que tu es aux prises avec des pensées négatives.

La vérité, aussi, c'est que toutes les filles ont des complexes et que personne n'est parfait. L'important, c'est plutôt d'apprendre à t'accepter comme tu es et de travailler pour être mieux dans ta peau !

Je suis une fille super timide et j'ai de la misère à m'imposer et à m'affirmer, car je ne veux pas que les gens me jugent. J'ai aussi de la difficulté à me faire des amis, car je n'ose pas être complètement moi-même. Que me suggères-tu ?

Je pense que la première chose à faire est de travailler sur ta confiance en toi. Pour ce faire, tu dois te répéter que ton opinion compte tout autant que celle des autres et qu'il n'y a aucune raison de te censurer quand tu as envie de t'affirmer. Plus tu confronteras ta timidité, plus tu réaliseras que tu n'as aucune raison de douter de toi.

Une façon assez simple de changer les choses est de participer davantage en classe et de t'ouvrir un peu plus aux gens en qui tu as confiance. C'est important que tes camarades puissent apprendre à mieux te connaître pour réaliser à quel point tu es géniale. Personnellement, le théâtre m'a aidée à sortir de ma coquille et à m'exprimer devant les autres, et je crois qu'une activité parascolaire qui te plaît pourrait avoir le même effet sur toi !

Salut Catherine ! Je vais avoir des broches et j'ai peur d'avoir l'air nerd ! J'ai aussi peur que le monde se moque et que les gars se désintéressent de moi à cause de ça. Peux-tu m'aider ?

Si tu regardes autour de toi, tu réaliseras qu'il y a plein de gens qui portent des broches et que tu l'avais à peine remarqué, alors il ne faut pas que tu t'imagines que ce sera différent dans ton cas. Si ton dentiste juge qu'il est préférable que tu en portes, c'est sans doute parce qu'il y a une raison, et dis-toi qu'à long terme, tu seras heureuse d'avoir de belles dents droites !

Comme c'est nouveau, c'est normal que tu aies besoin d'une période d'adaptation pour apprendre à vivre avec tes broches et à te voir avec elles, mais je suis certaine qu'au bout de quelques semaines, tu oublieras même qu'elles existent ! Pour ce qui est des garçons, je suis certaine que si tu rencontres le bon gars pour toi, il se fichera de tes broches et qu'il te trouvera tout aussi jolie qu'avant !

Quand je regarde les filles de ma classe, je me sens différente. On dirait que je ne m'intéresse pas aux mêmes choses qu'elles. J'aimerais me sentir jolie et m'accepter comme je suis, mais je ne sais pas comment faire !

Je crois sincèrement que c'est tout à ton honneur d'avoir des goûts différents des autres et qu'il n'y a absolument rien de mal à te distinguer des filles de ta classe. Après tout, ce sont ces différences qui te rendent unique au monde.

L'essentiel, c'est que tu apprennes à te sentir bien dans ta peau et que tu t'acceptes comme tu es. Pour t'aider, tu peux faire une liste des choses que tu aimes chez toi et qui te distinguent des autres afin de les percevoir comme des forces plutôt que des faiblesses. Je pense qu'avec un peu de renforcement positif, tu verras les choses d'un œil différent.

Les trucs de Léa

Quoi faire quand je me sens complexée ?

La meilleure façon de se remonter le moral est de se concentrer sur le positif. Évidemment, il y a des choses qui m'énervent dans mon physique (ma taille, mes hanches, la statique dans mes cheveux, mes pieds, alouette), mais j'essaie de ne pas trop m'y attarder et de mettre les trucs qui me plaisent un peu plus en valeur. Évidemment, quand je regarde Maude et les filles des magazines, je me sens aussi *sexy* qu'une banane, mais je me dis que la vraie beauté vient de l'intérieur, et que ce sont les imperfections qui nous rendent jolies!

Quoi faire quand je me compare à la fille la plus populaire de ma classe et que je me sens moche ?

Les nunuches avaient cette fâcheuse habitude de me faire sentir comme un raisin sec (sans compter qu'elles comparent toujours mon cerveau à un fruit pourri), mais quand ça m'arrive, j'essaie de me secouer et de retrouver mon sang-froid. Je suis comme je suis, et l'important, c'est d'être bien dans ma peau et de m'arranger pour me trouver le plus jolie possible!

Quoi faire si je me trouve laide ?

Je pense que quand ça t'arrive, tu dois te répéter que ce n'est pas vrai, et que c'est ta tête et ton manque de confiance en toi qui te jouent des tours. Par exemple, quand Maude me traite de tomate pourrie, il y a évidemment un petit doute qui se forme dans mon esprit, mais je m'efforce de me répéter qu'elle dit ça pour me déstabiliser, mais qu'il ne faut pas que je me laisse atteindre par ses insultes ! Je pense que toutes les filles sont jolies à leur façon. L'important, c'est d'apprendre à t'accepter et à t'aimer comme tu es en mettant tes atouts, tes forces et tes qualités en valeur !

L'ABC

de l'amitié

Je commence le secondaire l'an prochain et je n'irai pas à la même école que ma meilleure amie. J'ai peur qu'elle se fasse une nouvelle gang et qu'elle m'oublie ! À l'aide !

Je sais que le secondaire est une grande étape qui implique beaucoup de changements et que ce n'est pas facile d'être séparée physiquement de ta meilleure amie, mais cela ne veut pas dire que vous devez vous éloigner pour autant. C'est sûr que vous apprendrez à connaître de nouvelles personnes chacune de votre côté, mais vous pourrez toujours compter l'une sur l'autre après l'école et durant les fins de semaine!

L'important, c'est de trouver du temps et de l'énergie à investir dans votre amitié. Même si ce sera bizarre de ne plus partager ton quotidien avec elle, dis-toi que tu pourras désormais compter sur une amie à l'extérieur de ton univers scolaire qui pourra t'apporter du soutien et des conseils objectifs!

Je ne me sens plus très bien avec mes amies. Elles me rejettent un peu et j'ai l'impression que nous n'avons plus grand-chose en commun. J'aimerais donc me faire de nouvelles amies, mais je ne sais pas trop comment faire !

Je pense que c'est essentiel que tu t'entoures de gens qui te respectent et avec qui tu te sens vraiment à l'aise d'être toi-même. Si tu ne te sens pas acceptée par ces filles, alors je te suggère de prendre tes distances et de chercher à mieux connaître celles qui t'inspirent confiance.

N'hésite pas à aller vers les autres et à t'intéresser aux filles de ta classe pour créer des liens. Tu peux aussi t'inscrire dans un comité, une activité parascolaire ou une équipe sportive pour connaître des gens avec qui tu partageras des intérêts.

Je me chicane souvent avec ma meilleure amie et j'ai l'impression que je l'énerve. J'aimerais m'expliquer avec elle, mais j'ai peur de sa réaction. Que devrais-je faire ?

Je pense que la meilleure façon de mettre les choses au clair et de régler les malentendus est d'avoir une conversation honnête avec ta meilleure amie. Explique-lui que tu aimerais éviter toutes ces chicanes et que si tu fais quelque chose qui la blesse ou qui l'énerve, tu préfères qu'elle t'en parle au lieu d'accumuler des frustrations.

Tu peux aussi lui avouer que tu la sens distante et que tu aimerais comprendre ce qui se passe. J'ai confiance que si tu es directe et sincère avec elle, les choses pourront s'arranger entre vous. Si toutefois tu constates que, malgré tous tes efforts, elle demeure froide et qu'elle ne veut pas régler vos conflits, alors je te suggère de prendre tes distances et de te rapprocher de celles qui t'inspirent confiance et qui t'acceptent comme tu es.

Ma meilleure amie se tient de plus en plus avec une fille de ma classe qui m'énerve royalement et je sens qu'elle me laisse tomber pour elle. Je lui en ai parlé et elle m'a dit que c'était dans ma tête, mais je suis triste, car j'ai peur de la perdre ! Que dois-je faire ?

Je pense que c'est important que tu aies une autre conversation avec ton amie pour lui expliquer comment tu te sens. Dis-lui que tu ne veux pas paraître paranoïaque, mais que tu sens qu'elle te délaisse pour l'autre fille et que ça te fait de la peine, car tu ne veux pas la perdre et qu'elle est importante pour toi. Tu peux aussi lui suggérer de vous consacrer un moment par semaine juste pour vous deux afin de passer du temps de qualité ensemble.

Si tu lui expliques tout cela calmement, j'ai confiance qu'elle saura te rassurer et t'intégrer davantage dans leurs activités. Dis-toi toutefois que même si ta meilleure amie se fait d'autres copines, ça ne change en rien l'importance que tu as dans sa vie ni toutes les choses que vous avez partagées ensemble. Je crois que c'est plutôt sain d'avoir plusieurs amis sur qui compter, et lorsqu'elle passe du temps avec cette fille, tu peux toi-même en profiter pour t'amuser avec tes autres copines !

J'aime le chum de ma meilleure amie et je ne sais pas quoi faire. D'un côté, j'aimerais vraiment lui avouer mes sentiments, mais de l'autre, je ne veux pas faire de la peine à ma best et ruiner notre amitié.

Je pense que si tu tiens à ton amitié, c'est important que tu respectes la relation entre ce garçon et ta meilleure amie. Si tu décidais d'avouer tes sentiments à son chum, ton amie se sentirait très certainement trahie, et cela pourrait effectivement mettre un terme à votre amitié. Le mieux à faire selon moi est donc d'essayer d'oublier ce garçon en te répétant que ton amitié compte beaucoup plus que le reste.

Si c'est difficile de les voir ensemble, tu peux t'arranger pour passer du temps avec ton amie lorsqu'elle est seule. Tu peux aussi t'entourer de copains ou t'occuper l'esprit lorsqu'ils sont ensemble. Je crois sincèrement que c'est plus sain pour toi et pour le bien-être de ta relation avec ta meilleure amie.

Les trucs de Léa

Quoi faire si je me suis chicanée avec mon amie ?

Quand je me chicane avec Marilou, je prends le temps de réfléchir et de me calmer, puis je tente de m'expliquer avec elle. Je te suggère donc d'admettre tes torts et de t'excuser auprès d'elle. Si ton amie t'a fait de la peine, tu peux lui dire ce qui t'a blessée pour qu'elle comprenne un peu mieux ta situation et qu'elle s'excuse à son tour. Je déteste me disputer avec mes amies, mais c'est un peu inévitable quand on passe beaucoup de temps avec quelqu'un. La bonne nouvelle, c'est qu'une discussion franche et sincère arrange très souvent la situation !

Quoi faire si mon amie se tient avec du monde que je n'aime pas ?

Je l'ai un peu vécu avec Jeanne lorsque je suis arrivée à ma nouvelle école. Le mieux à faire est de planifier des moments de qualité avec ton amie et de profiter de sa présence au maximum lorsque tu es avec elle et de t'amuser avec d'autres personnes lorsqu'elle se tient avec les gens que tu ne portes pas dans ton cœur. Personnellement, je ne pourrais jamais me tenir avec les nunuches, mais j'essaie de respecter le fait que mes amis les fréquentent de temps à autre sans en faire tout un plat.

Quoi faire si j'aime deux garçons ?

L'important, c'est d'abord de déterminer avec lequel tu te sens le plus à l'aise, et lequel te donne le plus de papillons dans le ventre. Je pense vraiment que la meilleure façon de choisir entre deux gars est d'écouter ton cœur! Si tout demeure confus, alors tu peux passer plus de temps avec chacun d'eux pour mieux les connaître et y voir plus clair !

L'ABC des garçons

L'an dernier, j'ai cassé avec mon chum et aujourd'hui, il a une nouvelle blonde. Le problème, c'est que je l'aime encore et que je regrette de l'avoir laissé. J'ai tout fait pour essayer de l'oublier, mais je n'y arrive pas. As-tu des trucs ?

Si ton ex a une nouvelle blonde et qu'il n'y a plus d'espoir de renouer avec lui, je te suggère de passer à autre chose plutôt que de continuer à souffrir ainsi. Comme tu l'aimes plus qu'en ami, il est préférable que tu prennes tes distances pendant quelque temps afin de faire ton deuil.

S'il y avait une recette magique pour oublier quelqu'un et guérir une peine d'amour, je te la donnerais immédiatement, mais je crois que le meilleur remède est le temps. Plus les semaines passeront, et plus ton cœur cicatrisera. En attendant, essaie de te changer les idées et de concentrer tes énergies sur des activités que tu aimes et qui te font du bien !

Ça fait longtemps que j'ai un gros *kick* sur un gars dans ma classe. J'ai peur d'aller lui parler, mais en même temps, je me dis que si je n'y vais pas, je ne saurai jamais s'il m'aime aussi. Que me conseilles-tu ?

Je sais que c'est gênant de faire les premiers pas vers un garçon, mais comme tu le dis toi-même, si tu décides de l'ignorer, il se peut fort bien qu'il ne se passe jamais rien entre vous ! Je crois qu'il faut parfois prendre des risques et foncer pour faire bouger les choses !

Si tu es timide, tu peux briser la glace en lui parlant d'un travail à remettre ou d'un cours que vous avez en commun. Tu peux aussi lui poser des questions pour chercher à mieux le connaître ou faire des blagues pour détendre l'atmosphère. Plus tu passeras du temps avec lui, et plus tu te sentiras à l'aise d'être toi-même. Tu réaliseras aussi rapidement si ton intérêt est réciproque ou non et si votre relation peut aller plus loin !

Je suis amoureuse de mon meilleur ami et je ne sais pas comment le lui dire, car je ne veux pas gâcher notre amitié. Je ne sais pas si je devrais lui avouer mon amour ou le garder pour moi. Aide-moi !

Je crois que l'important, c'est d'écouter ton cœur et de déterminer si tu es capable d'être en présence de ton ami sans souffrir. Si tu sens que tes sentiments sont trop forts et que ça devient insoutenable, alors je t'encourage à lui en parler. Je sais que ça fait peur de t'ouvrir ainsi et que tu ne veux pas le perdre, mais je ne crois pas que ce soit sain de l'aimer et de souffrir en silence.

Si tes sentiments sont réciproques, tant mieux, et si ce n'est pas le cas, au moins tu en auras le cœur net ! Il se peut que ce soit un peu tendu entre vous pendant quelque temps, mais cela te permettra de prendre le temps nécessaire pour cicatriser et passer à autre chose. Et si vos liens sont assez forts, j'ai confiance que vous resterez amis !

J'aime un gars, mais il sort avec une de mes amies. J'aimerais vraiment ça sortir avec lui, mais je ne veux pas créer de drame ! Que dois-je faire ?

Si son cœur est déjà pris, tu dois savoir que même si tu lui avouais ton amour, sa réaction ne serait sûrement pas celle que tu espères. Aussi, je crois que si tu veux éviter de faire de la peine à ton amie, il vaut mieux attendre qu'ils ne soient plus ensemble et être franche avec elle avant d'agir pour éviter les malentendus. Après tout, tu ne veux pas que cette histoire ruine votre amitié, ou alors que ton amie se sente blessée et trahie parce que tu lui as joué dans le dos.

Je suis vraiment amoureuse d'un garçon qui est populaire, et je sens qu'il s'intéresse à des filles dans sa gang. Qu'est-ce que je dois faire pour qu'il me remarque même si je ne suis pas aussi populaire que ces filles ?

Je crois que les filles qui attirent l'attention sont celles qui dégagent de l'assurance. Si tu te montres sûre de toi et que tu es à l'aise avec lui, tu pourras donc créer des liens et lui montrer qu'il gagne à mieux te connaître. Évite aussi de le mettre sur un piédestal en te répétant que toi aussi, tu es géniale, et que tu n'as rien à envier à ces filles.

N'aie pas peur de t'intégrer aux conversations et de t'intéresser à lui ou de lui parler lorsque tu en as la chance. Plus tu passeras de temps avec lui, plus tu te sentiras à l'aise d'être toi-même et de voir s'il y a une étincelle entre vous.

 Je regarde les filles autour de moi, et j'ai l'impression qu'elles ont toutes des chums ! Je suis un peu jalouse, car je rêve aussi de me trouver un amoureux. Comment dois-je m'y prendre ?

Je pense qu'on rencontre souvent l'amour au moment où l'on s'y attend le moins et qu'il ne faut pas que tu te décourages ou que tu perdes espoir ! Pour rencontrer un gars, c'est important que tu sois ouverte à ceux qui s'intéressent à toi et que tu n'aies pas peur de faire les premiers pas quand un garçon te tombe dans l'œil. Il faut aussi que tu croies en toi et que tu n'hésites pas à être toi-même pour lui permettre de découvrir qui tu es vraiment !

Les trucs de Léa

Quoi faire si je me suis chicanée avec mon amie ?

Quand je me chicane avec Marilou, je prends le temps de réfléchir et de me calmer, puis je tente de m'expliquer avec elle. Je te suggère donc d'admettre tes torts et de t'excuser auprès d'elle. Si ton amie t'a fait de la peine, tu peux lui dire ce qui t'a blessée pour qu'elle comprenne un peu mieux ta situation et qu'elle s'excuse à son tour. Je déteste me disputer avec mes amies, mais c'est un peu inévitable quand on passe beaucoup de temps avec quelqu'un. La bonne nouvelle, c'est qu'une discussion franche et sincère arrange très souvent la situation !

Quoi faire si mon amie se tient avec du monde que je n'aime pas ?

Je l'ai un peu vécu avec Jeanne lorsque je suis arrivée à ma nouvelle école. Le mieux à faire est de planifier des moments de qualité avec ton amie et de profiter de sa présence au maximum lorsque tu es avec elle et de t'amuser avec d'autres personnes lorsqu'elle se tient avec les gens que tu ne portes pas dans ton cœur. Personnellement, je ne pourrais jamais me tenir avec les nunuches, mais j'essaie de respecter le fait que mes amis les fréquentent de temps à autre sans en faire tout un plat.

Quoi faire si j'aime deux garçons ?

L'important, c'est d'abord de déterminer avec lequel tu te sens le plus à l'aise, et lequel te donne le plus de papillons dans le ventre. Je pense vraiment que la meilleure façon de choisir entre deux gars est d'écouter ton cœur ! Si tout demeure confus, alors tu peux passer plus de temps avec chacun d'eux pour mieux les connaître et y voir plus clair !

L'ABC autour du monde

J'AI ENCORE EU LA CHANCE DE VISITER DES ENDROITS EXTRAORDINAIRES AU COURS DE LA DERNIÈRE ANNÉE, ET JE SUIS VRAIMENT CONTENTE DE POUVOIR LES PARTAGER AVEC TOI ! EN ESPÉRANT QUE MES DESCRIPTIONS TE FASSENT VOYAGER...

BAHAMAS

Quoi de mieux que de fuir les températures arctiques de janvier et de s'envoler pour les Bahamas pendant 10 jours ? C'est ce que j'ai eu la chance de faire l'hiver dernier. Ce voyage m'a aussi permis de confronter l'une de mes peurs, puisque j'avais accepté de passer une semaine sur un voilier. Je sais que cela peut sembler idyllique, mais comme j'ai le mal de mer et que j'ai un peu peur de l'eau (je l'avoue, je ne suis pas la reine de la natation), cela représentait un défi de taille !

Heureusement pour moi, ceux qui étaient la barre de notre voilier étaient des professionnels qui ont déjà passé plus d'une année en mer, alors même lorsque le bateau s'aventurait en haute mer, j'arrivais à me sentir en sécurité. Les premières heures à bord du voilier se sont avérées assez spéciales, puisque je n'avais pas l'habitude de sentir mon corps tanguer, d'être constamment en déséquilibre ou de me faire brasser d'un côté à l'autre tout au long de la nuit. J'avoue que lors des premières journées, j'ai survécu au mal de mer grâce aux Gravol, mais au bout de quelques jours, je m'étais complètement habituée à la vie en mer. Tout est différent lorsqu'on voyage sur un voilier ! La consommation d'eau est comptée et les provisions le sont aussi ! On se fait à souper avec les moyens du bord, mais encore une fois, j'ai pu compter sur des habitués qui nous concoctaient des plats typiques et délicieux (comme le riz à la noix de coco et aux lentilles).

Je n'étais jamais allée aux Bahamas et n'avais jamais eu la chance de découvrir les trésors cachés de la mer des Caraïbes : le moins que je puisse dire, c'est que les paysages sont à couper le souffle ! L'eau turquoise s'étend à l'horizon et sa transparence permet d'apercevoir les récifs de corail et les petits poissons multicolores un peu partout. J'avoue que quand j'ai aperçu un requin derrière notre embarcation, j'ai attendu avant de me baigner, mais sa présence ajoutait au charme sauvage du paysage. Comme le voilier nous permettait d'explorer des recoins cachés, nous sommes tombés par hasard sur des plages désertes de sable blanc qui n'avaient pratiquement jamais été foulées auparavant.

Il s'agit d'un voyage que je n'oublierai jamais, et ce non seulement grâce aux paysages qui s'offraient à nous et au soleil qui a brillé pendant dix jours, mais surtout parce que je sens que je me suis dépassée en confrontant une peur et en réalisant que tout est possible dans la vie !

BUENOS AIRES

On m'avait dit que la capitale de l'Argentine faisait un peu penser à une ville européenne, mais je ne m'attendais pas à une telle ressemblance! Lorsque nous parcourions les rues de Buenos Aires à pied (meilleure façon de découvrir une ville, selon moi), nous avions parfois l'impression d'être à Paris ! Il s'agit d'une ville extrêmement riche culturellement, où les restaurants italiens abondent et où les danseurs de tango s'exercent dans les grands parcs de la ville.

L'architecture de Buenos Aires a été extrêmement influencée par certains pays européens, et lorsqu'on se balade dans les plus vieux quartiers, on est surpris de trouver une touche de modernité au cœur du style colonial remontant à l'époque de la domination espagnole. C'est un mélange qui donne un look unique à cette immense ville.

Notre hôtel était situé dans le quartier de Palermo, soit l'un des plus branchés de la capitale, là où les boutiques et les restaurants argentins et italiens se côtoient. Ce qui m'a tout de suite étonnée, c'est que les Argentins soupent à 23 heures, et ce, même pendant la semaine ! Nous avons donc adapté notre horaire à ceux des locaux afin de ne rien manquer.

Comme mon copain a déjà vécu à Buenos Aires, j'ai pu découvrir la ville d'une façon plus approfondie et je suis complètement tombée sous le charme de son architecture et de son caractère européen unique. J'ai apprécié la gentillesse des gens, la propreté de la ville et le fait qu'on s'y sentait en sécurité. C'est encore une fois une destination que je conseille à celles qui ont envie de découvrir une ville hors du commun.

PANAMA

Quand j'étais plus jeune, j'ai eu la chance de visiter pratiquement tous les pays d'Amérique centrale, à l'exception du Panama. Lorsque mon amie et moi avons décidé de partir en vacances, nous avons donc choisi cette destination d'un commun accord, puisque nous étions toutes deux très curieuses de la découvrir. Nous avons passé près de cinq jours dans la capitale, qui s'appelle Panama City. La première chose qui nous a frappées, c'est la saleté dans les rues. Les gens jettent leurs déchets sans trop comprendre les impacts que cela peut avoir sur l'environnement, et c'est toujours un peu choquant pour des Québécoises comme nous. Il régnait aussi dans la ville une sorte de chaos inexplicable, et même si c'est un peu étourdissant au début, j'ai compris au fil des jours que c'est un peu ce qui fait le charme de la ville.

L'une des choses que j'ai préférées, c'est la longue promenade qui longe l'océan et qui se rend du centre-ville jusqu'à la vieille ville. Nous l'avons parcourue à plusieurs reprises, et c'est ce qui nous a permis de découvrir le marché de poissons, où l'on vend du ceviche pour quelques sous, ainsi que le centre historique de la ville, Casco Viejo, qui regorge de petits hôtels, de restaurants et de cafés.

Nous avons ensuite pris l'avion pour nous rendre jusqu'à Bocas del Toro, la capitale de la province portant le même nom, laquelle est constituée de plusieurs petites îles dans les Caraïbes. Comme il s'agit d'une destination touristique prisée par les Panamiens, nous avons encore une fois été étonnées par la pollution et le chaos qui régnaient sur l'île que nous habitions. L'Isla Colon est considérée comme l'île principale et on y trouve aussi un nombre incalculable de discothèques, de restaurants et d'hôtels à faible budget. Le soir, le rythme de la musique résonne dans toutes les rues, et nous avons été surprises de constater que la fête battait son plein même si nous étions en basse saison. Pour circuler d'une île à l'autre, il suffit d'embarquer dans des bateaux taxis pour la modique somme d'un dollar. C'est ainsi que nous avons pu découvrir d'autres îles un peu plus sauvages des environs.

Il est aussi possible sur l'île principale de louer des vélos pour la journée et de découvrir des plages plus retirées (et plus propres !) qui sont situées à quelques kilomètres du centre-ville. Comme il s'agit de vieilles bicyclettes, il fallait souvent s'arrêter pour remettre la chaîne en place, mais cela faisait aussi partit de l'aventure ! Il est à noter qu'il s'agit d'une région très humide et qu'il y pleut pratiquement tous les jours.

RIO DE JANEIRO

À l'automne, j'ai pu réaliser l'un de mes rêves en visitant le Brésil et l'Argentine. J'avais vu des tas de films et de photographies de Rio, et même si mes attentes étaient très élevées, je n'ai pas été déçue. On m'avait prévenue qu'il s'agissait d'une ville assez dangereuse, et comme de fait, on sentait un peu la tension lorsqu'on se baladait dans les rues. Si jamais tu as la chance de visiter Rio, je t'invite donc à être très prudente. Notre hôtel était situé dans le célèbre quartier de Copacabana, à seulement quelques minutes de marche de la plage d'Ipanema.

Encore une fois, les paysages étaient à couper le souffle. Il m'arrivait parfois de m'installer sur la plage et de contempler les montagnes au loin sans arriver à croire que j'avais enfin découvert le Brésil. Évidemment, nous avons profité de notre séjour pour monter au sommet du mont Corcovado, là où se trouve la statue du Christ Rédempteur, qui a été choisi comme l'une des sept merveilles du monde en 2007. Du haut de la montagne, on peut admirer l'océan, la ville et ses splendeurs.

Une autre richesse du pays est sans contredit la nourriture. Chaque restaurant nous a fait découvrir de nouvelles saveurs ! C'est l'une des destinations qui m'a le plus éblouie au cours des dernières années et je me suis fait la promesse d'y retourner un jour.

Léa Olivier
autour du monde

2013 et 2014 se sont avérées deux grandes années dans *La vie de Léa Olivier*, puisque mes romans sont parus en France et en Belgique où ils ont connu énormément de succès ! La trajectoire de ma petite Léa m'a aussi permis de visiter le vieux continent lors du Salon du livre de Montreuil, à Paris, et lors de la Foire du livre de Bruxelles, en plus de faire une tournée médiatique en Belgique.

L'une des choses dont je suis la plus fière, c'est que mon éditeur européen (Kennes Éditions) a tenu mordicus à ce que les textes restent québécois. Nous avons donc simplement changé quelques mots qui pouvaient porter à confusion et nous avons ajouté un petit lexique à la fin de chaque tome pour aider mes lectrices européennes à se familiariser avec notre vocabulaire.

Je vous avoue que c'est encore un peu irréel pour moi de retrouver ma petite Léa Olivier dans les plus grandes librairies de France et de Belgique et de voir son visage sur les murs du métro de Paris ! Voici donc quelques photos qui m'aideront à mieux illustrer les moments de bonheur que j'ai passés là-bas !

VS CATHERINE
Léa Olivier

On me demande souvent ce qui m'a inspiré pour écrire la série *La vie compliquée de Léa Olivier*. Ce que beaucoup de mes lectrices ignorent, c'est qu'il s'agit d'une histoire à caractère autobiographique et que même si certains détails sont fictifs, plusieurs personnages de mes romans sont aussi inspirés de gens que j'ai vraiment connus ! J'ai donc décidé de dresser une petite liste de faits intéressants à savoir à propos de Léa Olivier pour te permettre d'en découvrir un peu plus à propos de l'origine de ton personnage préféré !

 J'ai toujours adoré le prénom Léa, et c'est ce qui m'a poussée à le donner à mon personnage principal.

 J'ai moi aussi déménagé à Montréal après ma première année de secondaire alors que j'avais 13 ans. Je ne connaissais personne en ville et les premiers mois ont été très difficiles.

J'ai dû changer d'école en troisième secondaire, et l'une des meilleures amies que je m'y suis faites m'a été très utile pour créer le personnage de Jeanne.

Mon premier chum s'appelait... Alex !

Comme Léa, j'étais vraiment nulle en anglais lorsque je suis arrivée à Montréal, et j'ai dû travailler très fort dans cette matière pendant presque tout le reste de mon secondaire.

Les maths représentaient aussi un défi pour moi, mais j'adorais écrire et j'étais bonne en français, comme Léa Olivier !

J'ai été confrontée à des nunuches tout au long de ma scolarité. L'important, c'est d'apprendre à croire en soi, à se défendre au besoin et de vivre sans s'en préoccuper !

Quand je suis arrivée à Montréal, l'Internet n'était pas ce qu'il est aujourd'hui et c'était difficile pour moi d'entretenir des liens avec mes amies qui habitaient loin. J'ai créé le personnage de Marilou en me basant sur ce manque que j'avais ressenti lorsque j'ai déménagé en ville, et sa personnalité est fortement inspirée de mes meilleures amies.

🍍 Quand j'avais l'âge de Léa, je manquais aussi énormément de confiance en moi, mais j'ai réussi à en acquérir au fil des années.

🍍 Je suis moi aussi allée dans un camp de vacances avec ma meilleure amie de l'époque (comme Léa Olivier dans le tome 4), et mon expérience s'est avérée désastreuse !

🍍 J'ai moi aussi déjà acheté un biscuit à un bouncer (un videur) pour qu'il me laisse entrer dans un bar alors que je n'avais pas l'âge parce que mon grand frère s'y trouvait !

🍍 Je raffolais aussi des mets chinois.

🍍 Quand j'avais l'âge de Léa, j'étais plus réservée qu'elle, et un peu moins gaffeuse !

🍍 Mais tout comme elle, j'ai toujours été l'une des plus petites de ma classe !

SPÉCIAL
Léa Olivier
NOUVELLE
INÉDITE

Party
& malentendus

À : Léa_jaime@mail.com

De : Marilou33@mail.com

Date : Vendredi 2 septembre, 22 h 29

Objet : J'ai hâte !

Salut, Léa !

J'ai tellement hâte à demain ! C'est cool que tu viennes passer la longue fin de semaine chez moi ! En plus, ça tombe trop bien que JP fasse un party. Ça va te permettre de tous nous revoir et de célébrer ta venue comme du monde !

Le seul hic, c'est que je suis un peu fâchée contre Laurie. Ce midi à l'école, Steph m'a raconté qu'elle lui avait dit qu'elle trouvait que je passais trop de temps avec JP et que ça l'énervait qu'on s'embrasse devant elle. Ce qui me gosse le plus là-dedans, ce n'est pas tant qu'elle ait de la difficulté à supporter mon bonheur ou mes moments de tendresse avec mon chum, mais plutôt qu'elle parle dans mon dos au lieu de me dire les choses en pleine face. Je sais qu'elle aime clamer qu'elle n'a pas besoin de chum pour être heureuse, mais ce n'est pas une raison pour porter un jugement sur moi. Qu'en penses-tu ?

Ce soir, j'ai invité Steph chez moi pour m'aider à patienter jusqu'à ton arrivée, et je compte en profiter pour discuter de tout ça avec elle et connaître son opinion. Tu me connais, Léa ! Il me semble que je ne suis pas comme Sarah Beaupré. Ce n'est pas mon genre de me pavaner avec mon chum devant tout le monde ni de crier mon amour sur les toits pour essayer de prouver aux autres que je suis heureuse !

Au moins, ça me fait du bien de me défouler avec toi. J'ai hâte qu'on en rediscute de vive voix. Je t'attendrai au terminus à 13 h 30.

À demain !

Lou xox

À : Léa_jaime@mail.com

De : Jeanneditoui@mail.com

Date : Samedi 3 septembre, 21 h 53

Objet : Alors ?

Salut !

Alors, tu es bien arrivée à destination ? Tu dois être au party du chum de Marilou en ce moment. Tu m'écriras pour me raconter comment ça se passe !

Moi, j'ai décidé de passer la soirée à la maison. Comme Katherine est à Toronto et que tu es chez Marilou, je me suis dit que je profiterais de ma soirée en solo pour relire mes vieux journaux intimes. Je suis aussi tombée sur de vieilles lettres que Maude m'avait écrites en secondaire un, alors que nous étions les meilleures amies. Elle me parle du gars dans l'autre classe qu'elle trouve super cute (José, évidemment), de ses complexes (oui, elle en a déjà eu) et elle fait des blagues super drôles sur les profs. On était tellement proches à cette époque et elle était tellement... vraie. Ça me fait réaliser à quel point elle a changé.

Parlant d'elle, elle m'a écrit aujourd'hui pour m'inviter à un party chez José, demain soir. Je ne comptais pas y aller, mais Alex m'a appelée pour me convaincre de l'accompagner. Je lui ai promis que j'irais faire un petit tour, mais sans plus. Bref, j'aurai sans doute aussi des potins à te raconter.

J'attends de tes nouvelles !

Jeanne

À : Jeanneditoui@mail.com

De : Léa_jaime@mail.com

Date : Dimanche 4 septembre, 11 h 13

Objet : Je suis vivante !

Salut !

Wow, ça me fait bizarre de m'imaginer une Maude pas nunuche ! Katherine et toi m'avez souvent répété qu'elle a déjà été gentille dans une autre vie, et je n'en doute pas puisque vous étiez amies avec elle à l'époque, mais comme tu dis, ce temps-là est révolu. Peut-être que si je l'avais connue au début du secondaire, il n'y aurait pas autant de tension entre nous et qu'on serait même... copines ! T'imagines ?

En tout cas, j'ai bien hâte que tu me racontes la soirée chez José. Je sais que tu y vas un peu à reculons, mais dis-toi qu'au moins, Alex sera avec toi et que tu ne souffriras pas toute seule !

Parlant de solitude, j'avoue que je me sens un peu... rejet depuis mon arrivée ici. C'est fou, car c'est la première fois qu'une visite chez Marilou me met dans cet état-là. Je pense que le party d'hier n'a pas aidé, car je ne me sentais vraiment pas à ma place. C'est comme si j'étais devenue une étrangère. C'est bizarre, hein ? Je ne peux pas en vouloir à Marilou, et je comprends que sa vie a continué depuis mon départ, mais je ne pensais jamais me sentir si loin d'elle.

Les amis de JP étaient tous présents, à l'exception de Thomas, parti à Québec pour la fin de semaine. Tu vas me dire que son absence n'est pas une mauvaise chose, mais honnêtement, j'aurais aimé qu'il soit là, hier soir. Ça m'aurait au moins fait un « ami » avec qui discuter.

Marilou a fait des efforts pour essayer de m'inclure dans les discussions de gang et pour m'expliquer leurs blagues, mais j'ai vite compris qu'il fallait habiter là pour tout saisir. À un moment de la soirée, alors que Marilou discutait avec Steph dans un coin, je me suis installée sur le sofa et j'ai observé le party comme si je n'y participais pas. Je me sentais aussi perdue que lors de mon arrivée à Montréal.

Marilou a senti ma détresse et elle est venue s'asseoir à mes côtés.

Marilou : Hey ! Ça ne va pas ? T'as l'air tout triste.

Moi : Ouais, ça va, mais je me sens un peu bizarre. C'est comme si je n'avais plus rapport ici.

Marilou (en me serrant contre elle) : Tu as TRÈS rapport puisque tu es avec moi.

Moi : Je sais... mais c'est différent. Avant, c'était NOTRE monde, alors qu'aujourd'hui, je réalise que je n'en fais plus vraiment partie.

Marilou (en souriant) : Léa, ne dis pas ça ! Tu sais bien que...

Steph et deux autres filles de leur classe sont aussitôt venues nous interrompre.

Steph (en tirant Marilou par la main) : Viens-t'en ! C'est notre chanson qui joue.

J'ai senti un petit pincement au cœur. Steph et Marilou avaient « leur chanson ».

Marilou (en jetant un coup d'œil vers moi) : Euh ! Ouais, je sais, mais je suis en train de parler à Léa...

Moi (en m'efforçant de sourire) : Ce n'est pas grave, Lou. On en reparlera plus tard. Va danser.

Marilou : Viens avec nous. Ça va te distraire.

Moi : C'est gentil, mais je ne me sens pas d'attaque. Plus tard, OK ?

Marilou m'a embrassée sur la joue et elle est partie danser collées en chantant *Let Her Go* de Passenger. Laurie s'est alors laissée choir à côté de moi.

Laurie : Ça va ?

Moi : Correct. Toi ?

Laurie : Moyen. J'ai l'impression qu'il y a un froid entre les filles et moi. Marilou ne t'a rien dit ?

La vérité, c'est que Lou m'avait expliqué qu'elle était fâchée contre Laurie parce qu'elle avait parlé dans son dos et dans celui de JP. Mais je n'avais aucune envie de m'en mêler.

Moi : Je n'habite plus ici, Laurie. Je ne suis pas au courant.

Laurie : Excuse-moi. Je n'aurais pas dû te mêler à ça.

On est restées assises encore un petit moment, puis j'ai annoncé à Marilou que je voulais rentrer, mais qu'elle pouvait rester. Comme j'ai la clé de sa maison depuis que j'ai huit ans, ça ne causait aucun problème.

Marilou : T'es sûre que tu ne veux pas rester un peu plus ?

Moi : Non. Je suis fatiguée. Mais reste, toi ! On se verra plus tard.

Marilou : Ben non, voyons ! Tu viens jusqu'ici pour me voir. Je ne vais pas te laisser rentrer toute seule, quand même !

Moi : J'insiste, Lou ! Sinon, je vais me sentir trop coupable. Je vais rentrer, je vais lire et plus tard, tu me raconteras tout ce que j'ai manqué.

J'ai réussi à la convaincre et la mère de Laurie m'a déposée chez elle. Je me suis endormie dès que ma tête a touché l'oreiller. En me réveillant ce matin, je me suis souvenue que Marilou avait un entraînement de natation jusqu'à 13 h. Je vais donc regarder la télé avec son petit frère jusqu'à son retour.

Voici le petit résumé de mon séjour jusqu'à présent. Désolée pour le manque d'enthousiasme, mais ça me fait du bien de t'en parler !

Tu m'écriras après le party !

Léa

Dimanche 4 septembre

14 h 14

Laurie (en ligne): Hey ! Je te dérange ?

14 h 14

Marilou (en ligne): Un peu; je viens de sortir de la douche. J'avais un entraînement de natation ce matin, et Léa m'attend pour qu'on fasse quelque chose.

14 h 15

Laurie (en ligne): Je ne te dérangerai pas longtemps. Je voulais juste savoir si tu étais fâchée contre moi.

14 h 15

Marilou (en ligne): Pourquoi tu me demandes ça ?

14 h 16

Laurie (en ligne): Parce que je te sens froide depuis quelques jours et que c'est à peine si tu m'as adressé la parole au party, hier. J'ai demandé à Steph ce qui se passait, et c'est elle qui m'a suggéré de t'en parler...

Marilou (en ligne): Et c'est ce que tu aurais dû faire depuis le départ, Laurie.

14 h 17

Laurie (en ligne): Hein?

14 h 18

Marilou (en ligne): Steph m'a dit que tu lui avais dit que tu trouvais que je passais trop de temps avec JP et que ça t'énervait qu'on se colle devant toi. Pourquoi tu ne me l'as pas dit directement au lieu de parler dans mon dos?

14 h 20

Laurie (en ligne): T'as raison. Je m'excuse. J'étais de mauvaise humeur cette journée-là et je me sentais seule. J'ai décidé de passer ma frustration sur vous. La vérité, c'est que je suis un peu jalouse de toi, Lou. Tu as l'air *full* heureuse avec JP, et je vous envie.

14 h 21

Marilou (en ligne): Hein? Je pensais que tu étais super bien toute seule, que tu n'avais pas besoin d'un chum pour être heureuse!

14 h 22

Laurie (en ligne): C'est vrai 90 % du temps, mais il m'arrive aussi de vouloir être amoureuse, de me coller contre quelqu'un. Bref, je n'aurais jamais dû dire ça à Steph, parce que ce n'est pas vrai. Ça ne m'énerve pas que tu colles JP, ni que tu passes du temps avec lui. J'étais juste un peu jalouse. Est-ce que tu me pardonnes?

14 h 23

Marilou (en ligne): Évidemment que je te pardonne! Mais il faut se promettre qu'on ne laissera plus jamais un malentendu créer un froid entre nous!

14 h 23

Laurie (en ligne): Promis! (Et encore plus quand ce malentendu est lié à un gars!)

14 h 23

Marilou (en ligne): Lol! T'as bien raison! Bon, je t'appelle plus tard! XOX

📱 04-09 14 h 18

Léa? Je viens de lire ton courriel et je voulais m'assurer que tout allait bien!

📱 04-09 14 h 20

Merci, Jeanne! T'es fine! Ça va... même si Marilou *chatte* avec son amie depuis tantôt. Soupir.

📱 04-09 14 h 21

Pourquoi tu ne lui dis pas que ça t'agace et que tu te sens un peu loin d'elle? Il me semble que vous êtes assez proches pour tout vous dire, non?

📱 04-09 14 h 22

Ouais, t'as sans doute raison. Sinon, j'ai peur d'accumuler des frustrations et d'éclater.

📱 04-09 14 h 23

Ouais, et personne ne veut voir Léa Olivier qui explose! Sérieux, tu devrais lui en glisser un mot. Dis-toi que c'est pour le bien de votre amitié!

📱 04-09 14 h 24

OK. Je vais faire ça. Bon, je te laisse. Marilou a enfin fini et on va se promener (en espérant qu'on ne croisera pas sa gang et que je pourrai avoir un peu de temps de qualité avec elle!).

À : Léa_jaime@mail.com

De : Jeanneditoui@mail.com

Date : Lundi 5 septembre, 11 h 33

Objet : Les choses changent!

Salut!

Je sais que tu rentres bientôt à Montréal, mais je voulais juste te faire un minirésumé du party chez José, hier soir!

Quand Alex et moi nous sommes pointés, Maude, Lydia, Marianne et Sophie étaient assises dans un coin et jaugeaient le monde du regard.

Moi (en retenant Alex par le bras) : Laisse-moi pas toute seule avec les nunuches voraces.

Alex (en me poussant vers elles) : Allez! Je suis sûre que t'es capable de te défendre.

J'ai soupiré et je suis allée les saluer.

Moi : Ça va, les filles?

Maude (en plissant les yeux) : Moyen. Y a une fille là-bas qui *cruise* tout ce qui bouge et elle nous énerve.

Lydia : Elle n'arrête pas de flirter avec José.

Sophie : OMG! Maintenant, elle s'attaque à Alex. MON Alex!

Moi : « Ton » Alex ?

Maude : Ouais. Sophie s'imagine qu'il a un *kick* sur elle.

Lydia : Ne t'en fais pas, Maude. Cette fille-là n'a aucune chance avec José ! As-tu vu son style ?!

J'ai toléré leurs commérages encore cinq grosses minutes, puis je suis allée me servir à boire. Alex est aussitôt venu me rejoindre.

Alex : Au secours ! La fille là-bas n'arrête pas de me *cruiser* et Sophie me regarde comme un prédateur !

Moi : Ben, là ! C'est toi qui as insisté pour qu'on vienne au party !

Alex (en chuchotant) : Ouais, et là, j'insiste pour qu'on parte en douce ! Viens !

Alex et moi avons donc quitté le party plate de José dix-sept minutes après être arrivés. C'est ça, une soirée de nunuches !

Et toi ? As-tu fini par t'expliquer avec Marilou ?

Jeanne xx

À : Jeanneditoui@mail.com

De : Léa_jaime@mail.com

Date : Lundi 5 septembre, 16 h 18

Salut !

Bon... Si tu avais des doutes concernant l'ancienne Maude, je crois que ta (brève) présence au party te confirme bel et bien sa métamorphose en reine des nunuches !

Je suis dans l'autobus en ce moment, et j'ai le cœur gros. La bonne nouvelle, c'est que ce n'est pas parce qu'il y a encore un froid entre Marilou et moi, mais bien parce que je suis triste de la quitter.

Après t'avoir écrit hier, je suis allée me balader au parc avec elle.

Marilou : Ça va ? T'es silencieuse depuis ce matin.

Moi (en prenant une grande inspiration) : Lou... J'ai quelque chose à te dire.

Marilou (en posant sa main sur son nez) : J'ai une crotte de nez, c'est ça ?

Moi (en riant) : Ben non !

Marilou (d'un air consterné) : Tu trouves que j'ai grossi ?

Moi : Hein ? T'es folle ! T'es toute mince !

Marilou : OK. Alors c'est quoi ?

Moi : Ça n'a rien à voir avec ton apparence. Ç'a rapport avec... nous deux.

Marilou (en s'assoyant sur une balançoire) : OK. Je t'écoute.

Moi : En fait, ç'a un lien avec ce que j'ai commencé à te dire hier, au party...

Marilou (en levant la main) : Léa, faut que je t'interrompe. Je sais ce que tu veux me dire, et je voulais justement t'en parler. J'ai été vraiment poche, hier. Je n'aurais jamais dû te laisser seule sur le sofa, et encore moins te laisser rentrer sans moi.

Moi : Mais non, c'est correct. Tu as ta vie ici, et je suis contente pour toi. C'est juste que des fois, je te sens loin et...

Marilou : Et tu ne veux pas perdre ta place ?

Moi (en souriant) : Je me sens vraiment bébé de te dire ça comme ça... Mais non, je ne veux pas perdre ma place. Tu es trop importante pour moi.

Marilou : Tu es ma meilleure amie, Léa. En fait, tu es plus qu'une amie. Tu es une sœur. Et tu ne perdras jamais ta place.

J'ai souri.

Marilou : Je comprends ce que tu ressens. Je me sens pareille quand je vais te voir à Montréal.

Moi : Pour vrai ?

Marilou : Ouais. Tu as une nouvelle vie là-bas. Des amis, une gang et des histoires que tu partages avec elle.

Moi : Ouais, mais il y a dix ans d'amitié que je partage avec toi.

Marilou : Je sais. Et il faut se répéter que personne ne nous enlèvera jamais ça, même si nos vies sont un peu différentes à présent.

Moi : Je suis d'accord.

Marilou : Je te promets que plus jamais je ne te laisserai partir d'un party sans moi. De toute façon, c'est plate quand tu n'es pas là.

Moi : OK. Et moi, je te promets qu'à l'avenir, je vais te dire les choses au fur et à mesure.

Marilou s'est levée et m'a serrée très fort.

Moi : Penses-tu qu'on va être encore *best* quand on va être vieilles ?

Marilou : Je suis certaine que oui.

La fin de semaine s'est donc super bien terminée et on a profité des dernières heures ensemble pour passer du temps de qualité.

Merci, Jeanne, de m'avoir convaincue d'en discuter avec Marilou. Même si je suis triste de me séparer d'elle, je suis contente de rentrer dans mon nouveau chez-moi, parce que je sais que j'ai maintenant de vrais amis qui m'attendent !

À demain !

Léa xox

fin.

Léa Olivier ©

Bande dessinée

SORTIE
automne 2014

Depuis la sortie du premier tome de Léa, je caressais le rêve de développer la série sur un autre média, et voilà enfin que mon souhait se réalise !
Le succès de Léa Olivier en Europe a poussé des gens que j'admire à se pencher sur mon histoire et à développer une bande dessinée dérivée de mes romans.

Quand on sait que la Belgique est considérée comme le royaume de la BD, on se sent doublement fière d'être épaulée par une équipe aussi professionnelle. Ludowick Borecki a fait un travail de génie avec le scénario, et Didier Alcante a su illustrer avec brio l'univers de ma Léa.

Je sais que vous êtes plusieurs à vous demander à quoi ressemblent les autres personnages, et je vous offre, dans le petit extrait qui suit, la chance de le découvrir et de vous donner envie de plonger dans la suite !

Bonne lecture,

Catherine.

Léa : Il paraît que le paysage était superbe, mais je t'avoue que j'ai rien remarqué tellement j'étais perdue dans mes pensées !

Marilou : Je te comprends !

Léa : J'étais contente que Thomas soit venu, mais il m'a même pas dit « Je t'aime » ! Ça me fait paniquer, j'ai peur qu'il m'oublie ! Surtout que mes parents disent qu'une relation à distance, c'est super dur !

Léa : Ouais, j'espère… N'empêche je vais me sentir super seule ! J'ai peur d'être rejet [1] en plus ! Pfff j'aimerais bien être comme Félix. Je suis sûre qu'il va encore se débrouiller pour être super populaire !

Marilou : T'en fais pas ! Tu connais ton « beau brun ténébreux » lol ! Il est pas à l'aise avec les mots. Et même si je l'aime pas trop (tu sais bien !), il est quand même très accroché à toi !

Marilou : Ah ! Ah ! Ah ! Toi qui dis vouloir être comme ton frère ?? Incroyable ! Fais-toi confiance, Léa. Tu es une fille super cool et je suis certaine que tu vas te faire des amis !

EST
MONTRÉAL

Léa : Tu me connais, je suis quand même timide et j'ai tendance à me renfermer dans ma bulle. Alors, à Montréal….

Léa : Je me sens toute petite :-)

4

12 août

20 août

EST-CE QUE JE RÊVE ? LE LÉGUME SORT ENFIN DE LA MAISON !?! JE PENSAIS QUE TU T'ÉTAIS FONDUE AU DIVAN !!!

LAISSE-MOI TRANQUILLE ! JE VAIS JUSTE DÉCOUVRIR UN PEU LA VILLE !!!

IL SERAIT TEMPS ! ÇA VA TE CHANGER DE LA TÉLÉ ! ET APPELLE-MOI SI T'AS BESOIN DE MOI OU SI TU TE PERDS, OK !?

NE PRENDS PAS TES RÊVES POUR LA RÉALITÉ ! TU CROIS QUE JE SUIS INCAPABLE DE ME SERVIR D'UN PLAN !?!

Léa : J'ai pris le métro pour aller dans le Vieux-Montréal puisqu'il paraît que c'est « splendide ». (Enfin, d'après mes parents).

Léa : J'avais un peu peur que ce soit plate(L) et rempli de monuments historiques (pas mon style !) mais en fait ça bouge pas mal . Il y a plein de galeries d'art, de boutiques, de restos...

HOTEL NELSON

Léa : Il y a quand même plus d'animation que dans notre village!

Marilou : Ah ah tu vois, tu vas bientôt plus t'ennuyer de ta best ! Tout s'est bien passé alors !?

CLIC !

Léa : Ouais sauf que j'avais mis des sandales :-/.

Marilou : Quoi, tu t'es fait des ampoules parce que t'es pas habituée de marcher !?

Léa : Oui, disons plutôt que j'ai fait la rencontre d'une substance puante.

Marilou : ????????

Léa : T'inquiète pas, mes pieds vont bien ;-) !

6

Léa : Je te jure, tu capoterais ! Il y a TOUTES nos boutiques préférées !!!

Marilou : OMG (L) !!! Qu'est-ce que t'es acheté ??

Léa : Je me suis retenue ! Sinon j'aurais dépensé toutes mes économies ! Je reviendrai avec ma mère.

Léa : Je dois dire que pendant quelques heures, j'ai un peu oublié que j'étais seule au monde ! Le problème, c'est que je suis passé d'une boutique à l'autre sans trop regarder où j'allais... Et dans mon enthousiasme, j'ai même pris le métro 2 ou 3 fois sans consulter le plan !

18/01

Léa : Alors au bout d'un moment...

EXCUSEZ-MOI MONSIEUR, VOUS POURRIEZ M'AIDER...

I'M SORRY YOUNG LADY, I DON'T SPEAK FRENCH AT ALL !

AH EUH...

PARDON, POUR ALLER À LA STATION JEAN TALON ?..?

TU DOIS PRENDRE LA LIGNE VERTE JUSQU'À BERRI. ENSUITE TU CHANGES DE LIGNE. NE PRENDS SURTOUT PAS LA JAUNE !

OK, MAIS ELLE EST OÙ LA LIGNE VERTE ?

MONSIEUR, S'IL-VOUS-PLAÎT !

OUAIS, P'TITE,

EUH... NON RIEN, EXCUSEZ-MOI DE VOUS AVOIR DÉRANGÉ, PARDON...

Léa : Il ne me restait qu'une seule chose à faire !!!

FÉLIX, À L'AÏÏÏIDDEEE !!

♪ CHANTEURS
que tu aimes...

LES GARS
qui te font craquer !

TES FILMS
★ ★ ★ ★
PRÉFÉRÉS
075714309

Des filles inspirantes

LES GARS
te font craquer !

TES EMISSIONS
PRÉFÉRÉES

TES CHANSONS
 préférées ♪

LES GARS
qui te font craquer !

Des filles

TES FILMS
★ ★ ★ ★
PRÉFÉRÉS
075714309

TES CHANSONS
préférées ♪

CHANTEURS
que tu aimes...

Des filles inspirantes

TES EMISSIONS
PRÉFÉRÉES

TES EMISSIONS PRÉFÉRÉES

Des filles inspirantes

TES FILMS
★ ★ ★ ★
PRÉFÉRÉS
075714309 075714309

CHANTEURS
que tu aimes...

LES GARS
qui te font craquer

antes

PALMARÉS
2014-2015

LES GARS
qui te font craquer !

TES CHANSONS
préférées

Des filles inspirantes

LES GA
qui te font cr

TES FILMS
★ ★ ★ ★
PRÉFÉRÉS
075714309 075714309

CHANTEURS
que tu aimes...

CHANTEURS
que vous aimez...

Katy PERRY

Que ce soit pour ses tenues extravagantes, ses coiffures originales et colorées ou sa voix puissante, Katy Perry occupe cette année la troisième place du palmarès. Je serais prête à parier que son album Prism a quelque chose à voir avec cette popularité !

One DIRECTION

Le boys band anglo-irlandais formé de Liam Payne, Harry Styles, Zayn Malik, Niall Horan et Louis Tomlinson est toujours aussi populaire, puisqu'il est sorti grand gagnant de mon sondage sur Facebook !

Little MIX

Ce groupe de pop britannique voit sa popularité monter grâce à sa victoire à l'émission X-Factor en 2011. Les quatre filles qui en font partie ont ensuite conquis le cœur des jeunes aux quatre coins de la planète, y compris au Québec !

Marie-MAI

Pour une cinquième année consécutive, Marie-Mai Bouchard apparaît parmi tes chanteurs préférés ! C'est génial de voir une interprète québécoise semer autant d'émoi partout au pays et même en Europe !

Selena GOMEZ

Eh oui ! C'est l'équipe Selena qui remporte les honneurs cette année ! Son authenticité, sa classe et sa voix lui ont permis de vaincre son ex, Justin Bieber, dans le palmarès de tes chanteurs préférés !

© Helga Esteb

© Helga Esteb
© Feature Flash
© S.bukley

© S.bukley

OCCUPANT LES AUTRES PLACES :

Justin BIEBER
Demi LOVATO
Bruno MARS
Emblem3
Ariana GRANDE

LES GARS

QUI VOUS FONT CRAQUER !

LES GARS DE ♥NE DIRECTI♥N

Pas trop de surprise ici : ce sont les cinq gars (Niall Horan, Zayn Malik, Liam Payne, Harry Styles et Louis Tomlinson) de One Direction qui te font craquer le plus ! J'offre une mention spéciale à Zayn Malik, dont le nom est revenu très souvent !

J♥SH HUTCHERS♥N

Il semblerait que Peeta ait remporté la bataille contre Gale cette année ! En effet, l'acteur américain et vedette de la franchise Hunger Games arrive en deuxième position de ton palmarès !

LES FRÈRES HENSW♥RTH

On peut dire que ces frères sont choyés par la nature ! Chris et Liam font littéralement battre ton cœur et occupent ensemble la troisième position du palmarès.

TAYL♥R LAUTNER

Jacob remporte les honneurs cette année et fait une vive remontée au palmarès des gars les plus craquants! Même si la saga Twilight est terminée, nous espérons toutes le revoir au grand écran très bientôt !!

© Feature flash

TAYL♥R LAUTNER

© s_Buckey

© Helga Esteb

© Helga Esteb

one direction

JUSTIN BIEBER

LES FRÈRES HEMSWORTH

© Julie Perreault

JOEY SCARPELLINO

© Feature flash

JOSH HUTCHERSON

JUSTIN BIEBER ET JOEY SCARPELLINO

Justin et Joey arrivent à égalité au cinquième rang des garçons les plus craquants. Le roi rebelle de la pop et l'acteur québécois ont tous deux su vous faire succomber avec leurs regards perçants et leurs sourires irrésistibles.

Occupant les autres places :

CHANNING TATUM, IAN SOMERHALDER et CODY SIMPSON

© s_Burley

Harmony Gerber

© Jaguar PS

CHANNING TATUM

IAN SOMERHALDER

CODY SIMPSON

VOS EMISSIONS

Mamans gérantes d'estrade

© Canal Vie

Cette téléréalité présentée à Canal Vie dérange et attire apparemment les spectateurs ! On y suit des mères plus qu'ambitieuses qui confient leurs filles à une coach de danse intransigeante. Les « mamans, gérantes d'estrade » sont prêtes à tout pour faire de leurs filles de véritables étoiles montantes.

Unité 9

© La presse

Cette excellente série québécoise apparaît parmi les plus populaires encore cette année. On y suit toujours les déboires de Marie Lamontagne alors que la vérité sur celle-ci s'apprête à voir le jour. Il va sans dire que le travail exceptionnel des acteurs et la découverte du monde carcéral fascinent littéralement les téléspectateurs.

Les Menteuses

© plateautv.com

Comment ne pas succomber à cette mystérieuse série mettant en vedette quatre amies qui tentent d'élucider le mystère entourant la disparition de l'une des leurs et qui doivent lutter contre les menaces et les attaques incessantes de A.

PRÉFÉRÉES

Cette série diffusée à VRAK est toujours aussi populaire! On y suit les mésaventures de quatre amis, Pierre, Cathou, Phil et Magali, qui doivent survivre aux hauts et aux bas de la vie à la polyvalente. Une émission drôle et addictive !

© VRAK tv

VRAK la vie

Pas étonnant que cette nouvelle série présentée sur les ondes de Télé-Québec connaisse autant de succès ! Elle remplace Tactik et aborde les péripéties de cinq personnages (Jennifer, Vincent, Maude, Mélanie et Sami) qui habitent tous le même quartier et qui font leur entrée à l'école secondaire.

© Télé-Québec

Subito texto

© Transdesérie

© Radio Canada

Occupant les autres positions du palmarès
Glee, Les Parent, Le Studio, La Voix et 30 Vies

© rythme FM TVA

© TVQC

HUNGER GAMES
★ ★ ★ ★
L'EMBRASEMENT
★ ★ ★ ★

Le deuxième volet de cette saga de science-fiction est de loin votre préféré. Qu'arrivera-t-il à Katniss dans la suite ? Est-ce que Peeta est sain et sauf ? Qui choisira-t-elle entre lui et Gale ? Et qu'adviendra-t-il des autres districts suite à la rébellion de la population ? J'attends aussi la troisième partie avec impatience !

LA NOTE
★ ★ ★ ★
PARFAITE
★ ★ ★ ★

Il semblerait que les aléas de Beca t'aient plu, puisque La note parfaite arrive en deuxième position ! Si tu ne connais pas ce film, on y suit l'histoire d'une jeune étudiante passionnée de musique qui auditionne pour un groupe de chant a cappella. Elle y fera la rencontre d'une bande de filles assez excentriques et de Jesse, un gars qui chante dans le groupe rival.

ONE DIRECTION
★ ★ ★ ★
LE FILM
★ ★ ★ ★
(OD : This is us)

Pas étonnant que ce film occupe le troisième rang étant donné la popularité du groupe One Direction ! Si tu es une fan inconditionnelle du groupe de musique, alors je te conseille de voir ce long-métrage qui te plongera au cœur de l'une de leurs tournées. Tu pourras ainsi apprendre à mieux connaître tes idoles !

VOS FILMS

C'est toujours génial de voir un film québécois parmi les finalistes ! Il était une fois les boys est en fait l'antépisode (c'est-à-dire l'épisode 0) des films et de la série télévisée Les Boys.

L'HIVER QUI A CHANGÉ MA VIE

Le film fantastique adapté des romans portant le même nom et le film québécois réalisé en 3D qui raconte l'histoire de Janeau, un jeune prodige du hockey qui vit des hauts et des bas en joignant une nouvelle équipe, arrivent à égalité au cinquième rang !

Occupant les autres positions du palmarès :

PRÉFÉRÉS

VOS CHANSONS préférées

Story of my Life de OneDirection

The story of my life
I take her home
I drive all night to keep her warm
And time... is frozen (the story of, the story of)
The story of my life
I give her hope
I spend her love
Until she's broke
Inside
The story of my life (the story of, the story of)

You and I de OneDirection

You and I
We don't wanna be like them
We can make it till the end
Nothing can come between
You and I
Not even the Gods above can
Separate the two of us
No nothing can come between
You and I
Oh, you and I

Let Her Go de Passenger

Well you only need the light when it's burning low
Only miss the sun when it starts to snow
Only know you love her when you let her go

Only know you've been high when you're feeling low
Only hate the road when you're missin' home
Only know you love her when you let her go
And you let her go

© Harald Krichel

Counting Stars de One Republic

© Helga Esteb

Lately I've been, I've been losing sleep (hey!)
Dreaming about the things that we could be
ut baby, I've been, I've been prayin' hard (hey!)
Said no more counting dollars
We'll be counting stars
Lately I've been, I've been losing sleep (hey!)
Dreaming about the things that we could be
But baby, I've been, I've been prayin' hard (hey!)
Said no more counting dollars
We'll be, we'll be counting stars

3000 Miles d'Emblem3

3000 miles away
Feels like it's forever
Seems like yesterday
We were running around town together
This place, just aint the same
I miss the stormy weather
I'm not okay
3000 miles away

© Helga Esteb

Say Something de Christina Aguilera

Say something, I'm giving up on you
I'll be the one, if you want me to
Anywhere, I would've followed you
Say something, I'm giving up on you

Love Will Remember de Selena Gomez

Love will remember you, love will remember
me I know it inside of my heart,
Forever will forever be ours, even if we try to forget,
Love will remember, love will remember
Love will remember, love will remember, love will
remember

Différents de Marie-Mai

Ils sont toi et moi.
Les ailes deployées dans le vent et
tous aussi différent.
Ils sont toi et moi a la quête des rêves les plus
grands et tous aussi importants.
Ils sont toi et moi.

You Belong With Me
de Taylor Swift

If you could see
That I'm the one
Who understands you.
Been here all along
So, why cant you see?
You belong with me,
You belong with me?

© Helga Esteb

On leur a fait croire
d'Alex Nevsky

Pa pa pa, Pa pa pa
On s'était pas démaquillés
On a mis du fard sur nos joues
On s'est éteint, Déracinés
On a mis du soir sur nos jours
On s'est soumis, on a plié
On a mis le mors à nos bouches
On s'est pourri et bâillonnés
On a mis la mort à nos trousses
Pa pa pa, Pa pa pa

© Patrick Lamarche

Je cours de Marie-Mai

Va savoir pourquoi le désir s'en va.
Est-ce que le ciel se joue de toi et moi ?
Est-ce que l'amour entre nous reviendra ?
Le jour, je le cherche et je cours.
Je prends tous les détours pour le retrouver.
La nuit, je l'appelle et je prie parmi tout les cœurs
abandonnées
Et j'ai crié à m'en briser la voix.
Creusé jusqu'au plus profond de moi.
Le jour, je le cherche et je cours.
Je le cherche et je cours.

© Bruno petrozza

Des filles inspirantes

© Bruno Petrozza

Marie-Mai

Encore une fois cette année, la chanteuse québécoise apparaît parmi les filles qui vous inspirent le plus ! Comme tu le sais sûrement, elle s'est fait connaître à la suite de sa participation à la téléréalité Star Académie en 2003, où elle a perdu en finale contre Marie-Élaine Thibert. Mais sa deuxième place n'a rien à voir avec le succès qu'elle a connu par la suite ! En effet, tous ses albums ont été certifiés platine et elle fait encore aujourd'hui salle comble partout où elle va. Les jeunes ne cessent de s'identifier à elle, aux chansons qu'elle compose et à son look marginal !

Elle vit aussi une histoire d'amour exceptionnelle avec son mari, Fred Saint-Gelais. Elle incarne le succès, la beauté, le talent et l'amour ; pas étonnant qu'on l'admire autant !

© Helga Esteb

Selena Gomez

Comment ne pas tomber sous le charme de cette jolie comédienne et chanteuse ? Elle a l'air si gentille qu'on a toutes envie de l'inscrire à notre carnet de BFF ! Elle inspire confiance, et contrairement à certaines de ses collègues, le succès ne semble pas lui être monté à la tête ni l'avoir poussée à défier les lois. Maintenant que sa relation avec Justin Bieber est sur la glace, Selena peut se concentrer sur sa carrière et continuer de t'émouvoir avec ses chansons !

© s-burley

Demi Lovato

Demi s'implique énormément dans les causes qui me tiennent
à cœur, et c'est une artiste pour qui j'ai beaucoup de respect.
Elle a connu des moments très difficiles au cours de sa vie,
et aujourd'hui, elle s'inspire de ces épreuves pour aborder
avec les jeunes des thèmes tels que les troubles alimentaires,
l'intimidation et l'auto-mutilation.

Ce que j'aime aussi de Demi Lovato, c'est qu'elle ne correspond
pas aux stéréotypes d'Hollywood et qu'elle encourage les filles à
s'aimer comme elles sont et à être bien dans leur corps.

© Jaguar PS

Jennifer Lawrence

Depuis qu'elle a trébuché en allant chercher son trophée lors de la cérémonie des Oscars en 2013, Jennifer Lawrence fait aussi partie de mes coups de cœur ! Elle a décidé de réagir en se moquant de la situation et en faisant de l'autodérision, et c'est une attitude que j'adore.

Même si Jennifer Lawrence est une actrice extrêmement talentueuse, elle reste très humble et accessible à tous, et je trouve que c'est ce qui fait son charme. C'est une fille qui a une bonne tête sur les épaules et qui n'a pas peur de dire ce qu'elle pense ni d'assumer ce qu'elle est. La preuve : elle refuse de maigrir pour des rôles ou de se laisser influencer par l'industrie américaine. Elle est très humaine et je crois que son naturel est une des raisons pour lesquelles on l'adore autant !

© JStone

Lea Michele

L'actrice et chanteuse américaine s'est retrouvée sur la sellette lorsque son partenaire dans Glee et son petit ami de longue date, Cory Monteith, est décédé à la suite d'une overdose d'alcool et de drogues l'année dernière. Lea, qui ne semblait pas au courant des démons qui pourchassaient son copain, a fait preuve de force immense pour surmonter cette épreuve et poursuivre le tournage de leur émission.

Plusieurs se sont senties interpelées par sa peine et se sont montrées solidaires du deuil qu'elle vivait. Lea Michele a su garder la tête haute en rendant hommage à son amoureux lors d'une remise de prix et en lui dédiant la chanson *If You Say So* dans son album Louder, où elle parle des dernières paroles qu'ils se sont échangées.

© La presse

Les soeurs Dufour-Lapointe

Lors des Jeux olympiques de Sotchi, la performance de Justine et de Chloé Dufour-Lapointe a épaté tous les Canadiens, alors qu'elles sont parvenues à mettre la main sur les médailles d'or et d'argent à la compétition de ski acrobatique. Leur aînée, Maxime, a quant à elle terminé au douzième rang. Les trois sœurs sont habituées de skier ensemble, puisqu'elles ont passé leur enfance à dévaler les pistes des Laurentides et à pratiquer le ski de bosse. Justine, la plus jeune, est la véritable étoile montante, tandis que Chloé est celle qui a le plus d'expérience.

Les trois sœurs ont toujours été proches, voire inséparables, alors ce n'est pas étonnant qu'elles partagent la même passion ! Elles ont même passé deux mois à bord d'un voilier lorsqu'elles étaient petites ! Aujourd'hui, elles ont leur page Facebook et leur compte Twitter et elles continuent à parcourir le monde ensemble pour récolter les médailles et accumuler les exploits !

Passage du primaire au secondaire

La peur de la nouveauté

Ton primaire tire à sa fin et même si tu as souvent clamé haut et fort que tu avais hâte de commencer le secondaire, voilà que tu es soudainement prise d'une angoisse et d'une crainte face à ce que l'avenir te réserve. Ne t'en fais pas, puisqu'il s'agit d'une réaction super normale avec l'arrivée imminente du secondaire et le saut que tu devras faire dans les prochains mois.

Où sont mes amis ?

Le passage du primaire au secondaire marque un moment très important dans ta vie. Il se peut que tu aies fréquenté la même école pendant les sept dernières années et que pour la première fois de ton existence, tu doives t'inscrire dans un nouvel établissement scolaire. Comme tu es entourée d'une bande d'amis que tu connais depuis longtemps et que tu te sens très à l'aise auprès de tes camarades de classe, c'est normal d'être nerveuse à l'idée de repartir à zéro dans une grande école sans pouvoir compter sur la présence de tes copains. En effet, il arrive souvent qu'au secondaire, on décide de fréquenter un établissement différent de celui de nos amis, et la peur de se retrouver seule est hyper fréquente et tout à fait normale. Si tu te reconnais, laisse-moi tout de suite te rassurer : même si tu as peur d'être rejet ou de ne pas te faire d'amis, sache que tout le monde se trouve un peu dans le même bateau que toi et que c'est assez facile de rencontrer des gens et de se lier d'amitié avec les autres au début du secondaire. En effet, la plupart des gens qui se retrouveront dans ta classe se sentiront aussi un peu esseulés et perdus et ne demanderont rien de mieux que d'apprendre à mieux te connaître.

Comment me faire de nouveaux amis ?

La première chose à faire est de t'ouvrir aux autres et de ne pas avoir peur de leur montrer ta personnalité. Il ne faut pas que tu hésites à sortir de ta coquille et à te montrer ouverte et souriante à ton nouvel entourage. Dis-toi que tu as tout à découvrir à propos de tes camarades, alors il ne faut pas que tu hésites à leur poser des questions pour mieux les connaître. C'est ainsi que tu pourras déterminer avec qui ça clique davantage. L'essentiel, c'est que tu trouves des personnes avec qui tu peux être complètement toi-même et qui t'aiment et te respectent telle que tu es.

Je crois que l'implication scolaire est aussi une super bonne façon de se faire de nouveaux amis. N'hésite donc pas à t'inscrire dans une activité parascolaire, une équipe sportive ou un comité qui t'intéressent et qui te permettront de rencontrer des gens avec qui tu auras des tonnes de choses en commun.

Comment garder contact si on ne va plus à la même école ?

Même si ta *best* et toi ne fréquentez pas la même école secondaire, rien ne vous empêche de vous parler le soir ou de vous voir pendant la fin de semaine pour tout vous raconter. Dis-toi que tu pourras maintenant compter sur quelqu'un pour t'écouter et te donner une opinion objective sur ce que tu traverses à l'école.

Je sais que c'est difficile de ne plus la voir tous les jours et de ne pas partager tous les petits moments de ton quotidien avec elle, mais je crois que c'est aussi génial de pouvoir compter sur une amie à l'extérieur de l'école. Évidemment, tu apprendras de ton côté à mieux connaître tes camarades et tu formeras sans aucun doute des liens forts dans ta nouvelle école, tout comme ta best se liera aussi d'amitié avec les gens qui l'entourent, mais il ne faut pas que ces nouvelles relations te fassent peur. Ces nouvelles amitiés ne changent rien à ce qui vous unit, au contraire, vous aurez plus de choses à vous raconter maintenant que vous vivez dans un univers différent.

Savoir s'accorder du temps

C'est normal que les premières semaines de secondaire t'angoissent et que tu te sentes un peu perdue et désorientée lors de la rentrée, mais je t'assure qu'on finit par s'y faire. L'important, c'est simplement de t'accorder un peu de temps pour te familiariser à ton nouvel environnement et aux nouveaux camarades qui t'entourent. Je sais que le secondaire est une étape importante et que ça peut être assez terrifiant de repartir à zéro, mais c'est aussi génial d'apprendre à connaître de nouvelles personnes, de fréquenter de nouveaux professeurs et de sentir que tu évolues dans un monde de grands où tu pourras t'épanouir en jouissant d'une plus grande liberté. Le tout en apprenant à assumer de nouvelles responsabilités qui t'aideront à te former un caractère unique !

INTIMIDATION

UN PROBLÈME TRÈS PRÉSENT

Au cours de la dernière année, on a énormément parlé du phénomène de l'intimidation et de la cyberintimidation dans l'actualité. De plus, de nombreuses filles m'ont écrit à VRAK ou dans la revue COOL pour me confier qu'elles étaient victimes d'intimidation et de rejet ou alors qu'elles avaient été témoins d'actes agressifs envers des camarades de classe. Il s'agit d'une problématique qui m'affecte énormément, et c'est important que toutes les victimes comprennent qu'elles n'ont pas à endurer un tel sort et qu'elles n'ont absolument rien à se reprocher.

POURQUOI INTIMIDER ?

Il va de soi que l'intimidation est un véritable fléau dans les écoles. Ce qu'on ignore toutefois, c'est ce qui incite les bourreaux à agir ainsi. Plusieurs de ceux qui décident de s'en prendre gratuitement aux autres ne réalisent pas toujours l'impact que leurs gestes et leurs paroles peuvent avoir sur leurs victimes. En effet, les intimidateurs agissent souvent de la sorte pour combler une insécurité ou un manque de confiance en eux sans tenir compte des blessures qu'ils infligent aux autres. Il arrive aussi parfois qu'ils s'acharnent sur leurs victimes pour paraître plus forts aux yeux de leurs camarades et pour rehausser leur estime. Quoi qu'il en soit, tu dois savoir que personne ne mérite de se faire traiter de façon irrespectueuse, et que si toi ou une personne de ton entourage êtes victimes d'intimidation, c'est essentiel d'agir pour y mettre un terme au plus vite.

COMMENT FAIRE POUR QUE CELA CESSE ?

Nombreuses sont les victimes d'intimidation qui se taisent de peur des répercussions. Si quelqu'un de ton école s'en prend constamment à toi, je comprends que tu craignes d'attirer sa foudre en le dénonçant, mais je t'assure que si tu ne fais rien, les choses ne s'amélioreront pas. La première chose à savoir lorsqu'on est témoin ou victime d'intimidation, c'est que rien ne justifie un tel comportement, et qu'il ne faut pas se laisser faire. Il se peut que la personne qui s'acharne sur toi t'en veuille pour une raison que tu ignores et que plutôt que de t'en parler, elle réagisse en t'insultant et en te rabaissant. Tu pourrais donc décider d'en discuter directement avec cette personne pour comprendre ce qui motive son comportement et pour lui expliquer que son agressivité te blesse et te dérange. Une discussion calme et honnête peut parfois suffire à régler les malentendus et mettre un terme au conflit.

Si toutefois tu constates que ton bourreau ne veut rien entendre et qu'il se moque complètement de ce que tu lui dis, alors il ne faut pas hésiter à le dénoncer à un professeur, au directeur, à un responsable ou à un adulte de confiance pour qu'il comprenne qu'il ne peut pas agir de la sorte sans qu'il y ait des conséquences à ses agissements.

Si tu réalises qu'une amie ou un camarade est tombé dans les griffes d'un intimidateur, n'aie pas peur non plus d'en parler à quelqu'un et d'agir pour que l'intimidation cesse au plus vite. Tu peux aussi l'encourager à en discuter avec un adulte en qui elle a confiance et à se confier pour redorer son estime de soi.

La plupart des cas d'intimidation se déroulent devant les autres. Lorsqu'une telle situation survient, il ne faut pas prendre part au spectacle ou encourager les intimidateurs. Il est préférable de s'adresser à un responsable pour dénoncer les actes déplacés et chercher à y mettre fin rapidement.

Dis-toi que tant et aussi longtemps que tu garderas le silence, les personnes qui intimident les autres resteront protégées et n'auront pas à vivre les conséquences de leurs actions. C'est donc hyper important que tu dénonces tous les actes violents dont tu es témoin !

TU N'ES PAS SEULE

Si tu es victime d'intimidation, il ne faut surtout pas que tu croies que tu es la seule dans ta situation. L'important, c'est que tu t'entoures de gens en qui tu as confiance et que tu te confies à eux sans t'isoler. Tu dois aussi te répéter que les gestes de tes bourreaux ne changent absolument rien à ce que tu es ni à ce que tu vaux, alors tu dois continuer de croire en toi sans avoir peur de dire ce que tu penses et de t'assumer devant les autres. Tu es une fille géniale que les gens gagnent à connaître, et le vrai perdant dans toute cette histoire est celui qui intimide.

Des papillons sur mes blessures

Par Joannie Roy

Je n'aime pas l'été. Parce qu'il fait chaud. Parce que l'on porte des manches courtes et des shorts. J'aimerais vivre en hiver tout au long de l'année. Parce que mes longs chandails cachent mes bras. Parce que mes jeans cachent mes chevilles.

Parce que l'hiver cache mes blessures.

J'ai les bras et les jambes remplis de cicatrices. Certaines sont blanches, d'autres sont encore rouges. Chaque été, je dois jongler avec les regards interrogatifs des gens que je rencontre. Je dois trouver toutes sortes d'histoires abracadabrantes pour expliquer les blessures sur ma peau.

Je ne le dis pas que c'est moi qui me les inflige.

Je me mutile.

Parce que quand ma tristesse ou ma souffrance est trop vive, je préfère me faire mal aux bras plutôt que de continuer d'avoir mal au cœur.

Mais cette solution, elle est temporaire. C'est pour ça que j'ai autant de marques sur mon corps. Parce que les coupures, elles arrêtent de saigner après quelques minutes, mais ma peine, elle, reste.

Je ne veux pas mourir.

Et je ne veux pas attirer l'attention. C'est d'ailleurs pour ça que je préfère la saison froide aux sandales d'été. Je ne veux pas que les gens sachent. Parce que j'ai honte et je ne sais pas comment arrêter. J'ai commencé il y a deux ans quand mes parents ont décidé de divorcer. Et ensuite, chaque fois que j'ai une période difficile, mon corps devient le témoin de mon chaos intérieur.

Mais je ne veux plus me faire mal de cette manière.

Un jour, je suis tombée sur une page Facebook qui s'appelle le « Projet Papillons ». Ce projet, c'est une façon d'aider à diminuer l'automutilation. C'est une façon de reprendre possession de mon corps.

Chaque fois que j'ai envie de m'automutiler, je dessine un papillon à l'endroit où je veux me faire mal. Je ne l'efface pas. Il s'estompe seul au même rythme que ma souffrance.

Un papillon à la place d'une blessure.

À travers ce projet, j'ai réalisé que je n'étais pas seule à vivre ce problème. Je me suis mise à parler avec les autres sur la page. Personne ne me jugeait. Au contraire. On s'épaulait et on se donnait des trucs pour tenter de trouver des solutions de rechange à notre automutilation. J'ai décidé d'en parler à ma meilleure amie. J'ai confiance en elle. Maintenant, quand elle sent que je vis un moment difficile, elle dessine un papillon sur mon bras et écrit son nom à l'intérieur des ailes. J'écris aussi le nom des gens que j'aime. Les gens qui tiennent à moi. Mes parents. Mes amis. Même celui de mon chat !

J'ai encore parfois de la difficulté à gérer mes émotions négatives, mais je ne reste plus dans mon cocon.

J'en parle à ma famille ou à ma meilleure amie. Parfois, j'en parle sur les forums d'entraide. J'ai même appelé une ligne d'écoute, ce qui me permet de rester anonyme quand je n'ai pas envie d'en discuter avec mes parents. Quand j'en parle ou que je me change les idées, cela va toujours mieux. Et ces solutions ne laissent pas de cicatrices sur ma peau.

Cet été, j'ai hâte.

Parce que l'été, c'est la saison des papillons!

****

Tel-Jeunes

http://teljeunes.com/accueil

Projet papillon : http://onesttousdifferents.skyrock.com/3184465553-Le-projet-papillon-pour-arreter-de-se-mutiler.html

****

Sept alternatives à l'automutilation :

1 Parler à un ami ou quelqu'un en qui tu as confiance !

2 Crie à tue-tête pour extérioriser ta peine et ta souffrance.

3 Dessine un papillon sur ta peau.

4 Serre une poignée de glaçons dans tes mains.

5 Mords dans un citron ou un piment fort.

6 Mets un élastique autour de ton poignet et donne de petits coups quand tu sens une crise qui monte en toi.

7 Dessine un carré à l'endroit où tu voudrais te faire mal. Chaque jour, dessines-en un plus petit jusqu'à ce qu'il disparaisse.

L'entrepreneuriat
pour les filles

Moi, une entrepreneure ?!

Par Despina Sourias avec la collaboration de Caroline Gauthier et Éricka Alnéus, Glambition Entrepreneurship Montréal (www.glambition.me)

As-tu déjà pensé à ce que tu voulais faire comme travail plus tard? Savais-tu que c'était possible de devenir ton propre patron ? Eh oui! Si tu le désires, tu pourrais décider de développer chez toi des qualités qui vont te permettre d'être une entrepreneure !

Mais… une entrepreneure, ça fait quoi exactement ? Une entrepreneure est une personne qui voit, dans son environnement, un besoin à combler et qui décide de s'organiser pour y trouver une solution ! Par exemple, tu réalises que dans ton école les élèves n'ont pas d'endroit cool et accessible pour passer l'heure du lunch. Une personne entreprenante pourrait avoir l'idée d'en parler avec ses amies et avec ses professeurs pour aider l'école à monter une salle de loisirs. Cette salle permettrait aux élèves d'avoir un lieu où se rencontrer le midi. Parfois, une entrepreneure aimerait combler un de ses propres rêves ou de ses besoins. Dans le cas d'une jeune fille qui aimerait s'acheter un nouveau vélo, si elle était entreprenante, elle offrirait à ses voisins de promener leur chien en échange d'argent qu'elle mettrait de côté pour s'acheter le vélo de ses rêves ! Bref, l'entrepreneuriat, ce n'est pas compliqué ! C'est de trouver des moyens pour réaliser ses objectifs.

Être entreprenante, ça veut aussi dire que tu renforces des qualités telles que le leadership, la coopération, le sens des responsabilités et de l'organisation.

Le leadership consiste à amener les autres à suivre tes idées. La coopération, c'est travailler avec les autres pour faire avancer un but qu'on a en commun. Par exemple, si on doit faire le ménage avec nos frères et sœurs à la maison, chacun fait une tâche (laver la salle de bains, faire les lits, sortir les ordures, etc.) pour que tous les membres de la famille participent à garder la maison en ordre. Ce qui est génial, c'est que le leadership et la coopération peuvent venir ensemble. Un leader peut être la personne qui aide les autres à rester motivés et à participer, mais il faut aussi donner autant de son temps et de son énergie que les autres. C'est pour ça que le leader doit avoir le sens des responsabilités. Quand on veut vraiment atteindre un objectif, que ce soit de s'acheter un vélo ou de créer une salle de loisirs pour les élèves de l'école, il faut être capable de faire les tâches que l'on a promis de faire.

Être responsable, c'est accomplir des actions pour réaliser son but même s'il y a des difficultés en cours de route. Comme dans *Le petit prince* d'Antoine de Saint–Exupéry, « tu deviens responsable pour toujours de ce que tu as apprivoisé ». Dès que tu t'engages à t'occuper de quelqu'un (un chat, une amie) ou de quelque chose (une tâche pour un projet), il est important de ne pas oublier tes responsabilités. Le meilleur moyen pour ne pas les oublier, c'est d'être organisée. Avoir le sens de l'organisation veut dire se donner une façon ou un ordre de tâches à suivre seule ou en équipe pour que son projet soit réussi. Par exemple, si tu veux vendre de la limonade pour faire un peu d'argent pour une sortie à La Ronde mais que tu ne fais pas de plans pour acheter les citrons et les autres ingrédients pour ta recette, préparer la limonade, le kiosque et tes pancartes pour vendre ta limonade à tes voisins, tu ne vendras pas de limonade. Résultat : pas de vente = pas de sous pour la sortie.

Bref, pour que ton projet se réalise, il te faut du leadership, l'esprit de coopération, le sens des responsabilités et savoir organiser les tâches de ton projet !

Tu te demandes sûrement comment faire pour en apprendre plus sur l'entrepreneuriat. Partout au Québec, des personnes qui travaillent dans les Carrefours jeunesse-emploi (*www.trouvetoncje.com*) peuvent t'aider à mieux comprendre ce qu'est une entrepreneure et comment le devenir quand tu seras une adulte qui travaillera plus tard. Les agents de sensibilisation à l'entrepreneuriat jeunesse, connus sous l'acronyme ASEJ, sont de jeunes professionnels dynamiques qui aident les jeunes comme toi à faire le lien entre tes qualités personnelles et les projets qui te tiennent à cœur. Dans le monde du travail, l'entrepreneure est une personne qui a sa propre compagnie. L'ASEJ t'aidera à voir si tu veux devenir ton propre patron ou utiliser tes qualités d'entrepreneure pour faire avancer des projets qui pourraient améliorer ta communauté. En novembre de chaque année, à Québec et à Montréal, certaines agentes de sensibilisation préparent une activité d'une journée pour les jeunes filles intéressées à connaître le parcours d'une entrepreneure. Glambition Entrepreneurship veut éveiller ton goût d'entreprendre tes rêves les plus précieux. Les organisatrices de l'événement invitent les filles à participer à une telle journée éducative et ludique ! Et tu peux aussi créer une activité comme celle-ci dans ton école ! Si tu veux en savoir plus, va sur le site internet de l'événement à Montréal, *www.glambition.me* ou à Québec, *www.glambitionquebec.com*.

Qui sait, l'entrepreneuriat, ça peut être cool, non ?

Despina Sourias, Caroline Gauthier
et Éricka Alnéus

Quelle vedette pourrait être ta meilleure amie ?

1. Tes amies te décriraient comme une fille…

a) Drôle ! Peu importe la situation, tu as toujours une blague à raconter.

b) Émotive. Éternelle romantique, tu es la première à pleurer pendant les films d'amour.

c) Sociable. Tu connais tout le monde et tout le monde te connaît.

2. Tu es invitée à la soirée des Oscars ! Comment choisis-tu ta robe pour l'occasion ?

a) J'y vais pour une robe que j'aime et que je trouve amusante et originale. Je me soucie peu de ce qui est à la mode, tant que ça me plaît.

b) Je choisis une robe élégante et classique avec quelques touches de dentelle ou un motif fleuri.

c) Je cherche quelque chose de très avant-gardiste qui flattera ma silhouette et fera tourner toutes les têtes.

3. Tu as envie de changer de tête ! Pour quelle coupe de cheveux optes-tu ?

a) Une amie m'a dit qu'une coupe courte m'irait bien. Je suis partante ! Allez hop, on coupe tout ! Au pire, ça repoussera !

b) Je garde mes cheveux longs, car j'aime pouvoir les friser et élaborer de jolies coiffures. Je me laisserais peut-être tenter par un léger ombré.

c) Une coupe asymétrique ou très structurée avec une couleur vive et saturée.

4. Tu gagnes un voyage et tu peux choisir ta destination. Pour quelle ville t'envoles-tu ?

a) Nairobi, la capitale du Kenya, ou a New Delhi en Inde pour un projet humanitaire. Je veux découvrir une nouvelle culture et vivre un dépaysement.

b) Paris pour y visiter les musées et pour y découvrir les cafés locaux ainsi que les petites boutiques.

c) New York, la capitale américaine de la mode. La ville qui ne dort jamais offre des divertissements 24h/24.

5. À quoi ressemble ta routine matinale ?

a) Je me brosse les dents, je prends ma douche, j'enfile quelque chose et je suis prête à partir.

b) Je prends le temps de bien choisir mes vêtements, je me coiffe et je mets un peu de maquillage.

c) J'ai choisi la veille l'ensemble que je vais mettre. Je veux m'assurer d'être au top. J'aplatis mes cheveux et je teste un nouveau maquillage dramatique.

6. À quoi ressemble la soirée idéale avec ta meilleure amie ?

a) On se rejoint chez moi pour décider ce qu'on fera. Peut-être une soirée cinéma où on ira voir 3 films de suite ou aller essayer un nouveau restaurant.

b) Magasinage jusqu'à ce que les boutiques ferment et soirée pyjama avec potins, comédies romantiques et tonne de bonbons au programme.

c) J'arrive tôt chez elle avec la moitié de ma garde-robe dans mon sac. On met nos vêtements en commun et on se prépare à aller faire la fête toute la nuit !

Si tu as une majorité de...

7. Qu'est-ce qui t'attire chez un gars ?

a)   Son sens de l'humour

b)   Son côté attentionné

c)   Ses aptitudes sociales

8. Tu trébuches dans l'autobus et tu t'aplatis comme une crêpe devant tout le monde. Comment réagis-tu ?

a)   J'ai de la difficulté à me relever tellement je ris.

b)   Je me relève péniblement, la larme à l'œil. Je déteste les situations embarrassantes lors desquelles je cache difficilement tes émotions.

c)   Je me relève aussitôt et je fais comme si de rien n'était. Pas question de perdre la face !

Majorité de A : Jennifer Lawrence

J-Law et toi êtes faites pour vous entendre. Vous avez toutes les deux un grand sens de l'humour et nous n'avez pas peur du ridicule. Jennifer serait le genre de fille à participer à tes projets les plus loufoques, voire même à y ajouter sa propre touche de folie. Vos soirées entre filles ne seraient jamais ennuyantes. L'honnêteté régnerait dans votre relation d'amitié puisque vous êtes deux personnes naturelles, fidèles à vous-mêmes et intègres.

Majorité de B : Taylor Swift

Tout comme Taylor, tu es passionnée et émotive. Vos journées de magasinage n'auraient d'égales que vos soirées de potinage. Taylor et toi pourriez partager vos moindres secrets. Vous seriez des amies très attentionnées l'une envers l'autre. Vous ne manqueriez jamais de vous supporter mutuellement lors d'une peine d'amour ou après une chicane avec vos parents. Vos styles semblables vous permettraient d'échanger vos vêtements et d'inventer ensemble de nouvelles coiffures au style romantique.

Majorité de C : Marie-Mai

Marie-Mai pourrait très bien devenir ta meilleure amie. Comme elle, tu aimes bouger, sortir et faire la fête. Marie-Mai et toi feriez tourner toutes les têtes en arrivant bras dessus bras dessous à n'importe quel party grâce à votre style unique. Votre amour de la mode et votre goût partagé pour les évènements hauts en couleur vous feraient passer ensemble des moments inoubliables.

Quel héroïne de film fantastique es-tu ?

1. Dans quel lieu aimes-tu le plus te retrouver seule ?

a) Dans une bibliothèque ou dans une librairie

b) Dans la nature

c) Dans ma chambre

2. Quelle habitude les autres trouvent-ils agaçante chez toi ?

a) Je reprends toujours les gens lorsqu'ils font des erreurs.

b) Je ne souris pas beaucoup.

c) Lorsque j'ai quelque chose en tête, impossible de me l'enlever.

3. Selon toi, quelle est ta plus grande qualité ?

a) Mon courage

b) Ma débrouillardise

c) Mon côté fonceur

4. Le gars idéal est…

a) Mon meilleur ami. Il n'est pas le plus beau ni le plus populaire, mais nous partageons quelque chose de spécial.

b) Celui qui sera capable de percer ma coquille et qui saura persévérer pour arriver à me conquérir.

c) Le gars sur qui toutes les filles ont un œil. Il est très beau et sûr de lui. Le défi qu'il représente m'attire.

5. Choisis une couleur parmi celles-ci :

a) Rouge

b) Vert

c) Noir

6. Que choisirais-tu parmi les accessoires vestimentaires suivants ?

a) Une paire de jeans confortables

b) Des bottes de cuir pour marcher en forêt

c) Un manteau de cuir

7. Qu'est-ce qui t'attire chez un gars ?

a) Son sens de l'humour

b) Son côté attentionné

c) Ses aptitudes sociales

8. En classe, tu es celle qui…

a) Lève la main pour répondre à toutes les questions.

b) S'installe dans la dernière rangée et tente de se faire oublier.

c) Rêvasse et remplit ses cahiers de dessins et de gribouillis.

Majorité de A : Hermione Granger dans Harry Potter

Comme Hermione, tu es une fille à la fois courageuse et très réfléchie. Tu es souvent l'intello du groupe et ça te convient très bien! Tu es curieuse et tu adores en apprendre davantage sur un tas de choses. Tu es reconnue pour avoir réponse à tout! Tu es une amie fidèle et tu sais résoudre les problèmes et les conflits facilement grâce à ta diplomatie et à tes capacités d'analyse.

Majorité de B : Katniss Everdeen dans Hunger Games

À l'image de Katniss, tu ne t'ouvres pas facilement aux autres. Tu as de la difficulté à montrer tes sentiments ou à t'attacher, mais lorsque tu offres ton amitié, c'est pour la vie. Tu es prête à tout pour défendre ceux que tu aimes. Comme l'héroïne de Hunger Games, tu n'aimes pas beaucoup attirer l'attention. Tu préfères passer du temps seule à pratiquer des activités physiques à l'extérieur.

Majorité de C : Clary Fray dans La Cité des Ténèbres

Ton tempérament entêté et fonceur rappelle celui de Clary. Comme elle, tu ne te laisses jamais décourager, même devant une situation qui peut sembler impossible. Ambitieuse, tu ne recules devant rien pour atteindre les buts que tu t'es fixés. Lorsque tu as quelque chose en tête, impossible de te faire lâcher prise. Tu as aussi un côté créatif qui te permet d'exprimer les nombreuses émotions qui s'entrechoquent parfois en toi.

Les filles

1. Pyjama party
CHRISTOPHER

Alors, tu ne sais ni son prénom, ni son âge, ni même où il habite... C'est fou, ça !

On ne peut pas dire que tu t'embarrasses de détails.

Non, mais il faut voir comme il embrasse ! Tu sais, il plante ses yeux dans les tiens, il te glisse la main dans les cheveux et là... whaaaa !

Et Stéphane ? Ton copain, je te rappelle, monte la semaine prochaine « du sud » pour te voir !

Ouais, t'es un peu salope vis-à-vis de Stéphane !

Oh, arrêtez, vous aimeriez toutes être à sa place !

Non, pas du tou...

Ha ! Merci, Béné.

Bonne nuit les filles, à demain !

Excusez-moi, Mademoiselle, depuis que je vous ai vue, j'ai une furieuse envie de vous embrasser.

Elle dit ça parce qu'elle a l'intention de plaquer Alain !

Merde, Mumu !

C'est ça ! Alain, il s'appelle Alain et il est barman du côté de la place Plumereau !

¿ ¿ ¿

Issues d'origines diverses et avec des conceptions complètement différentes sur la vie, les garçons, l'amour et les parents, ces cinq filles vont, ensemble, rentrer petit à petit dans l'antichambre du monde des adultes. Période où l'on quitte le cocon familial pour s'installer dans son propre appartement, ou l'on cherche de petits boulots et ou l'on stresse avec les examens de fin d'année, sans oublier les corvées ménagères, l'argent à gérer et la voisine d'à côté.

Les garçons, les parents, le sexe, les désillusions, les souvenirs... autant de sujets qui sont super graves lorsqu'on est une fille de 20 ans. Et quand ce sont les cinq filles (Anna, Bénédicte, Chloé, Leila et Muriel) qui se retrouvent la veille d'une nouvelle année d'université, il faut bien une nuit blanche pour en parler.

Le copain de Béné s'appelle Alain...

Comment je pouvais savoir? Elle nous l'a jamais présenté...

... Et il est barman.

Génial, si c'est le copain de Béné, il lui a donné une super raison, elle qui voulait casser.

Quoi, j'ai dit une connerie?

Attends!

Regarde...

Est-ce que c'est lui?

Lequel ?

Lui, à gauche, entre ces trois bras et ces deux jambes!

Tout d'suite! Hé! les grosses vaches, c'est pas une orgie, c'est la photo des vacances d'hiver aux Deux Alpes!

Alors, c'est le même ?

Comment veux-tu que je le sache? Le gars en question porte un bonnet, des lunettes de soleil et une écharpe!

Je ne la comprends pas...
On dirait que ma sœur nous
fait du mal sans s'en rendre
vraiment compte.

Exemple :
elle adore
les fraises.

Alors, pour lui faire plaisir,
nos parents nous ont amenées
à la cueillette des fraises
des bois.
Putain,
j'avais
honte de
son atti-
tude.

Elle est restée au milieu de la forêt, à écouter
son baladeur.

Selon elle, il n'y avait aucun intérêt à se salir
pour faire des conneries pareilles, d'autant
qu'elle n'avait jamais aimé les fraises.

Je vous jure que j'en ai pleuré
devant elle. Je l'ai insultée, je
l'ai traitée de tous les noms. Et rien.
Elle me prêtait aucune attention.
Tout un samedi après-midi plantée
au milieu des bois.

Finalement, j'ai appris qu'elle
travaillait le samedi après-midi à
garder les enfants d'une famille
du village et que ça la faisait
chier d'être là.

Vous vous rendez compte que
ma sœur travaillait depuis plus
de trois mois et personne dans la
maison ne le savait!

Tu vas voir que je saurai même
pas quand ma sœur va coucher
avec un gars.

Elle a couché
avec un gars.

Hein?

Il y a deux mois pour la
première fois. Je croyais que
tu le savais!

38

J'hallucine.

Comment ça se fait que je ne puisse rien partager avec ma sœur? Pourquoi ne veut-elle pas se confier à moi?

Je suis son aînée, merde! Je devrais lui servir d'alliée face aux parents, d'excuse pour ses sorties, de confidente pour ses histoires de cœur.

Et de tout ça, j'ai rien! Zéro! Mais qu'en plus ce soit mes amies qui connaissent la vie sexuelle de ma sœur... Et au fait, comment tu sais ça, toi?

C'est avec mon frère qu'elle a couché...

Eh merde...

Quoi, il ne te plaît pas, mon frère?

snif

Bon, aux grands maux, les grands remèdes : les nounours à la guimauve.

Oh non, c'est trop bon!

Ça, Mumu, c'est un coup bas!

Ouais, direct sur la cellulite!

39

À suivre ...

Actualité

Almanach, typhon Haiyan,
décès de Nelson Mandela,
tragédie de Lac-Mégantic,
tragédie de L'Isle-Verte,
crise en Ukraine et
situation en Crimée,
élection provinciale du
7 avril 2014

Actualité

Actualité

Je vous offre encore cette année un tableau d'ensemble des événements marquants des derniers mois. Avec tout ce qui se passe dans le monde, je sais que ce n'est pas toujours facile de bien comprendre certains enjeux, et j'espère que les courts articles qui suivent vous aideront à mieux saisir certaines subtilités.

Comme vous le savez sûrement, de violentes tragédies sont venues secouer le Québec tout entier, et je tenais absolument à y porter une attention toute particulière dans cette édition de L'*ABC des Filles*. Le reste du monde n'est pas non plus à l'abri des catastrophes naturelles, comme vous pourrez le constater en lisant l'article sur le typhon Haiyan qui a notamment frappé les Philippines.

Vous avez sans doute aussi entendu parler du décès de Nelson Mandela, et je tenais à y revenir pour vous expliquer le rôle qu'il a joué en Afrique du Sud et son importance dans la lutte contre la ségrégation raciale.

J'ai aussi décidé de m'attarder sur le conflit qui sévit en Ukraine afin de vous aider à y voir plus clair. Même si les affrontements que l'on voit à la télévision nous paraissent souvent invraisemblables et extrêmement loin de notre réalité, je crois que c'est important de prendre conscience des enjeux qui se jouent de l'autre côté de l'océan. De cette façon, vous serez plus à même de comprendre ce qui s'y passe et vous pourrez ainsi formuler vos opinions.

La section "Actualité" contient aussi un petit article récapitulant la dernière campagne électorale au Québec. Comme vous êtes de futures électrices, je juge qu'il est essentiel de vous maintenir informées !

Enfin, vous retrouverez dans cette section un almanach des événements importants qui ont secoué le monde entier au cours des derniers mois. J'espère encore une fois que mon approche vous permettra de mieux comprendre ce qui s'est déroulé dans notre société et ailleurs sur la planète... en plus de vous rappeler que la vie est parfois fragile et qu'il faut en profiter au maximum !

©Mykhaylo Palinchak

© Richard Whitcombe

© Didier debusshere - Agence QMI

ALMANACH

VOICI QUELQUES FAITS MARQUANTS DE LA DERNIÈRE ANNÉE

AVRIL 2013

▷ **Deux attentats à la bombe** lors du **marathon de Boston** tout près de la ligne d'arrivée causent la mort de trois personnes et font plus de **200 blessés**. L'incident mène à une chasse à l'homme pour arrêter les suspects, soit deux frères d'origine tchétchène vivant aux États-Unis depuis plusieurs années. L'aîné, âgé de 26 ans, perd finalement la vie lors d'un affrontement avec les policiers, tandis que le cadet, âgé de 19 ans est retrouvé et arrêté alors qu'il s'était réfugié dans un bateau stationné à l'arrière d'une propriété privée. Il est passible de la peine de mort.

MAI 2013

▷ Une **loi autorisant le mariage entre deux personnes de même sexe est adoptée en France**. Elle connaît toutefois une opposition féroce et des milliers de personnes descendent dans les rues de Paris à de nombreuses reprises pour scander leur frustration.

▷ Une **puissante tornade** frappe la ville de Moore, en **Oklahoma**, et cause la mort de 24 personnes en plus de faire plus de **380 blessés**.

JUIN 2013

▷ Déclenchement d'une grève générale en Grèce qui paralyse le pays.

▷ Élections présidentielles en Iran qui mènent à la victoire de **Hassan Rohani**.

▷ Des **inondations** monstres entraînent des dommages évalués à plusieurs milliards de dollars en **Alberta**.

JUILLET 2013

▷ La **Croatie** se joint à l'**Union européenne**.

▷ La **Lituanie** succède à l'Irlande à la présidence de l'Union européenne.

▷ **Tragédie ferroviaire à Lac-Mégantic** qui fait 47 victimes.

▷ **Naissance de George Alexander Louis**, le **1er enfant du prince William** et de sa femme, Kate Middleton.

▷ **Déraillement de train à Saint-Jacques-de-Compostelle**, en Espagne, entraînant la mort de 78 personnes et faisant plus de 140 blessés.

▷ **Décès** de l'acteur canadien **Cory Monteith**.

AOÛT 2013

▷ Des **affrontements** entre des protestants et des catholiques **en Irlande du Nord** font 58 blessés.

▷ **Bombardement chimique** dans les **banlieues de Damas, en Syrie**. Cette attaque qui survient pendant la guerre civile fait plusieurs centaines de morts et soulève l'indignation de la communauté internationale.

SEPTEMBRE 2013

▷ **Sommet du G20 à Saint-Pétersbourg**, en Russie.

▷ **Journée de jeûne pour la paix en Syrie** proposée par le pape François.

▷ **Tuerie au Navy Yard de Washington** qui fait 13 morts, dont le tireur, et 8 blessés.

▷ **Tuerie au centre commercial Westgate**, à Nairobi, au Kenya, qui fait 68 victimes et plus de 200 blessés. L'attaque est revendiquée par le groupe islamiste *al-Shabaab* qui veut ainsi riposter contre les actions de l'armée du Kenya en Somalie.

▷ **Tremblement de terre au Pakistan** qui fait plus de 500 victimes.

OCTOBRE 2013

▷ Environ **130 immigrants** africains perdent la vie lors du **naufrage** de leur embarcation tout près de l'île de Lampedusa, en Italie.

▷ Le **prix Nobel de la littérature** est accordé à la Canadienne **Alice Munro**.

▷ Un **tremblement de terre** d'une magnitude de 7,2 fait plus de 150 morts aux **Philippines**.

▷ Sortie d'*Astérix chez les Pictes*, le premier album de la célèbre série qui n'est pas dessiné par Uderzo.

NOVEMBRE 2013

▷ Le **typhon Haiyan**, qui est perçu comme l'un des plus puissants de l'histoire, touche terre aux Philippines.

▷ Début des **manifestations pro-européennes en Ukraine**.

▷ **Décès** de l'acteur américain **Paul Walker** dans un accident de la route.

DÉCEMBRE 2013

▷ **Décès** de **Nelson Mandela** à l'âge de 95 ans.

▷ **Décès** de la comédienne québécoise **Catherine Bégin** à l'âge de 74 ans. Celle-ci s'est illustrée tant au théâtre (*Marie Stuart, Les parents terribles, Le mariage de Figaro, Les Troyennes*) qu'à la télévision (Virginie, Unité 9, les Boys) et au cinéma (La brunante, Laurence Anyways).

▷ L'ancien **champion de formule 1 Michael Schumacher** est victime d'un accident de ski en Savoie et est plongé dans **un coma artificiel**.

JANVIER 2014

▷ L'**incendie** d'une résidence pour personnes âgées de L'**Isle-Verte** fait 32 victimes.

▷ Vague de froid polaire au Québec, tandis que l'Australie bat des records de chaleur.

▷ Affrontements sanglants en Ukraine.

AVRIL 2013 – AVRIL 2014

FÉVRIER 2014

▷ **Décès** de l'acteur américain **Philip Seymour Hoffman**.

▷ **Jeux olympiques d'hiver à Sotchi**, en Russie. Le **Canada met la main sur 25 médailles**, dont 10 d'or, et arrive au troisième rang. Il remporte entre autres l'or en curling masculin et féminin et au hockey féminin et masculin.

▷ Trois jours d'**affrontements sanglants en Ukraine** font plus de 60 morts.

▷ **Arrestation de Joaquin Guzman**, surnommé *El Chapo*, qui était perçu comme le narcotrafiquant le plus important du Mexique.

MARS 2014

▷ **Disparition du vol 370 de Air Malaysia** alors qu'il effectuait la liaison entre Kuala Lumpur et Pékin. Ce sont 239 personnes qui étaient à bord de l'appareil au moment de sa disparition. Des efforts internationaux sont alors mis en branle pour retrouver l'appareil, qui semble avoir dévié de sa route sans laisser de trace. Au moment d'écrire ces lignes, l'avion n'a toujours pas été retrouvé, mais le premier ministre malaisien a déclaré le 24 mars 2014 que l'avion s'était sans doute abîmé dans l'océan Indien.

AVRIL 2014

▷ Un **séisme violent secoue le Chili**.

▷ **Philippe Couillard devient premier ministre du Québec** et dirige un **gouvernement majoritaire**.

▷ **Pauline Marois démissionne** de son poste comme chef du Parti québécois.

Typhon Haiyan

© Richard Whitcombe

C'est en **novembre 2013** que les météorologues constatent la formation d'un méga cyclone dans la partie nord-ouest de l'océan Pacifique. Après une progression rapide, les spécialistes déterminent qu'avec ses pointes de **315 km/h**, ce **cyclone appelé Haiyan** (qui signifie « pétrel », soit un type d'oiseau) compte parmi les typhons les plus violents jamais enregistrés de l'histoire et équivaut à un ouragan de catégorie 5, soit la plus élevée sur l'échelle de Saffir Simpson.

Alors que le typhon Haiyan s'apprête à toucher terre aux Philippines, le monde entier craint le pire. Les vents violents et les pluies diluviennes qui l'accompagnent détruisent alors des régions entières en plus de nuire grandement à la mise en place de l'aide internationale. En effet, les problèmes de communication et la destruction des routes empêchent les organismes de joindre rapidement les zones dévastées qui n'ont plus d'eau potable ni de toits à offrir aux sinistrés.

© Richard Whitcombe

Ce typhon monstre, qui aura finalement atteint la Micronésie, les Philippines, Le Viet Nam et la Chine, aura fait plus de 6000 morts, près de 30 000 blessés et quelque 2000 disparus. À la suite de la dévastation de régions entières, de nombreux pays et organismes se sont serré les coudes pour offrir de l'aide matérielle et monétaire aux sinistrés, mais il faudra des années pour reconstruire les zones détruites par le cyclone.

Le décès de
Nelson Mandela

© catwalker

Nelson Mandela est le **premier président noir** dans l'histoire de l'Afrique du Sud et l'un des fervents protagonistes du combat non violent contre la ségrégation raciale. Il a également été à la tête de la lutte contre le système politique de l'apartheid, qui consistait en une discrimination systématique des gens de race noire en Afrique du Sud. Son combat l'a forcé à passer plus de **25 ans en prison** avant d'être libéré le 11 février 1990. Son incarcération a fait de lui un véritable héros et un **symbole dans la bataille pour l'égalité raciale** partout dans le monde. C'est aussi ce qui lui a valu un soutien incroyable sur le plan international.

Lors de sa sortie de prison, Nelson Mandela est devenu le chef de l'ANC (congrès national africain), et en 1993, il a reçu le prix Nobel de la Paix pour avoir mis fin au régime de l'apartheid de façon pacifique et pour avoir établi des bases démocratiques en Afrique du Sud. En 1994, il a été élu à la tête de son pays et est ainsi devenu le premier président noir de l'Afrique du Sud. Nelson Mandela n'a effectué qu'un seul mandat à titre de président. Il s'est ensuite consacré à la lutte contre la pauvreté et le sida, maladie qui a atteint son fils avant de l'emporter en 2005.

Nelson Mandela, ce grand combattant de l'égalité raciale, celui qui a mis fin à l'apartheid en Afrique du Sud et qui a complètement redessiné les valeurs et les couleurs de son pays natal, s'est finalement éteint le 5 décembre 2013 à l'âge de 95 ans.

© lcswart

Tragédie du Lac Mégantic

© meunierd

Le **6 juillet 2013**, la petite municipalité de **Lac-Mégantic** a été secouée par une véritable tragédie au cours de la nuit : le déraillement d'un train de 72 wagons-citernes contenant du pétrole a causé de nombreuses explosions, provoquant un incendie monstre au centre-ville. Plus de 40 édifices ont été détruits et 47 personnes ont trouvé la mort dans cet accident dont les images ont fait le tour de la planète.

Le train, composé de cinq locomotives, semble d'abord avoir connu des problèmes mécaniques alors qu'il était immobilisé à Nantes, une petite localité située à environ douze kilomètres de Lac-Mégantic. Voyant des flammes dans une des locomotives, des résidents ont appelé les pompiers pour leur signaler qu'un incendie s'était déclenché. Le conducteur du train en a été avisé et les sapeurs ont rapidement éteint le feu. Peu avant une heure du matin, le train s'est remis en marche pour une raison inconnue et a dévalé une pente abrupte juste avant de faire son entrée dans la ville de Lac-Mégantic. Des témoins l'ont vu avancer à très vive allure alors qu'il atteignait le centre-ville de la municipalité. C'est à cet instant que les locomotives se sont détachées du convoi et ont continué à filer à toute vitesse sur une distance d'environ 800 mètres. Le reste du convoi a déraillé en abordant une courbe et a provoqué une première explosion derrière le Musi-Café, un bar très populaire de Lac-Mégantic où se trouvaient une cinquantaine de personnes. Quelques-unes d'entre elles ont réussi à sortir in extremis, mais la plupart ont malheureusement péri dans l'incendie provoqué par les explosions subséquentes.

Les pompiers ont eu besoin de près de 40 heures pour éteindre complètement l'incendie du centre-ville. S'en sont suivi des recherches dans les décombres pour retrouver les personnes disparues et pour tenter de comprendre ce qui s'était passé.

Les gens du Québec et du reste du monde se sont montrés solidaires de la petite communauté éprouvée. Plusieurs collectes de fonds et concerts caritatifs ont été organisés, et des organismes tels que la Croix-Rouge ont rapidement réagi pour aider les sinistrés et les familles des victimes pour qu'ils puissent tenter de se remettre de cette lourde épreuve. Le gouvernement du Québec a aussi alloué une somme importante à la reconstruction du centre-ville de Lac-Mégantic. Cette tragédie restera à jamais gravée dans nos mémoires, et mes pensées vont aux sinistrés et à tous les proches des victimes.

© meunierd

Tragédie de L'Isle-Verte

©François Drouin - Info Dimanche- Agence QMI

Dans la nuit du **23 janvier 2014**, un incendie majeur s'est déclaré dans la **Résidence du Havre**, un centre pour personnes âgées situé à L'**Isle-Verte**, une petite localité du Bas-du-Fleuve. Les vents puissants ont attisé le feu qui s'est rapidement propagé dans l'ensemble de l'édifice. Comme la plupart des résidents étaient âgés de plus de 85 ans et n'étaient pas complètement autonomes, il s'est avéré presque impossible pour la plupart d'entre eux de réagir à temps en pleine nuit.

Les températures arctiques qui ont sévi dans les jours suivant l'incendie ont grandement compliqué la tâche des pompiers et des enquêteurs. Après plusieurs jours de recherches, le verdict est finalement tombé : le drame a fait 32 victimes, et au moment d'écrire ces lignes, la cause demeurait toujours inconnue.

©Ryan Remiorz

Comme je possède un chalet à quelques minutes de L'Isle-Verte et que je côtoie les gens de ce village depuis plus de 20 ans, il s'agit d'un drame qui m'a particulièrement bouleversée. J'ai toutefois espoir que la gentillesse, la force et la résilience de l'ensemble de la population les aident à passer au travers de cette épreuve difficile.

Crise en Ukraine
et situation en Crimée

©Mykhaylo Palinchak

Le **21 novembre 2013**, le **gouvernement de l'Ukraine refuse de signer un accord d'association avec l'Union européenne**, déclarant du même coup sa solidarité à la Russie et à Vladimir Poutine, qui annonce ensuite la levée des barrières douanières entre les deux pays. Déclenchés par l'annonce du gouvernement, on assiste alors aux **plus grands rassemblements pro-européens** de l'histoire à Kiev. Entre 500 000 et 800 000 personnes se réunissent dans la capitale de l'Ukraine au cours des jours qui ont suivi, ceci donnant naissance à des affrontements violents entre les sympathisants russes et le mouvement pro-européen qui font plus de 80 morts.

La violence se poursuit et la tension monte à un tel point que tous s'attendent au déclenchement d'une guerre civile. Le mouvement pro-européen exerce toutefois beaucoup de pression, et le 22 février 2014, le président de l'Ukraine, Viktor Ianoukovytch, démissionne et laisse sa place à Oleksandr Tourtchynov, qui s'opposait fortement à son régime. On assiste aussi à la libération de Ioulia Tymochenko, qui était à la tête du parti d'opposition jusqu'en 2011. Elle a alors été arrêtée et condamnée à sept ans de prison pour abus de pouvoir. Plusieurs ont perçu cette condamnation comme un affront et le résultat d'une motivation politique et personnelle de la part de Ianoukovytch, qui voulait faire disparaître tous ceux qui se dressaient sur son chemin et lui faisaient obstacle.

À la suite du départ de Ianoukovytch, des troupes pro-russes non identifiées s'attardent à l'occupation de la péninsule de la Crimée, située au sud de l'Ukraine et à l'ouest de la Russie. Après les événements du 22 février 2014, le président de la Russie, Vladimir Poutine, refuse de reconnaître la légitimité du nouveau gouvernement ukrainien. De son côté, l'Ukraine perçoit la présence des troupes russes en Crimée comme une véritable invasion. La Russie se défend en prétextant qu'il s'agit de forces locales non identifiées, mais elle évoque tout de même la possibilité d'envoyer des troupes armées en Ukraine.

Par rapport à cette situation, **le parlement de la Crimée déclare son indépendance le 11 mars 2014**. Le 16 mars, la Crimée tient un référendum et une très forte majorité de la population proclame qu'elle est en faveur d'un rattachement à la Russie. **Le 18 mars 2014, le gouvernement russe annonce que la Crimée est officiellement devenue un sujet fédéral de Russie et qu'elle adopte sa monnaie officielle.** Dans le reste de l'Ukraine, les pro-européens craignent ensuite que Vladimir Poutine poursuive sa lancée et qu'il veuille s'emparer du reste du pays. La tension est toujours aussi palpable au moment d'écrire ces lignes et seul l'avenir nous dira ce qu'il en est. Tout ce que l'on souhaite, c'est que le conflit entre les deux pays se résolve de façon pacifique et ne fasse aucune autre victime.

© AlexandCo Studio

Élection provinciale
du 7 avril 2014

© Didier debusshere - Agence QMI

Le **5 mars 2014**, la première ministre du Québec, **Pauline Marois**, annonce le déclenchement d'une campagne électorale seulement dix-huit mois après la victoire du Parti Québécois, qui formait un gouvernement minoritaire. Cette décision a surpris plus d'un électeur, mais ce faisant, la première ministre espérait convaincre la population québécoise de lui accorder sa confiance et ainsi de lui permettre de former un gouvernement majoritaire pour les quatre prochaines années.

La campagne du Parti Québécois s'amorce de façon un peu controversée à la suite du dépôt du projet de loi sur la charte des valeurs québécoises à l'automne 2013. Celui-ci avait pour but d'établir des règles visant à vivre dans un État laïque, c'est-à-dire indépendant des institutions religieuses. Certaines propositions de la charte, comme l'interdiction du port de signes religieux visibles par le personnel de l'État, suscitent des controverses auprès des autres partis politiques et au sein de la population, plusieurs les percevant comme une atteinte directe aux droits de l'homme et à la liberté d'expression.

Le 9 mars 2014, l'homme d'affaires et ancien directeur de Québecor, Pierre-Karl Péladeau, se joint au rang du Parti Québécois et annonce sa candidature dans Saint-Jérôme. Il réitère également son désir de voir le Québec se séparer du reste du Canada et ramène ainsi le thème de la souveraineté au premier plan de la campagne électorale.

Le **7 avril 2014**, les électeurs se rendent en grand nombre aux urnes et c'est en soirée que le verdict tombe : le prochain gouvernement du Québec sera libéral et majoritaire. **Philippe Couillard** devient ainsi le **31e premier ministre du Québec**. Le Parti Québécois connaît quant à lui une défaite amère, et Pauline Marois, qui a perdu dans son propre comté, se voit dans l'obligation de remettre sa démission. Par conséquent, une course à la chefferie du Parti Québécois est à prévoir au cours des prochains mois.

© Philippe Bélanger - Reuters

Relations
personnelles

Amitié, amour, autorité,
confiance, confidence,
copains, couple,
engueulade, famille,
fidelité, frère et soeur,
humour, jalousie,
maturité, mensonge,
mère, ouverture
d'esprit, pardon,
parents, peine d'amour,
père, professeur,
punition, respect,
responsabilité, tolérance,
valeurs, vulgarité.

Relations

personnelles

Relations
personnelles

Ce n'est pas toujours facile de savoir gérer nos relations avec les gens qui nous entourent. Même si on croit parfois que tout est sous contrôle, il arrive aussi qu'on se sente submergées par les émotions et qu'on doive faire des compromis qui semblent au-dessus de nos forces. Au quotidien, on doit composer avec notre entourage, et chaque être humain réagit de façon bien différente face à une situation donnée, ce qui nous complique aussi la tâche !

En vieillissant, on réalise que nos relations avec les autres sont beaucoup plus subtiles et plus complexes qu'on ne le croyait lorsqu'on était enfant. Par exemple, nos amitiés ne sont plus uniquement basées sur les jouets que l'on partage et sur le voisinage : on développe plutôt des liens étroits avec des individus avec qui on se sent bien et en confiance. On découvre que c'est aussi très important d'avoir des affinités avec l'autre et de le respecter dans ses choix et dans ses différences !

C'est un peu la même chose à la maison. Après tout, ce n'est pas toujours facile de fréquenter ses parents, ses frères et ses sœurs tous les jours, et la discorde est parfois inévitable lorsqu'on ne partage pas la même vision des choses. Il faut donc apprendre à gérer les conflits de façon efficace en discutant calmement et en faisant des concessions lorsque c'est nécessaire.

Quand on est à l'école, on entretient des relations basées sur le respect et la communication avec nos camarades, nos copains et les professeurs qui nous enseignent tous les jours, et malgré tous nos efforts, il nous arrive toutes de perdre notre calme de temps à autre. C'est toutefois grâce à ces petits égarements qu'on apprend à mieux connaître nos émotions. Le défi, c'est de retrouver son sang-froid et d'opter pour la discussion plutôt que pour la dispute ! Il faut apprendre à garder son calme même avec les gens qui nous tapent parfois sur le système; c'est aussi ça, la maturité !

Quand on sort de l'enfance et qu'on devient adolescente, nos relations interpersonnelles prennent une tournure un peu plus complexe, car notre tempérament change et on ne sait plus très bien sur quel pied danser. La vérité, c'est qu'il est loin d'être facile de savoir comment conserver des relations saines quand on a de la difficulté à cerner notre propre caractère ! La bonne nouvelle, c'est qu'avec le temps, vous apprendrez à mieux vous connaître et à déterminer plus précisément ce que vous recherchez dans vos liens avec votre entourage.

Cette section est entièrement vouée aux relations personnelles que vous entretenez dans votre quotidien et aux émotions qui peuvent surgir lorsque vous faites face à certaines personnes ou à certains événements. Par exemple, il se peut que vous soyez jalouses d'une fille que vous trouvez super populaire, ou alors que vous deviez apprendre à être tolérantes envers ceux qui vous entourent et qui ne pensent pas comme vous.

Ce qu'il faut savoir avant tout, c'est que nos relations avec les autres nous aident à forger notre identité et servent à mieux nous connaître. La gamme d'émotions qui en découlent peut parfois nous jouer des tours, mais les divers thèmes qui sont abordés dans cette section vous aideront à y voir plus clair et à surmonter les moments un peu plus difficiles.

Amitié

UNE DES CHOSES LES PLUS PRÉCIEUSES DANS LA VIE

Que serait la vie sans vos amies ? Après tout, ce sont elles qui vous font rire, qui vous connaissent le plus, qui peuvent vous dire vos quatre vérités sans vous blesser et avec qui vous faites les quatre cents coups.

À bien y penser, c'est avec vos amies que vous avez partagé certains des plus beaux moments de votre vie. Bref, la vraie amitié est l'une des choses les plus précieuses au monde !

Une véritable amie, c'est quelqu'un sur qui vous pouvez compter dans les moments difficiles, et en qui vous avez entièrement confiance. C'est une confidente et une grande complice qui vous connaît très bien et qui vous accepte telle que vous êtes. Tout ça semble fantastique, mais entretenir une amitié n'est pas aussi simple qu'on pourrait le croire. Comme toute relation interpersonnelle, l'amitié se bâtit peu à peu et ne doit jamais être négligée ni tenue pour acquise.

En effet, une vraie amitié doit être entretenue. Il ne faut pas croire que parce qu'on considère quelqu'un comme une amie, on n'a qu'à la saluer dans le corridor de l'école pour qu'elle sache qu'on tient à elle. Elle se sentirait alors comme une camarade de classe ou comme une simple connaissance. Il est tout aussi important de ne pas laisser tomber votre amie pour faire d'autres activités ou pour voir votre amoureux si vous aviez convenu de passer du temps avec elle. Quand on partage une vraie amitié, on doit pouvoir compter l'une sur l'autre et s'accorder du temps pour discuter, faire des activités qui nous plaisent et se confier l'une à l'autre. L'amitié doit être réciproque, car si vous pouvez toujours compter sur votre amie, mais que vous n'êtes

jamais disponible pour elle, elle aura tôt fait de s'en offusquer et d'aller voir ailleurs, car elle ne se sentira pas importante à vos yeux. Il est également essentiel de ne pas trahir votre amie. Si elle vous fait une confidence ou vous parle de ses problèmes en toute intimité, n'allez pas crier ses secrets aux quatre coins de l'école, et ne la laissez pas tomber quand elle a besoin de vous. Une vraie amie doit être présente dans les bons comme dans les mauvais moments.

> *Une véritable amie est aussi quelqu'un qui n'a pas la langue dans sa poche lorsqu'il est question de vous dire vos quatre vérités.*

Sans vous vexer inutilement, elle vous connaît si bien qu'elle sait intervenir quand elle sent que vous dérapez ou quand vous avez tort. Elle se doit d'être honnête et de vous aider à progresser dans la vie. Être franche, cela ne veut pas dire être méchante avec votre meilleure amie ou la blesser inutilement ; cela signifie plutôt que vous êtes capable de le lui dire lorsqu'elle a tort ou lorsqu'elle commet une erreur afin qu'elle puisse en prendre conscience et s'améliorer. Les amies sont effectivement là pour nous faire avancer et évoluer, donc si votre meilleure amie vous dit que vous êtes parfois trop entêtée, ne réagissez pas en vous mettant en colère et ne cherchez pas à rétorquer en lui parlant de ses propres défauts. Laissez tomber l'orgueil et tenez compte de ses commentaires pour devenir une meilleure personne. Rappelez-vous qu'elle vous connaît très bien, et qu'elle a sûrement raison. Alors, pourquoi ne pas tenir compte de ses réflexions afin de changer pour le mieux votre comportement ? Vous en sortirez grandie et vous vous sentirez encore plus proche de votre amie.

> Salut Catherine,
> Je connais ma best depuis plusieurs années, et ça commence à ne plus aller très bien entre nous deux. Je sens qu'on s'éloigne et qu'on ne veut plus faire les mêmes choses quand on est ensemble. Je tiens beaucoup à elle, et je ne veux pas la perdre, mais je crois que notre amitié est en train de changer. Est-ce normal ?
> Anonyme

Se faire des amies ne se fait pas non plus en claquant des doigts. Certaines amitiés se développent facilement, puisqu'on a des tas de choses en commun, tandis que d'autres prennent plus de temps, au fur et à mesure que la confiance se développe. Quoi qu'il en soit, il s'agit d'un investissement qui en vaut grandement la peine. Il se peut aussi que vous vous fassiez de grandes amies au cours du primaire et du secondaire et que vous les perdiez de vue par la suite. Ce sont des choses qui arrivent lorsqu'on franchit une autre étape et qu'on ne suit pas la même route que ses amies. Il y a des filles qui resteront vos amies tout au long de votre vie, d'autres qui s'éloigneront peu à peu et d'autres que vous connaîtrez plus loin en cours de route. Même s'il est triste de constater qu'on a un peu perdu une amie de vue, il faut se rappeler que l'amitié que vous avez partagée avec elle vous a fait beaucoup grandir durant une certaine période de votre vie et que vous lui en serez toujours reconnaissante. Bien que vous ne lui parliez plus tous les jours, c'est

tout de même quelqu'un qui restera gravé dans votre mémoire et qui aura toujours une place dans votre cœur, et c'est cela qui est important.

Bref, les amies sont extrêmement précieuses, et vous devez faire tout ce qui est en votre pouvoir pour leur faire sentir qu'elles sont importantes à vos yeux. N'oubliez pas : peu importe ce qui se passe dans votre vie, qui que soit le garçon que vous fréquentez en ce moment, vous devez accorder du temps à vos amies et entretenir vos amitiés. Non seulement cela rendra vos relations plus fortes et plus solides, mais cela vous permettra aussi de conserver un bon équilibre dans votre vie. Vous avez besoin de vos amies autant qu'elles ont besoin de vous. Par conséquent, soyez disponible, loyale et honnête. Comme le dit l'adage, les amours passent mais les amitiés restent, alors aussi bien les chérir et profiter de la vie en compagnie de ses meilleures amies !

Amour

SENTIMENT UNIVERSEL

Que ferait-on sans amour ? En effet, il s'agit d'un sentiment universel extrêmement important qui régit souvent nos comportements. Il existe divers types d'amour : l'amour fraternel, l'amour amical, l'amour familial, l'amour pour son chien, pour ses biens matériels, pour son confort, l'amour pour la vie, l'amour pour soi-même et l'amour pour son petit ami

En règle générale, toutes les filles veulent être aimées, que ce soit de leurs amis, de leurs parents, de leur famille ou de leur copain. Il est très important d'apprendre à aimer les autres et à être aimée. On a souvent tendance à croire qu'il s'agit d'un sentiment acquis et qu'il est facile d'aimer, mais cela peut souvent nous jouer des tours. Par ailleurs, vous devez apprendre à vous faire aimer des autres et à jouir de ce sentiment. Quand on se sent aimée, on se sent forte et confiante. L'amour nous donne le sentiment d'être importante, désirée et choyée. Ce phénomène est aussi vrai avec ses amis et sa famille qu'avec un garçon.

Je sais que la plupart des filles rêvent de connaître le grand amour, alors s'il frappe à votre porte, vous devez l'accueillir et en profiter au maximum. Même quand ça fait mal, on ne regrette jamais d'aimer ou d'avoir aimé. C'est un sentiment d'une grande intensité qui nous fait sentir vivante et qui nous donne envie de sourire à la vie.

> Salut Catherine,
>
> Toutes mes amies ont déjà été amoureuses, et j'ai vraiment l'impression que ça ne m'arrivera jamais et que je repousse les gars. Est-ce qu'il y a des trucs pour attirer les gars et connaître l'amour ?
>
> Anonyme

Ça ne m'arrivera jamais

Si vous n'avez pas encore connu l'amour, prenez votre mal en patience. On ne sait jamais quand l'amour nous tombera dessus. C'est souvent au moment où on s'y attend le moins. Il faut simplement y croire et être ouverte à cette éventualité. En attendant, vous avez des milliers de choses à faire et à découvrir, des moments précieux et uniques à partager avec les gens de votre entourage que vous aimez d'une autre façon. On ne peut pas décider de tomber amoureuse du jour au lendemain, et on ne choisit pas non plus qui on aime. Il arrive parfois qu'on tombe follement amoureuse d'un garçon plus vieux que nous qui fait craquer toutes les filles, mais qui ne semble même pas remarquer notre existence. Plutôt que de pleurer sur votre sort, apprenez à apprivoiser le sentiment amoureux et à en profiter au maximum. D'accord, la situation n'est pas idéale, mais c'est quand même génial de sentir votre cœur qui s'emballe chaque fois que vous le voyez ! Vous savez que cet amour est impossible, mais c'est justement ce qui le rend encore plus charmant. Dites-vous que vous rencontrerez bientôt un garçon parfait pour vous avec qui vous pourrez partager toutes ces palpitations.

L'amour rend dingue

Il existe tellement de chansons d'amour, d'histoires d'amour, de poèmes d'amour... il y a de quoi se poser des questions sur le sujet. Que dire de tous ces dictons ? L'amour n'a pas d'âge, puisqu'on ne choisit pas de qui on tombe amoureuse. L'amour est aveugle, et on ne voit que lui. Ça nous rend un peu gaga, parfois même naïve, alors il faut apprendre à se former une petite carapace ou, du moins, à ne pas laisser les autres abuser de cette naïveté.

Coup de foudre

Le coup de foudre, c'est quand vous tombez amoureuse de quelqu'un dès la première fois où vous le voyez. Il vous suffit d'un regard pour tomber sous son charme. Est-ce que le vrai coup de foudre existe ? Bien sûr. Est-ce qu'il dure pour toujours ? C'est moins évident. Quand on a un coup de foudre, on aime l'autre sans trop le connaître. C'est une sorte de chimie entre deux personnes qui est plutôt inexplicable et magique, mais il faut se rappeler que personne n'est parfait et qu'à force de côtoyer quelqu'un, on découvre ses défauts et ses petits travers. C'est souvent quand on se rend compte que l'autre n'est pas parfait que le coup de foudre s'éteint. Il peut toutefois se transformer en véritable amour parce que vous réalisez alors que les défauts de l'autre le rendent humain, et que vous l'aimez en dépit de ses petites imperfections. Après tout, ce n'est pas comme si vous étiez vous-même parfaite... et vous vous complétez si bien !

L'amour à distance

Je vous le dis tout de suite, ce n'est pas facile de maintenir une relation à distance. Vous et votre amoureux vivez des choses que vous ne pouvez pas partager, les doutes, l'insécurité et la jalousie s'installent, vous ne savez pas quand vous pourrez vous revoir, etc. Les gens vous cassent les oreilles en vous répétant « loin des yeux, loin du cœur », et vous commencez bientôt à perdre espoir. Avec l'école, les devoirs, le boulot et les parents qui ne sont pas toujours prêts à donner leur autorisation, comment ferez-vous pour revoir votre petit ami ? Il suffit parfois d'un peu de volonté, de patience et de confiance pour faire fonctionner une telle relation. Il faut aussi établir une bonne communication. Vous devez cependant voir les choses du bon côté : vivre un amour à distance vous permet de voir vos amies quand vous voulez, et vous n'avez pas à sacrifier vos activités pour être avec votre petit ami tous les jours. Courage ! Tout est possible en amour !

L'amour de soi

On ne le dira jamais assez : il faut d'abord apprendre à s'aimer soi-même pour mieux aimer les autres. S'aimer soi-même, c'est s'accepter telle que l'on est, et apprendre à apprécier ce qui nous définit si bien. Quand on s'aime, on a confiance en soi et on dégage une énergie qui attire inévitablement les autres vers nous. Ce n'est pas en changeant de coiffure que vous ferez tomber le garçon de vos rêves, c'est plutôt en montrant que vous savez ce que vous valez et en étant sûre de vous. C'est une question d'attitude et non d'apparence physique, alors il faut cesser de douter de vous et de vos capacités. Vous devez apprendre à accepter et apprécier vos défauts et votre corps sans vous laisser abattre par vos complexes. Vous êtes géniale et les gens gagnent à vous connaître !

SUJETS CONNEXES :
○ AMOUREUSE
○ PREMIER BAISER
○ COUPLE

Inversement, quand on aime, on se sent confiante. On se sent sûre de soi, complète et bien dans sa peau. C'est pour toutes ces raisons qu'il faut vous ouvrir à l'amour. Laissez tomber votre pudeur et n'ayez pas peur de prendre des risques, car c'est l'amour qui donne du sens à la vie.

Quand ça tourne mal

Si vous avez le cœur brisé et que vous ne croyez plus en l'amour, il faut vous laisser le temps de cicatriser et de reprendre confiance en vous. Avec le temps, la blessure guérira et vous serez prête à aimer à nouveau. Vous êtes encore jeune, et ça ne sert à rien de devenir aigrie ou défaitiste. Ce ne sont pas toutes les histoires d'amour qui se terminent mal.

Vous devez croire en l'amour et apprendre à aimer sans compter, car on ne regrette jamais d'avoir aimé ; bien au contraire, ce sont souvent les souvenirs qui nous restent le plus longtemps et qui nous font sourire tout au long de notre vie. Quand on aime ou qu'on a connu l'amour, on en veut toujours plus. Vous devez donc être heureuse d'avoir vécu cela et de vous être sentie aussi vivante. Si vous attendez toujours le grand amour, soyez patiente et gardez le sourire ! Songez aux gens qui vous entourent et qui vous aiment. Ce n'est pas rien. Apprenez aussi à aimer les autres, à offrir, à vous ouvrir et à sourire à la vie. Tôt ou tard, quelqu'un fera battre votre cœur, et ce sera à vous d'écrire votre petite histoire d'amour.

Coucou, Thomas.
Comment ça va ? Moi, pas mal, mais tu me manques. Je déteste la distance, et je déteste ne pas pouvoir être auprès de toi à chaque instant de la journée. La bonne nouvelle, c'est que je viens vous visiter très bientôt et que tout ira mieux ! Je t'aime tellement, Thomas ! Mon cœur s'emballe dès que je pense à toi. J'espère que tu sais à quel point tu es important pour moi !
Je t'aime !
Léa xox

Autorité

RÈGLES ET ORDRE SOCIAL...

Pas toujours faciles à gérer, les relations avec l'autorité! Entre les parents, les profs et la direction de l'école, on peut se sentir un peu étouffées. À l'adolescence, on a besoin d'affirmer son indépendance, mais ce n'est pas facile quand on se sent soumise à autant de règles. On finit parfois par penser que les figures d'autorité font tout pour nous rendre la vie difficile....

Mais soyons honnêtes : que serait la société sans autorité? L'autorité en est une composante essentielle. Il ne faut pas la voir comme quelque chose de négatif. Il faut plutôt tenter de comprendre sa raison d'être et de comprendre comment elle permet à la société et aux individus de progresser. L'autorité maintient l'ordre et aide chacun à atteindre ses objectifs et à s'épanouir au sein de divers groupes sociaux ainsi que dans le milieu familial et scolaire.

> ❝ *À l'école, par exemple, les profs, les membres de la direction et les surveillants jouent un rôle autoritaire afin de vous permettre d'avancer dans votre cheminement scolaire et de vous apprendre à vivre en groupe tout en respectant les autres.* ❞

Ils sont là pour vous montrer la voie, non pas par la violence ni par l'imposition de sanctions injustes, mais simplement en appliquant des règles qui vous obligent à respecter les autres et à faire ce que vous avez à faire. Vous ne fréquentez pas l'école pour sauter sur les tables; vous y allez pour apprendre.

Le rôle de ceux qui y détiennent l'autorité est donc de s'assurer que tout le monde puisse atteindre cet objectif en agissant selon les règles

Les parents, évidemment, représentent aussi une figure d'autorité. Légalement, leur devoir consiste à vous indiquer le droit chemin et à vous guider jusqu'à ce que vous soyez majeure et en mesure de vous débrouiller toute seule. C'est leur travail en tant que parents de vous imposer des règles et de vous indiquer ce qui est bon pour vous et ce qu'il vous faut éviter. Comme vous, les parents peuvent commettre des erreurs. Il faut comprendre qu'ils ne sont pas parfaits et que s'ils arrivent à vous pardonner quand vous faites des gaffes, vous pouvez aussi leur pardonner leurs petites erreurs de jugement. Sachez cependant que vos parents prennent leurs décisions pour votre bien-être et votre bonheur. S'ils vous interdisent de faire la fête les jours de semaine ou vous demandent de terminer vos devoirs avant d'aller rejoindre vos amis, ce n'est pas parce qu'ils abusent de leur autorité. C'est plutôt parce qu'ils veulent vous apprendre à devenir responsable et vous montrer que des sacrifices sont parfois nécessaires pour parvenir à respecter ses engagements, à se surpasser et à se sentir fière de soi et bien dans sa peau. Vos parents sont là pour vous aider lorsque vous dérapez ou que vous perdez le contrôle, pour vous dicter la voie et pour vous venir en aide. Sans eux, vous seriez sans doute complètement perdue !

Dans la société, la police agit également à titre de figure d'autorité. Son rôle est de faire respecter les lois et de s'assurer que tout le monde puisse vivre en société en respectant les autres. Les lois existent pour permettre aux gens de vivre et de vaquer à leurs occupations en toute sécurité. Il est normal que quelqu'un qui commet un crime paie pour ses erreurs, et l'autorité est là pour s'assurer que tout se déroule dans le calme et dans le respect civil.

Quoi qu'il en soit, ce n'est pas tout le monde qui peut s'approprier l'autorité. Pour s'imposer comme figure d'autorité, on doit faire preuve de caractère et de leadership, c'est-à-dire encourager les autres à nous respecter et à suivre notre exemple.

Certaines personnes ont parfois tendance à abuser de ce pouvoir en faisant du chantage, en imposant des sanctions injustes et en faisant preuve de favoritisme. Il faut alors chercher à dénoncer l'abus de pouvoir, car l'objectif de l'autorité est de nous permettre de vivre en toute égalité, dans la justice et le respect des autres. Détenir un certain pouvoir ne justifie en rien qu'on en abuse en rendant impossible la vie des gens.

Il faut donc respecter les règles et imposer des limites pour avancer, pour s'épanouir et pour vivre harmonieusement en société, pour se faire respecter et pour revendiquer nos droits sans brimer ceux des autres. C'est ainsi que vous deviendrez une adulte responsable, à l'écoute des autres et capable de différencier le bien du mal.

Confiance

COMPTER L'UN SUR L'AUTRE

Il nous arrive souvent de promettre quelque chose à quelqu'un. On promet à nos amies de garder leurs secrets ou on promet à nos parents de rentrer à l'heure convenue. Ces personnes doivent alors nous faire confiance et se fier à notre parole. De même, lorsque quelqu'un nous dit qu'on peut compter sur lui, il faut savoir si cette personne est réellement digne de confiance. Comment savoir faire la part des choses ?

La confiance est un sentiment de sécurité lié à une relation qu'on entretient avec quelqu'un. Lorsqu'on fait confiance à une personne, c'est parce qu'on sait qu'elle tient ses promesses, qu'elle est honnête et qu'on peut se fier à son jugement. Le sentiment de confiance s'établit quand on a la certitude que cette personne ne va pas nous trahir et qu'elle nous respectera quoi qu'il arrive. Songez par exemple à votre meilleure amie. Vous pensez certainement qu'il s'agit d'une personne loyale et qu'elle sera toujours là pour vous. Si quelque chose vous tracasse, vous savez que vous pouvez vous confier à elle, puisqu'elle reste muette comme une carpe et qu'elle respecte votre intimité. Vous ne craignez pas qu'elle aille jacasser et révéler vos secrets à toute l'école ou qu'elle vous déçoive. D'ailleurs, elle s'attend probablement à la même chose de votre part. En d'autres mots, vous vous faites confiance mutuellement.

La confiance n'est pas quelque chose que l'on peut accorder facilement. On peut rarement se fier aveuglément à quelqu'un qu'on ne connaît pas, mais lorsqu'on gagne cette confiance, on se sent vraiment importante à ses yeux, et ce sentiment est tout à fait unique. Quand on est en confiance, on se sent stable et on sait que la relation qu'on entretient avec une personne honnête est difficile à ébranler. La vie semble aussi plus facile lorsqu'on a quelqu'un sur qui compter, puisqu'on n'a pas à s'inquiéter d'être trahi par cette relation. Par exemple, si vous passez la soirée chez une copine et que vous informez vos parents que vous ne dormirez pas à la maison, s'ils vous font confiance, ils ne seront pas inquiets. Ils n'iront pas s'imaginer que vous êtes dans une fête délirante ou que vous traînez dans la rue, puisque vous tenez toujours parole et que vous êtes honnête. La confiance est d'ailleurs directement liée à l'honnêteté. Il ne faut pourtant pas croire que vous êtes tenues d'être exemplaires et d'agir toujours pour le plus grand bien. Il arrive à tout le monde de commettre des erreurs, et ce n'est pas parce que vous rentrez cinq minutes en retard que vos parents n'auront plus confiance en vous. Lorsque vous commettez un petit écart, faites comprendre à vos parents ou à vos amis que vous êtes désolées et que cela ne se reproduira plus. Vous démontrez ainsi que vous prenez vos engagements au sérieux et que vous êtes une personne responsable. La prochaine fois, si vous savez que vous allez être en retard, appelez vos parents pour les prévenir. S'ils vous font confiance, ils auront tendance à vous donner plus de liberté. Si vous jugez que vous êtes digne de cette confiance et qu'ils sont complètement paranos, il faut en discuter avec eux pour leur expliquer que, jusqu'à preuve du contraire, vous êtes responsable et qu'ils peuvent toujours se fier à vous.

SUJETS CONNEXES :
o *AMITIÉ*
o *CONFIDENCE*
o *FIDELITÉ*

Une confiance réciproque

C'est bien beau de faire confiance aux gens, mais il n'y a rien de plus valorisant que de sentir que les gens peuvent vous faire confiance. Vous devez gagner cette loyauté en agissant de façon à ce que les personnes que vous aimez sachent qu'elles peuvent compter sur vous, sur votre honnêteté, sur votre respect et sur votre parole. En d'autres mots, cela signifie que vous devez honorer vos engagements et agir de façon responsable. Faire des promesses qu'on trahira et donner sa parole en sachant qu'on ne pourra pas la tenir ne vous aidera pas à acquérir la confiance de vos proches. Soyez réalistes dans ce que vous dites. Pour gagner la confiance des autres, il est aussi important d'être là pour eux et de leur faire sentir qu'ils peuvent vraiment compter sur vous, sur votre présence et sur votre soutien. Lorsqu'une de vos bonnes amies ne va pas bien et qu'elle a besoin de se confier à vous, assurez-lui qu'elle peut le faire en toute confiance, que vous respecterez son intimité et que vous ne la jugerez pas. C'est essentiel. Vous devez savoir garder des secrets et être discrète pour que les gens aient confiance en vous. Laissez faire les ragots et concentrez-vous sur la vraie amitié. Évidemment, si vous voulez gagner la confiance d'une personne, il faut éviter d'être malhonnête ou de la trahir. Tout est question d'honnêteté, de respect, de loyauté et de fidélité avec sa famille, ses amies et son amoureux.

Les deux extrêmes

On peut avoir tendance à accorder sa confiance un peu trop facilement. La confiance n'est pas quelque chose à traiter à la légère et, dans certaines circonstances, la naïveté peut blesser. Certaines personnes ne sont pas dignes de cette confiance et risquent de vous faire du mal. C'est à vous de déterminer qui, dans votre entourage, mérite ce respect et cette ouverture de soi. De plus, il ne faut pas non plus se fermer aux autres et refuser d'accorder votre confiance à qui que ce soit, car vous passerez à côté de plein de belles choses. Même si quelqu'un vous blesse et abuse de votre confiance, dites-vous que nous apprenons toutes de nos erreurs et que, la prochaine fois, vous serez plus prudentes. Apprenez à donner et à recevoir. La confiance se construit souvent à deux, et il est très facile de voir si vous êtes seules à tenir le fort ou si vous pouvez véritablement compter sur l'autre.

Sachez toutefois que la clé, c'est la patience. Certaines personnes prennent plus de temps à s'ouvrir et à faire confiance aux autres. Il faut que vous puissiez montrer aux gens qu'ils n'ont aucune raison de ne pas croire en votre parole. Ainsi, ils seront plus sujets à vous accorder leur confiance.

Par ailleurs, ne soyez pas surprise si les gens à qui vous pouvez toujours vous fier se comptent sur les doigts d'une main. L'important, c'est de savoir que vous pouvez compter sur eux, et qu'ils peuvent se fier à vous et vous faire confiance sans la moindre inquiétude. La confiance est un immense atout dans les relations avec vos amies, vos parents, vos frères et vos sœurs, vos professeurs et, bien évidemment, avec la personne qui fera battre votre cœur. Non seulement la confiance est-elle essentielle en amitié, mais c'est aussi l'une des bases de l'amour. Apprendre à développer la confiance n'a que du bon; cela vous fera rapidement vous sentir beaucoup plus matures et vous aidera à vous bâtir une belle estime de soi.

Confidence

DÉVOILER SON JARDIN SECRET

Une confidente, c'est quelqu'un sur qui on peut compter et à qui on peut se confier, raconter ses petits secrets, ses hauts et ses bas, ses angoisses, ses malheurs et ses chagrins sans avoir peur de se faire juger ou de ne pas se faire respecter.

Quand on choisit un confident ou une confidente, on lui dévoile notre jardin secret, on partage une intimité unique et très précieuse. Aussi, il faut savoir valoriser ce sentiment. C'est à vous et à vous seule de déterminer qui sont vos confidents. Il peut s'agir d'une amie, d'un copain, de votre journal intime, de vos parents, de votre sœur ou de votre chien, mais ce doit être quelqu'un de loyal et d'honnête sur qui vous pouvez compter. Ces personnes-ressources sont parfois difficiles à trouver, alors ne vous étonnez pas si vous constatez que vous n'avez qu'un ou deux vrais confidents. Lorsqu'on se confie à quelqu'un, on dévoile son jardin secret et on partage des confidences, ce qui peut nous faire sentir extrêmement vulnérable. Il faut toutefois apprendre à s'ouvrir aux autres et à ne pas avoir peur de discuter des choses qui nous tracassent ou qui nous perturbent avec les gens qu'on considère comme étant dignes de confiance.

> ❝ *Devenir la confidente de quelqu'un ne se fait pas du jour au lendemain.* ❞

L'autre doit d'abord être convaincue qu'elle peut compter sur vous et vous faire confiance. Elle sait que vous êtes là en tout temps pour l'écouter, pour lui offrir une épaule sur laquelle pleurer ou une oreille pour se confier. Bref, elle peut non seulement compter sur votre loyauté et votre respect, mais aussi sur votre discrétion. Quand quelqu'un se confie à vous, vous devez apprécier la confiance qui vous est accordée, et apprendre à respecter les confidences de cette personne et à ne pas dévoiler ses secrets aux autres, même s'ils vous paraissent anodins. Après tout, ce qui vous semble sans importance est peut-être extrêmement précieux à ses yeux et, de toute façon, ce n'est pas à vous d'en juger. Si vous voulez qu'une copine vous fasse confiance et se confie à vous, vous devez lui montrer que vous êtes disponible, discrète, loyale, respectueuse et que vous ne porterez pas de jugement sur ce qu'elle vous racontera. La liste semble assez longue, mais ce sont des qualités qui vont souvent de soi en amitié. On ne doit pas se forcer à être loyale ou disponible, puisque quand on aime quelqu'un, c'est souvent naturel d'être là pour lui et de l'écouter en lui offrant notre soutien. Si une amie est bouleversée, angoissée ou stressée et qu'elle se confie à vous, vous pouvez aussi décider de l'écouter, puis de lui proposer une activité qui saura lui changer les idées et la sortir de sa torpeur. C'est à vous, la confidente, de lui donner des conseils ou de lui proposer des activités amusantes. Soyez attentive aux besoins des autres et apprenez à les écouter lorsqu'ils en ont besoin. Inversement, apprenez à vous ouvrir aux autres et à partager vos émotions avec les gens en qui vous avez confiance.

Sachez aussi qu'il existe toutes sortes de confidentes : il y a les copines que vous irez voir lorsque vous voudrez parler de vos émotions et de vos angoisses un peu plus profondes, celles à qui vous voudrez parler lorsque vous aurez envie de lâcher votre fou ou de vous changer les idées, et celles qui ont toujours le don de vous faire sentir mieux en un rien de temps. L'important, c'est que vous puissiez leur faire confiance et compter sur elles et sur leur discrétion, tout en leur faisant bien comprendre qu'elles peuvent également compter sur vous et que vous vous acquitterez tout aussi bien de votre rôle de confidente. C'est ça, la vraie amitié !

Copains

RIRES, LEGÈRETÉ ET BONNE ENTENTE !

On se fait des tas de copains au secondaire. Ce sont les bonnes connaissances qu'on croise à l'école et dans les fêtes entre amis. Ils font souvent partie du groupe de personnes avec qui vous vous tenez, suivent le même cours que vous ou habitent dans votre quartier.

Un copain (ou une copine), c'est une personne avec qui on a des intérêts communs ou avec qui on fait des activités. Il faut faire la distinction entre les amis, à qui on se confie et sur qui on peut toujours compter dans les moments difficiles, et les copains qu'on fréquente de façon plus désinvolte et avec qui on entretient des rapports plus légers. Parfois, un copain peut devenir un ami. Avec le temps, on peut remarquer qu'on a beaucoup d'affinités avec un copain. Une relation de confiance s'établit et il devient alors un bon ami. Par exemple, si vous faites partie de l'équipe de basket de votre école, les autres joueuses sont vos copines : c'est avec elles que vous pouvez discuter de sport, que vous prenez l'autobus avant et après les parties, et que vous participez aux tournois. Avec les copains, on passe souvent des moments inoubliables, mais on a plutôt tendance à confier nos petits secrets à notre meilleure amie, en qui l'on fait totalement confiance.

Il ne faut toutefois pas sous-estimer l'importance des copains. Ce sont eux que vous croisez dans les couloirs ou dans la cour de l'école et qui mettent de la vie dans votre quotidien. Ce sont aussi eux qui se joignent à vos fêtes et qui rendent votre vie plus joyeuse. Ce sont les copains qui viennent rompre le train-train et mettre de la vie dans vos journées qui, sans eux, seraient longues et ennuyantes. Avoir des copains qui fréquentent divers groupes sociaux permet de connaître toutes sortes de cultures, de traditions et de personnalités.

Il est facile de se faire des copains; il vous suffit d'être joviales, sociables et de vous montrer assez ouvertes pour bavarder de tout et de rien. Montrez-vous accessibles et faciles d'approche. Tentez de combattre votre timidité et ne restez pas dans votre coin. Si vous semblez fermées, les gens seront moins tentés de vous aborder et préféreront garder leurs distances. Même si vous croyez que certaines personnes sont différentes de vous et que vous n'avez pas les mêmes intérêts, faites un effort, et vous pourriez être très surprises. Inscrivez-vous à des activités parascolaires, participez aux excursions qu'on vous propose, joignez-vous à une équipe sportive ou au conseil étudiant; c'est là que vous ferez la connaissance de personnes avec qui vous aurez des intérêts communs. On a souvent moins de vraies amies que de bons copains. Vos amies sont celles avec lesquelles vous partagez des choses personnelles, celles à qui vous pouvez vous confier et qui peuvent compter sur vous en retour. Même si elles ne partagent pas toutes vos passions, ce sont vos amies qui vous comprennent le mieux. Les copains de votre cours d'arts plastiques, c'est avec eux que vous pouvez parler de votre amour de la peinture à l'huile! Avec eux, vous pouvez discuter des toiles et des pinceaux avant de rejoindre votre meilleure amie pour discuter de choses qui vous tiennent à cœur.

Même si les copains ne sont pas les personnes les plus proches de vous, il faut tout de même faire un effort pour entretenir ces liens d'amitié.

Envoyez-leur une carte postale de la République dominicaine ou une jolie carte de Noël pour qu'ils sachent que vous pensez à eux, même si vous ne passez pas tout votre temps en leur compagnie. Prenez de leurs nouvelles par courriel, faites des blagues dans l'autobus et saluez-les lorsque vous les croisez à l'école.

Les camarades de classe sont eux aussi vos copains, car ils sont ceux avec qui vous assistez à vos cours durant toute l'année scolaire et avec qui vous partagez le plus clair de votre temps. Bien que la plupart d'entre eux soient différents de vous, il y a tout de même entre vous une grande camaraderie et une grande complicité. Les cours seraient beaucoup plus monotones sans eux! Plus tard, vous vous remémorerez avec joie les souvenirs de votre passage au secondaire en pensant à vos camarades de classe.

Avec les copains, on n'a pas trop à s'en faire : pas de disputes, pas de grandes confidences ou de fortes émotions. Les relations demeurent légères et on peut rigoler sans se faire de souci, et ce qui est génial, c'est qu'on peut se faire des copains un peu partout et ouvrir son esprit aux différences et à la diversité. Si vous partez en voyage et que vous rencontrez des copines qui vivent en Allemagne, vous ne pourrez pas rester en contact quotidien avec elles, mais vous pouvez quand même leur écrire de temps à autre, puisque vous partagerez à jamais ces souvenirs de vacances. Les copains serviront aussi à développer votre estime personnelle, car vous constaterez que même s'ils ne vous connaissent pas de fond en comble, ils apprécient beaucoup votre personnalité et votre dynamisme et ils aiment bien être en votre compagnie. Profitez du temps passé avec eux pour accumuler les bons moments et les rigolades. Laissez briller votre personnalité !

Couple

UN PREMIER PETIT AMI

Il n'est pas rare de vivre son premier amour à l'adolescence. On se fait un petit ami et on se sent au septième ciel. Une première relation amoureuse vous en apprendra énormément sur vous-même et sur la vie de couple.

Après quelques semaines, il est normal que la période de « lune de miel » se termine; vous devez alors commencer à vous adapter à la personnalité de votre amoureux et à faire des compromis. Je ne vous apprends rien lorsque je dis que les gars et les filles sont très différents, mais, en plus, chaque individu possède ses qualités et ses défauts. C'est ce qui nous rend si unique. Quand on sort avec un garçon et qu'on forme un couple, on doit apprendre à le connaître de façon plus intime et à accepter ses petits défauts. On doit aussi s'habituer à un nouveau rythme de vie et à une nouvelle routine. C'est normal de vouloir passer tout son temps avec son amoureux, mais il faut faire attention de ne pas tout sacrifier pour lui.

Tout d'abord, il y a vos amies. Vous aviez sans doute l'habitude de passer tout votre temps libre avec elles, de dîner en leur compagnie et de les retrouver après l'école. Maintenant, vous devez apprendre à partager votre temps entre votre amoureux et vos meilleures copines. Il se peut très bien que l'adaptation soit difficile au début. Vos amies seront peut-être jalouses de l'attention que vous portez à un garçon et du temps que vous lui consacrez, et votre petit ami vous demandera peut-être de sacrifier vos après-midis de magasinage avec vos amies pour passer plus de temps avec lui. L'important, c'est de trouver un équilibre qui vous permette de voir votre amoureux sans négliger complètement vos amies.

Attention, danger !

Quand on est follement amoureuse, on sent que notre cœur s'emballe pour un rien et on désire passer tout notre temps avec notre amoureux. Rappelez-vous toutefois que l'amour ne dure pas toujours pour l'éternité, surtout au secondaire, et que les amies, elles, sont là pour rester. Si vous passez des mois entiers seule avec votre amoureux et que la relation se termine, vous risquez de vous sentir extrêmement seule, surtout si vous avez abandonné vos amies pendant tout ce temps et qu'elles ne sont plus là pour vous. Les amies sont là pour vous aider dans les moments difficiles, mais il est essentiel d'entretenir l'amitié, de demeurer disponible pour elles et de leur faire comprendre qu'elles sont encore très importantes à vos yeux.

Quand la jalousie s'installe

Il se peut aussi que vos amies éprouvent de la jalousie envers votre copain et soient en colère contre vous parce que vous ne leur accordez pas assez de temps. Bien que vous ayez un devoir à accomplir en tant qu'amie, elles doivent quant à elles se montrer plus indulgentes. Expliquez-leur que vous êtes amoureuse et que vous avez aussi envie d'être avec votre petit ami. L'ajustement sera peut-être difficile au début, mais elles comprendront si vous leur en parlez calmement, surtout si certaines d'entre elles ont déjà été en couple. Vous pouvez discuter avec elles au sujet de votre relation et leur faire des confidences pour qu'elles se sentent impliquées dans votre vie. Vous pouvez aussi essayer d'organiser une activité où vous

SUJETS CONNEXES :
- *AMOUR*
- *AMOUREUSE*
- *PREMIER BAISER*

aurez l'occasion de passer du temps avec votre amoureux et avec vos amies (repas au restaurant, film à la maison ou au cinéma, activité sportive, etc.) pour qu'ils apprennent à se connaître davantage et pour détendre l'atmosphère.

Les parents et le couple

Il est aussi normal que vos parents ne soient pas très chauds à l'idée de vous voir en couple. Ils vous diront peut-être que vous êtes encore jeune pour vous engager dans une relation sérieuse et mettront de la pression pour que vous ne négligiez pas votre famille, vos études et vos activités parascolaires pour passer le plus de temps possible avec votre amoureux. Dites-vous qu'ils sont inquiets et qu'ils doivent s'adapter au fait que vous grandissiez. Vous devez encore une fois essayer de trouver un compromis et éviter de sacrifier votre vie pour votre petit ami, tout en expliquant à votre père et à votre mère qu'il est normal que vous désiriez passer du temps avec lui. S'il s'agit d'une relation plus sérieuse, je vous suggère de présenter votre amoureux à vos parents pour que ces derniers apprennent à le connaître et pour qu'ils aient davantage confiance en vous et en votre couple.

Suis-je trop jeune pour découcher ?

Au secondaire, vous allez parfois à des fêtes chez des amis qui vous proposent de passer la nuit chez eux. Vous aurez alors peut-être envie de dormir avec votre petit ami et d'en profiter pour avoir un peu plus d'intimité. Soyez responsable et prudente ; allez à votre propre rythme et assurez-vous que votre chum respecte votre décision. Si vos parents vous interdisent de dormir avec lui, tentez de ne pas leur désobéir ; cela risquerait de nuire à leur confiance et à votre indépendance. Si vous vous sentez prête à dormir avec votre

amoureux et que vos parents sont d'accord, alors vous êtes la fille la plus chanceuse du monde !

Une question d'équilibre

On ne le dira jamais assez : si vous formez un couple, il est important de trouver un équilibre qui vous permette de ne pas négliger vos amies, votre famille et vos études tout en passant suffisamment de temps avec votre petit ami. Vous discutez peut-être pendant de longues heures au téléphone avec lui, ce qui embête votre grand frère qui doit appeler quelqu'un, ou vos parents qui préféreraient vous voir étudier. Soyez juste et raisonnable, et pensez aux autres sans toutefois vous négliger. Vous pouvez par exemple consacrer une journée de la fin de semaine à votre amoureux ou dîner avec lui deux midis par semaine, et partager le reste du temps entre vos devoirs, votre famille et vos amies. L'ajustement sera peut-être un peu compliqué au début, mais si vous trouvez un équilibre, les gens de votre entourage auront tôt fait de s'habituer à votre statut, et vous apprécierez quant à vous tous les moments précieux que vous passerez en compagnie de votre amoureux.

Engueulade

ÉTINCELLE QUI PROVOQUE CRIS ET INSULTES

Quand on est en colère, qu'on se sent irritée pour tout et pour rien et qu'on habite sous le même toit que sa famille, il est normal que les engueulades éclatent.

Une engueulade, cela sous-entend souvent des cris, des insultes. L'étincelle qui provoque la dispute peut être un incident très anodin autour de la table, ou un sujet plus délicat comme le couvre-feu imposé par les parents, par exemple. Les engueulades surviennent aussi avec les amies qui n'ont pas le même point de vue que vous ou qui vous énervent sans raison.

Il y a des gens avec qui vous avez peut-être plus tendance à vous engueuler. Par exemple, certaines personnes n'ont pas la langue dans leur poche ou aiment simplement vous provoquer et vous voir piquer une crise. Même si vous êtes de nature soupe au lait, vous devez apprendre à vous contrôler et à ne pas entrer dans ce petit jeu. L'indifférence est souvent l'arme la plus efficace contre ceux qui vous narguent. Si vous avez des frères et des sœurs, je suis certaine que les engueulades surviennent assez souvent. Sachez d'abord qu'il est tout à fait normal de manquer de patience lorsqu'on cohabite avec des gens. Les membres de certaines familles s'engueulent moins que d'autres, mais cela ne veut pas nécessairement dire qu'ils se respectent davantage. C'est parfois dû à une distance qui les sépare ou à un froid qui s'est installé dans la maison. Dans d'autres familles, les gens ont au contraire l'habitude de s'engueuler à tous les repas. Encore une fois, il n'existe aucune règle générale, et cela ne signifie pas qu'ils s'aiment moins. Cela peut être lié au fait qu'ils ne parviennent pas à discuter calmement, car ils sont de nature plus explosive ou plus têtue.

Quand les parents s'engueulent

Vous devez avant tout vous rappeler que votre père et votre mère ne sont pas seulement des parents, mais qu'il s'agit aussi d'un couple et de deux individus à part entière qui sont parfois irrités ou qui ont de la misère à se supporter l'un l'autre. Si vos parents se disputent, essayez de ne pas vous en mêler et de les laisser régler leur problème. Ils auront tôt fait de se réconcilier, et vous ne vous sentirez pas impliquée dans leur querelle. S'ils s'engueulent sans cesse et que cela vous dérange ou vous bouleverse, alors mieux vaut leur en parler calmement pour qu'ils prennent conscience du fait que vous êtes là et que vous ne voulez pas nécessairement assister à leurs disputes.

Une engueulade à caractère thérapeutique

Les engueulades nous permettent parfois d'extérioriser notre peine ou notre frustration. Sachez qu'il n'est pas mauvais de s'engueuler de temps à autre avec les gens qu'on aime. L'important, c'est de ne pas dépasser les bornes et de ne pas dire des choses méchantes dans le but de blesser les autres. Quand on s'engueule pour un rien, on finit souvent par en rire de bon cœur, alors ne dramatisez pas toutes les querelles que vous avez avec les membres de votre famille ou avec vos amis. Si vous croyez être allée trop loin, excusez-vous et tentez de vous expliquer pour faire comprendre à l'autre que vos paroles ont dépassé votre pensée. Si vous jugez, par exemple, que votre sœur vous a manqué de respect et qu'elle vous a blessée, dites-le-lui calmement pour qu'elle comprenne que cela ne sert à rien de vous insulter de la sorte et que ses paroles peuvent parfois vous faire du mal.

Les engueulades font partie de notre quotidien et il est tout à fait normal d'avoir les nerfs en boule par moments. Chacun a son propre caractère, et certains peuvent être plus susceptibles que d'autres. Par conséquent, apprenez à connaître vos adversaires et à éviter que la situation ne dégénère. Rappelez-vous toutefois que cela arrive dans les meilleures familles et qu'il n'y pas toujours de quoi en faire un plat. Il suffit parfois de laisser la tempête passer et d'en rire quelques heures après.

QUELQUES TRUCS POUR SURVIVRE AUX CHICANES OU ÉVITER LES ENGUEULADES

♦ *Ne soyez pas trop soupe au lait et apprenez à rire de vous-même lorsqu'on se moque gentiment de vous.*

♦ *Ne soyez pas trop brusque quand on vous parle, même si vous vous sentez particulièrement irritée.*

♦ *Ne soyez pas méchante dans ce que vous dites. Si vous vous sentez vraiment sur le point d'éclater, allez prendre l'air, faites une promenade ou appelez quelqu'un qui n'est pas impliqué dans la querelle pour exprimer ce que vous ressentez.*

♦ *Apprenez à vous excuser si vos paroles ont dépassé votre pensée.*

♦ *Apprenez à rire durant les engueulades ou une fois qu'elles sont terminées. Ça permettra de détendre l'atmosphère et de dédramatiser la situation.*

Famille

VOUS NE POURRIEZ PAS VOUS EN PASSER

Pas besoin de vous dire toute l'importance de la famille. Même si la vôtre vous énerve souvent, vous savez que vous ne pourriez pas vous en passer .

Il y a la famille élargie, c'est-à-dire celle qui inclut les oncles, les tantes, les cousins et les cousines, et la famille nucléaire, qui est composée des parents et des enfants. Certains ont des liens très étroits avec les membres de leur famille élargie, tandis que d'autres ne les voient que pour des occasions spéciales, comme les mariages ou les enterrements. Cela varie d'une famille à l'autre, et cela dépend souvent de plusieurs facteurs comme l'éloignement, l'âge, les valeurs, etc. Cependant, c'est auprès des membres de votre famille nucléaire que vous évoluez et que vous vous épanouissez tout au long de votre adolescence. Ils ont beau vous taper sur les nerfs de temps à autre, ils jouent aussi un rôle essentiel dans votre développement personnel et social.

On ne choisit pas sa famille, et on voudrait parfois l'échanger avec celle des voisins ou de nos amies, mais dites-vous qu'aucune famille n'est parfaite et que si vous vous engueulez si souvent à table, c'est justement parce que vous avez des tas de points en commun et entretenez des liens très étroits. C'est avec les membres de votre famille que vous vivez quotidiennement. Ce sont eux qui vous voient traverser les bons et les mauvais moments de la vie de tous les jours et qui vous accompagnent depuis que vous êtes toute petite. Par conséquent, il est clair que vous entretenez des rapports très intimes avec eux, ainsi qu'une complicité que vous n'avez avec personne d'autre.

> *Il existe toutes sortes de familles. Les petites, les grandes, les recomposées, celles qui sont très unies et celles qui le sont moins. Cependant, la famille est l'une des choses les plus importantes dans la vie. Il faut apprendre à respecter et à chérir les gens qui la composent, car ce sont eux qui vous aiment inconditionnellement et qui seront toujours là pour vous, quoi qu'il arrive.*

Ils m'énervent !

Il faut tout de même souligner qu'il est normal de s'engueuler avec les membres de sa famille. Non seulement on les côtoie tous les jours, mais, dans la plupart des cas, on vit sous le même toit et on a les mêmes habitudes. Il est donc normal que ça explose de temps à autre. De plus, il est évident que vous partagez des traits de personnalité avec les gens de votre famille, et c'est souvent cette ressemblance qui déclenche les chicanes. On se connaît tellement qu'on sait exactement sur quel bouton appuyer pour énerver l'autre et lui faire perdre la boule ! Ce sont toutefois ces engueulades et ces affrontements qui forgent votre caractère et qui vous rendent plus forte. Non seulement vous apprenez à vous défendre et à vivre en société, mais la famille vous transmet aussi des valeurs qui sont essentielles à votre épanouissement, et elle vous enseigne l'art du compromis, ce qui vous servira tout au long de votre vie. De plus, même si votre famille vous rend parfois dingue, vous lui y êtes fidèle car vous partagez des valeurs et une sensibilité qui vous rapprochent et vous unissent. Il faut apprendre à rester fidèle à sa famille, malgré les conflits et les affrontements. C'est souvent lorsqu'on se trouve avec des étrangers qu'on se montre extrêmement fière de notre famille et qu'on interdit à qui que ce soit de s'y attaquer. Comme on en fait partie, on a le droit de s'en plaindre comme bon nous semble, mais, au fond, on est fière d'appartenir à sa famille, et pas question que quelqu'un ose la critiquer devant nous !

L'importance de la famille

La famille est votre microsociété. C'est dans son sein que vous grandissez et que vous vous développez. C'est aussi avec les membres de votre famille que vous vivez des moments inoubliables dont vous vous souviendrez toute votre vie. Même lorsque vous quitterez le nid familial et que vous volerez de vos propres ailes, votre famille demeurera toujours aussi importante à vos yeux. Un jour, vous rencontrerez quelqu'un et vous formerez peut-être votre propre famille. Si vous avez des enfants, vous comprendrez encore plus l'importance de ces liens qui vous unissent et de l'amour inconditionnel que partagent les membres d'une même famille.

Catherine et sa grand-maman TaTa

Famille recomposée

Au Québec, le taux de divorce étant supérieur à 50 %, il existe de plus en plus de familles recomposées. Certaines évoluent de la même façon que les familles normales, et les relations entre demi-frères, demi-sœurs, belle-mère et beau-père ne posent aucun problème. Pour d'autres, il s'agit véritablement d'un défi, car on ne sent pas qu'on appartient à la « belle-famille ». Si votre père se remarie, cela ne veut pas dire que sa nouvelle femme est votre deuxième mère ; mais vous devez tout de même faire un effort pour la respecter, car elle est l'amoureuse de votre père et elle fait maintenant partie de votre famille. Il suffit de voir la chose d'un œil plus positif ; votre famille s'est agrandie, et vous pouvez à présent compter sur deux entourages différents qui vous apportent tout autant l'un que l'autre. Il faut chercher à tirer le maximum de leçons de chacune d'elles. Tâchez également de respecter vos demi-frères et demi-sœurs le plus possible, car, que vous le vouliez ou non, ils font désormais partie de votre famille et vous devez les côtoyer quotidiennement. Il est normal d'avoir plus d'affinités avec certaines personnes, mais vous seriez surprise de constater tout ce que vous pouvez apprendre de quelqu'un qui vous semble de prime abord très différent de vous. Bref, ne jugez pas trop vite et efforcez-vous de rendre l'atmosphère agréable, car vous ne pouvez rien changer à la situation. Qui sait, vos demi-frères et demi-sœurs deviendront peut-être de grands confidents, et même de grands amis, alors ça vaut la peine d'apprendre à les connaître. Il suffit d'un peu d'efforts et de bonne volonté.

Un sentiment d'appartenance

La famille nous procure un sentiment d'appartenance et de sécurité qu'il ne faut pas négliger. C'est grâce à elle que nous nous formons un caractère et que nous évoluons en société. La famille nous permet de nous sentir aimées et respectées. C'est vraiment génial de pouvoir compter sur l'appui et l'amour inconditionnels de notre famille et de savoir que, quoi qu'il arrive, elle sera toujours là pour nous. C'est grâce à elle que vous pourrez apprendre à former votre propre petite famille, que ce soit avec un partenaire et des enfants, ou avec votre bande d'amies. La famille est un milieu d'apprentissage incomparable, et souvenez-vous que même si elle vous énerve souvent, vous ne la changeriez pour rien au monde.

Salut, Lou !
Désolée de ne pas t'avoir répondu avant, mais j'étais partie au restaurant avec mes parents et mon frère. Au début, j'étais un peu réticente, mais quand ma mère m'a offert d'aller à mon restaurant chinois préféré, j'ai tout de suite accepté ! Et finalement, c'était plutôt drôle. Tout le monde était de bonne humeur, et ça m'a fait du bien de sortir de la maison et de passer du temps en famille !
Léa xox

Fidélité

INTIMEMENT LIÉE À LA CONFIANCE ET À LA LOYAUTÉ

La fidélité est un concept qui soulève beaucoup de questions au XXIᵉ siècle. Elle est intimement liée à la confiance et à la loyauté.

Être fidèle, ça ne veut pas seulement dire ne pas tromper celui qu'on aime ; ça veut aussi dire qu'on est capable de tenir ses promesses, qu'on est là pour les autres et qu'on est digne de confiance.

Pour ce faire, il faut d'abord être fidèle à soi-même, c'est-à-dire respecter ses propres valeurs et sa propre façon de penser sans trop se laisser influencer par les autres. Quand on est fidèle à soi-même, on se respecte et on est à l'écoute de ses désirs et de ses limites. Il ne faut toutefois pas utiliser ce concept pour excuser toutes les erreurs de jugement qu'on peut commettre. C'est bien de reconnaître ses défauts et de s'assumer telle qu'on est, mais plutôt que de continuer à faire des bêtises en les imputant à ses défauts « naturels », mieux vaut tâcher de s'améliorer, ce qui nous permettra de nous épanouir davantage.

> ❝ La fidélité entre deux individus se base principalement sur le concept de loyauté et de respect. ❞

Quand on aime quelqu'un, on veut éviter de le tromper et de lui faire du mal. Cela va de soi. Dans une relation amoureuse, on parle donc de monogamie, soit d'une relation avec un seul conjoint. Cette relation d'exclusivité s'établit non seulement sur le plan physique, mais aussi sur le plan psychologique et émotionnel. Quand on est fidèle à quelqu'un, c'est avec lui qu'on partage notre quotidien, nos joies, nos peines et nos espoirs. Il s'agit d'une relation basée sur la confiance, sur l'ouverture et sur la communication.

Ce type de relation est aussi vrai en amitié. Être une amie fidèle, ça veut dire qu'on est loyale et qu'on est disponible. On ne trahira pas la confiance qui nous est accordée, car on respecte nos amies et elles peuvent toujours compter sur nous. Une vraie amie, c'est quelqu'un à qui on peut se fier et en qui on a aveuglément confiance, car on sait qu'elle ne nous laissera pas tomber ; en d'autres mots, c'est une amie fidèle qui nous respecte et qui nous aime.

Beaucoup de gens ne croient pas vraiment en la fidélité, surtout dans le couple. Dans une société aussi ouverte et libre que la nôtre, le concept de monogamie peut sembler étrange, mais il n'en demeure pas moins que c'est une question de respect et de loyauté, deux notions qui ne changent pas selon les normes et les valeurs sociales ; elles sont ancrées en nous et guident nos comportements. On ne peut évidemment pas se forcer à aimer certaines personnes, ni à leur être fidèle, mais quand on aime vraiment, c'est souvent une attitude qui va de soi. La fidélité demande parfois des efforts et de la volonté, mais quand on est réellement amoureuse de quelqu'un, on ne veut pas lui faire du mal, ni même s'imaginer avec quelqu'un d'autre. Bien que les tentations soient parfois fortes, il faut s'efforcer de rester fidèle à soi-même et à sa tendre moitié, car, quand on tient vraiment à l'autre, ça vaut la peine de se battre. La fidélité est parfois une question de travail et

SUJETS CONNEXES :
○ COUPLE
○ AMOUR
○ DIVORCE
○ CONFIANCE
○ AMITIÉ

de compromis, mais au fond, quand on aime vraiment quelqu'un, il est assez naturel de le respecter et d'être loyale. Beaucoup de gens sont tout simplement incapables de tromper les autres parce qu'ils ne pourraient pas vivre avec cela sur la conscience. Ils ne peuvent concevoir d'être malhonnêtes ou infidèles sans se sentir extrêmement déchirés à l'intérieur.

" *Bref, pour être fidèle, vous pouvez commencer par être simplement là pour les autres. Soyez disponible et digne de confiance.* "

Apprenez à tenir vos promesses et votre parole, et vous verrez que bien que cela demande parfois un petit peu d'effort, on se sent beaucoup mieux quand on agit en toute sincérité et quand on respecte les gens qu'on aime. Pensez au mal que vous auriez si on vous trompait, et vous n'aurez certainement pas envie de faire subir cette souffrance aux autres. La loyauté et la fidélité sont des défis beaucoup plus satisfaisants à relever, alors efforcez-vous de le faire pour vous sentir bien dans votre peau.

Frère & Sœur

COMPLICITÉ ET CHOSES EN COMMUN

Dans la vie, on veut souvent ce qu'on ne peut pas avoir. C'est la même chose dans le cas des frères et des sœurs.

Si vous êtes enfant unique, vous rêvez sûrement d'avoir des gens autour de vous avec qui partager votre quotidien, à qui vous confier ou même avec qui vous disputer. Si vous avez des frères et des sœurs, je suis certaine que, parfois, vous ne demanderiez pas mieux que de les faire disparaître pour ne plus avoir à les endurer et à partager avec eux l'attention de vos parents.

La vérité, c'est qu'on ne peut pas changer sa situation familiale. Je sais que vous n'avez pas choisi les gens de votre famille, mais c'est tout de même avec eux que vous grandissez et que vous vivez tous les jours. Allons, soyez honnête : je suis certaine que vous avez aussi une grande complicité avec vos frères et vos sœurs, ainsi que des tas de choses en commun. L'important, c'est de tirer avantage de la situation dans laquelle on se trouve et de faire en sorte que la vie soit le plus agréable possible.

Une grande famille

Si vous faites partie d'une famille recomposée digne de celle de la série télévisée Ramdam, alors vous avez des tas de frères, de sœurs, de demi-frères et de demi-sœurs avec qui vous devez partager votre vie et votre maison. Je sais qu'il n'est pas facile, dans cette situation, de trouver un peu de tranquillité et d'arriver à passer plus de 10 minutes sous la douche le matin, mais vous devez voir les bons côtés : vous êtes entourée de gens et vous pouvez compter sur eux en tout temps. Les frères et les sœurs ne sont pas seulement des rivaux ; ils peuvent aussi être de grands alliés, voire même de grands confidents. Il se peut par exemple que vous ayez plus

d'affinités avec votre sœur parce que vous dormez dans la même chambre, parce que vous avez presque le même âge ou tout simplement parce que vos personnalités se ressemblent davantage. Il n'y a rien de mal à se sentir mieux avec sa sœur ou avec son frère, ou à être plus proche de l'un que de l'autre. L'important, c'est de réaliser que vous les aimez tous à votre façon et de ne pas rejeter ceux avec qui vous avez moins d'atomes crochus.

Son rôle dans la famille

Si vous êtes l'aînée, vous sentez peut-être que vous avez trop de responsabilités et vous trouvez cela injuste. Sachez que vos parents vous donnent probablement ces responsabilités parce qu'ils ont confiance en vous et qu'ils pensent que vous êtes assez mature pour les assumer. De plus, n'oubliez pas que vos petits frères ou vos petites sœurs vous voient sûrement, en tant qu'aînée, comme leur mentor ou leur héroïne. Vous êtes en quelque sorte leur modèle et, croyez-moi, ils envient certainement votre autonomie, votre indépendance et votre liberté. Pourquoi doivent-ils se coucher à 20 h alors que vous avez la permission de traîner dans la maison jusqu'à 22 h 30 ? Cela fait partie des privilèges de l'aînée : plus de responsabilités, mais plus de permissions et plus de liberté !

Si vous êtes la cadette, c'est probablement vous qui enviez les autres parce qu'ils ont le droit de faire plus de choses que vous, mais c'est vous aussi qui vous faites le plus cajoler par vos parents et par vos frères et sœurs. Même s'ils vous énervent par moments, ces derniers sont en quelque sorte vos modèles et vos idoles. Ils ne sont pas parfaits, mais vous pouvez apprendre de leurs erreurs, ce qui vous permettra de ne pas commettre les mêmes lorsque vous aurez leur âge. N'hésitez pas à leur demander conseil si quelque chose vous tracasse, car ils ont certainement vécu une situation similaire dans le passé. Par ailleurs, si vous vous sentez étouffée et que vous trouvez qu'ils vous traitent encore comme si vous étiez un bébé, il faut leur prouver qu'ils ont tort. Faites preuve de maturité plutôt que de claquer la porte. Apprenez à discuter et à exprimer vos sentiments pour leur faire comprendre que bien que vous soyez la cadette, vous vieillissez quand même et vous voulez qu'ils vous voient telle que vous êtes.

L'école de la vie

Lorsqu'on vit avec des frères et des sœurs, on apprend à faire des compromis, à partager, à vivre en communauté et s'écouter les uns les autres. Même si vous avez parfois envie d'arracher la tête des vôtres et que vous vous sentez incomprise, sachez que cette situation au sein de votre famille vous donne une expérience inestimable. Vous acquérez des traditions, des habitudes de vie et vous connaissez l'importance de la famille. Vous apprenez à vous ouvrir aux autres et à être plus altruiste. Même s'il est difficile de partager et que vous aimeriez parfois avoir toute l'attention, le fait de vivre avec des frères et des sœurs vous apprend à être à l'écoute des besoins des autres et à être moins égoïste, et toutes ces choses vous seront très utiles au cours de votre vie adulte.

La rivalité

La complicité entre frères et sœurs se transforme bien souvent en rivalité, que ce soit parce qu'on veut attirer l'attention des parents, ou parce qu'on veut être la meilleure ou le chouchou. Vous devez être consciente du fait que, peu importe ce que vous faites, vous êtes bien différente de votre frère ou de votre sœur, et que vous avez des

Catherine et son frère Marc-André

SUJETS CONNEXES :
o *FAMILLE*
o *PÈRE*
o *MÈRE*

talents et des traits de personnalité qui vous rendent unique. Alors, tâchez de développer ces caractéristiques personnelles plutôt que d'essayer d'être quelqu'un d'autre. Il est par ailleurs normal de se disputer et de se bagarrer avec ses frères et ses sœurs, de claquer la porte de temps à autre ou de leur jouer des mauvais tours, mais, avec le temps, ces accrochages se transformeront certainement en souvenirs que vous chérirez et conserverez au fond de votre cœur. Même si la vie avec vos frères et sœurs vous semble parfois insoutenable, sachez que lorsque l'un d'entre eux quittera le nid familial, cela vous brisera quand même le cœur. N'est-ce pas votre grand frère qui venait toujours vous défendre quand on vous embêtait dans la cour de l'école ? N'est-ce pas avec votre petite sœur que vous bavardiez, le samedi, en vous faisant les ongles ? La bonne nouvelle, c'est que vos liens avec vos frères et vos sœurs n'ont pas à prendre fin lorsque l'un d'eux part habiter ailleurs. Il suffit parfois d'un peu de recul, de distance et de maturité pour développer une grande complicité avec votre frère ou avec votre sœur, et ces derniers peuvent même devenir de grands confidents et de grands amis.

Si vous avez des frères ou des sœurs, il est important que vous preniez conscience de la place que vous occupez dans la famille et que vous en tiriez profit plutôt que de jouer les victimes. Si vous êtes au milieu, vous servez peut-être de médiatrice et vous bénéficiez du respect de tout le monde. Si vous êtes la cadette, apprenez à apprécier le fait qu'on vous surprotège et qu'on vous trimballe un peu partout ; cela prouve qu'on vous aime. Si vous êtes l'aînée, n'oubliez pas que vous servez de modèle et que vos petits frères et vos petites sœurs vous regardent avec admiration. C'est génial pour l'estime de soi, non ? Quelle que soit votre position dans la famille, efforcez-vous d'apprendre à connaître vos frères et vos sœurs, et de les respecter tels qu'ils sont. Si vous vous disputez, ne soyez pas méchante ni rancunière, et si vous avez le cafard, n'hésitez pas à chercher refuge auprès d'eux. Quoi qu'il arrive, ils seront toujours là pour vous et vous partagerez des liens qui vous uniront pour la vie, alors autant en profiter au maximum !

Léa : Félix ? Maman nous appelle pour aller souper ! Qu'est-ce que tu fais ?

Félix : Je gosse sur l'ordi.

Léa : Ben arrête et viens-t'en.

Félix : T'es pas mieux que moi. Tu gosses, toi aussi.

Léa : Je gosse parce que c'est nécessaire. Marilou a besoin de conseils.

Félix : Tes besoins ne sont pas plus importants que les miens.

Léa : Tu m'énerves.

Félix : Tu m'énerves plus.

Léa : Vas-y. J'arrive dans deux minutes.

Félix : Non, c'est mieux qu'on y aille ensemble. On pourra former un bouclier si jamais maman est fâchée.

Léa : Ouais, bonne idée. Donne-moi deux secondes et je te rejoins devant ta chambre !

Humour

UNE BONNE DOSE DE RIRE

On aime toutes avoir dans notre entourage quelqu'un de drôle qui est capable de nous faire rire dans n'importe quelle situation. De même, il est toujours flatteur de savoir que l'on est appréciée pour notre sens de l'humour. Humour absurde, subtil, ironie ou humour noir, il y en a pour tous les goûts

L'humour n'est pas une aptitude innée chez tous les individus. Il s'agit en fait d'un trait de personnalité et il est possible de le développer peu à peu. Certaines personnes ont plus de talent que d'autres et ont un goût plus prononcé pour l'humour.

Je suis sûre que certaines de vos amies vous font pleurer de rire tous les jours avec leurs blagues, ou qu'elles sont capables de vous faire sourire grâce à leur ton humoristique et à leur joie de vivre. Les gens qui ont moins le sens de l'humour ne sont pas moins sympathiques ou plus tristes; cela signifie simplement que, pour certains, savoir faire rire les gens est plus naturel que pour d'autres.

L'humour, est-ce que ça s'apprend ?

Si vous trouvez que votre sens de l'humour n'est pas assez développé, dites-vous qu'il n'est jamais trop tard pour changer. Il vous suffit d'être un peu plus réceptive à l'humour des autres et de faire un effort pour en comprendre les subtilités tout en gardant le sourire. Gardez un esprit ouvert. Vous verrez qu'il est possible de faire de l'humour même dans des situations qui ne semblent pourtant pas s'y prêter. Par exemple, si vous avez une peine d'amour ou que vous perdez votre portefeuille dans l'autobus, vous n'aurez certainement pas le cœur à la fête, mais si vous faites un effort et essayez de rire de la situation, vous constaterez rapidement que, finalement, ce n'est pas aussi dramatique que ça en a l'air.

L'humour n'est donc pas simplement relié aux blagues et au rire; c'est aussi une philosophie de vie et une façon de réagir aux situations qui se présentent devant vous et aux imprévus. Un bon sens de l'humour et une attitude optimiste vous permettent de tirer le meilleur de n'importe quel événement et d'éviter de faire tout un plat avec un rien.

Un bon moyen pour développer votre sens de l'humour est d'apprendre à rire de soi et d'accepter et même d'apprécier les petits défauts qui vous rendent uniques. Par exemple, si vous êtes distraites, il n'est pas surprenant que vous perdiez sans cesse vos effets personnels. Il faut donc apprendre à vous accepter et à rire de votre étourderie plutôt que de faire un drame chaque fois que vous égarez votre stylo. Il est souvent plus facile et plus agréable de faire face aux embûches et à l'adversité lorsqu'on prend la vie avec un grain de sel.

De mauvaises blagues

L'humour n'est pas toujours drôle, et vous devez veiller à ne pas blesser les gens qui vous entourent quand vous décidez de faire le clown. Quand quelqu'un fait une blague ou un commentaire qui se voulait drôle, mais qui manque de tact, il faut le lui dire; ainsi, elle/il saura faire plus attention la prochaine fois. Si vous avez vous-mêmes tendance à faire des blagues qui choquent les gens, essayez de vous limiter à un répertoire de blagues un peu plus légères qui feront rigoler les autres sans les blesser inutilement. Tout le monde n'apprécie pas l'humour de la même façon, et

SUJETS CONNEXES :
○ *BONNE HUMEUR*

une blague n'est pas toujours aussi drôle pour celui qui la reçoit que pour celui qui la dit. Par conséquent, faites preuve de jugement et optez pour la simplicité et la diplomatie plutôt que pour les blagues méchantes et un peu trop lourdes.

Il ne faut toutefois pas être trop susceptible lorsque quelqu'un fait une blague. Si vous jugez que son humour est vraiment déplacé et de mauvais goût, vous pouvez le lui faire savoir, mais si vous avez tendance à vous mettre dans tous vos états pour un rien et à ne jamais rire quand les autres font des blagues, c'est peut-être à vous de faire un effort pour être plus positive et pour sourire un peu plus. L'humour sert à vous détendre et à prendre la vie avec un grain de sel. Même si certaines journées sont plus difficiles que les autres et qu'on n'a pas toujours envie de faire des blagues ou d'entendre celles des autres, rappelez-vous qu'il est toujours plus agréable de voir le bon côté des choses. Ainsi, votre joie de vivre attirera sur vous une attention positive.

Jalousie

UN SENTIMENT PAS TOUJOURS AGRÉABLE

La jalousie est un sentiment normal chez l'être humain. Il nous arrive à toutes d'éprouver de la jalousie en voyant notre petit ami parler à une autre fille. Il est même sain d'éprouver un peu de jalousie de temps à autre; ça prouve qu'on tient aux gens qu'on aime et qu'on ne veut pas les perdre.

On peut éprouver un autre type de jalousie en admirant le nouveau pantalon de notre copine ou en contemplant une fille qu'on trouve vraiment jolie. On doit toutefois se méfier de ne pas tomber dans le piège de l'envie excessive et de la jalousie maladive. Il ne faut pas étouffer les gens qu'on aime à cause de notre propre insécurité, pas plus qu'il ne faut se montrer méchante envers ceux qu'on envie.

Quand on est jalouse, c'est souvent parce qu'on doute de soi-même et des gens qu'on aime. On ressent de l'insécurité et on ne veut surtout pas perdre leur amour et leur amitié. Rappelez-vous toutefois que ce n'est pas parce que vous manquez de confiance en vous que vous devez étouffer les autres. Pourquoi arrêteraient-ils de vous aimer du jour au lendemain ? Ils méritent votre amour tout autant que vous méritez leur tendresse et leurs attentions, et vous devez apprendre à faire confiance aux gens et à ne pas craindre sans cesse de les perdre. Vous devez apprendre à dominer vos peurs et à développer une plus grande estime de vous-même.

❝ La jalousie est aussi souvent liée à l'envie. ❞

Chaque fille peut se révéler envieuse de la nouvelle tenue d'une camarade, du bulletin de sa copine s'il est plus respectable que le sien, du lunch appétissant de son voisin de table et de toute la liberté dont jouit son grand frère. Bien que ce soit parfois normal d'envier quelque peu les autres, vous devez apprendre à apprécier ce que vous avez et à ne pas entretenir d'envies malsaines. Parfois, on envie tellement une autre fille qu'on devient méchante envers elle. On se met à parler dans son dos et à la rejeter du reste du groupe alors qu'au fond, on sait très bien qu'on le fait par jalousie. Vous devez donc être très prudente et ne pas vous laisser gouverner par ce sentiment mauvais. Cessez de vous comparer aux autres et appréciez-vous telle que vous êtes. À force de faire des crises de jalousie à votre amoureux, à force de vous montrer paranoïaque dès qu'il parle à une autre fille, vous risquez de l'étouffer et de le faire fuir. Lorsque vous agissez ainsi, vous faites preuve d'une grande insécurité, et il en déduira probablement que vous ne lui faites pas confiance et que vous croyez qu'il lui suffit de parler à une fille pour s'en amouracher. Ça peut être très vexant pour lui de constater qu'il ne mérite pas votre confiance. Si vous apprenez à surmonter vos propres insécurités et à acquérir davantage de confiance en vous, vous n'aurez aucune raison de vous en faire puisque vous réaliserez que vous êtes aussi géniale que la fille que vous enviez, que votre style est tout aussi original et que ni votre amoureux, ni votre meilleure amie ne vous laisseront jamais tomber sans raison.

Pour vous aider à vaincre le sentiment de jalousie malsaine qui vous assaille, apprenez donc à vous accepter telle que vous êtes et à apprécier vos propres qualités et vos propres atouts physiques. Vous constaterez bientôt que plusieurs filles sont tout aussi jalouses de vous et qu'elles vous envient tout autant. Songez à vos amis, à votre famille et à tous les gens qui vous entourent et qui vous aiment. Pensez à votre vie, à vos rêves, à ce que vous avez accompli et à tout ce que vous désirez faire dans l'avenir. Faites la liste de vos qualités et vous réaliserez que vous n'avez aucune raison d'envier les autres ni de vous sentir aussi craintive de perdre les gens que vous aimez, car vous êtes vraiment extraordinaire et que vous méritez leur amour. Vous constaterez aussi que votre vie est géniale telle qu'elle est, alors ça ne sert à rien d'avoir recours à la jalousie et de faire subir vos propres insécurités aux autres. Sachez vous faire confiance et faire confiance aux gens qui le méritent, et vous apprendrez non seulement à maîtriser votre jalousie, mais aussi à entretenir des relations beaucoup plus saines avec les gens de votre entourage.

Salut, Manu.
Sarah Beaupré m'énerve. Elle tourne autour de Thomas et je vois bien qu'elle a un kick sur mon chum. Je sais que ce n'est pas sain, mais je n'aime pas qu'elle soit proche de lui, car j'ai peur qu'elle lui mette le grappin dessus ! Je suis vraiment jalouse. Qu'est-ce que je devrais faire ?
Léa xox

Maturité

AGIR DE FAÇON ADULTE

À l'adolescence, on commence à être tannées de se faire traiter comme des enfants et on souhaite que les adultes nous prennent au sérieux. La maturité est un concept assez difficile à saisir, puisqu'il est plutôt subjectif et qu'il se modifie à mesure qu'on vieillit. C'est quelque chose qui s'acquiert lentement, au fil du temps, et que l'on développe avec l'âge et l'expérience. Cependant, peu importe votre âge, vous pouvez agir de façon mature. Pour ce faire, apprenez à retenir des leçons des diverses situations que vous vivez et des erreurs que vous faites. Parfois, les expériences les plus difficiles sont celles qui vous feront avancer le plus sur le chemin de la maturité et qui vous apprendront à mieux vous connaître. Quand on est ado, chacune acquiert de la maturité à sa manière et à son rythme.

que quelque chose vous est refusé et que vous partez bouder dans votre chambre, vous montrez à vos parents que vous êtes encore une enfant et ils vous traiteront comme telle. Je sais que ces situations sont parfois frustrantes et qu'il est difficile de garder son calme quand on sent que les parents ne veulent rien entendre, mais si vous vous y prenez calmement et exposez votre point de vue de façon posée, les chances sont plus grandes pour qu'ils vous écoutent et qu'ils soient plus ouverts à négocier. Monter aux barricades n'est pas toujours la meilleure solution pour régler des conflits et obtenir ce que vous désirez. L'affrontement émotif entraîne rarement des résultats positifs. Les adultes préféreront dialoguer avec vous s'ils voient que vous êtes ouvertes à la discussion plutôt que si vous vous présentez comme une bombe d'émotions prête à exploser.

Ça veut dire quoi, « être mature » ?

Quand vos parents vous demandent d'être plus matures, c'est qu'ils aimeraient sans doute que vous adoptiez un comportement plus réfléchi et plus adulte. Agir de façon mature, c'est savoir faire des choix éclairés, prendre des responsabilités et gérer ses émotions. En d'autres termes, c'est la capacité d'être autonome tant au point de vue social qu'émotionnel. Le passage vers la maturité se fait en fonction de la personnalité, des aptitudes et, bien souvent, des conditions de vie d'une personne. Pour vous donner un exemple plus concret, si vous trouvez que vos parents ne vous accordent pas assez de liberté et qu'ils vous traitent en bébé, vous pouvez adopter une attitude mature qui les poussera sans doute à revoir leur opinion. Si vous faites une crise de nerfs chaque fois

Comment puis-je être plus mature ?

J'ai déjà souligné de quelle façon vous pouvez adopter un comportement plus mature avec vos parents, mais, de façon générale, vous vous demandez peut-être comment faire pour être plus mature et pour que les autres vous prennent au sérieux. Par exemple, si un groupe de filles vous énervent à l'école et se moquent de vous sans raison, la meilleure chose à faire est de les ignorer et de ne pas entrer dans la danse de l'immaturité. Si ces filles agissaient de façon mature, elles auraient plus confiance en elles et ne ressentiraient pas le besoin d'humilier les autres pour se sentir bien dans leur peau. Si vraiment une situation vous paraît intolérable, rien ne vous empêche d'exprimer ce que vous ressentez et de montrer de quel bois vous vous chauffez, mais prenez soin d'être honnête et claire sans chercher à blesser inutilement les autres et sans vous abaisser à leur niveau. Quand on agit de façon mature, on assume ses valeurs et sa personnalité, et on reste ainsi fidèle à soi-même. Bref, si les filles vous embêtent vraiment et vous manquent de respect, vous pouvez toujours les affronter et leur demander clairement et calmement quel est leur problème. Elles ne s'attendront sûrement pas à une réaction aussi directe et franche de votre part. Par conséquent, vous arriverez à les déstabiliser et elles n'auront peut-être rien à ajouter. Si quelque chose les chicote, vous ouvrirez la porte à la discussion, et ce sera à elles de saisir la perche que vous leur tendrez.

Maturité et confiance en soi

Si je reprends l'exemple des filles qui vous intimident, le fait de les affronter directement et calmement vous permettra aussi de vous surpasser et de prendre conscience de votre force de caractère. Quand on croit en soi et qu'on respecte ses valeurs, on acquiert plus de maturité, ce qui nous aide souvent à prendre les choses avec un grain de sel ou à affronter des obstacles sans avoir peur. Vous comprendrez que cela aura un impact direct sur votre confiance en vous puisque vous

réaliserez que vous êtes capable de vous défendre, de respecter vos principes et de foncer pour obtenir ce que vous voulez. N'allez pas croire que la maturité et la confiance en soi s'acquièrent du jour au lendemain; c'est un processus assez long qui se fait peu à peu. Si vous prenez le temps d'y penser, vous trouverez certainement des exemples de situations dans lesquelles vous avez agi de façon mature, et vous réaliserez à quel point cela a entraîné des résultats positifs. Que ce soit avec vos parents, une amie, un gars ou un prof, mieux vaut aborder une situation de façon calme et mature pour essayer de trouver une solution au problème. Ne soyez toutefois pas trop dure envers vous-même : toutes les filles ont des moments de faiblesse et éclatent en sanglots ou se mettent à hurler de temps à autre. Nous sommes des êtres sensibles et nous ne pouvons pas toujours contrôler nos émotions. Quand une telle situation se produit, ne vous apitoyez pas trop sur votre sort. Retroussez vos manches et apprenez de vos erreurs : vous ferez mieux la prochaine fois ! La maturité, ça veut aussi dire être capable d'admettre ses erreurs et ses faiblesses. Personne n'est parfait, mais vous avez toujours la chance de vous améliorer et de vous épanouir davantage; c'est ça, le chemin vers la maturité !

Mensonge

N'APPORTE PAS LES RÉSULTATS VOULUS...

Quand vous étiez toute petite, Pinocchio vous a vite appris qu'il ne fallait pas mentir. Quand on vieillit, on se rend compte que c'est plus facile à dire qu'à faire.

Mentir, c'est nier la vérité ou simplement affirmer quelque chose de faux. Dans la plupart des cas, cela n'apporte pas les résultats voulus.

Il y a plusieurs raisons qui nous poussent à mentir. Parfois, c'est simplement parce qu'on ne veut pas admettre qu'on a tort. On invente alors une histoire de toutes pièces ou on donne de fausses informations pour justifier notre position, tout en sachant très bien que ce n'est pas vrai. Il nous arrive aussi souvent de mentir parce qu'on a honte de reconnaître la vérité. Si vous oubliez de verrouiller la porte de votre maison et qu'elle se fait cambrioler, vous n'aurez peut-être pas envie d'avouer que c'est votre faute, parce que vous avez honte de l'erreur que vous avez commise et des conséquences qu'elle a eues.

On ment aussi parfois pour éviter les affrontements et les chicanes. C'est plus « simple » de nier qu'on a dit une bêtise que d'expliquer pourquoi on l'a dite. En plus, on sait que ça fera toute une histoire. Le problème, c'est que si on garde tout ça pour soi et qu'on accumule ses frustrations, la situation n'a aucune chance de s'arranger. Comment l'autre peut-il deviner ce que vous ressentez si vous ne le lui dites pas ? Bien qu'il ne soit pas toujours facile d'être honnête et franche, les résultats sont souvent plus satisfaisants que lorsqu'on cache la vérité.

On décide aussi quelquefois de mentir pour éviter de faire de la peine aux autres. Par exemple, si on apprend que l'amoureux de notre meilleure amie l'a trompée, on préfère parfois ne rien dire que de lui faire de la peine. Pourtant, même si la vérité est souvent dure à encaisser, mieux vaut que notre amie sache à qui elle a affaire. C'est notre devoir d'amie de le lui dire.

Et puis, il y a les gros mensonges, ceux qui viennent véritablement briser la confiance, et parfois même détruire une relation. Dans ce cas, celle qui ment est ravagée par la culpabilité et les remords, tandis que celle qui a été trahie n'arrive peut-être pas à pardonner ou ne peut concevoir de donner une deuxième chance à l'autre. Lorsqu'on se trouve dans une situation semblable, on réalise que le mensonge n'en vaut pas la peine.

> *Mieux vaut affronter ses peurs et dire la vérité que d'être lâche et de le regretter amèrement par la suite. De toute façon, tout finit par se savoir, et même si vous croyez que votre secret est bien gardé, vous seriez surprise de voir combien de personnes finiront par l'apprendre.*

On ment parfois par facilité, simplement pour obtenir ce qu'on désire. Si vous voulez assister à une fête et que vous savez très bien que vos parents ne vous donneront pas la permission de sortir, il pourrait vous paraître plus simple de leur mentir et de prétendre que vous allez passer la soirée à étudier à la bibliothèque. Est-ce qu'il vaut vraiment la peine de risquer de trahir la confiance de vos parents pour une simple petite fête, ou est-ce qu'il ne serait pas mieux de leur dire la vérité et de leur exposer votre point de vue ? Peut-être qu'ils sont simplement inquiets de vous voir revenir tard le soir, mais que vous trouverez un terrain d'entente vous permettant de vous rendre à cette fête. Je peux vous assurer par expérience que c'est en étant honnête que vous gagnerez davantage la confiance de vos parents et que vous obtiendrez la liberté dont vous avez besoin.

Il y a aussi des filles qui mentent parce qu'elles manquent de confiance en elles et qu'elles éprouvent le besoin d'attirer l'attention et d'impressionner les autres. Elles se mettent alors à inventer des histoires, allant même jusqu'à se créer une autre vie parce qu'elles veulent elles aussi passer au premier rang et sentir qu'elles ont des choses intéressantes à raconter. Même si cela semble nul et que leurs fables blessent parfois les gens, il ne faut pas être trop cruelle avec elles. Dites-vous que ces filles manquent simplement d'assurance et qu'elles croient qu'elles ont besoin d'épater leurs amies pour avoir l'air cool et pour être appréciées. Il est évident qu'elles sont en même temps torturées par la culpabilité et par le fait qu'elles n'arrivent plus à se sortir du pétrin dans lequel elles se sont mises en racontant tous ces mensonges. Elles doivent sans cesse jouer la comédie et laisser de côté leur vraie nature. Si vous vous rendez compte qu'une personne ment dans le but de se valoriser, plutôt que de vous moquer d'elle, expliquez-lui que ce n'est pas nécessaire et qu'elle n'a pas à s'inventer une vie imaginaire pour se faire des amis.

Je ne crois pas avoir besoin de vous casser les oreilles en vous répétant que ce n'est pas beau de mentir. Je crois qu'au fond, vous le savez très bien, tout comme vous savez que cela entraîne quelquefois des conséquences désolantes ou des disputes déchirantes. Même si la vérité est parfois dure à dire, vous aurez le cœur beaucoup plus léger et la conscience plus claire si vous apprenez à être honnête avec les gens. Bien que ce soit dur sur le coup, on dort beaucoup mieux après et on ne regrette jamais d'avoir dit la vérité. On apprend ainsi à être plus intègre et à inspirer confiance aux gens qui nous entourent.

> *Mais attention : le fait d'être honnête ne veut pas dire que vous deviez manquer de tact et de délicatesse.*

Il faut faire la différence entre mentir et s'abstenir de dire la vérité par courtoisie. Par exemple, si vous trouvez que la robe de votre amie est affreuse, il n'est pas nécessaire de le lui balancer bêtement. Vous pouvez simplement lui dire que vous préférez ses autres tenues. Si elle a un bouton et qu'elle vous demande s'il paraît beaucoup et si elle est défigurée, n'insistez pas. Dites-lui qu'elle s'en fait pour rien. Dans ce cas, vous ne lui mentez pas, vous souhaitez simplement lui remonter le moral sans la faire sentir encore plus moche. Les amies, ça sert aussi à ça !

Mère

BESOIN DE COUPER LE CORDON

En vieillissant, les filles ont tendance à se poser la question : «Pourquoi est-ce que ma mère m'énerve autant ?»

Ça fait partie de la crise d'adolescence : même si vous aimez votre mère et que vous avez été très proche d'elle pendant toutes ces années, vous sentez maintenant le besoin de couper le cordon et de vous débrouiller toute seule. Sachez qu'il s'agit d'une étape normale et tout à fait saine, mais qu'il ne faut pas dépasser les limites en blessant inutilement votre mère. Il est très difficile pour elle de se voir rejetée de votre vie et de perdre son rôle de confidente, alors essayez d'être indulgente.

Il existe toutes sortes de mères : les mères « modernes » qui jonglent entre la vie familiale et la vie professionnelle ; les mères indépendantes ; les mères confidentes ; les mères poules ; les mères cajoleuses ; les mères absentes ; les mères autoritaires ; etc. Quelle que soit la nature de votre mère, vous aurez souvent tendance à la comparer avec celle de votre amie et d'envier la relation qu'elles entretiennent. Sachez d'abord que les mères ne sont jamais parfaites, et qu'elles ont toutes leurs forces et leurs faiblesses. Votre mère est peut-être plus sévère que celle de votre amie, mais elle a peut-être aussi une meilleure écoute, et vous pouvez toujours compter sur elle lorsque vous en avez besoin.

> ❝ C'est normal d'avoir besoin d'indépendance et d'autonomie lorsqu'on entre dans l'adolescence, mais on doit s'efforcer d'exprimer calmement ce besoin et de faire la transition en douceur. ❞

Ne soyez pas trop dure avec votre mère, même si vous avez l'impression d'étouffer.

Elle est habituée à assumer ce rôle et vous ne vous en êtes jamais plainte avant aujourd'hui, alors laissez-lui le temps de s'adapter à votre changement d'attitude. À l'adolescence, on est souvent déchirée entre le besoin de sa mère et l'envie d'être seule. Cette ambivalence peut être difficile à vivre pour votre mère qui ne sait pas trop comment s'y prendre ou comment agir avec vous. Si vous la sentez distante, dites-vous qu'elle agit sûrement de cette manière pour vous laisser votre espace, et faites-lui comprendre que sa présence est encore importante pour vous. Si au contraire vous vous sentez étouffée, expliquez calmement à votre mère ce que vous ressentez et dites-lui que vous souhaitez avoir votre espace : ce n'est pas parce que vous l'aimez moins, c'est simplement parce que vous en avez besoin. Dites-vous que votre mère est passée par les mêmes étapes que vous, et que même si elle vous semble out et complètement dépassée, elle a déjà été une adolescente et elle connaît ce désir d'indépendance. Si elle se montre dure d'oreille, rappelez-lui comment elle se sentait à votre âge, ou alors expliquez-lui que vous êtes différente et que vous avez besoin d'apprendre à vous débrouiller seule.

Si vous avez besoin de parler ou de vous confier, vous pouvez aussi compter sur votre mère pour vous écouter. Vous n'êtes pas obligée de tout lui dire, et je crois même qu'il est sain de préserver une certaine intimité et une pudeur dans vos révélations, mais elle est tout à fait capable de comprendre vos états d'âme, de vous consoler lorsque vous êtes triste ou de vous calmer durant les périodes de stress. Ne sous-estimez pas votre mère ; elle est avant tout une femme qui a déjà ressenti les mêmes angoisses et

SUJETS CONNEXES :

o FAMILLE
o PÈRE
o ADOLESCENCE
o MATURITÉ

les mêmes inquiétudes que vous. Dans cet ordre d'idées, n'oubliez pas de lui demander comment elle va et de vous informer de ce qu'elle fait. Elle n'est pas seulement votre mère ; elle est aussi un individu à part entière qui traverse des moments difficiles à l'occasion, et qui a parfois besoin d'un peu d'attention, même si ça peut vous sembler ridicule. Si vous ne vous sentez pas vraiment à l'aise de le faire, faites-lui savoir que vous l'aimez malgré tout. Il n'y a rien qui pourra la rendre plus heureuse !

LAISSER TOMBER SES PRÉJUGÉS

L'ouverture d'esprit, c'est un intérêt et une curiosité pour la nouveauté et pour la différence.

C'est le fait de pouvoir tenir compte de points de vue différents des vôtres, de laisser tomber vos préjugés et vos idées préconçues pour apprendre des tas de nouvelles choses. Bref, quand on est ouverte d'esprit, on est prête à écouter l'opinion d'autrui et à partager le point de vue des autres sans imposer le sien.

Même si certaines cultures et traditions nous semblent bien différentes des nôtres, il ne faut pas chercher à les condamner et à les juger. Il vaut mieux s'ouvrir à la diversité et chercher à comprendre et à découvrir les us et coutumes de ces autres cultures plutôt que de rejeter d'emblée ces notions inconnues. Par exem-ple, si une amie d'origine chinoise vous invite à manger un plat typique, goûtez-y avant de dire que ça vous déplaît et ne refusez pas l'invitation sous prétexte que ça vous fait peur et que vous préférez vous cantonner dans vos propres habitudes culinaires. Vous pourriez être surprise des découvertes que vous ferez en vous ouvrant aux nouveautés et à la diversité.

> ❛ Si ça ne vous plaît pas, au moins vous le saurez, et il n'y a pas de mal à essayer ! ❜

Cela vaut aussi pour les gens que vous côtoyez. Plutôt que de les juger rapidement en fonction de leur religion, de leur tenue vestimentaire ou de leur langue, apprenez à faire taire vos préjugés. Des gens extraordinaires se cachent derrière les apparences, auxquelles on accorde souvent trop d'importance. Évitez aussi de généraliser et de juger les gens en fonction de vos idées préconçues et de vos jugements de valeur. La nationalité, la religion et les traditions d'une personne ne devraient pas vous rendre craintive ni vous empêcher de faire leur connaissance. Apprenez plutôt à vous ouvrir à ces différences. Il y a énormément à apprendre des autres cultures et traditions, alors il faut arrêter de se regarder le nombril et de se croire meilleure que les autres. Si vous êtes si fière de vos origines et de

votre identité, alors mieux vaut les faire découvrir à ceux qui la connaissent moins. C'est en partageant et en discutant de vos différences respectives, mais aussi de vos ressemblances, que évoluerez en tant qu'individu.

Il en va de même en ce qui concerne les opinions. C'est génial de prendre position et de défendre ses points de vue, mais il ne faut pas être tyrannique et imposer sa façon de voir les choses. L'ouverture d'esprit vous pousse à écouter le point de vue des autres et à respecter leurs choix. On ne peut pas être d'accord sur tout. Par ailleurs, il est très stimulant d'aborder des thèmes et d'en débattre. Laissez les autres s'exprimer; ils ont droit à leur opinion autant que vous, et leurs raisons sont tout aussi justifiables que les vôtres, et ce, même si vous ne partagez pas leurs points de vue.

En d'autres mots, montrez-vous ouverte à tout ce qui est différent et ne jugez pas sans savoir, car c'est souvent très formateur de côtoyer des gens différents, voire marginaux. Laissez tomber vos préjugés et embrassez les différences de culture, de traditions, de langue, de religion, d'orientation sexuelle et d'opinions, même si la discussion peut parfois soulever des thèmes délicats et des sujets tabous. N'hésitez pas à apprendre des autres, même si ce qu'ils vous apportent peut s'avérer inattendu et surprenant. Soyez tolérante et respectueuse envers les autres, et je vous assure que vous apprendrez énormément de votre expérience et de votre curiosité pour tout ce qui a trait à la diversité et à la nouveauté. Après tout, il y a tant de choses à découvrir et à apprendre dans la vie, pourquoi se limiter à ce qu'on sait déjà ?

Pardon

PAS FACILE DE DEMANDER PARDON

Il nous arrive à toutes de commettre des erreurs ou de dire des choses qui dépassent notre pensée. Ce qui est compliqué, c'est de s'excuser pour ce qu'on a fait, ou de pardonner à celui ou à celle qui nous a blessée.

Pour se faire pardonner, on doit employer des paroles ou des gestes pour faire comprendre à l'autre qu'on regrette sincèrement ce qu'on a fait. Ce n'est pas facile de demander pardon. On est souvent rongée par la honte et par les regrets, et on ne sait pas trop comment s'y prendre pour que l'autre sache qu'on est vraiment désolée. Je vous assure que, dans la plupart des cas, si on est sincère, le simple fait d'affronter ses peurs et d'aller voir directement la personne pour lui dire qu'on est désolée suffit à lui faire entendre raison. Cela ne signifie pas qu'elle soit prête à oublier, ou même qu'elle puisse oublier le mal que vous lui avez fait, mais elle ne peut nier que vous soyez sincère et que vous regrettiez amèrement votre faute.

D'autre part, si vous êtes celle qui doit pardonner, vous devez parfois apprendre à mettre l'orgueil et la rancune de côté, et à donner une deuxième chance à la personne qui vous le demande. Par exemple, si vous venez d'apprendre que votre meilleure amie vous a trahie et qu'elle a dévoilé l'un de vos secrets, il se peut que vous vous sentiez blessée et que vous ayez perdu confiance en elle. Même s'il vous faut un certain temps pour rebâtir cette confiance, donnez-lui la chance de s'expliquer et essayez de la comprendre. Votre amitié en vaut sûrement la peine. Dites-vous que l'erreur est humaine et que tout le monde mérite une deuxième chance. Quand on pardonne, on fait preuve de générosité, puisqu'on passe par-dessus le mal qu'on éprouve au profit de l'amour qu'on ressent pour l'autre ou de l'importance qu'on accorde à cette relation. Lorsque vous décidez de pardonner, je vous recommande de laisser l'au-tre vous dire comment elle se sent. De votre côté, il vaut mieux que vous lui expliquiez clairement ce qui vous a blessée pour qu'il n'y ait aucun malentendu et pour qu'une telle chose ne se reproduise plus.

> *Lorsque vous décidez de pardonner à quelqu'un, vous devez toutefois être sincère dans vos intentions. Ne le faites pas pour vous venger par la suite ou pour lui rappeler sans cesse ses erreurs.*

Si vous choisissez de pardonner, c'est parce que vous êtes vraiment prête à passer à autre chose et à renouveler vos « vœux » d'amitié ou de confiance avec cette personne. Mais si vous sentez que votre pardon ne serait pas tout à fait sincère, mieux vaut lui dire que vous avez besoin de plus de temps pour réfléchir et laisser passer la tempête. Croyez-moi, ce n'est pas en vous vengeant ou en lui faisant mal à votre tour que vous vous sentirez mieux dans votre peau.

Il y a parfois des choses qui sont plus difficiles à pardonner, et certaines blessures prennent beaucoup plus de temps à cicatriser. Si vous êtes celle à qui on a fait du mal, il faut savoir exprimer cette peine et dire à la personne que vous avez besoin de temps. Il se peut que les choses ne redeviennent jamais comme avant, selon la gravité de ce qu'on vous a fait. Si vous êtes celle qui cherche à se faire pardonner une faute, faites comprendre à l'autre personne à quel point vous êtes désolée et faites-lui part de votre peine et de vos regrets, mais respectez également ce qu'elle vous demande et laissez-lui le temps de digérer. Vous pouvez aussi essayer de lui écrire une lettre, puisque les mots permettent parfois d'exprimer toutes les choses qu'on n'ose pas dire de vive voix.

Enfin, quoi qu'il arrive, mieux vaut admettre vos torts et être tout à fait honnête avec la personne que vous avez blessée. Si elle n'est toujours pas prête, faites-lui bien comprendre que vous ne répéterez pas votre erreur et dites-lui à quel point elle est importante pour vous. Quand on est blessée, le meilleur remède est souvent de se sentir aimée, alors n'hésitez pas à le lui dire.

> ❝ Le pardon est un cadeau qu'on offre, une deuxième chance pour tout effacer et repartir à zéro. ❞

Même s'il n'est pas facile d'oublier le mal qu'on nous a fait, il vaut souvent la peine d'accorder cette chance aux gens qu'on aime. Dites-vous qu'ils ont certainement appris de leur erreur et qu'ils ne prendront pas de nouveau le risque de vous perdre. Le pardon est un acte de bonté et de générosité dont il faut savoir gratifier les gens qu'on aime et qui en valent la peine. Rappelez-vous qu'aucun être humain n'est parfait, et que vous avez certainement déjà commis vous aussi des erreurs qu'on vous a pardonnées, alors donnez à cette personne la chance de vous prouver qu'elle vous aime. Je suis certaine que si elle est importante à vos yeux, vous ne le regretterez pas.

Parents

RELATION COMPLEXE

À l'adolescence, les parents ne représentent pas seulement l'autorité ; on les voit aussi comme l'ennemi, comme l'entrave majeure à notre liberté.

On a l'impression qu'ils font tout pour nous rendre le quotidien impossible et qu'ils ne comprennent absolument rien à ce qui se passe dans notre vie. Les adolescents ne font pas toujours bon ménage avec leurs parents, mais la bonne nouvelle, c'est qu'il existe des moyens pour rendre la situation moins pénible !

Les parents sont là pour nous éduquer, pour prendre soin de nous et pour nous surveiller. Je sais, ils prennent souvent ce dernier rôle un peu trop au sérieux, mais l'autorité parentale les force, non seulement sur le plan juridique mais également sur le plan humain et affectif, à nous protéger et à veiller à notre bien-être. En d'autres mots, il ne faut pas croire que les parents nous imposent des couvre-feux, des règles et des tâches uniquement pour nous casser les pieds ; ils le font parce que cela fait partie de leur rôle, et parce que c'est de cette façon qu'ils pourront nous responsabiliser et nous faire prendre conscience des dangers qui nous entourent. Ils ont tendance à dire que tant qu'on habite sous leur toit, on doit se conformer à leurs règles et agir en conséquence. C'est habituellement à ce moment qu'on a envie de plier bagage et d'acquérir plus de liberté et d'indépendance. Bien que cette solution paraisse idéale, sachez que les responsabilités qui accompagnent l'autonomie sont immenses, et qu'à l'adolescence, on est souvent loin d'être prête à assumer toutes ces obligations, ne serait-ce que sur le plan financier. Il faut donc vous efforcer de trouver un terrain d'entente pour rendre votre vie avec vos parents, qui vous semblent de plus en plus exigeants, agréable au quotidien.

On doit d'abord prendre conscience que tout n'est pas la faute des parents. Soyons honnêtes : à l'adolescence, nous devenons beaucoup moins tolérantes envers nos parents, trouvant leur attitude dépassée et complètement ridicule. Vous devez être consciente de vos propres défauts et faire un effort pour vous améliorer et rendre la situation moins pénible. Même si vos parents vous énervent et que vous les trouvez nuls comparativement à d'autres, sachez que personne n'est parfait et qu'ils sont mieux que vous ne le croyez (dites-vous que vos amies les trouvent sûrement plus cool que les leurs).

> ❝ *Il est normal d'éprouver un nouveau besoin d'indépendance et d'autonomie, et de vous sentir incomprise.* ❞

Vous sentez qu'ils sont complètement out et qu'ils ne comprennent rien à ce que vous vivez, mais, en même temps, vous savez que vous avez encore besoin d'eux et vous demeurez dépendante à cent pour cent. Vous êtes donc déchirée entre le désir de les rejeter et celui de les garder près de vous. C'est pour cette raison qu'il faut trouver un compromis.

Terrain d'entente

Les parents ne sont pas aussi dépassés et nuls qu'on a souvent tendance à le croire. Ils ont eux-mêmes déjà été adolescents et ont traversé la même rébellion, alors vous devez vous armer de patience et tenter de leur expliquer calmement ce qui vous tracasse et vous déplaît. Soyez indulgente avec vos parents ; après tout, ce n'est pas facile pour eux de vous voir vieillir et devenir une femme.

SUJETS CONNEXES :
o *PÈRE*
o *MÈRE*
o *FAMILLE*

Essayez de les respecter, de gagner leur confiance et de discuter tranquillement avec eux, même si c'est parfois difficile et que vous sentez qu'ils ne comprennent rien. La meilleure façon de leur faire comprendre que vous vieillissez, c'est agir en conséquence et faire preuve de maturité. Je vous assure que cela vous aidera à trouver un équilibre et à avoir un peu plus de liberté.

Salut Lou,
aujourd'hui, mes parents m'ont demandé de passer du temps de qualité avec leur fille. Comme je ne voulais pas qu'ils commencent à me poser des questions personnelles, j'ai décidé de regarder un film avec eux. Ils n'avaient jamais vu Hunger Games ! Ma mère a adoré, mais mon père a trouvé ça violent. Pfff ! Il m'a ensuite suggéré de regarder un reportage sur l'Égypte. Il avait l'air tellement heureux que je n'ai pas osé dire non ! Qu'est-ce qu'on ne ferait pas pour ses parents !
Léa xox

Conseils :

Lorsque vous voulez demander une permission à vos parents, ne soyez pas agressive. Tentez plutôt de rester calme et d'être patiente avec eux.

Si vous sentez qu'ils ne vous comprennent pas, rappelez-leur comment ils se sentaient à votre âge.

Dites-leur que vous ne cherchez pas à être rebelle et à leur désobéir, mais que vous avez simplement besoin d'un peu plus d'autonomie et que, jusqu'à preuve du contraire, ils peuvent vous faire confiance.

Soyez honnête avec eux et prévenez-les si vous rentrez tard ou si vous découchez. Soyez responsable et respectueuse, et tout devrait bien aller.

Même s'ils vous énervent, efforcez-vous de passer un peu de temps avec vos parents, de leur demander comment ils vont et ce qu'ils font, et de partager un repas avec eux de temps à autre. Les éviter ne ferait qu'agrandir le fossé qui vous sépare ; vous vous sentiriez alors encore plus incomprise.

Peine d'amour

SENTIMENT DE TRISTESSE ET DE GRANDE SOLITUDE

Certaines d'entre vous ont certainement eu la chance de connaître le grand amour, ce sentiment euphorique qui vous donne l'impression de flotter sur un nuage. Lorsque cette relation prend fin, vous vous retrouvez en proie à un sentiment de solitude, de rejet et d'abandon.

Eh oui, vous faites malheureusement face à un chagrin d'amour. Lorsqu'on connaît une peine d'amour, on a souvent l'impression que le monde s'écroule et que la douleur qu'on éprouve ne partira jamais. Le sentiment de tristesse et de grande solitude qu'on ressent alors est difficile à décrire. Certaines filles pleurent ; d'autres sont en colère, frôlent les excès ou ne parviennent plus à fermer l'œil. Bref, les peines d'amour ne sont pas une période de tout repos, mais, d'un autre côté, elles nous permettent de grandir, d'apprendre et surtout de ressentir toutes sortes de choses qui, étrangement, nous font sentir vivantes.

> ❝ *Le deuil qui suit une peine d'amour se fait en plusieurs étapes.* ❞

Beaucoup ressentent d'abord de la tristesse, puis un sentiment d'abandon, de rage et de solitude. Chaque relation est différente et la guérison s'effectue à un rythme différent. Certaines relations nous touchent plus que d'autres, et il y a des peines d'amour qui prennent plus de temps à cicatriser. Quoi qu'il en soit, il n'existe aucune recette magique pour apaiser cette souffrance, mis à part le temps. Je sais que c'est la dernière chose qu'on veut entendre quand on a une peine d'amour, et je sais que les heures semblent souvent s'écouler avec une lenteur exaspérante, mais il faut savoir que, peu à peu, la douleur deviendra moins intense et que les choses finiront par s'arranger.

Les réveils seront bientôt moins difficiles et les crises de larmes, de moins en moins fréquentes.

Bien qu'il n'existe aucune solution miracle pour vous débarrasser de ce désespoir, sachez qu'il y a plusieurs façons de vous changer les idées et de rendre cette période un peu moins difficile. Lorsqu'on a une peine d'amour, on est souvent tenté de se recroqueviller sur soi-même, de pleurer toutes les larmes de son corps et parfois même de s'apitoyer sur son sort.

> ❝ *Il faut au contraire s'efforcer de reprendre confiance en soi, de s'occuper, de se changer les idées et de reprendre le contrôle de sa vie et de son quotidien.* ❞

Profitez-en pour passer du temps avec vos amies. Elles sont là pour vous écouter, vous conseiller et vous changer les idées lorsque vous en avez besoin. Vous pouvez aussi vous confier à vos parents et à vos proches, ou alors écrire tout ce que vous avez sur le cœur dans votre journal intime. Écrire ce qu'on ressent aide à se libérer de la boule qui nous serre la gorge, et lire sur le sujet nous rappelle que nous ne sommes pas les seules à passer par là. Songez aussi à faire des activités qui vous mettront dans un meilleur état d'esprit. Les sports et le gym peuvent vous aider à vous défouler et à évacuer le surplus d'émotions négatives. Celles d'entre vous qui ont l'âme plus artistique peuvent s'inspirer de ce qu'elles ressentent pour développer leur art. Il est aussi recommandé d'essayer de nouvelles activités, de prendre des risques, d'apprendre à cuisiner, à danser, à jogger, à dessiner, bref, de faire tout ce qui est nécessaire pour se sortir de sa torpeur.

SUJETS CONNEXES :
- AMOUR
- AMOUREUSE
- COUPLE

Les peines d'amour sont aussi une belle occasion de penser à vous et de vous gâter. Allez magasiner, faites-vous couper les cheveux ou passez la journée dans un spa ! Relaxez, respirez et vivez... La peine que vous ressentez vous prouve au moins que vous avez connu le grand amour, et être capable d'éprouver un tel sentiment indique que vous êtes bien vivante.

Une première peine d'amour

La première vraie peine d'amour est souvent considérée comme la pire, car on ne sait pas du tout à quoi s'attendre, ni comment surmonter le sentiment d'abandon et la nostalgie qui accompagnent souvent le chagrin. Plusieurs voient aussi la première peine d'amour comme une sorte de perte d'innocence, puisqu'on se sent blessée pour la première fois et qu'on réalise que l'amour ne dure pas toujours pour l'éternité. Quoi qu'il en soit, il s'agit tout de même d'une expérience de vie qui nous permet de grandir et d'apprendre.

Les semaines qui suivent la peine d'amour

Un chagrin d'amour nous donne souvent l'impression que plus rien n'a d'importance, que le bonheur n'existe plus, qu'on ne trouvera jamais quelqu'un qui nous rendra aussi heureuse et qu'on ne pourra plus jamais aimer de la même façon. Détrompez-vous : bien qu'une peine d'amour soit une période difficile à traverser, vous avez tout de même la vie devant vous et une tonne de gens à rencontrer. C'est vrai, ce ne sera peut-être pas comme avec le premier garçon qui vous a fait craquer et qui vous a brisé le cœur, mais votre prochain amoureux sera quelqu'un de différent, qui vous fera vivre une toute nouvelle histoire et qui vous rendra peut-être beaucoup plus heureuse.

Après une déception amoureuse, il est bon de faire le point, de prendre le temps de réfléchir à ce que vous voulez et à ce que vous recherchez, ainsi que de penser à vous-même. Rappelez-vous à quel point vous êtes spéciale et n'oubliez pas que vous ne méritez rien de moins que d'être heureuse. Certaines en profiteront donc pour rester célibataires durant un certain temps, histoire de tâter le terrain, de se changer les idées et de bien cicatriser, tandis que d'autres préféreront passer rapidement à autre chose pour oublier et ne pas se laisser crouler sous les larmes.

FAITES BIEN ATTENTION : bien qu'il ne soit pas mauvais d'explorer ses possibilités, si vous ne prenez pas le temps de guérir, la peine et la nostalgie reviendront vous hanter tôt ou tard. Comme je le disais auparavant, le temps arrange bien des choses, et même s'il semble passer trop lentement, dites-vous qu'en bout de ligne, cette peine d'amour vous fera grandir et que la douleur fait bien souvent partie de l'amour. Estimez-vous chanceuse dans votre malchance : plusieurs filles rêvent de tomber amoureuses comme vous l'avez été. L'important, c'est de ne pas devenir cynique et de ne pas perdre espoir : vous êtes encore jeune et vous avez plusieurs grands amours devant vous, alors gardez vos yeux et votre cœur grands ouverts !

Bonjour, Manu.
Je t'écris pour avoir un conseil. Mon chum a cassé il y a quelques semaines, et j'ai encore beaucoup de peine. Je n'arrive pas à me le sortir de la tête. Je repense à tous les moments qu'on a passés ensemble et que je n'arrive pas à croire que ce soit terminé. As-tu des trucs pour que ça fasse moins mal ?
Léa xox

Père

UNE RELATION COMPLIQUÉE

La relation père-fille est bien plus complexe qu'on pourrait le croire. Pour certaines, un père est une figure d'autorité et, pour d'autres, il est un modèle ou un véritable papa poule.

Quoi qu'il en soit, la plupart des pères ont tendance à surprotéger leurs filles et ont souvent de la difficulté à les voir grandir et à accepter qu'elles ne sont plus des fillettes, ce qui cause parfois des malentendus, des chicanes ou des problèmes de communication.

Il faut d'abord comprendre que les pères sont issus d'une autre génération, et qu'il leur est souvent plus ardu de dire ce qu'ils ressentent et ce qui les tracasse. Ils auront ainsi tendance à l'exprimer en surprotégeant leurs filles ou en réagissant de façon excessive. Lorsque les filles deviennent des adolescentes, les pères doivent apprendre à accepter leur puberté et à ne plus les considérer comme des enfants. Ils doivent aussi apprendre à discuter d'une autre façon avec leurs filles et à s'adapter au fait qu'elles deviennent des femmes et que leurs intérêts sont différents. C'était si simple de passer le samedi après-midi à faire les courses avec votre père lorsque les garçons ne vous intéressaient pas ! Mais maintenant que vous préférez passer des heures à parler avec vos amies, en tête-à-tête ou au téléphone, plutôt que de vous asseoir et de lire près de votre père, vous devez comprendre que la situation n'est pas facile pour lui non plus. Si vous avez un amoureux, il se peut très bien que votre père devienne plus sévère ou même qu'il soit réticent à l'idée de vous voir passer du temps en sa compagnie. Il ne fait pas cela pour vous rendre la vie impossible (même si vous êtes convaincue du contraire) ; il réagit de cette façon parce qu'il veut vous protéger. Il se peut même que le fait qu'un garçon qu'il

connaît à peine prenne la relève et s'occupe de vous provoque chez lui un sentiment de jalousie. Je sais que ça peut sembler ridicule, mais la majorité des pères réagissent de cette façon lorsque leurs filles commencent à voler de leurs propres ailes et à couper le cordon ombilical.

Vous devez aussi être consciente que, à l'adolescence, vous changez du tout au tout. Votre apparence, votre attitude, vos intérêts, vos goûts et vos priorités ne sont plus les mêmes et vous rêvez maintenant de liberté, d'autonomie et d'indépendance. Dites-vous bien que votre père doit s'adapter à tous ces changements et que la transition n'est peut-être pas facile à faire pour lui. Il ne sait plus comment vous prendre, comment vous parler, ni comment vous considérer. Ne soyez pas trop dure avec lui ; ce n'est pas facile de voir sa fille grandir et se détacher peu à peu de ses parents.

Si vous voulez conserver une bonne relation avec votre père – ce que je vous recommande fortement si vous ne voulez pas avoir l'impression que vous vivez sur une planète différente de la sienne –, trouvez des activités qui vous plaisent à tous les deux, ou alors prenez du temps pour partager vos intérêts communs. Si votre père vous pose des questions sur votre vie, ne soyez pas trop brusque en lui répondant, même si vous n'avez aucune envie de lui révéler certaines choses. Expliquez-lui simplement que vous préférez ne pas en parler et dites-lui qu'il n'a aucune raison de s'inquiéter.

SUJETS CONNEXES :
o MÈRE
o PARENTS
o FAMILLE

> *Dites-vous que votre père se fera toujours un sang d'encre pour vous et qu'il aura longtemps du mal à s'habituer à vous voir vieillir.*

Pour rendre la transition plus facile, discutez d'actualités avec lui, ou de sujets qui vous intéressent. Montrez-lui que son opinion est encore importante à vos yeux tout en lui expliquant qu'il est normal pour vous de voler de vos propres ailes. Il s'adaptera peu à peu à ce changement d'attitude et vous pourrez quant à vous continuer de passer des bons moments en sa compagnie. Même si ça vous complique parfois la vie ou que vous n'en avez pas vraiment envie, faites quand même un effort pour lui consacrer du temps et lui montrer qu'il occupe encore une grande place dans votre vie. S'il vous est difficile de communiquer ou si vous sentez que le fossé qui s'est creusé entre vous est infranchissable, discutez-en avec votre mère, qui peut être une excellente médiatrice, ou avec l'un de vos proches qui pourra vous aider. Vous pouvez aussi écrire à votre père pour lui dire en toute franchise ce que vous ressentez, mais n'oubliez pas d'être indulgente et de faire attention à ne pas le blesser inutilement. Expliquez-lui calmement que vous vieillissez et que vous changez, que cela ne veut pas dire que vous l'aimez moins, mais que vous avez simplement besoin de votre indépendance et de votre intimité. Proposez-lui de faire une activité à l'extérieur ou d'écouter un film plutôt que de lui tourner complètement le dos. Même si votre père vous étouffe et vous énerve, je vous assure que si vous entretenez une bonne relation avec lui au cours de l'adolescence, vous vous en féliciterez dans l'avenir. Votre père sera toujours important à vos yeux, et n'oubliez pas que c'est génial de pouvoir compter sur son amour et son soutien inconditionnels.

Professeur

Dès la maternelle, nous devons faire face aux professeurs. Après la garderie, il s'agit d'une transition très importante vers le monde des grands.

On sent un peu qu'on coupe le cordon ombilical qui nous relie à nos parents, qu'on devient plus indépendante et qu'on fait soudain partie d'un grand réseau social à l'école. La figure autoritaire du professeur devient très importante parce que c'est un peu lui qui joue le rôle de parent quand ceux-ci n'y sont pas. Au primaire, on a habituellement le même professeur pour plusieurs matières, ce qui nous apparaît très réconfortant. On passe tellement d'heures avec le même prof qu'on tisse des liens étroits et qu'on se sent de plus en plus en confiance avec lui, ce qui fait qu'on se sent presque chez soi en classe. Au secondaire, c'est un peu différent puisqu'on a un professeur différent pour chaque cours, chacun se spécialisant dans une matière précise. Quand on va dans une grande polyvalente avec des centaines d'élèves, ce n'est pas toujours évident pour les profs d'apprendre tous les noms et de pouvoir se familiariser avec chaque élève, alors tu dois être indulgente si tu sens que les liens ne sont pas les mêmes qu'au primaire. De plus, tu passes beaucoup moins de temps avec chaque prof, et c'est une transition qui exige une certaine période d'adaptation.

Bon prof, bad prof

Que ce soit au primaire ou au secondaire, il arrive parfois qu'on ne s'entende pas avec son professeur. Il se peut qu'il y ait des malentendus, que tu sois turbulente en classe, que tu aies de la difficulté avec le cours ou simplement que vos personnalités soient très différentes. Si tu ne t'entends pas avec un prof et que tu sens qu'il est souvent sur ton dos ou qu'il est injuste envers toi, le mieux à faire est souvent de lui en parler directement. Arrange-toi pour prendre rendez-vous à son bureau ou pour lui en glisser un mot après le cours. Quand on est élève, on croit à tort que les profs sont toujours sur notre dos et qu'ils

ont la vie facile, mais ce n'est pas simple pour un professeur de faire la discipline auprès d'une trentaine d'ados qui décident parfois de se rallier contre lui !

> « Le professeur veut avant tout transmettre son savoir et vous en apprendre sur un sujet précis. »

Pour ce faire, il doit gagner votre respect, attirer votre attention et aussi s'affairer à ne pas perdre le contrôle. En effet, nombreux sont les jeunes qui tendent à défier l'autorité, à pousser les limites d'un professeur. C'est une sorte de test que fait passer l'élève au maître, mais le travail du professeur consiste à enseigner aux jeunes tout en agissant comme leader, et il se doit parfois d'intervenir, de faire la discipline et même de punir certains élèves pour faire régner le calme et se faire respecter. En d'autres mots, même si tu trouves ton prof sévère parce qu'il tend à réagir et à sévir lorsque les élèves lui désobéissent ou ne l'écoutent pas, ça ne fait pas de lui un mauvais prof ; un bon prof, c'est quelqu'un qui parviendra à attirer ton attention et à t'apprendre des tonnes de choses sur la matière qu'il enseigne. Si tu sens que ton prof est passionné par son travail, qu'il connaît sa matière, qu'il sait comment transmettre son savoir en vous stimulant et en vous divertissant, alors ne te plains pas trop vite ! De toute façon, chaque personne peut avoir un avis différent sur un même prof puisqu'il s'agit d'une préférence très subjective. Sache toutefois que si tu ne sens pas d'affinités avec ton prof ou que tu ne comprends pas son cours, c'est aussi à toi de participer davantage, de lui poser des questions et de te montrer intéressée. Si tu fais les efforts nécessaires, je suis certaine que la situation s'améliorera.

SUJETS CONNEXES :

○ *ÉCHEC SCOLAIRE*
○ *SECONDAIRE*
○ *CEGEP*

Pousser les limites

Il va sans dire que certains professeurs sont plus sévères que d'autres, et que certains dépassent parfois les limites. Si tu considères qu'il y a abus de pouvoir, que tu te sens menacée ou que tu crois avoir été victime de harcèlement physique ou sexuel, il est important que tu dénonces les abus pour que cela cesse. Sache toutefois que ce n'est pas une accusation à prendre à la légère et que tu ne peux pas attaquer un prof sans raison valable. Par exemple, si tu as coulé un examen, ce n'est pas la faute du prof ; si tu as une retenue pour avoir parlé en classe, c'est normal que tu subisses des conséquences et si ton prof te tapote l'épaule pour te parler, ce n'est pas un abus. Fais preuve de jugement et dis-toi que si tu accuses un prof à tort, tu risques non seulement de nuire à sa carrière et de lui causer de l'angoisse inutilement, mais tu n'auras pas la conscience tranquille et ça n'arrangera pas la situation. Le mieux à faire lorsque tu fais face à un échec ou que tu éprouves un petit problème avec ton prof, c'est de lui en parler directement ou d'en glisser un mot à tes parents pour qu'ils interviennent. En cas d'abus grave, n'hésite pas à le dénoncer au directeur et à tes parents.

Amoureuse d'un prof

Même si quand on est ado, on pense que les profs sont super vieux, il arrive parfois qu'un professeur jeune et cool nous enseigne et qu'on développe une sorte d'admiration pour lui. Ce sentiment se développe parfois même en attirance et on croit éprouver des sentiments amoureux à son égard. Plusieurs filles éprouvent de l'attirance ou des sentiments pour leur prof à un moment ou à un autre. Si tel est le cas, rassure-toi, ça finit généralement par passer. C'est normal d'avoir de l'admiration pour une figure autoritaire, mais tu dois te rappeler que tu es mineure et qu'un monde vous sépare, alors ne dépasse pas les limites. Il s'agit d'un amour impossible, donc aussi bien t'en tenir à un petit béguin et passer à autre chose. Ne t'acharne pas sur ton prof et ne cherche pas à l'aguicher, car tu ne feras qu'empirer la situation et le mettre dans une situation inconfortable. Concentre-toi plutôt sur un gars de ton âge et dis-toi qu'avec un prof, c'est impossible.

Un prof, un ami

Quoi qu'il en soit, n'oublie pas qu'un professeur est aussi un être humain et qu'il a déjà eu ton âge, alors n'hésite pas à lui parler si tu as un problème. Une bonne relation avec un professeur se joue à deux, par conséquent il est important d'y mettre du tien !

Je déteste mes cours d'anglais ! Aujourd'hui, le prof m'a demandé de me lever pour répondre à une de ses questions ! J'étais rouge comme une tomate. À la fin du cours, il m'a fait venir à son bureau. « Il né faut pas que tou ailles honte Léa. Tou parles twès bien en English, et avec la practice, tou vas devenirrr encore meilleure. » Ma réponse ? I wish !

Punition

SANCTION DÉPLAISANTE

Une punition est par définition une «sanction déplaisante à l'égard de l'auteur d'un comportement inapproprié ou désapprouvé».

(Source : http://www.granddictionnaire.com)

En d'autres mots, c'est une sanction qu'on impose à ceux qui ne respectent pas les lois ou les règlements. Il s'agit de la conséquence directe d'un geste qu'on commet et qui est désapprouvé. Par exemple, si vous copiez durant un examen, le professeur vous donnera un zéro. C'est la conséquence, ou la punition, du plagiat que vous avez commis. Si vous êtes impolie envers vos parents ou que vous leur désobéissez, il se peut très bien qu'ils vous infligent une punition, comme l'interdiction de sortir pendant une semaine.

Les punitions sont prescrites un peu partout dans notre société : à l'école, à la maison, dans les endroits publics, au travail et même au hockey ! Lorsqu'un joueur commet un acte qui va à l'encontre du règlement, il doit aller s'asseoir sur le banc des pénalités pour au moins deux minutes !

Les punitions, ça sert à quoi ?

Une punition sert non seulement à punir un manquement au règlement, mais elle permet aussi aux gens qui commettent une faute de devenir plus responsables, d'assumer leur geste et de prendre conscience du fait que toute mauvaise action a des conséquences. Par exemple, si vous parlez en classe en même temps que votre professeur et que ce dernier vous donne une retenue, cette punition vous permet de comprendre qu'il est impoli de parler en même temps que le professeur et que vous avez effectivement désobéi au règlement. Plutôt que de dramatiser, je vous suggère d'accepter la sanction qui vous est imposée (lorsqu'elle est juste), d'assumer vos responsabilités et

d'apprendre de votre erreur pour ne pas la commettre une seconde fois. C'est aussi à cela que servent les punitions : à décourager ceux qui seraient tentés d'agir de façon inappropriée. Ainsi, vous savez que si vous volez quelque chose, des sanctions seront prises contre vous, sans parler du sentiment de culpabilité qui vous rongerait pour avoir commis un tel délit. Vous savez aussi que si vous trichez à l'école, vous risquez d'échouer au cours, ou même d'être renvoyée de l'école.

> *La peur de la punition suffit souvent à décourager les gens de commettre la faute.*

Si vous avez un moment de faiblesse et que vous commettez une erreur qui entraîne une punition, comme l'interdiction de parler au téléphone pendant plusieurs jours pour avoir été impolie envers vos parents, je vous recommande d'en profiter pour réfléchir à ce que vous avez fait et pour essayer de vous améliorer plutôt que de vous rebeller davantage et d'envenimer la situation. Personne n'est parfait ; il est normal que vous commettiez des erreurs de temps à autre, et les sanctions sont là pour vous encourager à vous améliorer, pour vous faire prendre conscience de vos écarts de conduite et pour empêcher qu'ils ne se reproduisent. Mieux vaut apprendre de ses erreurs et se dire qu'on fera mieux la prochaine fois.

Et la justice dans tout ça ?

Il est par ailleurs important que la sanction soit proportionnelle à la faute. Si, par exemple, quelqu'un fait du mal à une autre personne, la sévérité de la sanction doit être adaptée à la gravité du délit. Si vous parlez en même temps que votre professeur, il ne serait cependant pas logique que vous vous retrouviez en prison. Si vous croyez réellement qu'il y a injustice et que la sanction qu'on vous impose est trop sévère pour la faute que vous avez commise, vous devez absolument le dire en toute honnêteté, tout en demeurant polie et respectueuse. Expliquez que vous êtes consciente que votre comportement mérite une punition, mais que vous trouvez que celle qu'on vous inflige n'est pas proportionnelle à ce que vous avez fait. Il est important d'apprendre à respecter les règles et les lois, mais il est tout aussi important de ne pas abuser de son pouvoir.

Respect

AVOIR DE LA CONSIDÉRATION POUR LES AUTRES

Le respect est une attitude qui nous pousse à accorder une attention particulière aux gens qui nous entourent afin de ne pas les blesser inutilement.

C'est une attitude qui se développe grâce à l'ouverture d'esprit et à une certaine considération de l'autre, sans égard à la position sociale, aux opinions, aux valeurs humaines et au caractère d'autrui.

Le respect n'est pas une qualité acquise. Il faut apprendre à l'intégrer à chacun de ses gestes et à chacune de ses paroles tout en l'exigeant de la part des autres. Il arrive à tout le monde de manquer de respect envers une personne ou un groupe de personnes. Par exemple, il vous est certainement déjà arrivé d'être impolie envers vos parents ou un professeur, ou encore de vous moquer de quelqu'un. Bien que ce soit chose courante, vous devez apprendre de vos erreurs et faire un effort pour vous améliorer afin d'être respectueuse des gens qui vous entourent. Songez à la façon dont vous vous sentez lorsque quelqu'un ne respecte pas votre façon de penser, vos opinions ou votre bien-être. Vous vous sentez révoltée et même brimée dans vos droits. Il ne faut alors pas hésiter à dire aux gens que vous vous sentez blessée et que vous n'aimez pas qu'on vous manque de respect. Vous devez agir en fonction de vos convictions tout en vous montrant juste envers les autres. Ils méritent autant de respect que vous et ils ont aussi le droit d'être entendus. Apprenez à vous ouvrir aux droits et au bien-être des gens qui vous entourent.

Pour nous aider à agir de façon respectueuse, il y a des règles de bienséance. Par exemple, efforcez-vous de vouvoyer les adultes que vous ne connaissez pas, de remercier les gens lorsqu'ils vous rendent service et de laisser parler les autres lorsqu'ils ont quelque chose à dire plutôt que de leur couper la parole. Soyez respectueuse envers vos parents, vos professeurs, vos amies et tous les gens qui vous entourent. Pour se faire respecter, on doit d'abord apprendre à respecter les autres et à s'ouvrir aux différences. Tout le monde a le droit de penser à sa façon et d'avoir sa propre opinion sur certains sujets; laissez les gens s'exprimer et exigez qu'ils vous écoutent en retour. En effet, respecter les gens ne veut pas dire que vous deviez vous taire et les laisser parler à votre place, ni que vous deviez vous faire imposer une façon de penser et une philosophie de vie. Le respect doit être mutuel : les autres doivent vous accorder une attention particulière et être ouverts à vous écouter, au même titre que vous devez apprendre à les accepter tels qu'ils sont, et ce, même s'ils ne pensent pas de la même façon que vous.

Vous devez donc vous soucier du bien-être des gens qui vous entourent sans les juger trop vite. Ce n'est pas parce qu'ils ne pensent pas comme vous qu'ils sont stupides, et ce n'est pas parce que quelqu'un appartient à une autre nationalité qu'il est incapable de vous comprendre. Ouvrez-vous à la diversité et acceptez les différences sociales, ethniques, culturelles et politiques.

Les autres ont des tas de choses à offrir et à partager, et vous avez beaucoup à apprendre de ceux qui vous entourent. C'est en étant ouverte aux autres que vous imposerez le respect. Apprenez aussi à respecter la vie privée, l'intimité et les biens d'autrui.

❝ *Le respect est étroitement lié à la justice, à l'égalité et aux valeurs morales et sociales; il suppose une attention particulière accordée aux autres, à leurs qualités et à leurs biens matériels.* ❞

N'ayez jamais peur de demander qu'on vous respecte, mais n'oubliez jamais qu'on récolte ce que l'on sème, alors agissez en conséquence et soyez aussi à l'écoute des autres.

Responsabilité

ASSUMER SES ACTES

En vieillissant, vous devrez apprendre à gérer davantage de choses par vous-mêmes; vous voudrez plus de liberté. Avec ce lot viennent cependant les responsabilités. En entrant dans l'adolescence et dans l'âge adulte, vous deviendrez de plus en plus responsables de vos actes et de vos décisions et vous devrez en assumer les conséquences, qu'elles soient positives ou négatives

Vous demandez sûrement à vos parents de vous accorder plus de liberté. Vous les trouvez trop sévères et vous rêvez d'avoir plus d'autonomie et d'indépendance. Si c'est le cas, vous pouvez vous asseoir avec eux pour discuter de la situation. Tentez de trouver le moyen de leur montrer que vous êtes fiables et que vous méritez leur confiance. Ce faisant, vous devez aussi assumer vos responsabilités, c'est-à-dire vous assurer que vous serez capables de tenir vos promesses et de vivre avec les conséquences de vos actes.

Être responsable, ce n'est pas seulement savoir assumer ses actes. C'est aussi savoir se comporter correctement quand on est en groupe, se conduire convenablement en société et assumer ses responsabilités de fille, d'amie, d'élève et de citoyenne. Par exemple, si vous avez 16 ans et que vous voulez absolument obtenir votre permis de conduire, il revient à vous de conduire de façon responsable et de respecter le code de la sécurité routière pour ne pas mettre votre vie ou celle des autres conducteurs en danger. Votre rôle de citoyenne est de respecter les lois, notamment en ce qui concerne les limites de vitesse, et de ne pas consommer d'alcool au volant, sans quoi vous risquez de subir de graves conséquences. Pour être réellement responsable, il ne suffit pas d'assumer les conséquences de nos

actes lorsque nos décisions tournent mal; cela implique beaucoup plus. Si vous voulez assister à une fête chez une amie, vous devez agir de façon responsable pour que vos parents aient confiance en vous et pour que la soirée se déroule bien. Si vous avez l'âge de voter, c'est votre responsabilité en tant que citoyenne de vous informer et d'exprimer votre opinion. Si vous voulez participer à un voyage scolaire, il est de votre devoir de suivre les règles qui vous sont imposées et d'être responsables de vos actes tout en respectant vos camarades.

> ❝ *Prendre ses responsabilités ne se fait pas du jour au lendemain. Il s'agit d'un cheminement qui s'effectue au fur et à mesure que vous acquérez de l'expérience et de la maturité.* ❞

Même si l'idée d'avoir plus de liberté peut paraître alléchante, le fait de devoir assumer du même coup plus de responsabilités n'est pas toujours attrayant. On peut parfois sentir qu'un grand poids repose alors sur nos épaules. Après avoir passé des années à réclamer plus de liberté à vos parents et à vouloir acquérir plus d'autonomie, vous vous rendez compte de l'importance du rôle parental dans votre vie. Il faut garder en tête que vos parents sont là pour vous aider. Au fur et à mesure que vous grandirez, ils vous guideront et vous conseilleront lorsque vous devrez prendre certaines responsabilités. Cela arrivera de moins en moins souvent, mais ils prendront parfois certaines

SUJETS CONNEXES :
○ RESPECT
○ LIBERTÉ

décisions à votre place s'ils considèrent que vous n'êtes pas encore en mesure de faire un choix éclairé. Vous êtes jeunes, et il est tout à fait normal que vous commettiez des erreurs de jugement. Il se peut que vous abusiez de l'alcool lors d'une première fête bien arrosée entre amis, ou alors que vous séchiez un cours et que vous vous fassiez pincer. Plutôt que de vous laisser abattre par vos égarements, assumez-en les conséquences et apprenez de vos erreurs. Si vous sentez que vous n'avez pas l'expérience ou la maturité nécessaire pour assumer une décision, n'hésitez pas à mentionner que vous ne vous sentez pas à l'aise de prendre cette responsabilité. Il n'y a rien de mal à prendre son temps, et c'est même très responsable de votre part de refuser de faire quelque chose parce que vous savez que vous n'êtes pas prête à en assumer les conséquences. Par exemple, il se peut que vous ne soyez pas prête à garder un enfant, à avoir un petit ami ou à faire un voyage sans vos parents. Et alors? C'est aussi ça, être responsable : savoir admettre que vous ne vous sentez pas prêtes à entreprendre certaines choses qui vous semblent trop lourdes ou dont vous avez de la difficulté à comprendre les conséquences qui pourraient en découler.

Bref, pour être responsables, vous devez non seulement respecter vos engagements et faire preuve de maturité en prenant conscience de tout ce qu'impliquent vos actions, mais vous devez aussi être capables d'être responsables de vous-mêmes et d'être conscientes de vos limites. Pour être responsables, vous devez développer votre maturité et agir selon votre intégrité. Vous devez donc être en mesure de prendre des décisions par vous-mêmes et pour vous-mêmes sans vous laisser influencer.

Apprenez aussi à écouter vos parents lorsqu'ils vous préviennent d'un danger ou lorsqu'ils vous expliquent ce qu'une décision implique. Si vous décidez de partir dans un camp de vacances et d'y travailler en tant que monitrice, vous devez être conscientes que vous serez non seulement responsables de votre bien-être, mais aussi de celui de jeunes campeurs qui auront parfois besoin d'être rassurés. De plus, vous devez songer au fait que vous passerez des semaines loin de vos parents, de votre chambre et de vos amies. Si vous êtes capables d'assumer le tout et de foncer, alors n'hésitez pas à prendre des risques ainsi qu'à tester vos limites et votre autonomie. Si vous vous trompez, vous n'aurez qu'à en assumer les conséquences et à apprendre de vos erreurs. Si vous jugez que vous n'êtes pas prêtes à accepter autant de responsabilités et que vous avez trop peur de vous ennuyer, alors prenez votre temps; vous serez peut-être prêtes l'année prochaine!

Il ne faut cependant pas confondre jugement et prudence avec insécurité. Parfois, il n'est pas mauvais d'affronter ses peurs et de pousser un peu ses limites pour avancer et se surpasser. Vous réaliserez alors que vous pouvez accomplir des choses que vous pensiez hors de votre portée et cela vous aidera à affirmer davantage votre autonomie et votre maturité.

> ❛ Soyez donc à l'écoute de ce que vous dicte votre cœur et n'hésitez pas à demander conseil à vos parents si vous ne savez pas quelle décision prendre. ❜

À l'adolescence, on se sent parfois un peu dépassées par les événements et par cette nouvelle autonomie qui nous est accordée. Les parents ne sont pas seulement là pour vous faire la morale lorsque vous vous trompez; ce sont aussi eux qui prennent soin de vous depuis votre naissance et qui vous connaissent mieux que quiconque. N'hésitez pas à leur demander conseil lorsque vous vous trouvez face à une situation problématique. Ils seront heureux de vous aider et de voir que vous prenez les moyens qu'il faut pour faire les bons choix et les assumer.

Tolérance

EMBRASSER LA DIFFÉRENCE

Dans tous les milieux que vous fréquentez ou que vous aurez à fréquenter au cours de votre vie, vous entrerez en contact avec des gens différents de vous. Il vous faudra apprendre à vivre avec ces différences, petites ou grandes. En faisant preuve de tolérance, vous pourrez aussi en apprendre énormément sur ces personnes pas tout à fait comme vous.

Quand on est tolérante, on admet que les gens ont droit à leur propre opinion et à leurs propres valeurs. Par exemple, vous ne pouvez pas vous insurger chaque fois qu'un camarade ne partage pas votre opinion. Personne n'est exactement comme vous et tout le monde a des habitudes qui diffèrent des vôtres. C'est pourquoi il est essentiel de savoir faire preuve de tolérance et d'accepter les autres dans leur différence. Dites-vous qu'ils font la même chose pour vous. Si votre amie raffole de la mayonnaise, mais que l'odeur vous lève le cœur, ça ne signifie pas qu'elle est folle pour autant. Elle a le droit de manger ce qui lui plaît et d'avoir ses propres goûts, au même titre qu'elle ne vous jugera pas si vous aimez les olives alors qu'elle y est allergique.

Lorsqu'on pense au sens général du mot « tolérance », on oublie parfois les petites situations anodines qui méritent tout de même de faire un effort. La cohabitation avec votre famille en est un bon exemple. Vos parents n'ont peut-être pas les mêmes goûts musicaux que vous, mais ils ont droit à leur opinion et ils peuvent écouter la musique qu'ils désirent, au même titre qu'ils doivent respecter votre penchant pour le hip-hop.

La tolérance prend aussi toute son importance dans la question des différences culturelles. Ce n'est pas parce que quelqu'un n'a pas les mêmes valeurs religieuses, les mêmes traditions ou les mêmes habitudes vestimentaires que vous qu'il vous est permis de le juger. Vous n'aimeriez pas que quelqu'un vous juge pour ces raisons et encore moins qu'il tente de vous imposer sa façon de vivre, d'agir et de penser. Il en revient donc à vous de ne pas faire subir ce traitement aux autres. Vous devez vous ouvrir aux différences et apprendre à respecter l'individualité et la liberté d'expression de chacun, au même titre qu'ils doivent respecter la vôtre. C'est ainsi qu'on apprend à vivre en société, dans le respect des autres et des différences.

La tolérance ne veut toutefois pas dire que vous devez vous soumettre aux autres sans exprimer votre opinion. Il y a une différence entre la tolérance et la résignation. Si vous vous sentez mal à l'aise dans certaines situations, c'est important d'ouvrir la discussion et d'exprimer votre point de vue.

Il est même normal et sain de se montrer intolérante lorsqu'il y a injustice et irrespect. Il est bon de se révolter contre les actions qui sont contraires à nos valeurs ou à la bienséance. Si vous voyez un homme uriner dans la rue, vous avez tout à fait le droit de vous sentir choquées, car vous n'avez pas à tolérer les gens qui ne respectent pas leurs pairs et les règles de la société.

SUJETS CONNEXES :

○ *ACCOMODEMENT RAISONABLE*
○ *RELIGION*
○ *RESPECT*

Il est également naturel de déplorer certaines injustices comme la pauvreté et la violence, et de défendre ses opinions. L'important, c'est de le faire dans le respect de ceux qui vous entourent. En d'autres mots, la discussion n'est pas une mauvaise chose. En fait, elle est toujours la bienvenue si elle est abordée de façon polie et qu'elle encadre votre propre liberté d'expression. Vouloir partager votre opinion sur un sujet qui vous touche est sain. Ce qu'il faut vous rappeler, c'est que les autres ont aussi le droit de faire entendre leur point de vue! Il est donc de votre devoir de les écouter tout en gardant l'esprit ouvert : c'est ainsi que vous imposerez le respect, que vous apprendrez à défendre vos valeurs et vos convictions profondes et que vous vous épanouirez en tant qu'individu. En société, il faut absolument respecter les autres et être tolérantes en présence d'opinions divergentes, mais cela ne veut pas dire que vous devez vous montrer déloyale envers vous-même et envers vos propres valeurs. La tolérance est une question d'équilibre.

Ouvrez-vous aux autres et accueillez leurs différences et leurs divergences d'opinions, tout en restant fidèles à vos valeurs et tout en respectant votre propre intégrité. Être tolérante ne veut pas dire que vous devez vous montrer trop influençable! Après tout, vous n'êtes pas tenue d'adhérer aux opinions des autres; l'essentiel, c'est de les accepter et de tenter de les comprendre.

Enfin, ne soyez pas trop dure envers les autres et ne jugez pas les gens en fonction de leurs différences. Encouragez plutôt les discussions amicales qui vous pousseront à voir au-delà de vos propres croyances tout en apprenant à défendre vos positions et à vous faire respecter des autres. Il n'y a rien de tel qu'un débat entre amis pour soulever des points de vue pertinents et pour vous ouvrir aux différences. Il ne vous reste plus qu'à vous exprimer dans le respect et la tolérance!

Valeurs

MORALITÉ ET INTÉGRITÉ

Certaines valeurs vous ont été inculquées depuis l'enfance par vos parents ou à l'école par vos professeurs et vos directeurs. Vous avez aussi appris à raisonner par vous-mêmes et à développer vos propres qualités morales. Vous vivez selon différents principes et l'importance que vous leur accordez détermine quelles sont vos valeurs les plus profondes.

En d'autres mots, il s'agit de l'importance que vous conférez à certaines choses ou à certains principes qui vous aideront à vous définir et à vous guider dans la vie. Les valeurs auxquelles vous accordez le plus d'importance vous aideront à bâtir votre perception du bien et du mal. En respectant celles qui vous sont chères, vous développerez votre intégrité. Par exemple, si la fidélité est une qualité morale extrêmement importante à vos yeux, elle définira non seulement qui vous êtes, mais elle influencera aussi vos actions et les relations que vous entretiendrez tout au long de votre vie.

Déterminer ce qui distingue le bien du mal, c'est facile. Par exemple, il va de soi que le fait de prôner des valeurs telles que la paix, la tolérance, l'égalité, la liberté et la justice vous aidera à vous orienter vers le bonheur et le bien-être, tandis que la violence, l'injustice, la corruption et la malhonnêteté vous entraîneront vers le mal. Cependant, tout le monde ne place pas les mêmes valeurs au même niveau. Chaque fille possède sa propre hiérarchie de valeurs et la liberté de placer certaines qualités morales plus haut dans son échelle personnelle.

Cela dépend parfois des valeurs familiales qui nous ont été inculquées, de la société dans laquelle nous vivons, des gens que nous fréquentons ou simplement de notre personnalité et des causes qui nous tiennent personnellement à cœur. Si vous êtes quelqu'un qui se révolte devant les injustices, il est clair que vous mettrez l'égalité, la justice et l'honnêteté au sommet de votre échelle de valeurs. Pour d'autres, il peut s'agir de la liberté de chacun d'agir à sa guise et de rechercher son propre bonheur, ou encore la paix dans le monde et la justice sociale.

Les valeurs sont donc des critères moraux qui vous aident à faire des choix et à avancer dans la vie. Ce sont non seulement des qualités qui influenceront vos actions, mais aussi des barèmes qui vous aideront à atteindre vos objectifs, et à vous comporter de façon à demeurer fidèle à vous-mêmes et à vos convictions. Vos valeurs s'établiront peu à peu comme des lignes de conduite auxquelles vous vous référerez lorsque viendra le temps de prendre des décisions. En faisant des choix qui correspondent à vos idéaux, vous respectez votre intégrité. Vous devez cependant comprendre que vos valeurs ne font pas nécessairement autorité pour tout le monde. Gardez l'esprit ouvert! Vous ne détenez pas la vérité absolue. Un trait moral très important pour vous peut très bien tenir une place moins considérable dans la vie de quelqu'un d'autre. Apprenez alors à défendre ce en quoi vous croyez dans le respect des idées des autres. Vous remarquerez aussi que votre propre système de valeurs changera et évoluera au fil des ans, ce qui est tout à fait normal.

L'expérience et la maturité que vous acquerrez et les erreurs que vous commettrez vous influenceront tout au long de votre vie et vous feront évoluer sans cesse. Des valeurs auxquelles vous accordez beaucoup d'importance à 16 ans n'occuperont pas autant de place lorsque vous serez devenues adultes.

L'important, c'est donc d'être fidèles à vous-mêmes et de demeurer à l'écoute des valeurs qui vous guident et qui influencent le plus vos actions. Elles font partie intégrante de votre personnalité et vous aident à vous définir en tant qu'individu. Ce faisant, vous devez toutefois être ouvertes aux autres et écouter ce qu'ils ont à dire, car leurs valeurs revêtent tout autant d'importance à leurs yeux que les vôtres. Être fidèle à soi-même signifie que vous devez être à l'écoute des qualités morales qui vous tiennent à cœur, et que vous devez vous faire respecter et vous épanouir tout en vous ouvrant aux autres et en les respectant à votre tour !

Vulgarité

? #&$%* !

À l'adolescence, on a parfois envie de se rebeller et de défier l'autorité. On apprend certains termes vulgaires et il arrive que l'on prenne l'habitude de les utiliser lorsqu'on est entré amis ou carrément pour choquer notre entourage.

Même si on sait que les grossièretés ne sont pas très appréciées par les parents, les profs et la société en général, il nous arrive d'avoir envie de choquer un peu. Les personnes qui adoptent un comportement vulgaire le font souvent par manque de confiance en soi; ne sachant comment attirer l'attention, ils choisissent l'option facile en essayant de provoquer les gens autour d'eux. Il s'agit toutefois d'une façon désagréable d'attirer sur soi le mauvais genre d'attention.

Sachez tout d'abord que la grossièreté n'a rien d'attirant. Il s'agit généralement d'un manque de savoir-vivre et d'une impolitesse qui peuvent blesser les autres. Par ailleurs, la vulgarité n'est pas seulement liée aux insultes et aux sacres; manquer aux règles de base de la bienséance, c'est aussi faire preuve de grossièreté. Ce faisant, vous laissez comprendre aux gens qui vous entourent qu'ils ne méritent pas que vous fassiez des efforts pour bien vous comporter en leur présence, par exemple en parlant la bouche pleine, en criant à tue-tête, en tutoyant les adultes que vous ne connaissez pas ou en bousculant les gens dans la rue. La vulgarité peut aussi se manifester dans votre apparence : si vous portez une minijupe et que vous vous assoyez sans fermer vos jambes, c'est un signe de vulgarité (et, entre vous et moi, ce n'est pas très féminin!). Ce manque de considération montre que vous n'avez pas de respect pour votre entourage, mais surtout pour vous-mêmes. Si vous êtes incapables de vous respecter, comment espérer que les autres vous respecteront à leur tour? La vulgarité est aussi une façon de désobéir aux profs, de jouer les dures, de se rebeller contre l'autorité parentale et de choquer les autres en agissant de façon inappropriée.

Cela va de soi, les filles sont de nature féminine, et agir vulgairement va à l'encontre de l'image de jeune femme qu'on aime bien projeter. Il existe de meilleures façons de s'exprimer et de se démarquer que de faire preuve de vulgarité. En choquant volontairement les gens, vos opinions seront moins bien reçues et on ne vous prendra pas au sérieux. Il est important que vous puissiez vous exprimer et que vous vous sentiez libres de partager vos émotions, mais vous devez apprendre à le faire sans manquer de respect aux autres. Vous vous rendrez vite compte qu'il est beaucoup plus facile d'arriver à vos fins lorsque vous vous comportez avec civilité. Les adultes seront plus enclins à vous écouter et à vous accorder ce que vous désirez.

La vulgarité n'apporte généralement rien de bon. Les gens de votre entourage risquent plutôt de grimacer en vous voyant agir ainsi ou en vous entendant dire des grossièretés, et ils auront tendance à vous traiter avec froideur ou à vous répondre impoliment. Bref, apprenez à être civilisées et à vous exprimer avec classe, et vous constaterez que les gens seront plus enclins à vous écouter que si vous leur hurliez dans les oreilles et que vous juriez sans cesse.

SUJETS CONNEXES :
○ *RESPECT*

Les sacres québécois

Au Québec, nous avons nos propres jurons qui sont généralement des termes d'Église. Notre société est de plus en plus laïque, mais il fut un temps où les jurons à caractère religieux choquaient l'ensemble de la population, puisqu'ils allaient à l'encontre des valeurs québécoises et constituaient un manque de respect envers la puissance religieuse qui régissait la province. Même si l'Église a perdu beaucoup de pouvoir au sein de notre société, ces jurons sont tout aussi grossiers à notre époque : n'allez pas croire qu'il s'agisse d'une façon normale de s'exprimer. Quelle que soit la grossièreté utilisée, ce n'est pas une façon de s'adresser aux gens de votre entourage. Si vous êtes en colère ou que vous jugez qu'on vous a traitées de façon irrespectueuse, la solution n'est pas d'être impolies à votre tour. Prêchez plutôt par l'exemple et optez pour la discussion et le savoir-vivre. Vous aurez ainsi de bien meilleures chances de faire comprendre votre message !

Guide
des émotions

Amoureuse, angoisse,
bouder, bonheur,
bonne humeur, cafard
du dimanche, colère,
conscience, déprime,
désir, égoisme, ennui,
fatigue, gentillesse,
honnêteté, hypocrisie,
narcissisme, paresse,
patience, plaisir, solitude,
timidité, volonté.

Guide
des émotions

Pendant l'adolescence, il peut être difficile de gérer ses émotions, car on commence à être confrontées à une foule de situations qui peuvent être bouleversantes. On vit nos premières amours, nos premières grosses chicanes avec nos parents et on noue des liens d'amitié qui pourront durer toute une vie. Entre les hormones qui s'affolent et tous les changements que l'on vit, ce n'est pas toujours facile de s'y retrouver! Il nous arrive même parfois de ressentir des émotions contradictoires qui nous donnent du fil à retordre. Par exemple, quand vous êtes amoureuses, vous vous sentez carrément euphoriques, mais quand une fille colle trop votre chum, vous ressentez de la jalousie et vous n'arrivez plus à vous contrôler. Et bien que vous vous sentiez en confiance avec vos amies, il vous arrive parfois d'être gênées d'aborder certains thèmes avec elles ou d'avoir honte de leur parler de ce qui vous arrive, car vous vous croyez seules au monde.

Vous avez peut-être aussi remarqué que votre humeur change souvent sans crier gare et que vous ne savez plus trop comment comprendre tout ce que vous ressentez. Comment pouvez-vous à la fois vous sentir déprimée, enjouée, amoureuse et anxieuse? La vie ne semblait pas si compliquée quand vous étiez enfant, et ce n'est pas facile d'accepter toutes ces perturbations.

Vos parents tentent peut-être de vous rassurer en vous parlant de « crise d'adolescence », mais le concept ne vous simplifie pas la vie pour autant! L'un vous trouve susceptible, l'autre constate que vous êtes à fleur de peau… Quant à vous, vous nagez dans l'incertitude et vous sentez que personne ne comprend ce que vous êtes en train de vivre. En vérité, vous aimeriez simplement connaître la recette du bonheur et trouver les réponses à vos questions.

Soyez sans crainte, car vous n'êtes pas seules! Je suis déjà passée par là, et je peux vous confirmer que ce casse-tête d'émotions est très fréquent au moment de la puberté. La plupart des filles ont besoin d'une période d'adaptation pour saisir ce qui leur arrive et pour apprendre à mieux se connaître.

La section qui suit a justement été conçue pour vous permettre de mieux comprendre les différentes émotions qui vous bouleversent à l'adolescence et pour vous familiariser avec des concepts auxquels vous ferez face tout au long de votre vie. Chaque article présente et décrit une émotion particulière afin de faire la lumière sur ce que vous traversez.

Même si certains mystères s'élucideront au fil des années grâce à toutes les expériences que vous vivrez, il est tout de même pratique d'avoir un petit guide qui pourra vous permettre d'y voir plus clair et qui vous fera réaliser que vous êtes moins perdues que vous ne le croyez !

Amoureuse

MOMENTS DE BONHEUR D'UNE GRANDE INTENSITÉ

Nombreuses sont les filles qui m'écrivent parce qu'elles sont amoureuses et qu'elles ressentent une sorte de fébrilité inconnue qui les insécurise. D'autres me confient qu'elles aiment en silence et souffrent de ne pas oser déclarer leur amour au gars de leur rêve. Dans les deux cas, je leur réponds qu'il vaut mieux foncer et qu'en amour, qui ne risque rien n'a rien !

Quand on est amoureuse, il y a des symptômes qui ne trompent pas. On est dans la lune, on se sent légère, heureuse, au septième ciel. On vit des moments de bonheur d'une grande intensité et on ne se reconnaît plus. On se sent complète, épanouie, bien dans sa peau.

> 6 *Peu importe ce qui arrive, on ressent une légèreté et une joie de vivre qui surpassent tout le reste.* 9

Bien sûr, tout n'est pas parfait quand on est amoureuse. On apprend à connaître l'autre et on découvre ses petits défauts. On apprend également à être plus généreuse, à faire des compromis, à marcher sur notre orgueil. On a aussi parfois des disputes qui nous mettent tout à l'envers et qui nous donnent envie de pleurer, et quand on n'est pas avec notre amoureux, on ressent un vide immense et on a l'impression que le temps passe très lentement. On se sent un peu dépendante et complètement parano. Rassurez-vous, ça fait partie de l'amour.

Chère Catherine,
Je suis amoureuse d'un gars qui sait à peine que j'existe. Je tremble chaque fois que je le vois, et je n'arrive plus à penser à autre chose qu'à lui. Qu'est-ce que je devrais faire ?
Catherine

L'important, c'est de vous efforcer de laisser tomber votre peur et vos incertitudes. Il faut vaincre votre angoisse et profiter pleinement de ce qui vous arrive. L'amour ne peut pas se contrôler et il a souvent tendance à nous pousser aux extrêmes, alors il faut simplement assumer ce sentiment de vulnérabilité et apprendre à se laisser aller. L'inconnu nous fiche souvent la trouille, surtout lorsqu'il s'agit d'un sentiment d'une aussi grande intensité. Vous devez cependant apprendre à jouir de la vie et des imprévus qui se dressent devant vous plutôt que de vous refermer sur vous-même et de craindre le pire. Si vous ne vivez pas votre amour pleinement, vous risquez de le regretter amèrement,

SUJETS CONNEXES :

o AMOUR
o GARCON
o COUPLE
o PEINE D'AMOUR

et même si vous vous faites mal en cours de route, dites-vous que cela fait partie de l'apprentissage. Une expérience amoureuse est pleine de rebondissements et d'imprévus. Quand on est amoureuse, on traverse des moments d'extrême bonheur et des moments de détresse incommensurable. Comme on se sent vulnérable, on devient hypersensible et un rien nous affecte. Dites-vous que c'est grâce à ces expériences que vous deviendrez plus forte et que vous apprendrez à vous connaître davantage. Par conséquent, n'ayez pas peur de foncer.

> ❛ *Si vous faites face à un obstacle, il faut apprendre à le surmonter, et si vous connaissez un échec amoureux, il faut, à un moment donné, vous relever et continuer de foncer.* ❜

Si vous n'avez jamais été amoureuse, il faut prendre votre mal en patience, car l'amour frappera bientôt à votre porte. On ne sait jamais quand on tombera amoureuse. Certaines vivent le grand amour à 10 ans, d'autres à 16 ans, d'autres à 25 ans et d'autres encore à 50 ans. L'important, c'est d'ouvrir ses yeux et son cœur, et d'apprendre à aimer et à être aimée. Profitez de votre célibat pour passer du temps avec vos amies et pour vous impliquer dans toutes sortes d'activités qui vous feront découvrir des choses nouvelles et rencontrer de nouvelles

personnes. N'allez pas croire que ça ne vous arrivera jamais, car c'est faux. L'important, c'est d'apprendre à vous apprécier, à vous connaître et à avoir confiance en vous, car ce sont là des qualités qui attirent les autres vers nous et qui nous font sentir encore plus désirables. Pour le reste, il suffit d'attendre : l'amour arrive souvent quand on s'y attend le moins !

Angoisse

SORTE DE MALAISE PHYSIQUE ET PSYCHIQUE

Il nous arrive toutes parfois de nous sentir accaparées par le stress et les inquiétudes du quotidien.

Notre tête tourne, on se pose des questions existentielles, on dort mal et hop, on entre dans l'univers de l'angoisse. On se sent alors en proie à une panique irrationnelle et incontrôlable sans pouvoir en déterminer la cause. On éprouve une sorte de malaise physique et psychique qui nous fait ressentir de l'inquiétude et de l'agitation.

C'est ce qu'on appelle l'angoisse. On peut avoir de petites crises d'angoisse plus isolées qui sont attribuables, par exemple, au stress, à un examen ou à une dispute avec une copine. On sent qu'on a l'estomac noué, le cœur qui palpite et les mains moites. On essaie de se calmer, mais c'est la panique, l'angoisse, et on ne parvient pas à se ressaisir et à reprendre son sang-froid.

Certaines filles subissent des crises d'angoisse qui durent plusieurs jours, voire même plusieurs semaines, et elles ne savent pas quoi faire pour remédier à la situation

> ❝ *Physiquement, l'angoisse peut causer de l'insomnie, des troubles respiratoires, des palpitations, une sensation de vertige ou d'étourdissement, des picotements dans les jambes et dans les bras et une sensation continue de malaise.* ❞

Le problème avec l'angoisse, c'est qu'on a souvent du mal à en déterminer la cause, ce qui nous fait paniquer davantage. Ce sentiment d'angoisse peut également perturber notre vie quotidienne, puisqu'il entraîne des problèmes de concentration, des blancs de mémoire et un épuisement général.

Que faire pour s'en sortir ?

Tout d'abord, ne vous affolez pas. L'angoisse est un malaise très commun, particulièrement pendant l'adolescence. Vous êtes assaillie de doutes et d'incertitudes qui vous font paniquer, car vous êtes en période d'adaptation. Votre corps et votre personnalité sont en train de se développer, et vous ne savez pas encore tout à fait qui vous êtes ou ce que vous allez faire dans la vie. Vous ressentez une grande insécurité, et c'est tout à fait normal. Ne croyez surtout pas que vous soyez seule dans cette situation. L'adolescence est une période de votre vie qui est très angoissante, car tout se transforme et se bouscule autour de vous. Vous changez rapidement sans même avoir le temps de vous y faire, et vous devez prendre des décisions sans trop savoir quelle est la bonne. Vous sentez que vous devez assumer de plus en plus de responsabilités sans être certaine d'avoir assez de maturité pour les affronter. Vous êtes déchirée entre la petite fille que vous étiez et la femme que vous êtes en train de devenir... Pas étonnant que vous soyez angoissée !

Ne soyez pas trop dure envers vous-même. Même si vous n'arrivez pas à mettre le doigt sur la source de votre angoisse, il existe des façons de maîtriser votre panique et de rationaliser vos peurs. Si vous êtes capable de déterminer la cause de votre angoisse, je vous encourage à en parler et à prendre le taureau par les cornes ! Vous êtes stressée à cause d'un examen ? Étudiez et faites vos exercices, puis essayez de vous détendre en prenant un bain et en vous répétant que vous ferez de votre mieux et que tout ira bien. Rien ne sert de paniquer avant l'examen ; cela risque seulement d'empirer les choses et de vous faire perdre la boule au moment de votre évaluation. Il faut apprendre à surmonter vos peurs et vos inquiétudes, car le stress ne fait que rendre la tâche encore plus ardue. Vous pouvez aussi écrire dans votre journal intime pour exprimer ce que vous ressentez et vous défaire du poids qui vous serre la poitrine. Parlez de votre angoisse à vos parents ; ils sont souvent les mieux placés pour rationaliser vos craintes et pour vous réconforter. Je me rappelle que lorsque j'avais un examen au secondaire et que cela m'angoissait, ma mère n'avait qu'à me dire que tout allait bien se passer pour que je me sente un peu plus légère. Vous pouvez évidemment en discuter avec une amie ; quelle que soit la cause de votre angoisse, je suis certaine qu'elle pourra vous écouter et vous comprendre, puisqu'elle a certainement déjà traversé une épreuve semblable. Bref, il faut extérioriser son angoisse et « faire sortir le méchant », même si on ne sait pas exactement ce qui nous tracasse.

J'ai personnellement vécu des crises d'angoisse au cours de ma vie. Je me revois assise sur mon lit, soudain prise de panique et de vertige. Je sentais mon cœur battre à tout rompre, j'avais de la difficulté à respirer et je sentais même des picotements dans mon corps. Je n'arrivais pas à déterminer ce qui m'angoissait autant, mais je savais que quelque chose me tracassait au point de m'empêcher de dormir la nuit. J'en ai discuté avec des gens qui avaient déjà eu des crises similaires, et ce sont eux qui m'ont dit qu'il s'agissait de crises d'angoisse. Que faire ? Premièrement, lorsque vous êtes prise de panique, vous devez accepter l'angoisse sans la laisser vous emporter davantage. Dites-vous par exemple que tout va bien aller, que ce n'est qu'une crise passagère et que vous n'avez aucune raison de paniquer de cette façon. Vous pouvez trouver des moyens pour vous changer les idées et vous détendre : prenez un bain chaud, faites une promenade, lisez un magazine ou téléphonez à une amie. Il faut vous efforcer d'en parler pour éviter d'accumuler davantage de stress et de tout garder à l'intérieur. Je vous recommande aussi fortement de faire des activités physiques ; cela vous permettra de vous défouler et de dépenser votre énergie de façon saine. Même si vous croyez que l'angoisse ne vous quittera jamais, répétez-vous que ce n'est qu'une attaque temporaire et que tout ira mieux dans quelques minutes !

Si la cause de votre angoisse est plus sérieuse, si elle est reliée à un traumatisme personnel, vous devez en parler à une personne en qui vous avez confiance, à un professionnel de la santé ou à un psychologue.

Il n'y a aucune honte à être angoissée, et ce, quelle qu'en soit la cause. Je répète qu'avec tous les bouleversements physiques et émotifs que vous traversez à l'adolescence, il est normal de paniquer de temps à autre. Bien que certaines filles soient de nature plus agitées et plus angoissées que d'autres et doivent se concentrer davantage pour ne pas laisser l'anxiété les dominer, il arrive à tout le monde de paniquer et de perdre les pédales de temps à autre. Souvenez-vous simplement de prendre une grande respiration, de vous détendre et de vous répéter que tout ira mieux demain matin !

Salut, Lou.
Ce matin, je me suis réveillée avec une boule au ventre. J'avais même des picotements dans les doigts ! J'ai paniqué ! Ma mère m'a alors expliqué que je faisais une crise d'angoisse, et que c'est sûrement lié au stress de ma nouvelle école et au fait d'être séparée de toi et de Thomas. Elle m'a dit qu'il fallait me détendre et me changer les idées. J'ai pris un bain et après, nous sommes allées nous promener en ville. Je dois avouer que ça m'a fait du bien de prendre un peu d'air ! Je me sens plus relaxe maintenant. Tout ce qu'il me manque, c'est ma best et mon chum à mes côtés !

Bonheur

C'EST QUOI, LE BONHEUR ?

Tout au long de votre vie, vous serez confrontée à la fameuse question : êtes-vous heureuse ? Les gens vous la poseront sans cesse.

Vous devrez vous-même vous questionner pour évaluer vos choix de vie et pour déterminer si vous êtes bien dans votre peau et si vous vous sentez heureuse dans la situation dans laquelle vous vous trouvez.

Mais au fond, c'est quoi, le bonheur ? Comment déterminer si on est heureuse, et comment atteindre ce sentiment de plénitude et de satisfaction personnelle ?

Il y a beaucoup de choses qui peuvent nous rendre heureux. Pour certains, c'est l'aisance matérielle et financière ; pour d'autres, c'est la liberté et le sentiment d'accomplissement, tandis que d'autres encore se sentent heureux simplement lorsqu'ils sont entourés des gens qu'ils aiment et qu'ils se sentent bien dans leur peau. Le bonheur, ça ne se définit pas en trois lignes. C'est plutôt un concept personnel, quelque chose que tous les humains recherchent en se fixant des objectifs et en s'efforçant de les atteindre.

Le bonheur, c'est d'abord les petits plaisirs du quotidien. Lorsque vous partagez un repas entre amis, ou que vous vous sentez fébrile à l'idée de partir en vacances ou d'assister à une fête, vous êtes heureuse. Il faut par ailleurs apprendre à jouir de ces moments de joie et à profiter du moment présent pour bien comprendre ce qu'est le bonheur. C'est à vous d'établir vos priorités et de découvrir les choses, ou encore les gens, qui vous rendent vraiment heureuse dans la vie. Il y a bien sûr la famille, les amis, le sentiment de réussite, les rêves qu'on a, les objectifs qu'on se fixe, les petits cadeaux qu'on reçoit, que ce soit sur le plan matériel ou sur le plan émotionnel. Par exemple, quand on se sent aimée, on a confiance en soi et on se sent bien. On est heureuse. De façon plus générale, quand on se lève le samedi matin et qu'on peut faire la grasse matinée et écouter la télé sans devoir songer aux devoirs, on est également heureuse. Le bonheur, ce n'est pas seulement une façon de se sentir qui nous mène au septième ciel ; ce sont aussi les plaisirs de la vie, petits et grands, qui surviennent tous les jours et dont il faut savoir profiter.

Apprendre à être heureuse

Même s'il existe des gens et des choses qui vous rendent heureuse, sachez en outre que le bonheur est une question d'attitude, et que vous pouvez (et devez !) apprendre à être heureuse. Tout d'abord, il faut savoir profiter du moment présent. C'est génial de se fixer des objectifs et des buts à atteindre, car cela vous pousse à aller plus loin et à vous surpasser, mais vous ne pouvez pas toujours vivre en songeant au futur, au même titre qu'il n'est pas très sain de vivre sans cesse dans le passé et de vous épancher avec nostalgie sur les moments de bonheur que vous avez déjà vécus. La vie se déroule maintenant, et il faut saisir chaque occasion d'être heureuse et de profiter des petits plaisirs. Il faut apprendre à rire, à mordre dans la vie, à se trouver belle et intelligente, et à s'aimer telle qu'on est.

Déterminer les moments de bonheur

C'est souvent quand on traverse une période difficile qu'on prend vraiment conscience de ce qu'est le bonheur. Le contraste est si frappant qu'on se met à regretter les moments de bien-être qu'on a vécus sans même s'en rendre compte. Parfois, on se retrouve aussi dans une situation où on s'arrête quelques instants pour réaliser à quel point on est bien. Il faut apprendre à profiter de ces moments et à identifier ce qui en fait des moments heureux. Songez à vos priorités, ou alors faites une liste des choses, des rêves et des gens qui sont indispensables à votre bonheur. Non seulement cela vous permettra de jouir davantage de ces plaisirs de la vie, mais vous pourrez ainsi atteindre certains objectifs plus rapidement, ou encore réaliser que vous êtes choyée, bien entourée et aimée de tous.

Quoi qu'il en soit, le bonheur est beaucoup moins rare qu'on ne le croit. Le problème, c'est que lorsqu'on est heureuse, on a moins tendance à le remarquer que lorsqu'on est triste. Il existe toutefois des règles toutes simples pour vous aider à jouir du moment présent et à vous sentir heureuse et bien dans votre peau. En plus de profiter de chaque instant et de mordre dans la vie, apprenez à voir les choses d'un œil positif et à affronter les épreuves sans jouer les victimes et sans être trop négative. Il faut voir le bon côté des choses et se dire que tout ira mieux demain. Apprenez également à aimer les autres sans compter. L'amour est l'une des choses qui nous font sentir vivante et légère. N'ayez pas peur de vous fixer des buts et de foncer pour les atteindre. L'ambition et les accomplissements nous procurent généralement bonheur et fierté. Rappelez-vous aussi que vous êtes jeune et que vous avez la vie devant vous, alors profitez-en au maximum pour réaliser vos rêves les plus fous tout en savourant le moment présent !

Bonne humeur

VOIR LA VIE EN ROSE

Je ne vous apprends rien quand je vous dis que notre humeur varie souvent de jour en jour. Il y a des matins où on se lève et où on a envie de danser et de crier sur tous les toits que la vie est belle, et d'autres où on se sent maussade et où on plaint les gens qui croisent notre route.

L'humeur peut être liée à des événements externes, à nos hormones ou à notre état physique. Bien qu'il y ait des journées où on se sent en meilleure forme que d'autres, il revient à chacune de nous d'adopter une attitude généralement positive face à la vie et de s'efforcer de voir la vie en rose. Bref, malgré les hauts et les bas de la vie quotidienne, il est toujours mieux d'être de bonne humeur que de se renfrogner et d'être négative.

Chaque fille a son propre caractère : certaines sont de nature plus joviale et plus optimiste que d'autres. Le caractère, c'est ce qui nous définit, et il est parfois difficile de changer des comportements qui semblent si profondément ancrés en nous, mais on se rend vite compte que la bonne humeur nous permet généralement de nous sentir plus épanouie et mieux dans notre peau. Par exemple, quand on sourit et qu'on adopte une attitude positive, les gens autour de nous ont tendance à nous répondre de la même façon. Notre bonne humeur est contagieuse et incite les autres à sourire et à voir le bon côté des choses. Si, au contraire, on décide d'être de mauvaise humeur et d'adopter une attitude négative et maussade, tout est susceptible de nous irriter, et on risque parfois de blesser les gens autour de nous à cause de notre air renfrogné. En plus, on a tendance à se sentir incroyablement nulle et on s'en veut à soi-même d'être aussi aigrie, ce qui nous nous fait inévitablement tomber dans un cercle vicieux. Non seulement on repousse les gens avec notre attitude, mais on devient encore plus morose, car les choses ne font qu'empirer ! Je ne vous dis pas que vous devriez être un rayon de soleil à tout moment de la journée, mais il vaut mieux rire que maugréer, tant pour votre bien-être que pour celui des autres.

> *Quand on sourit et qu'on voit la vie en rose, on dégage une attitude positive qui attire les autres et qui donne davantage confiance en soi.*

Plutôt que de se méfier de vous et de votre mauvaise humeur, les gens viendront vous voir pour mettre un peu de couleur dans leur journée et pour puiser un peu d'énergie. Il est tout à fait normal que vous vous sentiez de mauvaise humeur de temps à autre, mais plutôt que d'être de compagnie désagréable et de lancer des méchancetés à tout le monde pour décharger votre mal de vivre, efforcez-vous de limiter vos contacts avec les autres jusqu'à ce que vous vous sentiez mieux. Il n'y a rien de mal à être honnête et à admettre qu'on traverse une journée plus difficile, alors mieux vaut dire à vos amis et à vos parents que vous préférez être seule car vous vous trouvez insupportable que de leur faire subir votre mauvaise humeur et vos commentaires négatifs.

La bonne humeur n'est pas un signe de faiblesse de caractère ou d'imbécillité. C'est au contraire une force interne dans laquelle on doit aller puiser pour lutter contre nos instincts plus sombres. Vous pouvez avoir

SUJET CONNEXE :
○ *BONHEUR*

du caractère et dire ce que vous pensez tout en gardant le sourire. Votre force de caractère est bien ancrée en vous, mais c'est votre bonne humeur qui vous permettra de vous exprimer de façon plus positive et de faire passer votre message de manière plus constructive. De plus, il faut se rappeler que quand ça va mal, la mauvaise humeur, les critiques et le renfrognement ne font souvent qu'empirer les choses et ne changent en rien la situation. Par conséquent, plutôt que de vous apitoyer sur votre sort et de jouer les victimes en prétendant que la vie est injuste, prenez les choses avec un grain de sel, souriez et affrontez les difficultés avec une attitude positive. Non seulement la situation vous semblera moins pénible, mais vous pourrez y faire face avec beaucoup plus de facilité et ainsi trouver des solutions plus rapidement. Bref, mettez du soleil dans votre vie, souriez et rappelez-vous que la vie est belle !

Bouder

ÉTAT DE MÉCONTENTEMENT

Quand vous décidez de bouder, c'est souvent pour manifester votre mauvaise humeur et votre colère sans vouloir affronter le problème qui vous a mise dans cet état. C'est une façon délibérée de faire comprendre votre mécontentement à quelqu'un en faisant la tête et en étant maussade.

Vous décidez alors d'ignorer votre interlocuteur et de vous replier sur vous-même pour le punir et le faire sentir mal.

Bien que toutes les filles boudent à un moment ou à un autre, en y songeant bien, vous devez admettre qu'il s'agit d'une attitude immature qui ne vous avance à rien. Par exemple, si vous êtes en colère contre une amie et que vous décidez de lui faire la tête pour le lui faire comprendre, vous optez pour une stratégie et une sorte de chantage émotif dans le but de lui faire sentir que vous êtes blessée plutôt que de lui expliquer clairement pourquoi vous êtes blessée. Si elle ne sait pas ce qui vous a contrariée, elle aura de la difficulté à régler le problème, surtout si elle a devant elle quelqu'un qui lui tourne le dos et refuse de lui adresser la parole. La situation risque de devenir encore plus frustrante pour vous, puisque vous n'obtiendrez pas la réaction désirée. Vous risquez alors de vous replier davantage sur vous-même et d'entrer dans une espèce de cercle vicieux d'où personne ne sort gagnant. Tout cela pour un simple malentendu...

Je sais que l'habitude de bouder est parfois un trait de notre personnalité et qu'on ne peut faire autrement. C'est simplement plus fort que nous. Mais il faut essayer de lutter contre cette tendance à punir les autres en se disant que cela ne nous avancera à rien. Il est difficile de changer certains traits de sa personnalité du tout au tout, mais on peut quand même s'efforcer de travailler nos points faibles ; après tout, cela fait partie de la maturité. Quand on boude, on adopte une attitude d'autodéfense et on cherche à se protéger et à attirer l'attention de l'autre sans affronter directement le problème. On fronce les sourcils, on pince les lèvres, on se crispe et on se referme sur soi. On cherche le réconfort de l'autre et ses excuses sans lui expliquer clairement la source du problème, et on opte pour la susceptibilité et le refoulement plutôt que d'adopter une attitude plus mature et plus responsable. En effet, il serait beaucoup plus efficace de discuter et d'affronter la situation plutôt que de se réfugier dans la bouderie et la manipulation. Votre attitude risque d'entraîner l'autre dans votre jeu, et dites-vous que l'un des deux boudeurs devra bien finir par céder !

Si vous faites face à quelqu'un qui boude, tentez de l'approcher avec diplomatie sans le contrarier davantage. Essayez de vous excuser et de vous expliquer, ou conseillez-lui de réfléchir et de vous parler plutôt que de vous ignorer. Si rien ne fonctionne, laissez-le tranquille et accordez-lui un peu de temps pour faire

SUJETS CONNEXES :
o *GANG DE FILLES*
o *AMITIÉ*
o *COLÈRE*

passer la tempête. La bouderie est difficile à supporter, mais elle n'est souvent que de courte durée. 🗨

Pour éviter de bouder à la suite d'une dispute, prenez un peu de recul, allez faire une promenade et réfléchissez à ce qui s'est produit plutôt que de monter sur vos grands chevaux et de vous replier sur vous-même. Si vous apprenez à exprimer vos sentiments et à partager vos émotions, vous constaterez que les conflits se régleront de façon plus saine et plus rapide, et vous serez par conséquent fière de vous.

Cafard du dimanche

PHÉNOMÈNE UNIVERSEL

C'est dimanche et la journée s'achève. Sans trop savoir pourquoi, vous sentez une boule dans votre estomac et une vague de déprime vous envahir...

Suffit de penser aux devoirs qui recommencent et à l'école le lendemain matin pour avoir carrément envie de vous mettre en boule et de pleurer toutes les larmes de votre corps ! Du calme... c'est le cafard du dimanche, soit un sentiment de spleen, de tristesse ou d'angoisse qui nous envahit face aux responsabilités qui nous attendent.

Il est d'abord important de préciser que le cafard du dimanche est un phénomène universel ! Après une fin de semaine remplie d'activités, de sorties, de balades et de plaisir, on a du mal à faire face à la nouvelle semaine qui commence. C'est le retour à l'école, le retour des devoirs, bref, le triste retour à la réalité !

Ne désespérez pas ! Bien qu'il soit tout à fait normal de se sentir un peu accablée le dimanche, il existe plusieurs façons d'éviter la déprime et de terminer la semaine en beauté !

La famille

Pour plusieurs, le dimanche est le jour international de la famille. C'est souvent la journée de la semaine où on peut se réunir et préparer un bon repas. Alors, plutôt que de déprimer, pourquoi ne pas mettre la main à la pâte et en profiter pour vous changer les idées ? Vos parents vous cassent les oreilles dès 8 h le matin pour que vous les aidiez à préparer la tourtière ? Deux options s'offrent à vous. Si vous êtes une lève-tôt, alors aucun problème, joignez-vous à la fête ! Si, par contre, vous aimez dormir tard, vous devez leur expliquer (calmement) que vous êtes prête à les aider, mais que vous êtes complètement improductive avant 10 h !

Après tout, le dimanche est votre dernière journée de repos. Suffit donc de trouver un terrain d'entente !

Activités du dimanche

Le dimanche est aussi la journée idéale pour faire des activités extérieures et respirer un peu d'air frais. Journée chaude et humide ? Pourquoi ne pas aller au parc ou se baigner à la piscine ? Il fait 15 degrés sous zéro et il neige ? Alors, mieux vaut enfiler ses skis ou faire de la randonnée en raquettes ! Si la météo vous en empêche ou que vous n'avez pas l'âme très sportive ce jour-là, allez magasiner ou faites du lèche-vitrine ! Presque toutes les filles en raffolent, et ça vous fera bouger sans même vous en rendre compte ! Vous pouvez aussi aller au cinéma, louer un film, jouer à un jeu de société avec les membres de votre famille ou avec vos amis, écrire dans votre journal intime, aller au musée, aller au restaurant, lire un livre ou des revues, écouter de la musique... Bref, les possibilités sont infinies lorsqu'il est question de se changer les idées, de se faire plaisir et d'éviter de se laisser emporter par ce cafard dominical...

Ne vous laissez pas crouler sous les devoirs !

Vos devoirs se sont accumulés tout au long de la semaine, et la fin de semaine a filé plus vite que vous ne l'auriez voulu. Oups ! C'est dimanche soir, et vous êtes coincée avec vos devoirs de maths, de français, de géo et d'anglais... Rien pour calmer la déprime qui vous envahit ! Ne vous en faites

SUJET CONNEXE :
o *DÉPRIME*

pas, l'erreur est humaine, et bien que la philosophie de la « dernière minute » soit très populaire, le fait de répartir vos travaux tout au long de la semaine vous permettra d'avoir plus de temps libre le dimanche. Vous pourrez ainsi vous adonner à des activités qui rendront votre journée plus agréable.

Relaxez sans trop penser au lundi

D'accord, je sais, l'aspect le plus déprimant du dimanche, c'est de savoir que le lundi s'en vient et qu'on doit affronter une autre semaine de classe, mais c'est essentiel de faire un effort pour vivre le moment présent. Après tout, la fin de semaine n'est pas encore terminée ! Que ce soit en prenant un bon bain, en lisant votre magazine préféré ou en écoutant de la musique, tâchez de consacrer quelques minutes de votre journée à la relaxation. Chassez toutes les idées noires et tentez de vous concentrer sur le positif : lundi n'est pas encore arrivé, alors on traversera le pont quand on y sera rendu ! Le dimanche vous appartient ! Si vous êtes

incapable de chasser les pensées sombres de votre esprit, il faut encore une fois vous efforcer de songer aux choses positives : le lundi, vous pourrez revoir vos copines ou encore le gars qui vous fait rêver, entendre tous les derniers potins, porter les vêtements que vous venez d'acheter et exhiber votre super nouvelle coupe de cheveux. Pensez aussi aux matières que vous préférez, aux profs que vous tolérez... Au fond, l'école, ce n'est pas si mal.

Faites-vous un horaire

Si, comme moi, vous êtes de nature plutôt stressée et appréhendez le test de maths du jeudi, faites-vous un horaire. Ça vous permettra de bien répartir votre temps et de planifier votre horaire de façon à ne pas vous sentir submergée par le travail et le stress. En plus, votre dimanche sera beaucoup moins ennuyeux si vous n'avez pas à le consacrer uniquement à vos devoirs !

Salut, Lou.
Tu sais ce que je n'aime pas, dans la vie ? Les dimanches soirs. Ça veut dire que la fin de semaine est terminée et que demain matin, je dois retourner à l'école, reprendre la routine et affronter les nunuches. Ma mère m'a dit que le meilleur remède contre le cafard du dimanche, c'est de ne pas y penser et de se changer les idées ! Elle est en train de faire cuire du pop corn et ensuite, on va écouter un film de filles ensemble. C'est vrai que c'est un bon truc ! Et comme le dit ma mère, on traversera le pont lorsqu'on y sera rendu !
Léa xox

Colère

ÉMOTION VIVE ET SPONTANÉE

La colère est une émotion qui survient le plus souvent de façon vive et spontanée, sans crier gare, dans un moment d'intense frustration. On se met en colère lorsqu'une situation nous fait sortir de nos gonds et qu'on se sent sur le point d'exploser.

C'est une émotion qui peut être difficile à dominer, car elle nous prend par surprise et nous pousse souvent à dire des choses qui dépassent notre pensée ou à agir de façon regrettable, voire violente.

On se retrouve parfois dans des situations qui nous font monter la moutarde au nez ou avec des gens qui nous mettent franchement en colère. Par exemple, si une amie vous donne rendez-vous au coin d'une rue et qu'elle se pointe avec une heure de retard sans vous avoir prévenue, il est fort probable que vous serez en colère contre elle. Vous ruminez peut-être même dans votre for intérieur depuis plus de soixante minutes. Quand elle finit enfin par arriver avec un air coupable et désolé, vous avez eu tout le temps de mûrir votre colère. Peu importe ses raisons et ses excuses, vous sentez la vapeur qui vous sort par les oreilles et vous éclatez.

Quand on est en colère, des manifestations physiques en témoignent. On devient parfois toute rouge et tendue. Notre corps se raidit, on hausse le ton, on se met à crier, parfois même à pleurer de rage, et on a dans certains cas recours à des gestes violents. Bref, ça n'a rien de très joli ! Quand la tempête passe et qu'on prend le temps de se calmer, on regrette souvent de s'être emportée ainsi et on réalise qu'on a dépassé les bornes.

C'est normal d'être en colère de temps à autre. Il y a des journées où on est plus

sensible, donc plus susceptible de se mettre en colère. Il survient parfois des événements qui nous font vraiment perdre les pédales. Sachez qu'il existe toutefois des façons de maîtriser sa colère ou, du moins, de l'évacuer autrement qu'en agressant les gens qui nous entourent. Quand vous vous sentez sur le point d'éclater, mieux vaut parfois le dire et vous éloigner durant quelques minutes. Allez prendre l'air, écoutez de la musique, écrivez pour vous défouler, ou pratiquez un sport pour faire « sortir le méchant ». Vous pouvez aussi vous enfermer entre quatre murs et hurler à pleins poumons ! Ça peut sembler un peu fou, mais ça fait un bien immense.

Lorsque vous éclatez, vous devez toutefois tenir compte de l'endroit où vous vous trouvez pour ne pas agir de façon déplacée. Bien que la colère puisse provoquer une réaction spontanée et irrationnelle souvent difficile à contenir, vous devez vous efforcer de retrouver votre sang-froid et de vous calmer. Évitez les coups bas et les paroles blessantes que vous risquez de regretter amèrement par la suite. La colère ne justifie en aucun cas le fait de vous montrer injuste et de blesser les autres, alors prenez une grande respiration et réfléchissez avant de parler. De plus, évitez de réagir de façon violente et de casser des objets pour faire valoir votre point de vue ou pour exprimer votre colère. La violence et l'agressivité ne règlent absolument rien et vous feront sentir complètement ridicule après coup.

Enfin, sachez que la colère permet parfois de faire valoir son opinion, d'exprimer un point de vue qui nous tient à cœur ou tout simplement de se faire respecter quand on sent que les gens abusent de nous. Ce n'est pas mauvais de sortir de ses gonds de temps à autre et d'exprimer ses sentiments en toute sincérité et en toute vulnérabilité, mais il ne faut pas dépasser les limites. Il arrive à tout le monde de dire des choses regrettables sous l'effet de la colère. Aussi, une fois calmée, assurez-vous de vous excuser auprès des personnes concernées. Si vous faites preuve de sagesse et que vous assumez vos torts, les autres auront tendance à avoir de la compassion et à pardonner vos élans d'agressivité. Apprenez toutefois à prendre une grande respiration lorsque vous sentez la colère vous gagner et tournez votre langue sept fois avant de parler pour éviter de jeter de l'huile sur le feu !

Conscience

LA PETITE VOIX QUI SE CACHE À L'INTÉRIEUR

La conscience est « l'état nerveux de vigilance et de réceptivité aux signaux provenant de l'environnement interne et externe, qui fonde la pensée, les comportements et l'identité de l'individu ». *(Source : Grand Dictionnaire terminologique)*

En d'autres termes, c'est la petite voix qui se cache à l'intérieur de vous, qui vous rend capable de distinguer le bien du mal et qui vous incite à faire des choix conformes à vos valeurs.

Prenons un exemple concret. Si vous volez dans un magasin, vous savez que vous avez commis un délit et que vous avez mal agi. Même si personne ne s'en rend compte, au fond de vous, vous êtes rongée par la culpabilité et par la honte parce que vous êtes tout à fait consciente du fait que votre geste n'était pas conforme à vos valeurs et à la loi. Bref, votre conscience ne cesse de vous répéter que vous avez mal agi, de sorte que vous avez de la difficulté à assumer votre crime et qu'il devient impossible pour vous d'avoir l'esprit en paix. Bien que la conscience soit bien ancrée au fond de vous et que personne d'autre que vous ne puisse la diriger, c'est presque impossible de la faire taire ou de l'ignorer quand elle vous indique que quelque chose cloche. La conscience constitue la base de votre identité ; c'est en elle que se trouvent les repères qui vous guident dans la vie et qui vous poussent à agir correctement, à vous questionner sans cesse sur vos agissements, à vous améliorer en cas d'erreur et à vous surpasser.

> ❛ *La conscience vous permet souvent de vous remettre sur le droit chemin et d'agir en fonction de vos valeurs et de votre vision de la vie. C'est elle qui vous pousse à vous remettre en question et à déterminer vos priorités, vos rêves et vos objectifs.* ❜

Non seulement elle vous fait réfléchir sur le fondement de vos valeurs lorsque vous commettez une erreur ou que vous n'êtes pas fière de vous, mais elle vous trace aussi la voie par laquelle atteindre vos objectifs. C'est elle qui vous permet de bien percevoir vos émotions et de vous ouvrir à votre propre état d'esprit, de réfléchir à vos actes. Ainsi, elle peut vous guider vers le bonheur et l'épanouissement, en plus de vous permettre de déterminer les fondements de votre morale.

Ce n'est toutefois pas toujours facile de s'y retrouver. Parfois, on ne sait pas trop quelle est la meilleure décision, et notre conscience se fait toute petite ou semble tout aussi confuse que nous. Bref, on cogite dans une zone grise et on n'y voit plus très clair.

De plus, votre conscience ne peut pas vous garantir que vous ne commettrez jamais d'erreur : il arrive à tout le monde de se tromper. L'important, c'est que vous en soyez consciente et que vous appreniez de ces erreurs pour ne plus les reproduire, ce qui vous permettra de vous améliorer. Il ne sert à rien de vous perdre en regrets, car de toute façon ce qui est fait est fait et, jusqu'à preuve du contraire, vous ne pouvez pas réécrire le passé. Vous pouvez toutefois accepter votre erreur et vous dire que vous ferez mieux la prochaine fois. C'est à cela que sert la conscience. Elle agit comme un guide pour que vous puissiez devenir une meilleure personne.

Déprime

BROYER DU NOIR

La déprime est un sentiment de léthargie, de fatigue et de cafard.
Quand on est déprimée, on broie du noir, on sent que rien ne va plus et on n'est vraiment pas dans
son assiette.

Il existe les blues passagers où on se lève de mauvais poil, et la déprime qui s'empare de nous lorsqu'on traverse un moment difficile. Par exemple, il est tout à fait normal que vous vous sentiez déprimée lorsque vous vous disputez avec vos parents ou avec une amie, que vous ne réussissez pas très bien à un examen ou que vous avez une peine d'amour. De plus, on se sent parfois déprimée sans pouvoir en déterminer la raison. Cela peut être dû au stress, à l'anxiété, à un sentiment de solitude ou simplement aux hormones qui s'emballent au cours de l'adolescence. Vous devez aussi savoir qu'il est tout à fait normal d'être un peu plus sensible, voire même un peu déprimée quelques jours avant l'arrivée de vos règles. Ce n'est qu'un état passager et ça ne vaut pas la peine de consulter un psychologue pour autant. Il y a aussi les petits moments de cafard liés aux saisons, aux jours de pluie, à l'hiver interminable, au manque de lumière, à l'inertie, au dimanche soir ou à la fatigue. Il s'agit alors d'une petite déprime mineure et passagère. Ne vous inquiétez pas, ça arrive à toutes les filles de se sentir un peu morose, et il est tout à fait normal que votre humeur soit influencée par des facteurs externes comme la température, les saisons ou la tension prémenstruelle.

Si toutefois vous ressentez un sentiment de déprime plus profond qui s'étend sur une longue période, et que vous sentez que vous vous enfoncez sans être capable de reprendre le dessus ou que vous perdez goût à la vie, il s'agit peut-être d'une dépression, c'est-à-dire d'un trouble affectif ou psychologique qui doit souvent être traité avec l'aide de professionnels de la santé. La dépression demeure plutôt mystérieuse, puisque les causes sont parfois inconnues. Elles peuvent provenir d'un déséquilibre hormonal, d'une sensibilité excessive, d'une prédisposition, de l'hérédité, ou encore être simplement le fruit du hasard. Les jeunes qui souffrent de dépression ressentent souvent des effets physiques tels qu'une grande fatigue, une perte d'appétit ou une extrême sensibilité qui leur donne sans cesse envie d'éclater en sanglots et qui leur enlève toute joie de vivre. Il faut alors agir vite et tenter d'affronter le problème et de trouver une solution. N'ayez pas honte de consulter un médecin, un psychologue ou un psychiatre. Ils sont là pour vous écouter et pour déterminer le traitement qui peut mettre fin à votre déprime.

> *Que votre dépression soit due à un déséquilibre hormonal, à un drame personnel ou à n'importe quel autre trouble émotif, il se peut fort bien que les médecins vous prescrivent des médicaments ou vous encouragent à suivre une thérapie qui vous permettra d'extérioriser votre mal de vivre et de mettre le doigt sur ce qui vous tracasse.*

Si vous sentez qu'une amie a le cafard ou qu'elle semble déprimée depuis quelque temps, changez-lui les idées en lui proposant une activité qui lui fera plaisir. Encouragez-la aussi à se confier à vous et à vous raconter

SUJETS CONNEXES :
o *CAFARD DU DIMANCHE*

ce qui la tracasse. Rassurez-la et tentez de lui remonter le moral. Si vous sentez que tous vos efforts sont vains, suggérez-lui d'en discuter avec quelqu'un qui pourra l'aider ; faites-lui comprendre que vous vous inquiétez à son sujet et que vous l'aimez.

Quelle que soit la nature de votre déprime, il faut vous ressaisir et apprendre à voir les choses du bon côté. Après tout, vous êtes jeune, vous êtes pleine d'espoir et vous avez la vie devant vous pour réaliser vos rêves les plus fous. Il faut que vous sachiez affronter vos peurs et faire face à la situation. Efforcez-vous de prendre les choses avec un grain de sel et de voir la vie avec un regard positif. Chassez les idées noires et le négativisme. Tout ira bien ! Il est tout à fait normal de traverser des journées plus moroses et de se sentir maussade de temps à autre, mais lorsque cela arrive, mieux vaut l'extérioriser, l'écrire dans un journal intime, en discuter avec des proches ou simplement vous changer les idées pour que votre état ne se détériore pas. Il ne faut pas chercher à nier l'évidence ou à refouler ce que vous ressentez.

> ❝ *Laissez simplement la crise passer et apprenez à vous faire plaisir. Il suffit parfois d'une nouvelle coupe de cheveux, d'un ajout à sa garde-robe, d'un bon roman ou d'un peu de changement pour vous sortir de votre torpeur.* ❞

Évitez de jouer les victimes et de vous apitoyer sur votre sort. Cela risquerait de vous enfoncer dans votre déprime et de vous encourager à vous complaire dans votre tristesse. Secouez-vous, et apprenez à sourire et à adopter un regard positif sur la vie. Si, par contre, votre déprime est plus profonde et que vous sentez que vous avez réellement perdu le goût de rire et de vivre, il est essentiel que vous en parliez et que vous cherchiez le soutien dont vous avez besoin.

Vous n'avez pas à avoir honte de demander de l'aide et d'avoir recours aux traitements nécessaires pour vous sentir mieux. Il s'agit au contraire d'un acte d'humilité et de courage, ainsi qu'un premier pas vers la guérison et vers une existence beaucoup plus épanouie.

Désir

PICOTEMENTS, PAPILLONS ET SERREMENTS AU COEUR

Quand on éprouve du désir, on ressent des picotements dans le bas-ventre et des papillons dans l'estomac, et il arrive même parfois que notre cœur se serre à l'intérieur de notre poitrine.

Chez les garçons, il va sans dire que le désir est beaucoup plus manifeste que chez les filles. Lorsqu'un garçon a une érection, le pénis augmente de volume et devient très dur, ce qui peut être très gênant lorsque ça se produit dans un endroit public.

Le désir chez les filles se manifeste aussi par des réactions physiques. Quand vous regardez quelque chose qui vous excite, quand vous apercevez un garçon qui vous fait craquer ou quand vous avez des rapports intimes avec votre amoureux, il est fort probable que votre sexe devienne humide et lubrifié, que vos mamelons se dressent et que votre clitoris se durcisse. Si c'est le cas, ne paniquez surtout pas : vous êtes en train d'éprouver du désir sexuel, et il n'y a aucun mal à être à l'écoute de votre corps et de ses réactions.

> ❝ À l'adolescence, vous êtes en train de vous épanouir et de découvrir votre sexualité. Par conséquent, il se peut que vous soyez attirée par des gens ou excitée par certaines situations qui vous semblent très embêtantes. ❞

Par exemple, il arrive à plusieurs filles d'éprouver du désir pour un professeur, ou encore de développer un fantasme impliquant plusieurs individus. Cela ne veut pas dire que vous soyez une obsédée sexuelle; ça vous indique simplement que vous êtes curieuse

et que vos désirs sont à fleur de peau. Il se peut aussi que vous éprouviez du désir pour une autre fille ou que vous fassiez un rêve érotique où vous avez des rapports intimes avec une fille de votre entourage. Ne vous sentez pas mal pour autant. Votre sexualité en pleine floraison, votre curiosité sans précédent et votre imagination fertile peuvent pousser votre inconscient à inventer des scénarios assez étranges, mais cela ne veut pas nécessairement dire que vous soyez lesbienne. Laissez libre cours à votre imagination et cessez de vous censurer, car tous ces comportements sont normaux à l'adolescence, et même à l'âge adulte.

D'autre part, il ne faut pas confondre l'amour et le désir. Ce n'est pas parce qu'on est attirée par quelqu'un qu'on est amoureuse de lui. Parfois, ce n'est que notre corps qui manifeste ses besoins et ses désirs face à quelqu'un qui nous plaît physiquement. Si vous apercevez par exemple un garçon dans l'autobus et que vous craquez pour lui, il se peut que vous soyez saisie de désir et même que vous fantasmiez le soir en vous imaginant l'embrasser. Vous n'avez toutefois aucune affinité avec lui et vous ne le connaissez pas assez pour vous considérer comme amoureuse. Je sais que l'intensité des deux sentiments peut porter à confusion, mais ne vous laissez pas leurrer par la force d'une attirance physique.

Par ailleurs, lorsqu'on est amoureuse, il est tout à fait normal d'éprouver du désir pour son amoureux. On se sent alors proche

SUJETS CONNEXES :

o *PREMIÈRE FOIS*
o *PREMIER BAISER*
o *SEXUALITÉ*

de l'autre et on a envie de se rapprocher physiquement pour sceller cette intimité et succomber à cette envie de ne faire qu'un. Si vous n'éprouvez aucun désir pour votre amoureux, c'est peut-être parce que vous ne le percevez que comme un ami.

En conclusion, il est très sage d'être à l'écoute de vos désirs et des besoins de votre corps en reconnaissant que vous êtes à l'âge où votre sexualité s'emballe et où votre curiosité prend le dessus. Il est normal que vous éprouviez du désir pour un garçon ou pour votre amoureux, mais il est d'autant plus important que ce sentiment ne vous amène pas à franchir une étape que vous n'êtes pas prête à franchir. C'est que le désir peut parfois vous faire perdre la tête ! Bien que

votre corps ait envie d'aller plus loin, vous devez être consciente de vos limites et ne pas aller trop loin si vous ne vous sentez pas prête. Vous n'avez qu'à vous arrêter quelques instants afin de reprendre vos esprits. Ne faites pas l'amour pour la première fois sur un simple coup de tête parce que votre désir est trop fort. Si le cœur n'y est pas, vous risquez de le regretter par la suite. Il y a toutes sortes d'étapes à franchir avant d'en arriver là, et je vous conseille d'apprendre à écouter, mais aussi à gouverner vos désirs pour respecter vos limites et aller à votre rythme.

Égoïsme

NE PENSER QU'À SOI

L'égoïsme se définit comme la tendance à ne chercher que son propre bien sans tenir compte de celui des autres. C'est le fait de ne penser qu'à soi et qu'à son propre bien-être sans s'ouvrir au bonheur d'autrui.

Bien qu'il s'agisse d'une attitude peu souhaitable dans nos rapports avec les autres, celle-ci est toutefois très normale chez les humains. Après tout, nous cherchons toutes à nous protéger et à nous assurer d'être bien dans la vie. C'est une sorte d'instinct de survie qu'il faut cependant apprendre à maîtriser. Il est sain de penser à soi et à son propre bonheur, mais il faut chercher un équilibre qui nous pousse à donner autant qu'à recevoir des autres, à nous montrer plus généreuse avec les gens qui nous entourent.

Vous avez certainement déjà été en présence de quelqu'un qui ne faisait que parler de lui-même, de ses réussites et de toutes les belles choses qu'il possédait. Vous devez admettre que ce n'est pas très agréable d'entendre quelqu'un parler autant de sa propre personne, de ses rêves, etc., sans tenir compte du bien-être des autres et sans jamais s'informer de leurs projets. Vous devez garder cet événement en mémoire et vous en servir comme d'une leçon ; il vous rappellera de ne pas toujours placer votre bonheur avant celui des autres. Vous éprouverez une grande satisfaction à donner aux autres et à voir s'afficher un sourire sur leur visage. Quand on donne aux gens qu'on aime et qu'on leur accorde de l'importance, on se sent très fière de soi et on a envie de continuer dans cette direction. Quand on agit de façon égoïste et qu'on ne pense qu'à soi, on a souvent tendance à faire fuir les gens et à se replier sur nous-mêmes sans apprendre à partager et à nous ouvrir à tout ce que les gens ont à offrir.

En d'autres mots, vous constaterez que vous êtes beaucoup plus heureuse et mieux dans votre peau lorsque vous vous ouvrez aux autres et que vous donnez sans compter. Pour ce faire, vous devez développer une générosité matérielle, physique et affective qui vous permettra de rendre les autres heureux et vous procurera un immense bien-être. Si vous jugez que vous êtes quelqu'un d'égoïste, sachez qu'il n'est jamais trop tard pour changer. Apprenez à écouter les besoins des gens qui vous entourent, à leur donner de l'attention, des soins et de l'amour. La satisfaction que vous en retirerez vous poussera à poursuivre dans la même veine. Quand on ne pense qu'à soi, on se retrouve souvent seule, et on perd des gens importants en cours de route. Mieux vaut être généreuse de votre temps et de votre énergie et faire sentir aux personnes que vous aimez qu'elles sont très importantes à vos yeux.

La générosité ne se développe pas seulement sur le plan matériel. Certes, vous pouvez apprendre à partager, à offrir des cadeaux, à faire des surprises et à prêter toute votre garde-robe à vos amies, mais vous devez aussi être généreuse de votre temps et leur montrer que vous êtes toujours là pour elles. Informez-vous sur ce qu'elles font, sur leurs joies, sur leurs peines. Plutôt que de vous regarder le nombril, apprenez des expériences que les autres ont vécues. Offrez aussi de l'aide à vos parents et montrez-vous généreuse lorsqu'ils vous demandent un service. Ils seront touchés par votre comportement et ceci permettra certainement d'améliorer vos relations.

Combattre l'égoïsme exige par ailleurs que vous fassiez de petits efforts quotidiens pour vous ouvrir davantage aux autres et pour faire taire vos propres insécurités. Rappelez-vous qu'il est sain de penser à votre bonheur, d'apprendre à vous protéger et à être plus forte, mais vous acquerrez énormément de confiance et de satisfaction en vous ouvrant aux autres et en apprenant à les rendre heureux. Vous éprouverez un

sentiment de fierté, d'accomplissement et de grande maturité, car vous aurez enfin réussi à surmonter vos peurs et à donner sans compter. Tout le monde mérite d'être heureux, alors mieux vaut s'entraider pour atteindre nos objectifs que d'agir chacun pour soi. La vie est trop courte pour rester seule dans son coin; aussi bien en profiter avec les gens qu'on aime.

Ennui

ÉTAT D'ÂME DÉPLAISANT

« Sentiment d'insatisfaction rencontré, par exemple, lorsque la vie nous paraît trop uniforme. [...] L'ennui est principalement couplé avec un déplaisir ou même une incapacité intérieure à agir pour son propre compte. L'ennui apparaît si on contraint un être à un ordre rigide et monotone, et il est atténué si on lui aménage un espace ludique où il peut faire ce qu'il désire. »

(Source : http://www.granddictionnaire.com)

L'ennui est un état d'âme qui se rapproche grandement de la lassitude. On a alors tendance à trouver le temps long ou à ne pas savoir quoi faire de ses dix doigts. On trouve que la vie est monotone et on a de la difficulté à trouver une activité originale qui puisse nous sortir de notre état d'insatisfaction. L'ennui peut survenir à tout moment : un lundi soir, au cours d'une fin de semaine pluvieuse, durant une semaine de vacances ou pendant un cours qu'on trouve interminable ! Il existe diverses façons de ne pas se laisser sombrer dans l'ennui. Il suffit de se secouer un peu et de trouver une activité qui nous plaise ou qui nous sorte de notre torpeur. Je sais bien que lorsqu'on s'ennuie, il peut être difficile d'être original et créatif, mais il ne suffit parfois que d'un petit effort, de téléphoner à un(e) ami(e), d'écrire dans son journal intime ou de faire une promenade pour parvenir à se changer les idées et à cesser de se morfondre.

> ❝ *L'adolescence est une période de la vie où les minutes semblent parfois interminables.* ❞

Les adultes ont alors tendance à vous dire : « Profites-en ! Lors-qu'on vieillit, le temps passe trop vite et on n'a parfois pas le loisir de profiter de la vie. » Sans vouloir être moralisatrice, je dois dire que ce n'est pas tout à fait faux. Avec l'âge viennent les responsabilités, le travail, l'accumulation des tâches, la famille, les amis, les petits amis... Bref, on a de moins en moins de temps à se consacrer. Les dimanches après-midi passés à ne rien faire ne sont plus ennuyeux ; ils deviennent au contraire si rares qu'on veut profiter de chaque minute ! À l'adolescence, on a normalement plus de temps pour réfléchir, pour songer à ses rêves, à ses ambitions. Même si ça peut parfois sembler effrayant, il faut s'efforcer de passer un peu de temps seule et de faire le vide. Si vous en êtes incapable, écrivez dans votre journal intime ou confiez-vous à quelqu'un en qui vous avez confiance. Ces minutes qui vous paraissent si longues vous seront très utiles, puisqu'elles vous permettront d'apprendre à vous connaître davantage et à faire face à votre insécurité.

> ❝ *Si l'ennui fait bientôt place au cafard, vous devez vraiment faire un effort pour vous secouer et vous changer les idées.* ❞

Pourquoi ne pas aller voir un film au cinéma, faire du lèche-vitrine ou une promenade en bicyclette, passer du temps en famille ou avec vos amis ? Personne n'est disponible et aucune de ces options ne s'offre à vous ? Lisez un livre, prenez un bon bain, écoutez de la musique ou louez un film. Lorsqu'on y pense bien, les activités que vous pouvez faire sont illimitées. Il ne suffit parfois que de se secouer les puces !

Salut Léa !
Aujourd'hui, tu me manques particulièrement beaucoup !
J'avais l'habitude de passer mes dimanches après-midi avec toi, mais là, je suis coincée chez moi toute seule. Steph et Laurie sont occupées et JP est à l'extérieur de la ville. J'ai rangé ma chambre, j'ai fait le ménage de ma garde-robe et j'ai même avancé mes devoirs. Soupir. Où es-tu ? Je m'ennuie !
Lou xox

Fatigue

CAUSÉE PAR TOUTES SORTES DE FACTEURS

La fatigue résulte d'un fonctionnement excessif de l'organisme. Qu'elle soit physique ou mentale, elle nous affecte à plusieurs niveaux.

Elle réduit nos forces, notre concentration et notre rendement général, et elle nous met souvent dans un état exécrable ! La fatigue peut être causée par toutes sortes de facteurs : d'importants efforts physiques ou mentaux, une maladie, un stress, une grande sortie, un manque de sommeil, etc.

À l'adolescence, les filles grandissent et dépensent une immense quantité d'énergie. Elles bougent sans cesse, elles se développent, se transforment et sont souvent épuisées. Il ne faut donc pas confondre la fatigue biologique, normale à cet âge, avec la fatigue chronique ou la paresse.

Le stress peut lui aussi provoquer une certaine fatigue. Par exemple, si on traverse une période difficile, une peine d'amour, un deuil ou n'importe quelle autre expérience traumatisante, il est normal de se sentir au bout du rouleau. Les larmes, l'angoisse et les idées noires sont toutes susceptibles d'entraîner un sentiment de lassitude et de surmenage. Vous devez alors apprendre à vous relaxer et à vous reposer pour permettre à votre corps de reprendre le dessus avant d'être à bout. Les efforts physiques constants ou les activités sportives peuvent également causer de la fatigue. Bien qu'il soit fortement conseillé de faire de l'exercice et de dépenser son énergie, apprenez à écouter votre corps et à lui accorder le repos dont il a besoin.

Et la paresse dans tout ça ?

Il ne faut pas confondre la fatigue et la paresse. Par exemple, si vous n'avez pas envie de faire vos devoirs ou de passer l'aspirateur, vous pourriez ressentir une sorte de lassitude qui vous incitera à repousser ces corvées à plus tard. Il vous suffit alors de vous secouer et de vous efforcer d'accomplir vos tâches. Lorsque vous aurez terminé, vous pourrez vous reposer en ayant l'esprit tranquille. Dites-vous que vous trouverez toujours une bonne raison pour ne pas faire vos devoirs tout de suite, mais qu'au fond, vous devrez inévitablement vous y mettre à un moment ou à un autre ! Ne vous laissez pas submerger par les responsabilités et les tâches non accomplies. Cela pourrait entraîner un stress inutile qui vous empêcherait de dormir et vous ferait tomber dans un cercle vicieux.

La fatigue chronique

Si toutefois vous éprouvez un sentiment de lassitude continu qui vous empêche de vivre normalement, ou encore des douleurs musculaires persistantes, des migraines, des vertiges et une grande faiblesse générale, il se peut que vous souffriez de fatigue chronique. Les causes sont mitigées et rendent cette maladie très mystérieuse. De façon générale, elle peut être causée par un virus, par du surmenage ou par un dérèglement de votre mode de vie. Il est alors conseillé de consulter un médecin pour déterminer les causes exactes de votre fatigue et pour tenter de trouver des solutions. Il vous suggérera peut-être de vous reposer ou d'apprendre à gérer votre stress.

SUJETS CONNEXES :
o CAFARD DU
DIMANCHE
o SOMMEIL

Une alimentation saine, une santé de fer

On ne le dira jamais assez : l'alimentation est un élément clé de votre développement et il est essentiel de vous alimenter sainement au cours de l'adolescence. Votre corps se transforme et a besoin de tous les nutriments nécessaires pour se développer adéquatement et vous permettre de bien fonctionner. Si vous êtes fatiguée, ne prenez pas d'excitants tels que du café, du thé ou du sucre avant de vous mettre au lit. Mangez de façon saine et équilibrée, et optez pour des fruits, des légumes et des protéines qui sauront vous fournir l'énergie nécessaire plutôt que de céder à la facilité du fast-food.

Soyez à l'écoute de votre corps et ne lui en demandez pas trop. Si vous souffrez de courbatures, reposez-vous et détendez vos muscles en prenant un bon bain chaud. Si vous sentez que vous couvez un rhume, mangez sainement et ne vous forcez pas à dépasser vos limites ; vous le regretterez amèrement lorsque vous serez clouée au lit pendant des jours !

Le meilleur remède : une bonne nuit de sommeil !

Un adolescent a besoin de dormir en moyenne de 8 à 9 heures par nuit pour pouvoir fonctionner à plein régime. Je sais que vous êtes parfois débordée par les sorties, les examens, bref, par les activités de toutes sortes qui vous empêchent de dormir de façon régulière. Sachez toutefois qu'une bonne nuit de sommeil est le meilleur moyen de remédier à la fatigue et d'offrir à votre corps le repos qu'il réclame.

TRUCS ET ASTUCES

★ *Si vous êtes stressée, essayez de vous détendre en prenant un bain, en buvant une tisane et en écoutant de la musique douce. Cela vous aidera à trouver le sommeil.*

★ *Vous pouvez aussi lire une revue ou un bon roman pour vous changer les idées.*

★ *Ne faites pas d'activité physique intense avant d'aller vous coucher ; cela aurait plutôt pour effet de vous exciter et de vous empêcher de vous endormir.*

★ *Essayez de ne pas manger beaucoup avant de vous mettre au lit. La digestion pourrait nuire à votre sommeil. Optez plutôt pour une collation légère.*

★ *Mettez toutes les chances de votre côté en créant une atmosphère propice au sommeil : éteignez les lumières, évitez la musique trop forte et maintenez une température fraîche dans votre chambre plutôt qu'une chaleur tropicale !*

Gentillesse

CAPACITÉ DE SE PRÉOCCUPER DES AUTRES

La gentillesse, c'est la capacité de se préoccuper des autres sans toujours penser à soi-même. Quand on est gentille, on est serviable, attentionnée, attentive aux besoins des autres.

C'est une sorte de bonté qui émane de nous et qui nous pousse à agir de façon agréable et généreuse.

La gentillesse peut s'exprimer de toutes sortes de façons : en gardant sa nièce à la dernière minute lorsque les parents sont mal pris, en aidant un copain à étudier pour un examen ou une personne âgée à traverser la rue, en donnant un coup de main à ses parents pour peindre la clôture, ou simplement en disant « merci » dans un café ou « bonjour » en entrant dans l'autobus. Ce sont des petits gestes tout simples que vous pouvez accomplir et qui vous permettront de vous sentir bien.

Être gentille, c'est aussi savoir écouter les autres et leur accorder du temps et de l'énergie sans toujours penser à soi ni s'attendre à quelque chose en retour. La vraie gentillesse, c'est la volonté d'agir en toute bonté sans compter. La joie et la reconnaissance dans le visage des gens à qui on fait plaisir suffit à nous rendre heureuse.

La gentillesse n'est pas une qualité innée chez tous les individus ; vous devez la travailler et la développer, et ce, même si vous avez un fort caractère et que cela vous semble complètement ridicule. Il n'y a rien de mal à remercier les gens quand ils vous rendent service ou quand ils font bien leur travail, ni à saluer les gens dans la rue ou dans votre voisinage. Ce n'est certainement pas ridicule de prendre des nouvelles des gens que vous aimez pour vous assurer que tout va bien pour eux. Cela prouve au contraire que vous les aimez et que vous prenez leur bien-être à cœur. Pour faire preuve d'un peu de gentillesse, il suffit donc parfois d'être joviale et de vous intéresser aux autres, ou encore de vous montrer polie et sympathique lorsque vous croisez quelqu'un.

Il existe toutefois des gens « trop » gentils qui montrent une grande naïveté et, parfois, certaines personnes malveillantes n'hésitent pas à abuser de cet excès de confiance. Je vous encourage donc à faire preuve de gentillesse tout en restant à l'affût des gens qui pourraient profiter de votre bonne volonté et de votre bonté naturelle.

De façon générale, la gentillesse n'a toutefois pas vraiment d'inconvénients. Quand on est gentille et de bonne humeur, on dégage une énergie positive qui attire les gens et qui les rend tout aussi joyeux. Aussi bien rendre les gens heureux en leur transmettant votre joie de vivre et votre bonne humeur que de les faire fuir et de les rendre maussades avec votre air renfrogné. Je vous assure qu'en faisant preuve de gentillesse, vous vous sentirez mieux dans votre peau.

DES TRUCS TOUT SIMPLES POUR ÊTRE GENTILLE

♡ *Soyez serviable et donnez sans compter. Les autres vous en seront extrêmement reconnaissants et vous serez fière de vous.*

♥ *Souriez aux gens, montrez-leur que vous êtes une fille pleine d'entrain et partagez votre joie de vivre.*

♡ *Dites merci quand on vous donne quelque chose ou qu'on vous rend service.*

♥ *Surprenez les gens que vous aimez en faisant la vaisselle, le ménage ou en préparant un bon petit repas.*

♡ *Dites « je t'aime » à ceux que vous aimez de temps à autre.*

♥ *Ne jouez pas les dures, soyez simplement intègre. La gentillesse n'est pas un signe de faiblesse ; au contraire, il s'agit d'une immense force qui se développe quand on se donne la peine de faire un effort.*

SUJETS CONNEXES :
- PARDON
- RESPECT
- AMITIÉ

Honnêteté

UNE ATTITUDE À ADOPTER

L'honnêteté ne se définit pas seulement par la capacité de dire la vérité aux autres.

Être honnête, c'est aussi une attitude qu'on adopte et qui nous pousse à agir de façon loyale et juste, c'est-à-dire à ne pas aller à l'encontre des lois et à éviter de blesser les gens qui nous entourent. Par exemple, c'est l'honnêteté qui nous incite à ne pas tricher, voler ou trahir sans avoir mauvaise conscience. Quelqu'un d'honnête, c'est quelqu'un qui fera tout ce qui est en son pouvoir pour regarder la réalité en face et qui aura le souci de ne pas tromper les autres ou de ne pas leur manquer de respect.

Quand on est honnête, les gens ont inévitablement tendance à nous faire confiance. Par exemple, si vous dites la vérité à vos parents au sujet de vos activités ou d'une sortie que vous prévoyez faire, et qu'ils savent qu'ils peuvent compter sur vous parce que vous ne leur mentez jamais, ils seront davantage portés à vous faire confiance et à vous accorder une plus grande liberté, car ils savent pertinemment qu'ils n'ont pas de souci à se faire. Certains professeurs font aussi aveuglément confiance à leurs élèves et ne restent pas nécessairement postés devant la classe tout au long des examens pour s'assurer que personne ne triche. Ils préfèrent se fier à l'honnêteté des élèves. Ces derniers ont malheureusement parfois tendance à abuser de cette confiance et à se chuchoter les réponses dès que le professeur a le dos tourné. L'honnêteté est en effet un exercice de contrôle et de respect de soi et des autres ; c'est une qualité qui se travaille et se développe avec le temps. Par conséquent, même si vous avez commis des erreurs de jugement dans le passé, il n'est jamais trop tard pour vous reprendre et pour devenir plus honnête.

Si, par exemple, vous vous rappelez que vous avez volé un jujube au dépanneur quand vous étiez petite, il ne sert à rien de vous ronger les sangs pour le reste de votre vie. Le simple fait d'avoir des remords vous prouve que vous êtes au fond quelqu'un d'honnête et que vous n'approuvez pas votre comportement. Il ne vous reste plus qu'à apprendre de vos erreurs et à ne plus jamais voler dans les dépanneurs.

> ❝ *L'être humain est loin d'être parfait, et il doit parfois apprendre de ses erreurs pour s'améliorer et devenir une meilleure personne, alors ne croyez pas que vous êtes un monstre parce qu'il vous est déjà arrivé de manquer de jugement !* ❞

Par ailleurs, l'honnêteté commence par soi-même. On doit apprendre à être honnête envers soi et à être capable de voir la réalité en face pour pouvoir être véritablement honnête dans les autres sphères de sa vie. Ce travail demande beaucoup de force intérieure et d'humilité, car on doit en quelque sorte faire face à ses « démons » et s'accepter telle qu'on est tout en assumant ses défauts et les erreurs qu'on a commises dans le passé afin de chercher à s'améliorer. L'honnêteté, c'est savoir assumer ses responsabilités, ses actes et ses fautes plutôt que de chercher à justifier son comportement à l'aide d'excuses futiles. Ce n'est pas parce

SUJETS CONNEXES :
o *VALEURS*
o *RESPECT*
o *MENSONGE*

que quelqu'un commet une erreur que vous devez suivre son exemple ; donc, l'erreur d'un autre n'excuse en rien le fait que vous ayez manqué de jugement. Vous pouvez toutefois être honnête et admettre que vous êtes trop influençable, mais que vous cherchez à vous améliorer. L'honnêteté, ce n'est pas seulement la capacité de ne pas agir contre la morale ou de ne pas tromper les autres ; c'est aussi la capacité de vous assumer telle que vous êtes, avec vos défauts et vos qualités, et d'admettre vos faiblesses. Pour ce faire, vous devez faire preuve de beaucoup d'humilité et laisser tomber l'orgueil mal placé et les excès de fierté. Il faut apprendre à vous connaître plutôt que de vous dissimuler derrière un masque. La vraie personne en vous est bien plus authentique et bien plus sensible que vous ne le croyez. C'est donc en apprenant à être honnête envers vous-même que vous pourrez être plus sincère envers les autres et gagner leur confiance. C'est d'ailleurs ce sentiment de confiance et de bien-être qui vous fera sentir bien dans votre peau, alors l'effort en vaut certainement la peine !

Honte

SENTIMENT QUI PEUT ÊTRE VIOLENT

Avez-vous déjà eu l'impression de crouler sous l'effet de la honte ? Vous vous sentez devenir rouge comme une tomate, vos yeux sont rivés au sol, vos épaules s'affaissent et vous avez même les larmes aux yeux.

La honte est un sentiment qui peut être violent et nous placer dans un grand embarras. Rassurez-vous : bien souvent, il n'y a pas de quoi en faire tout un plat !

Dans la vie, il nous arrive parfois d'éprouver de la honte, et ce, pour toutes sortes de raisons. Parfois, on réalise qu'on a commis une erreur et on regrette amèrement ce qu'on a fait. On est alors ravagée par la honte et par les remords. Si vous avez triché, menti ou désobéi, bref, si vous savez que vous n'avez pas agi correctement, il est fort possible que vous ayez honte de vos actes et que vous ayez de la difficulté à marcher la tête haute et à faire face à la réalité.

On peut cependant éprouver de la honte dans des circonstances tout autres. Si vous vous retrouvez dans une situation gênante, par exemple si vous pétez devant la classe, si votre jupe reste coincée et que tout le monde voit votre petite culotte, si vous apprenez que le garçon dont vous êtes amoureuse est au courant de vos sentiments, il se peut fort bien que vous vous sentiez envahie par la honte et que vous ayez envie de disparaître de la surface de la planète.

> 6 *La honte survient lorsqu'on a peur du ridicule, lorsqu'on appréhende le regard et le jugement des autres. C'est un sentiment qui nous pousse à vouloir nous enfoncer six pieds sous terre ou à cesser de respirer durant plusieurs heures.* 9

Le sentiment de honte est intimement lié à un manque d'estime de soi, à la peur de ne pas être à la hauteur et de ne pas répondre aux attentes que les autres pourraient entretenir envers nous. Vous pouvez par exemple vous sentir honteuse parce que vous n'avez pas énormément d'expérience avec les garçons, parce que vous n'avez jamais été embrassée, parce que vous n'avez jamais bu d'alcool ou parce que vous n'avez jamais consommé de drogue. Dans ce cas, la honte que vous ressentez provient de l'impression de manquer d'expérience par rapport aux autres filles qui, elles, ont vécu plein de choses. Par conséquent, vous vous sentez nulle, ou même attardée. Un peu de patience !

Qu'importe si vous n'avez jamais couché avec un garçon ou si vous n'avez jamais été rebelle ! Vous êtes telle que vous êtes. L'important, c'est d'être intègre et de vous assumer en tant que fille responsable. Vous n'avez pas à avoir honte de ne pas avoir franchi d'étapes que vous n'êtes pas prête à traverser ou de ne pas avoir vécu certaines expériences si elles ne se sont pas encore présentées à vous, ou encore, si vous n'en avez carrément pas envie. Chacune évolue à son propre rythme. N'ayez surtout pas honte de ce que vous êtes, car tous ces complexes et cette hantise d'être nulle ne font de tort qu'à vous-même. C'est à vous de changer votre perception des choses. Je sais qu'on a parfois honte de ce qu'on fait ou qu'on est terrifiée par le regard des autres quand on se retrouve dans une

SUJETS CONNEXES :
o *CONFIANCE*
o *BITCHAGE*

situation gênante, mais mieux vaut garder la tête haute et assumer ses erreurs que de s'enfermer dans sa coquille et de nourrir sa propre vulnérabilité. Même les filles les plus cool commettent parfois des erreurs et sont ravagées par la honte. Tout le monde fait face au ridicule. Apprenez à vous relever lorsque vous faites une chute, à marcher la tête haute après avoir vécu une situation embarrassante et à ne pas accorder autant d'importance au regard et à l'opinion des autres. Je vous assure que tout ira mieux. Vous réaliserez alors que le problème est principalement dans votre tête et que, lorsque vous acceptez vos erreurs, que vous riez de vous-même et que vous faites face au ridicule et aux situations embarrassantes, personne ne peut véritablement se moquer de vous. L'indifférence et le rire sont de bons moyens pour surmonter le ridicule. La honte

fait partie de la vie, et vous devez vous en servir pour former votre caractère et devenir plus forte. Alors, soyez courageuse et gardez la tête haute !

Lou ! Je capote ! Aujourd'hui, j'ai remarqué que tout le monde me dévisageait quand je marchais dans le corridor ! Et que les nunuches me pointaient du doigt en riant (quoi que ça, ce n'est pas trop nouveau). Jeanne est alors arrivée en trombe pour me prévenir que ma jupe était coincée dans mes bas collants, et que tout le monde pouvait voir ma culotte... et pas n'importe quelle culotte : celle avec des nounours dessus. LA HONTE !
Léa xox

Hypocrisie

GESTES COMPLÈTEMENT OPPOSÉS À CE QU'ON PENSE

L'hypocrisie est une attitude commune dans la société, particulièrement entre filles.

Une personne hypocrite cherchera par exemple à faire semblant d'en aimer une autre alors qu'en fait, elle ne peut la supporter et déblatère sans cesse à son sujet. On fait donc preuve d'hypocrisie quand nos gestes sont complètement opposés à ce qu'on pense, et quand on joue la comédie et qu'on prétend aimer ou apprécier quelqu'un ou quelque chose alors que ce n'est pas vrai du tout.

Au cours de l'adolescence, l'hypocrisie est un phénomène commun. Une fille peut sourire à une camarade et lui faire des compliments sur sa coupe de cheveux, mais se mettre à « bitcher » contre elle dès qu'elle a le dos tourné. Je sais que cette attitude est révoltante, et que c'est terriblement blessant d'avoir affaire à une personne hypocrite, puisqu'on se sent trahie et horriblement naïve. Il s'agit d'une tromperie et d'une mise en scène montée de toutes pièces pour nous faire croire qu'on nous apprécie. Au fond, on préférerait qu'on nous dise la vérité en face. Si vous n'êtes pas capable de blairer quelqu'un, pourquoi faire semblant de l'apprécier et aller parler dans son dos par la suite ? C'est normal de ne pas aimer tout le monde, mais vous pourriez simplement vous efforcer de limiter vos contacts avec cette personne sans vous montrer blessante à son endroit ni prétendre être son amie.

❛ *Bref, mieux vaut opter pour la franchise, l'honnêteté et la sincérité que de jouer la comédie et de se mentir à soi-même.* ❜

Cela ne veut pas dire que vous deviez être blessante. Par exemple, si vous n'aimez pas la nouvelle coupe de cheveux de votre amie, vous n'êtes pas obligée de lui dire que c'est super pour ensuite rire d'elle dans son dos. Vous n'avez pas non plus à aller la voir pour lui dire que vous trouvez sa coiffure horrible. La meilleure solution, c'est de faire preuve de tact. Gardez vos remarques et vos pensées mesquines pour vous-même, et si elle vous demande sincèrement ce que vous en pensez, vous pouvez simplement lui dire que ça fait changement et que vous avez besoin d'un peu de temps pour vous y faire !

En fait, il existe toutes sortes de façons d'être hypocrite. Quand une fille ne cesse de dire des méchancetés au sujet d'une autre fille, mais qu'elle se comporte comme si elle était sa meilleure amie lorsqu'elle est en sa présence, il s'agit d'hypocrisie pure et simple. Cette attitude mesquine risque de blesser profondément les gens concernés. Il ne faut toutefois pas condamner toutes les formes d'hypocrisie. Parfois, on est obligée de jouer la comédie pour faire preuve de politesse et de savoir-vivre. Si vous n'êtes pas capable de supporter les parents de votre petit ami, vous n'irez certainement pas le lui dire et vous voudrez éviter d'être désagréable en leur présence. Vous êtes obligée de rester souriante et de faire semblant de les apprécier pour faire preuve de politesse. On peut aussi être hypocrite pour éviter de blesser les gens. Si votre tante peint sa maison d'une couleur que vous trouvez sincèrement affreuse, vous ne voudrez peut-être pas le lui dire en plein visage de peur de

SUJETS CONNEXES :
o *GANG DE FILLES*
o *AMITIÉ*
o *BITCHAGE*
o *MENSONGE*

lui faire de la peine. De plus, on doit parfois avoir recours à l'hypocrisie pour respecter la bienséance. Si vous êtes dans une soirée et que vous êtes en colère contre une personne, il vaut parfois mieux faire semblant de rien pour éviter de faire une scène devant tout le monde et de ruiner la fête. On doit alors jouer la comédie jusqu'à ce qu'on se retrouve en tête-à-tête avec cette personne et qu'on puisse lui expliquer les raisons de notre mécontentement.

Bref, bien qu'elle soit parfois nécessaire, l'hypocrisie est généralement une attitude lâche qui ne cause que des ennuis. On se méfie souvent des gens hypocrites, car on sait qu'ils risquent de nous trahir à tout moment. On ne peut pas se fier à ce qu'ils disent ou à ce qu'ils font, car on ne sait jamais vraiment ce qu'ils pensent.

> *Il s'agit par ailleurs souvent d'une attitude d'autodéfense que des gens vont adopter pour se protéger et éviter que les autres ne s'attaquent à eux.*

Quoi qu'il en soit, nous avons toutes été hypocrites à un moment ou à un autre de notre vie, et je suis certaine que l'expérience ne vous a pas rendue très fière de vous. Sans être blessante ou trop directe, mieux vaut être franche et honnête envers les gens. Efforcez-vous de limiter vos contacts avec les personnes que vous ne pouvez pas supporter plutôt que de jouer la comédie. Cela évitera bien des histoires et des malentendus !

Narcissisme

FASCINATION POUR SOI-MÊME ET AMOUR-PROPRE EXCESSIF

Le mot «narcissisme» vient de Narcisse, ce personnage de la mythologie grecque d'une grande beauté qui est tombé amoureux de lui-même après avoir vu son reflet dans l'eau d'une fontaine.

Il était si obnubilé par sa propre image qu'il est tombé dans l'eau et s'est noyé. L'admiration qu'il se portait à lui-même l'a donc mené à sa perte.

Le narcissisme est une fascination pour soi-même et un amour-propre excessif qui conduisent une personne à tout ramener à elle-même et à ses propres besoins. En d'autres mots, quand on est narcissique, on a tendance à se regarder un peu trop le nombril et à ne s'intéresser qu'à soi-même. Bien qu'il soit extrêmement important d'apprendre à s'aimer et à se valoriser, il faut savoir trouver un équilibre entre l'amour de soi et l'égocentrisme, soit le fait de ne penser qu'à soi.

Me, myself and I...

Quand on est narcissique, on ne tient pas compte des autres. On est obnubilée par soi et par ses propres émotions. Bref, on ne tend pas la main aux autres, et on refuse de prendre la main de ceux qui nous la tendent. Ce qu'il faut que vous sachiez, c'est que vous avez beaucoup à apprendre des gens qui vous entourent et qui vous aiment. Plutôt que de jouer les victimes, de vous rouler dans votre malheur et de vous regarder le nombril, laissez les autres vous donner leurs conseils et vous aider à traverser les périodes difficiles. Dans la vie, il y a toujours pire que soi, alors il suffit de mettre les choses en perspective pour réaliser qu'on n'est pas si mal en point qu'on pourrait d'abord le croire.

D'autre part, les gens qui vous entourent ont des tas de choses à vous offrir, et vous avez beaucoup à apprendre d'eux. Par conséquent, apprenez à partager et à donner de votre temps et de votre énergie, et vous verrez que vous vous sentirez beaucoup mieux dans votre peau. En effet, quand on se regarde trop le nombril, on a tendance à se replier sur soi et à se fermer aux autres. Bref, on se sent souvent très seule. Imaginez que chaque fois qu'il vous arrive quelque chose ou que vous avez besoin d'un conseil, votre amie ramène tout à sa propre vie et ne fait que parler d'elle. Vous n'aurez plus envie d'aller la voir et de vous confier à elle. Il n'y a rien de plus embêtant que les gens qui sont imbus d'eux-mêmes et qui refusent de s'ouvrir un peu aux autres et de s'intéresser à autre chose qu'à leur propre personne.

> *C'est pour cette raison que les gens narcissiques sont souvent seuls ; ce n'est pas seulement parce qu'ils se complaisent dans leur amour-propre ; c'est aussi parce que les autres ne sont pas portés à aller vers eux.*

Bien que vous deviez évidemment apprendre à vous aimer, vous devez toutefois utiliser cet amour et cette confiance en vous pour vous ouvrir davantage aux autres et pour leur tendre la main. Vous devez apprendre à donner et à recevoir tout en profitant pleinement de ce que les gens ont à vous offrir. N'hésitez pas à prendre des nouvelles des autres et à vous intéresser à eux. Quand on est vraiment bien dans sa peau, on est capable de s'assumer et de transmettre cette confiance aux autres tout en puisant dans leurs connaissances, leurs judicieux conseils, leur expérience et leur amour. Ouvrez-vous aussi à ce qui se passe ailleurs dans le monde, aux catastrophes naturelles, aux maladies et à la pauvreté. Je vous assure que cela remet toujours les choses en perspective. Si le problème est lié à un manque de confiance en vous, mieux vaut puiser dans votre énergie en vous fiant au regard de ceux qui vous aiment et qui vous entourent qu'en vous regardant le nombril et en ne pensant qu'à vous. Bref, aimez-vous telle que vous êtes sans être trop centrée sur vous-même. C'est une question d'équilibre, et sachez que l'altruisme prodigue toujours de grands bienfaits, alors n'hésitez pas à regarder autour de vous, à vous intéresser aux autres et à être généreuse de votre personne.

Paresse

FORT PENCHANT À FLÂNER

Si vous avez toutes les peines du monde à vous motiver pour faire vos devoirs ou pour accomplir vos tâches quotidiennes, et que vous avez un fort penchant à traîner de la patte et à flâner plutôt que de faire ce que vous devez faire, alors vous souffrez sans doute de paresse.

En effet, la paresse se caractérise par la difficulté de faire des efforts pour respecter ses engagements ou s'acquitter des tâches qu'on n'a pas envie d'accomplir. On se laisse plutôt convaincre par une force intérieure qui nous dit de rester couchée, de ne rien faire et de remettre ça à plus tard. Bref, la paresse survient quand l'oisiveté l'emporte sur le désir d'assumer ses responsabilités, ou, en d'autres mots, quand on manque de volonté pour faire ce qu'on doit faire.

Plusieurs facteurs peuvent expliquer la paresse. Tout d'abord, il y a le manque de motivation. Si vous devez faire un devoir de mathématiques, mais que vous détestez cette matière, vous ne sauterez certes pas de joie à l'idée de vous asseoir devant vos cahiers, mais vous avez tout de même la responsabilité de faire vos travaux. Le manque de motivation et d'intérêt permet ainsi parfois à la paresse de prendre le dessus et de vous convaincre de ne pas faire votre travail. Il y a aussi cette tendance à tout remettre à plus tard. Après tout, pourquoi faire maintenant ce qu'on peut faire plus tard ? La réponse est sim-ple : parce que lorsqu'on remet tout à plus tard, on se sent vite submergée par le travail et les obligations, ce qui nous fait perdre notre motivation et tomber dans un cercle vicieux. Si vous n'avez pas la volonté d'accomplir ce qu'on vous demande, personne ne le fera à votre place. C'est donc à vous et à vous seule de vous secouer et de puiser un peu d'énergie et de motivation pour éviter de vous laisser entraîner par la paresse. La volonté, c'est la capacité d'accomplir vos tâches, et c'est votre meilleure arme contre la paresse.

Quand on est paresseuse, on en subit rapidement les conséquences. Non seulement le travail s'accumule, mais le stress occasionné par les échéances qui se rapprochent n'aide en rien à corriger la situation. À l'école, vous risquez de prendre beaucoup de retard sur vos camarades de classe et de ne plus être capable de suivre le rythme. Cela risque évidemment d'entraîner des échecs scolaires qui nuiront d'autant plus à votre motivation et à votre estime personnelle. À la maison, si la paresse vous mène et que vous ne faites jamais ce que vos parents vous demandent, il se peut qu'ils réagissent en limitant vos sorties ou en restreignant votre liberté, puisqu'ils sont insatisfaits de votre rendement et que vous êtes incapable de vous secouer les puces et de les aider.

> **Souvenez-vous qu'on récolte ce qu'on sème !**

Si vous vous reconnaissez dans cette description et que vous jugez que vous êtes paresseuse, il n'en tient qu'à vous de remédier à la situation et de faire tout votre possible pour combattre ce penchant pour la fainéantise ! Tout d'abord, si vous manquez de motivation, fixez-vous des objectifs à court, moyen et long terme qui vous stimuleront davantage. Par exemple, même si vous n'aimez pas les maths, vous savez que vous devez avoir de bonnes notes

SUJETS CONNEXES :
○ *SOMMEIL*
○ *VOLONTÉ*

pour être acceptée dans le programme de votre choix au cégep, et éventuellement pour accéder à la carrière qui vous intéresse, alors mieux vaut vous appliquer dès maintenant dans vos travaux. C'est un sacrifice à faire pour réaliser votre rêve. À court terme, vous pouvez aussi vous accorder une récompense lorsque vous terminez quelque chose. Par exemple, vous pouvez vous dire que quand vous aurez fini de laver la vaisselle, vous pourrez enfin aller rejoindre vos amies, mais que vous devez d'abord terminer ce qu'on vous a demandé de faire. Accordez-vous aussi des pauses lorsque vous travaillez pour vous stimuler davantage. Si vous étudiez, dites-vous par exemple qu'après tel chapitre, vous aurez droit à 20 minutes de pause avant de recommencer.

> ❝ *Si vous avez encore de la difficulté à vaincre votre paresse et à démontrer suffisamment de volonté pour accomplir vos tâches, songez au fait que lorsque vous aurez terminé, vous aurez le cœur beaucoup plus léger et la conscience plus tranquille.* ❞

Quand on remet sans cesse les choses à plus tard, on est consciente qu'il nous reste des tas de trucs à faire, et on a souvent de la difficulté à profiter du moment présent et à relaxer parce qu'on y pense sans cesse. Quand on termine quelque chose, on ressent une fierté et un sentiment d'accomplissement inégalables qui nous permettent de nous changer les idées et de vaquer à nos occupations en toute liberté. Non seulement on a la conscience tranquille, mais on est aussi fière d'avoir accompli quelque chose et d'avoir vaincu la paresse. Par exemple, même si votre travail d'économie vous semble ennuyeux, une fois que vous vous plongez dans le vif du sujet, vous constatez que vous apprenez des tas de nouvelles choses, et que c'est extrêmement stimulant pour vous. De plus, plus vous avancez, plus vous êtes fière de ce que vous avez accompli, et plus vous êtes motivée à continuer dans cette direction.

La volonté se travaille, et il n'en tient qu'à vous de vous motiver suffisamment pour combattre la paresse. Dites-vous bien que lorsqu'on accomplit quelque chose, on se sent réellement fière et en pleine maîtrise de soi, et qu'il n'y a rien de plus satisfaisant que le sentiment de d'accomplissement et de réussite personnelle, alors l'effort en vaut grandement la peine.

Patience

UNE QUALITÉ RARE

La patience est une qualité qui se développe souvent avec le temps. En effet, à l'adolescence, on est souvent pressée de vieillir, d'en avoir terminé avec l'école, de finir l'année scolaire, d'obtenir son permis de conduire, d'avoir 18 ans, etc.

La patience, c'est la capacité d'attendre sans précipiter les choses. Je sais que c'est parfois difficile de se maîtriser et que les filles ont la fâcheuse habitude de tout vouloir tout de suite, mais la patience évite souvent bien des conflits, et elle permet d'éprouver un véritable sentiment d'accomplissement lorsqu'on récolte enfin le fruit de ses efforts.

Songez par exemple au manteau incroyable que vous avez aperçu dans une vitrine il y a quelques semaines. Il est assez dispendieux et vous savez que vous ne pouvez pas l'acheter tout de suite. Ça ne vous empêche pas d'y rêver la nuit et de songer à toutes les façons dont vous pourrez l'agencer avec vos vêtements, mais vous savez pertinemment que vous devrez travailler fort pour l'obtenir. Après trois semaines de tâches ménagères ingrates, vous pouvez enfin vous rendre jusqu'à la boutique et acheter le manteau avec votre propre argent de poche. Vous sentez alors qu'il est bien mérité. Vous n'avez d'ailleurs jamais été aussi heureuse de porter un manteau.

> ❛ **Vous avez pris votre mal en patience et vous en récoltez aujourd'hui les fruits. Vous êtes fière de vous, et vous devez admettre que l'attente a grandement valu la peine.** ❜

Bien que vous soyez impatiente de franchir certaines étapes, il y a des choses que vous ne pouvez pas précipiter. Il ne sert donc absolument à rien de songer à l'avenir et de compter les jours, car ça ne fera pas passer le temps plus vite. Si vous avez 14 ans, le fait d'avoir hâte d'en avoir 16 ne fera pas filer les années plus rapidement, alors mieux vaut profiter du moment présent plutôt que de vivre dans le futur. C'est une erreur commune que de vouloir que les années passent rapidement et que le temps file au plus vite. Je sais que, quand on est jeune, les semaines s'écoulent souvent à pas de tortue, mais, croyez-moi, plus les années passent, plus elles nous glissent entre les doigts sans même qu'on s'en rende compte, alors il faut savoir profiter du moment présent, même si ça nous semble insoutenable. Songez qu'il y a deux ans, vous aviez très hâte d'arriver là où vous en êtes aujourd'hui, alors pourquoi ne pas en profiter pour jouir de ce qui s'offre à vous en ce moment et pour passer du temps de qualité avec les gens qui vous entourent ?

Après tout, il faut savoir persévérer, car lorsqu'on atteint ses objectifs, on se sent vraiment fière de soi. On a le sentiment du devoir accompli et on sent qu'on est capable de surmonter tous les obstacles qui se dressent devant soi. La vie est faite de différentes étapes que vous allez franchir peu à peu. Vous apprendrez énormément en cours de route. Vous devez apprécier tout ce que la vie vous réserve et apprendre le plus possible de ce que vous vivez en ce moment, car il est impossible de revenir en arrière. Pour le reste, vous verrez que les années filent extrêmement vite et que vous aurez tôt fait d'atteindre certains des objectifs que vous vous étiez fixés. Pour l'instant, prenez votre mal en patience et profitez du moment présent. N'hésitez pas à persévérer et à travailler pour atteindre vos buts, mais usez de patience, car tout vient à point à qui sait attendre !

Plaisir

SENTIMENT TRÈS AGRÉABLE DE SATISFACTION ET DE JOIE

Le plaisir est un état de plénitude, de bonheur intense et de bien-être physique ou émotionnel. Il peut être lié à la satisfaction d'un besoin physique ou affectif, ou encore à un sentiment de réussite et de devoir accompli.

Dans la vie, toutes sortes de petits plaisirs peuvent nous rendre heureuse. Par exemple, le simple fait de magasiner de temps à autre, de partager un bon repas avec des gens qu'on aime, de se détendre après une longue journée, de regarder un film en famille ou entre amis, de s'amuser, de rire et de profiter de la vie nous réjouit et nous procure du plaisir. Aussi, les grandes réalisations liées à l'amour, au travail, à l'école ou au dépassement de soi ont toujours tendance à nous procurer un sentiment de bonheur et de bien-être étroitement lié au plaisir.

Évidemment, quand on parle de plaisir, on fait aussi allusion au plaisir sexuel. Ce dernier peut être ressenti à plusieurs degrés et dans toutes sortes de circonstances. Non seulement le fait de se retrouver avec quelqu'un de spécial qu'on peut toucher et découvrir nous procure du plaisir, mais la découverte de son corps et des sensations qui nous plaisent entraîne également une satisfaction physique très intense.

Sachez d'abord que, lorsqu'il est question de plaisir sexuel, il faut être patiente. Évidemment, votre corps va réagir au toucher de l'autre et va s'exciter, ce qui vous fera éprouver une sensation très agréable, mais vous devez quand même apprendre à écouter votre corps pour savoir ce qui lui plaît davantage, et ainsi donner la chance à votre partenaire d'apprendre à le connaître aussi. À l'adolescence, on vit souvent nos premières expériences sexuelles, et c'est normal d'être maladroit quand on ne sait pas trop comment s'y prendre. C'est pour cette raison qu'il est important d'apprendre à connaître votre corps et d'être à l'écoute de vos sentiments. N'ayez pas peur de partager ce que vous ressentez avec votre partenaire pour qu'il apprivoise votre corps et agisse en fonction de votre plaisir. La masturbation devient ici très utile, car elle vous permet de découvrir vos zones érogènes et de déterminer ce qui vous plaît.

Le plaisir sexuel est une question de méthode, de complicité avec l'autre, de sensualité, de contacts physiques et d'exploration. On ne connaît pas l'extase du jour au lendemain; on doit d'abord apprendre à toucher, à embrasser, à apprivoiser son corps et celui de l'autre et à prendre bien son temps pour ressentir le plaisir et en offrir à son partenaire.

L'orgasme

L'orgasme est l'état d'excitation sexuelle ultime que vous ressentez parfois lorsque vous jouissez et lorsque le garçon éjacule. C'est durant l'orgasme que l'on ressent un plaisir sexuel ultime et un laisser-aller sans précédent. Durant quelques secondes, vous sentez que votre esprit se détache de votre corps et vous éprouvez un plaisir physique des plus intenses. Si vous n'avez jamais connu l'orgasme, il ne faut pas désespérer. Vous pouvez par ailleurs commencer par la masturbation pour chercher à l'atteindre et pour savoir quelle technique fonctionne le mieux pour vous. Avec un partenaire,

SUJETS CONNEXES :
o *BONNE HUMEUR*
o *DÉSIR*
o *SEXUALITÉ*

ce n'est pas aussi simple. Les plaisirs physique et émotionnel sont étroitement liés. Pour atteindre l'orgasme, il vous faut être extrêmement détendue et vous trouver en présence de quelqu'un que vous aimez, que vous respectez et qui vous connaît bien. Pour atteindre le septième ciel, il faut se laisser aller et se sentir en confiance, et c'est souvent avec quelqu'un qu'on aime et qu'on apprécie au plus haut point qu'on peut atteindre cet objectif.

Plaisir du corps, plaisir du cœur

Ainsi, rappelez-vous que le plaisir physique est étroitement lié à celui du cœur. Vous devez non seulement apprendre à connaître votre corps, mais aussi apprendre à écouter et à respecter les besoins de votre partenaire pour ne pas penser qu'à vous. Le plaisir sexuel est affaire de communication et, avant d'atteindre l'orgasme, il y a diverses étapes à franchir qui vous procureront énormément de plaisir. La découverte de la sexualité est par ailleurs un moment important de votre vie, et il est essentiel de ne pas négliger ces étapes et d'être à l'écoute de votre corps et de votre cœur. Si vous aimez quelqu'un, l'intimité et la complicité que vous partagez avec lui vous aideront certainement à vous sentir à l'aise, à vous laisser aller et à ressentir une immense satisfaction physique et émotionnelle. N'oubliez pas de partager avec l'autre ce que vous ressentez et d'être aussi à l'écoute de son plaisir et de ses besoins. Le plaisir se construit peu à peu, alors ne cherchez pas à brûler les étapes. Profitez plutôt de chacune d'elles pour apprendre à connaître davantage votre corps et vos sources de plaisir. Vous n'en serez que plus épanouie !

Solitude

APPRENDRE À L'APPRIVOISER

Il est normal de vous sentir parfois seule au monde, comme si vous étiez isolée et incomprise de tous. La solitude fait partie de l'adolescence et du développement humain.

Lorsque vous vous sentez seule, il se peut que vous ayez envie de pleurer, car personne n'est à côté de vous pour vous écouter et pour prendre soin de vous. Vous craignez peut-être aussi le rejet et l'exclusion sociale. Sachez d'abord que le sentiment de solitude surviendra sporadiquement tout au long de votre vie, et que vous pouvez apprendre à l'apprivoiser.

Il vous arrive peut-être même de vous sentir seule lorsque vous êtes entourée des membres de votre famille ou de vos amis. Vous avez l'impression d'être dans un autre monde, seule dans votre bulle, et vous sentez que personne ne comprend ce qui vous arrive. Au cours de l'adolescence, votre corps et votre personnalité se développent sans cesse, ce qui peut être très angoissant et vous faire croire que personne au monde ne ressent la même chose que vous. Rassurez-vous, il arrive à toutes les filles de se sentir seules. Il faut toutefois déterminer si votre problème survient seulement de temps à autre, ou si la solitude vous accable de façon plus permanente.

Un cercle vicieux

Lorsque vous vous sentez seule, efforcez-vous de sortir de votre torpeur et d'aller vers les gens de votre entourage qui ne demandent pas mieux que d'être là pour vous. Si vous expliquez à votre amie que vous vous sentez seule, elle pourra vous écouter et vous changer les idées. Vous devez toutefois faire un effort personnel pour vaincre le sentiment de solitude. Par exemple, si vous

vous considérez comme une grande solitaire et que vous passez le plus clair de votre temps seule dans votre coin, les gens seront peut-être moins portés à venir vous voir à cause de l'attitude que vous adoptez et de l'énergie que vous dégagez. Je sais qu'il peut être très angoissant de faire les premiers pas et de vous montrer sociable si cela ne fait pas vraiment partie de votre nature, mais si vous ne luttez pas contre vos points faibles, vous risquez de vous enfoncer encore plus profondément dans votre solitude.

> ❛ *Apprenez à sourire à vos camarades d'école, à les saluer quand vous les croisez dans le corridor, à discuter en classe, à participer aux réunions et à vous ouvrir aux autres.* ❜

Vous pouvez aussi vous inscrire à une activité parascolaire qui vous encouragera à parler aux gens et à passer du temps avec ceux qui partagent vos intérêts. Participez aux activités organisées par votre école, aux sorties de groupe ou aux comités étudiants. Il existe des milliers de façons de s'impliquer davantage et de sortir de son isolement.

Je me sens différente

Même si vous vous sentez différente et que vous ne vous identifiez à aucun groupe, sachez que certaines personnes vous ressemblent plus que vous ne le croyez, et qu'il ne faut surtout pas se fier aux apparences. C'est pour cette raison que je vous suggère de vous inscrire à des activités qui vous intéressent ; vous pourrez au moins rencontrer des gens avec qui vous avez des points communs et vous sentir moins seule.

La solitude, c'est temporaire !

Lorsqu'on se sent seule, on est portée à croire que cela durera toute la vie. Ne vous en faites surtout pas ; en vieillissant, vous rencontrerez des gens qui vous ressembleront davantage et vous apprendrez à vous connaître et à affronter vos peurs. Un jour, vous changerez de classe, d'école ou peut-être même de groupe d'amies, ou alors vous ferez la connaissance d'un garçon qui vous rendra folle de lui. La solitude est angoissante et parfois lourde à porter, mais sachez qu'elle est temporaire et que vous pouvez essayer de la vaincre en sortant un peu de votre coquille.

Pour celles qui aiment la solitude

Il se peut aussi que vous appréciiez la solitude et que vous préfériez être seule plutôt qu'entourée de gens. C'est très bien de ne pas avoir peur d'être seule et de passer un peu de temps avec soi-même pour rêvasser ou réfléchir, mais vous ne devez pas pour autant vous enfoncer dans votre torpeur. Même si vous vous complaisez dans votre solitude, apprenez à vous ouvrir aux autres en discutant avec des copines qui vous paraissent sympathiques, ou avec des gens de votre entourage en qui vous avez confiance et avec qui vous partagez des intérêts, et ce, même s'ils fréquentent une autre école, qu'ils sont d'une autre culture ou qu'ils n'ont pas le même âge que vous.

Salut, Lou.
Je me sens seule aujourd'hui. J'ai passé la soirée d'hier à écouter des films et aujourd'hui, j'aurais aimé passer du temps avec mes amis. Le problème, c'est que mes amis habitent à des centaines de kilomètres d'ici et que je me sens seule et rejet à Montréal. Soupir.

Léa xox

SUJETS CONNEXES :
o *ADOLESCENCE*
o *DÉPRIME*
o *TIMIDITÉ*

QUELQUES TRUCS

Si vous vous sentez seule, essayez de vous changer les idées en téléphonant à une amie, en discutant avec vos parents, en écrivant dans votre journal intime ou en faisant une activité qui vous plaît. Sortez de votre chambre et allez faire une promenade, pratiquez un sport ou participez à une activité qui vous fera voir du monde.

Organisez une fête ou une activité avec des copines pour apprendre à les connaître davantage. N'ayez surtout pas peur de foncer ! Vous êtes géniale et ces filles seront chanceuses de vous avoir pour amie.

Si vous vous sentez encore plus seule durant les fins de semaine, tentez de prévoir des activités qui sauront vous divertir sans vous donner le cafard ni vous angoisser.

Sachez que la vie est remplie de hauts et de bas, et que même les personnes les plus cool de votre école vivent parfois des moments de solitude.

Timidité

QUAND ON ÉPROUVE UNE GÊNE INCONTRÔLABLE

Quand on est timide, on éprouve une gêne incontrôlable lorsqu'on doit parler en public. On n'est pas à l'aise en présence de gens qu'on connaît moins, et on ne sait pas trop comment agir quand on se retrouve sur la sellette.

On peut être timide parce qu'on a peur du ridicule ou du jugement des autres, ou alors parce qu'on manque de confiance en soi. Certaines personnes sont aussi plus réservées et timides de nature, ce qui les pousse à être plus discrètes lorsqu'elles se retrouvent en groupe.

Physiquement, quand on éprouve de la timidité, on sent que notre visage s'enflamme, que nos mains deviennent moites. On peut aussi avoir des sueurs froides, ou se mettre à trembler ou à bégayer sans pouvoir se maîtriser. Au secondaire, les exposés oraux ont souvent tendance à nous mettre dans tous nos états. On est si nerveuse de se retrouver devant une foule et de sentir tous les regards rivés sur nous qu'on en oublie parfois ce qu'on doit dire. Tout devient flou et on a des trous de mémoire. Pour vaincre cette intense timidité qui vous afflige, lorsque vous vous retrouvez devant un groupe, efforcez-vous de faire face à vos camarades de classe en les balayant du regard plutôt qu'en les fixant droit dans les yeux. Gardez vos notes près de vous, mais ne passez pas tout l'exposé à lire ce que vous avez écrit sans lever les yeux. Les soutiens visuels tels que les acétates ou les présentations informatiques (PowerPoint) peuvent ici se révéler très utiles, car ils vous permettront non seulement de détourner le regard des autres vers votre présentation, mais, en plus, d'avoir l'air plus détendue, de vous assurer de ne rien oublier et de rendre votre présentation plus intéressante. Si votre exposé porte sur un sujet qui vous passionne, essayez de vous laisser aller et de transmettre cet enthousiasme aux autres. Dites-vous que vous n'avez rien à perdre en partageant votre passion et en expliquant en quoi elle consiste. Pensez aussi à avoir une bouteille d'eau sous la main au cas où vous auriez la gorge sèche, et à prendre une grande respiration avant de commencer pour vous calmer un peu. Quoi qu'il arrive, dites-vous que tout le monde doit passer par là et que même s'il s'agit d'un dur moment, votre timidité s'atténuera d'une fois à l'autre.

Sachez également que tout le monde vit des moments de grande timidité de temps à autre. Certaines personnes nous intimident plus que d'autres, que ce soit un garçon qui nous plaît, une fille qu'on redoute ou quelqu'un qu'on admire beaucoup. On peut aussi se retrouver dans une situation gênante où on a terriblement honte et où on devient toute rouge. Il faut par ailleurs apprendre à surmonter ces moments de gêne et à ne pas être trop dure envers soi-même. Je crois qu'il nous est arrivé à toutes de trébucher sans raison. C'est encore plus gênant quand nos amis ne sont pas là pour nous redonner un peu d'aplomb et quand on fait une chute devant des dizaines d'inconnus, mais mieux vaut se relever avec grâce et détermination et rire de soi-même que de se mettre à pleurer. Dites-vous que cela arrive à tout le monde.

SUJETS CONNEXES :
o *SOLITUDE*
o *HONTE*
o *CONFIANCE*

Si toutefois vous avez de la difficulté à vaincre votre timidité et que vous sentez que cela vous complique la vie et que cela vous nuit la plupart du temps, la meilleure chose à faire, c'est d'affronter vos peurs et de prendre le taureau par les cornes. Vous pouvez vous inscrire à un cours de thé-âtre ou d'improvisation qui vous encourage et vous force à parler en public, ou alors à un atelier ou à une activité qui vous passionne et qui vous pousse à sortir de votre coquille. Beaucoup de gens connus sont de grands timides, et ils ont dû apprendre à maîtriser leur nervosité et à devenir plus confiants, alors dites-vous qu'avec un peu de détermination, vous pouvez vous améliorer et apprendre à vous exprimer davantage sans avoir peur du ridicule.

> *Rappelez-vous : qui ne risque rien n'a rien. Ne soyez toutefois pas trop intransigeante envers vous-même.*

Il n'est pas mauvais d'avoir une certaine gêne et, parfois, mieux vaut être timide et dire des choses pertinentes que de proférer des stupidités et de crier des bêtises à tue-tête. De plus, vous constaterez peut-être que votre timidité vous donne un attrait mystérieux dont les garçons raffolent ! L'important, c'est qu'elle ne vous empêche pas de progresser et de fonctionner dans votre vie quotidienne. Si c'est le cas, il faut essayer de faire face à vos peurs et de ne plus craindre le regard des autres. Pour le reste, il suffit de vous accepter telle que vous êtes et d'apprendre à travailler sur vos faiblesses et à contrôler votre timidité.

Cher Manu,
J'ai un problème. Je viens d'arriver dans une nouvelle école où je ne connais personne et je suis super gênée. Ma mère me dit que je devrais sortir de ma coquille et aller vers les autres pour me faire des amis, mais ma timidité m'en empêche. Que devrais-je faire ?
Léa

Volonté

NOUS POUSSE À ALLER PLUS LOIN

La volonté, c'est le pouvoir de déterminer ce que l'on veut et de se fixer des objectifs tout en prenant les mesures nécessaires pour les atteindre. La volonté exige de la détermination, nous force à nous secouer les puces et à faire des efforts pour atteindre nos buts.

Quand on se laisse guider par notre volonté, c'est que le désir de réussir surpasse nos peurs et nous pousse à aller plus loin. La volonté, c'est le fait de se laisser guider par son ambition et par ses convictions pour atteindre ses objectifs. C'est ainsi qu'on apprend à se surpasser et à être extrêmement fière de nous-même.

Sachez d'abord que vous êtes maîtresse de votre vie et de vos actions. Par exemple, si vous voulez vous trouver un emploi et avoir plus d'argent de poche, il n'en tient qu'à vous de prendre les moyens nécessaires pour y parvenir. Plutôt que de pleurer sur votre sort et de vous trouver nulle, préparez votre CV, demandez des lettres de recommandation à vos professeurs ou à d'anciens employeurs et allez frapper aux portes pour trouver un emploi.

❝ *Faites bouger les choses et prenez la situation en main pour atteindre votre objectif.* ❞

C'est de cette façon que vous surmonterez vos peurs et vos insécurités, puisque vous atteindrez vos objectifs par vos propres moyens. Le sentiment d'accomplissement que vous éprouverez par la suite vous procurera énormément de satisfaction et vous donnera davantage confiance en vous.

Pour avoir de la volonté, vous devez être responsable et faire preuve de persévérance.

Même si des difficultés se dressent sur votre route, vous devez apprendre à les surmonter et à affronter vos peurs sans vous laisser abattre. La vie est remplie de hauts et de bas; il ne faut pas vous laisser décourager lorsque vous faites face à un pépin. Avec un peu de persévérance et de volonté, le monde sera à votre portée et les défis seront beaucoup plus faciles à relever.

❝ *N'ayez donc pas peur d'affronter les obstacles et de surmonter vos insécurités, car vous en sortirez grandie et plus épanouie.* ❞

Dans la vie, il est normal de traverser des moments un peu plus difficiles ou de se sentir un peu lasse. Vous pouvez alors prendre le temps nécessaire pour recouvrer vos forces, mais la volonté est la clé pour vous sortir de votre torpeur et pour poursuivre sur votre lancée sans vous décourager. La volonté est une aptitude qui peut se développer et se renforcer avec le temps. Dans cette optique, vous pouvez faire de petits efforts quotidiens pour prendre des décisions et affronter vos peurs. Ne vous laissez pas abattre par vos insécurités; laissez-vous plutôt guider par votre nature ambitieuse et par vos rêves.

Toutefois, ce n'est pas parce que vous avez de la volonté que vous devez exiger des autres qu'ils répondent sans cesse à vos caprices; chacun a le droit d'être heureux et

SUJETS CONNEXES :

o *AMBITION*
o *VALEURS*
o *PARESSE*

de se lancer à la poursuite de ses propres objectifs, alors plutôt que de vous montrer tyrannique et d'imposer votre rythme aux autres, apprenez à vous inspirer de leur volonté ou de leur transmettre la vôtre en vous ouvrant aux gens qui vous entourent. La vie est trop courte pour la passer à crouler sous la paresse et l'inertie. N'ayez pas peur d'affronter vos insécurités, de relever les défis qui se présentent à vous et de chercher à vous surpasser en atteignant vos objectifs. Vous sentirez une grande satisfaction, et je vous assure que vous acquerrez davantage de confiance en vous, ce qui vous poussera à aller plus loin et à vous surprendre vous-même !

Affaires
de filles

Acné, adolescence,
ambition, apparence, beauté,
bitchage, caresse,Cégep,
cheerleading, cheveux,
choix de carrière,
complexes, déménagement,
désordre, entraînement, être
cool, gang de filles, garçons,
identité, journal intime,
magasinage, maquillage,
menstruations, mode,
passion, poids, poitrine,
potins, premier baiser,
première fois, puberté,
régime, secondaire,
secret, sexualité, sommeil,
téléphone cellulaire, travaux
scolaires.

Affaires
de filles

Affaires de filles

Vous êtes des milliers à m'écrire que vous ne comprenez pas toujours les garçons puisque ceux-ci semblent être débarqués d'une autre planète. Vous me confiez aussi que contrairement à eux, vous vous sentez parfois débordées par les questions qui hantent votre esprit à propos des gars, de l'amour, de l'amitié et de la vie en général.

Évidemment, il existe des thèmes qui sont universels et qui peuvent interpeler autant les garçons que les filles. Par exemple, tout le monde peut parler d'environnement, de politique, de solitude ou de météo. Il y a aussi des thématiques qui nous touchent personnellement puisqu'elles font référence à une expérience vécue, comme une peine d'amour, le divorce des parents ou le déménagement d'un ou d'une amie.

Enfin, il existe des thèmes auxquels on s'identifie davantage parce qu'ils sont typiquement liés aux filles. Par exemple, on s'imagine mal parler de poils, de puberté, de douleurs des règles et de poitrine avec un gars! Sans compter qu'ils bâillent dès qu'on se met à discuter de coiffure, de magasinage, de potins et de One Direction!

La section qui suit a justement été conçue pour rassembler les sujets typiquement féminins. Que vous soyez grunges, bolées, sportives, sociales ou solitaires, vous saurez vous reconnaître parmi cette panoplie de thématiques à saveur féminine et vous pourrez vous identifier à certains articles.

Vous pourrez par exemple y découvrir des articles portant sur la quête d'identité, sur la sexualité, sur l'entrée au secondaire, sur les déménagements, et même sur les complexes qui vous hantent et dont vous aimeriez vous défaire.

Si vous vous questionnez sur le premier baiser, sur la première relation sexuelle ou sur la puberté, vous y trouverez les réponses dont vous avez besoin pour y voir un peu plus clair.

Acné

UN PROBLÈME DE PEAU TRÈS RÉPANDU

Se réveiller le matin pour découvrir qu'une pustule vous a poussé sur le bout du nez pendant la nuit n'est jamais une belle surprise. Vivre avec l'acné est pourtant le lot de la plupart des adolescentes. Pour éviter que la situation ne devienne ingérable, voici quelques façons d'assurer une bonne hygiène de votre peau, de traiter ces irruptions cutanées et de masquer les petites imperfections !

Salut Catherine,
J'ai un gros problème d'acné et je ne sais plus comment m'en débarrasser. Aide-moi !
Une fille désespérée

Définition :

L'acné est un problème de peau très répandu qui survient surtout durant l'adolescence et qui se manifeste par l'apparition de boutons.

L'acné n'est pas contagieuse, mais peut parfois être héréditaire. L'acné juvénile est principalement due à une surproduction de sébum (substance grasse sécrétée par les glandes sébacées) qui bloque les pores de la peau. L'acné touche beaucoup d'adolescentes, mais la gravité varie d'une personne à l'autre. Si vous avez un bouton sur le nez, pas besoin de paniquer ou de courir chez le médecin, mais si votre visage, votre poitrine et votre dos sont recouverts de petits boutons rouges, il existe maintenant des solutions efficaces pour remédier à votre problème et pour prévenir l'apparition d'autres boutons.

L'hygiène

La clé est de toujours se laver le visage en se levant et avant de se coucher. Il est d'autant plus important de le faire si vous vous maquillez sur une base régulière. Si vous allez dormir sans vous être démaquillée, vos pores ne pourront pas respirer librement pendant la nuit et risquent de se bloquer, créant ainsi la formation de boutons. Il est aussi essentiel d'hydrater votre peau avec une crème non grasse.

Si vous avez de la difficulté à savoir quels produits vous conviennent, sachez qu'il existe toutes sortes de savons adaptés à chaque type de peau. Si vous avez la peau grasse, utilisez un gel conçu à cet effet, et si vous avez la peau sèche, optez pour un savon qui peut l'hydrater et la nourrir davantage. Lisez les étiquettes sur les flacons pour savoir si un savon convient ou non à votre type de peau, ou alors demandez l'avis du pharmacien, qui pourra vous aider.

Vous pouvez également vous faire des masques faciaux que vous devez laisser durant plusieurs minutes sur votre visage afin de nourrir votre peau et de lui donner plus d'éclat.

> *Afin de cacher leur acné, certaines filles ont tendance à appliquer une épaisse couche de fond de teint. Contrairement à ce que l'on peut croire, cela rend souvent les boutons encore plus visibles et c'est très mauvais pour la peau !*

Traitements

La tentation est souvent grande de triturer un bouton dont la présence vous est particulièrement insupportable. Si vous savez que vous êtes sujettes à faire de l'acné, assurez-vous toujours d'avoir les mains fraîchement lavées avant de vous toucher le visage. Si vous tripotez un bouton alors que vous avez les mains sales, d'autres impuretés viendront contaminer votre peau et la situation ne fera qu'empirer.

Si vous souffrez d'acné juvénile et que les traitements offerts en pharmacie ne suffisent pas pour remédier au problème, consultez un médecin ou un dermatologue qui pourra déterminer le type de votre peau et vous prescrire un traitement adéquat. Il est aujourd'hui facile de vaincre l'acné, que ce soit en appliquant une crème réparatrice ou en prenant des médicaments oraux. La pilule contraceptive ne doit pas être utilisée uniquement comme traitement antiacnéique, mais elle aide à prévenir la formation de boutons et peut contribuer à guérir l'acné légère ou modérée.

Pour vous aider

Il y a deux habitudes alimentaires à prendre pour vous aider à garder une peau en santé : vous nourrir sainement et boire beaucoup d'eau. L'eau aide à éliminer les toxines et à réduire le taux de sébum produit par l'épiderme. Bien que l'alimentation ne soit pas directement liée aux problèmes d'acné, certains aliments, comme les fruits et les légumes, contiennent des vitamines qui donnent plus de couleur et d'éclat à votre peau. Pour ce qui est du soleil, vous devez être très prudente : même si ses rayons procurent de la vitamine D à la peau, une surexposition accélérera son vieillissement et entraînera la formation de rides en plus d'augmenter les risques de cancer cutané. Appliquez toujours un écran solaire sur votre visage avant de vous exposer au soleil.

De façon générale, l'acné est un problème qui touche presque tous les adolescents à un certain stade de leur croissance. L'acné juvénile n'est pas une maladie de peau permanente, et si vous avez des boutons à 16 ans, n'allez surtout pas croire que vous aurez à les endurer pour le reste de votre vie. Si le problème s'aggrave, si les produits vendus en pharmacie ne donnent aucun résultat, ou si vos boutons vous obsèdent, n'hésitez pas à consulter un médecin qui vous prescrira le traitement antiacnéique qui vous conviendra le mieux. Prenez soin de votre peau et ne paniquez pas à la vue d'un bouton; il ne suffit parfois que de chercher le traitement adéquat pour remédier rapidement à la situation !

Adolescence

BONJOUR LES COMPLEXES DE FILLES !

Avec le recul, on se dit que tout était plus simple quand on était une enfant : pas de décisions trop importantes à prendre, pas de responsabilités à assumer, pas de remises en question et de bouleversements hormonaux... C'était la belle vie !

Puis, peu à peu, non seulement notre emploi du temps devient chargé, mais on commence aussi à se poser des questions et à se remettre en cause. Notre corps se transforme, on devient de plus en plus curieuse face au monde qui nous entoure, aux garçons et à notre sexualité, on fait plus attention à notre apparence et on développe des complexes de filles. Ça y est, on est adolescente. Cliché ? Pas du tout !

À l'adolescence, tout change. Notre corps se développe, notre caractère s'affine, et on se retrouve coincée entre la petite fille si simple qu'on était et la femme qu'on s'apprête à devenir. C'est une période à la fois merveilleuse et difficile. Merveilleuse parce qu'on devient sensible à ce qui nous entoure et parce qu'on ressent toutes sortes de nouvelles émotions. On sent qu'on a la vie devant soi et que le monde nous appartient. On peut rêvasser et entreprendre toutes sortes de projets. C'est aussi l'époque des premières expériences, des montagnes russes émotives et des erreurs qu'on commet aujourd'hui et dont on rira dans 10 ans. C'est en même temps une période plutôt difficile parce qu'on ne se connaît pas encore tout à fait, qu'on est en train de former son caractère et qu'on se trouve soi-même un peu imprévisible. On a des doutes, des inquiétudes et des questionnements qu'on n'ose partager avec personne parce qu'on a peur d'être jugée et qu'on se sent un peu seule au monde. C'est aussi l'étape où on

voit son corps se transformer sans pouvoir le contrôler. Les seins poussent, les hanches s'élargissent, les règles surviennent. On se sent hypersensible, on a souvent envie de pleurer sans raison et on ne comprend plus trop ce qui nous arrive. Nos cadets nous semblent complètement out et bien trop immatures, tandis que les adultes nous paraissent ennuyeux et incompréhensifs. On n'arrive même pas à concevoir que nos parents aient déjà été des adolescents, puisqu'ils semblent complètement dépassés par les événements et qu'ils ne savent plus du tout comment nous aborder.

La crise d'adolescence

Pourquoi les parents font-ils toujours allusion à la crise d'adolescence pour expliquer leur incompréhension ou pour excuser votre comportement ? Vous êtes triste ? C'est normal, c'est la crise d'adolescence ! Vous êtes irritée ? C'est normal, c'est la crise d'adolescence ! En plus, vous sentez que lorsqu'ils évoquent cette fameuse « crise », c'est avec un peu d'ironie dans la voix, comme s'ils se moquaient de vous ou qu'ils trouvaient votre comportement ridicule. Je sais que c'est facile de se sentir persécutée, mais rassurez-vous : vos parents ne savent probablement pas comment s'y prendre avec vous et ne comprennent plus la jeune fille que vous êtes devenue. Il est donc plus facile pour eux d'avoir recours au prétexte de la crise d'adolescence que de chercher à comprendre ce qui vous arrive. Quant à vous, soyez honnête : vous devez admettre que vous vous renfermez de plus en plus sur vous-même et qu'il devient de plus en plus difficile de vous aborder. Je sais qu'avec vos amis, vous n'êtes pas aussi abrupte et irritée qu'avec vos parents, mais vous devez comprendre pourquoi ils se sentent déroutés et ne savent plus trop par quel bout vous prendre.

Lorsqu'ils réagissent en « parents » et qu'ils vous taquinent sur la crise que vous traversez, je sais que vous avez envie de leur claquer la porte au nez et de les ignorer pour le reste de la journée. Sans être impolie, vous pouvez aller prendre l'air pour vous calmer et éviter les affrontements qui ne feront qu'envenimer la situation. C'est normal que vous vous sentiez incomprise ou frustrée par la situation, mais il vaut mieux essayer d'en discuter calmement, ou même d'être indifférente à leurs taquineries plutôt que de piquer une crise et, ainsi, de leur donner raison. Si vous vous sentez au bord de la crise de nerfs, appelez une amie ou discutez-en avec quelqu'un de l'extérieur pour vous défouler plutôt que de péter les plombs et de casser les meubles !

Il est vrai que l'adolescence est une période de grande insécurité et d'hypersensibilité, et les parents ont parfois tendance à oublier à quel point il est difficile de gérer ces émotions. Comme ils s'y prennent mal et que vous êtes de moins en moins tolérante, le résultat est souvent orageux.

Dites-vous toutefois que cette période sera vite passée. Vous deviendrez de plus en plus à l'aise dans votre corps et vous apprendrez à mieux maîtriser vos émotions. La communication est par ailleurs la clé du succès dans toute relation interpersonnelle. Donc, même s'il est difficile de discuter avec vos parents, démontrez-leur que vous êtes mature en leur expliquant clairement que vous n'êtes plus une petite fille, plutôt qu'en

claquant la porte. Je vous garantis que vous obtiendrez de meilleurs résultats en vous exprimant de cette façon. Ils doivent aussi faire leur bout de chemin et apprendre à connaître et à respecter la femme que vous êtes en train de devenir. Si vous trouvez vraiment qu'il s'agit d'une période difficile, rappelez-vous que, dans quelques années, vous y repenserez avec nostalgie et que toutes les incertitudes qui vous assaillent s'éclairciront au fur et à mesure que votre caractère se formera. Toutes les filles traversent cette étape à un moment ou l'autre, alors consolez-vous en vous disant que vous êtes loin d'être seule au monde !

Ambition

« VERS L'INFINI ET PLUS LOIN ENCORE ! »

L'ambition, c'est ce qui vous pousse à vouloir vous dépasser, à persévérer dans des projets parfois difficiles et à réaliser vos objectifs. Une personne ambitieuse est souvent travaillante, idéaliste et n'a pas peur des défis.

L'ambition, c'est une sorte de voix intérieure qui nous guide en fonction des exigences que nous nous imposons afin de réaliser nos rêves. C'est ce qui nous donne la volonté de déterminer les moyens à prendre pour atteindre nos buts, tant sur le plan professionnel (devenir médecin, chanteuse, actrice, etc.) que sur le plan personnel (s'acheter une voiture, vivre dans son propre appartement, tomber amoureuse, etc.).

Comme l'ambition demeure une chose très personnelle, chacune est le propre maître de ce qui la guide dans la vie. Même si vous êtes une fille très ambitieuse, les moyens que vous prenez pour réaliser vos rêves doivent être en accord avec vos valeurs et votre intégrité. De même, essayez d'éviter de blesser des gens dans vos démarches. Il est bien de ne pas vouloir se laisser abattre par l'adversité, mais il ne faut pas non plus adopter l'attitude « bulldozer » et tout détruire sur votre passage dans le but de vous frayer un chemin tout droit vers la gloire. Prenons l'exemple de Julie qui veut à tout prix être admise en droit afin de devenir avocate. Son ambition la pousse à étudier avec acharnement et à tout faire pour atteindre ses objectifs professionnels au détriment de sa vie personnelle. Elle refuse d'avoir un amoureux ou de passer du temps avec ses amis pour éviter de se laisser distraire et de perdre de vue son but principal. Même si son ambition peut l'amener à réaliser son plus grand rêve, elle doit faire

attention et chercher une sorte d'équilibre qui lui permettra de ne pas sacrifier toutes les autres sphères de sa vie.

L'adolescence est sans contredit l'étape de la vie où l'on peut se permettre de rêver et de se fixer des objectifs à long terme. Ceux-ci vous donneront une ligne directrice et vous pourrez toujours vous concentrer sur ces rêves dans les moments d'angoisse. Ils vous motiveront et vous pousseront à rester zen dans des situations parfois stressantes. Il faut cependant garder en tête que vos ambitions changeront assurément lorsque vous vieillirez, et c'est tout à fait normal; certaines de vos priorités se modifieront au cours des années à venir. Votre caractère se formera peu à peu, et lorsque vous entrerez dans le monde « adulte », vous saurez de plus en plus qui vous êtes et quels objectifs vous voulez atteindre. Bien que les buts ne restent pas toujours les mêmes au fil des ans, l'ambition et le feu intérieur vous poussent toujours à vous surpasser, et il n'y a absolument rien de mal à vous fixer différents objectifs et à changer de voie en cours de route. Au contraire, c'est ce qu'on appelle être à l'écoute de soi-même et être à la poursuite du bonheur.

Avoir de l'ambition, c'est aussi savoir choisir ses combats. Vous ne pouvez pas vous lancer corps et âme dans tous vos projets et dans toutes vos aspirations sans risquer de vous épuiser. On peut malheureusement souffrir d'un trop-plein d'ambition. Si vous éprouvez de la difficulté à faire la part des choses, n'hésitez pas à demander conseil à vos parents, à vos amis et aux personnes proches de vous. Ils partageront sans doute avec plaisir leur expérience et leur point de vue avec vous.

Dans le Québec d'aujourd'hui, les filles ont autant de possibilités que les garçons; par conséquent, rappelez-vous que toutes les portes vous sont ouvertes. Essayez de lutter contre la peur et contre l'insécurité, et songez à ce que vous désirez plus que tout au monde. Vos rêves changeront sûrement au fil des ans, mais ce sont tout de même eux qui vous stimuleront tout au long de votre vie.

ALORS, FONCEZ !

Apparence

IMAGE EXTÉRIEURE OU LOOK

L'apparence est l'image extérieure que renvoie une personne. Cette image peut être influencée par la mode, ou encore par les gens qui font partie de l'entourage de cette personne.

Bref, il s'agit de votre look, de la façon dont vous vous habillez, coiffez et maquillez pour aller à l'école ou pour vaquer à vos occupations. Il y a des filles qui accordent beaucoup d'importance à leur apparence physique et qui peuvent passer des heures devant le miroir chaque matin pour se coiffer, se maquiller et choisir leurs vêtements, tandis que d'autres optent pour un look plus naturel et se fichent un peu plus de ce dont elles ont l'air et de ce que les autres pensent de leur apparence.

Peu importe où vous vous situez, sachez qu'il ne faut pas juger les gens en fonction de leur image extérieure. Ce n'est pas parce qu'une fille ne passe pas des heures à se préparer pour aller à l'école qu'elle est moche ; ce n'est pas parce qu'une autre accorde beaucoup d'importance à son apparence qu'elle est superficielle. Chacune décide de l'importance qu'elle accorde à son apparence physique. Il appartient à chacune de trouver son propre équilibre.

Si vous vous fichez de ce que les gens pensent et que le look n'a aucune valeur pour vous, cela ne signifie pas, cependant, que vous deviez négliger votre hygiène personnelle pour autant. Par respect pour les autres et pour soi-même, il convient de se laver le corps et les cheveux, de se nettoyer et de se couper les ongles, de se coiffer le moindrement et d'avoir l'air propre, quel que soit le contexte.

Par ailleurs, passer le plus clair de son temps devant le miroir et ne penser qu'à son apparence n'est pas très sain non plus. La véritable identité d'une personne se cache à l'intérieur. Mieux vaut passer un peu plus de temps à discuter avec les autres et à apprendre à les connaître plutôt que de se concentrer uniquement sur sa propre image.

Sachez aussi qu'il est possible de vous amuser avec votre apparence, de jouer au caméléon selon le contexte dans lequel vous vous trouvez et selon votre humeur de la journée. Il y a des jours où vous avez envie de vous bichonner un peu plus, d'autres où votre image a un peu moins d'importance. Vous vous rendrez compte que c'est génial de pouvoir changer de style tous les jours. Il y a moyen d'être extrêmement jolie tout en restant naturelle, de rester soi-même lorsqu'on se maquille, par exemple. Tout est une question d'attitude. Sachez que ce n'est pas votre look qui influence votre attitude et votre caractère, mais bien le contraire. Si vous êtes bien dans votre peau et que vous vous assumez telle que vous êtes, vous serez en mesure d'enfiler les tenues les plus originales et d'adopter tous les styles possibles en restant fidèle à vous-même et en vous inventant un look du tonnerre.

Enfin, apprenez à voir au-delà des apparences. À l'adolescence, les groupes se forment souvent en fonction du style vestimentaire et de l'apparence en général. Les filles qui se tiennent ensemble ont parfois tendance à s'habiller, à se coiffer ou à se maquiller de la même façon. N'hésitez cependant pas à sortir du moule et à nouer des liens avec les gens qui vous semblent différents de vous,

SUJETS CONNEXES :
○ *BEAUTÉ*
○ *CONFIANCE*

car ils ont eux aussi beaucoup à offrir. Il faut cesser d'étiqueter et de juger les gens en fonction de leur look. Je sais que beaucoup de filles jugent les autres en fonction de leur apparence, mais il faut vous efforcer d'éviter de vous baser sur des critères aussi superficiels. En vieillissant, vous constaterez que vous préférez vous entourer de gens intègres avec lesquels vous avez des affinités et qui vous font sentir bien dans votre peau, plutôt qu'avec ceux dont l'apparence est semblable à la vôtre. Vous apprendrez peu à peu à vous accepter telle que vous êtes et votre propre style ne cessera d'évoluer, et ce, peu importe ce que les autres en pensent.

Il est vrai que la tâche n'est pas aussi simple au secondaire, mais rappelez-vous que chacune possède son propre style. Vous pouvez apprendre énormément de choses de ces différences. Assumez-vous telle que vous êtes et soyez bien dans votre peau, car c'est ce qui influence le plus votre façon d'être et votre apparence physique. Quand on a confiance en soi et qu'on a les yeux qui brillent, on est jolie et on dégage une assurance qui attire les autres, et ce, peu importe la façon dont on s'accoutre. Laissez tomber les clichés et les jugements. Soyez authentique et bien dans votre peau.

Beauté

« LA BEAUTÉ EST DANS L'ŒIL DE CELUI QUI REGARDE »

La beauté n'est pas quelque chose qui se définit facilement, et pour cause : tout le monde ne la perçoit pas de la même manière. Ainsi, toutes les filles ne sont pas belles de la même manière et pour les mêmes raisons.

Nous vivons dans une société dans laquelle les dictats de beauté sont omniprésents. L'industrie de la mode travaille tous les jours pour tenter de nous imposer ses standards et pour nous convaincre qu'« être belle » est impossible si on ne répond pas à ses critères. Ne vous laissez pas emberlificoter : la beauté est une notion propre à chaque individu puisqu'elle dépend des goûts de chacun. Il n'existe donc pas de définition précise de ce qui est considéré comme beau ni des attributs physiques que vous devez posséder pour être belle.

Certaines cultures valorisent davantage les femmes pulpeuses; d'autres, celles qui sont très maigres. Certains garçons raffolent des blondes; d'autres, des brunettes. Certains mannequins sont choisis pour leur silhouette; d'autres, pour les traits uniques de leur visage. Tout cela est très subjectif et dépend des goûts de chacun.

Comme on vous l'a probablement déjà dit, la véritable beauté provient de l'intérieur. Ce qui importe vraiment, c'est la conviction et l'assurance qui émanent de vous. Une fille qui a confiance en elle a souvent beaucoup de charme. La beauté, c'est un peu comme le reflet de l'âme. Même si une fille possède des traits délicats et un visage d'ange, si elle ne dégage rien, on aura de la difficulté à la trouver belle. La beauté physique est souvent reliée à notre charisme et à la simplicité avec laquelle on l'exprime. Ne vous basez pas sur les critères de beauté hollywoodiens pour juger si vous êtes jolies ou non. La beauté ne se résume pas à quelques traits physiques, et deux filles peuvent être considérées comme très belles pour des raisons bien différentes. Ce qui compte d'abord et avant tout, c'est que vous vous sentiez bien dans votre peau. Si vous vous apprenez à vous trouver jolies, vous gagnerez naturellement de la confiance et vous transmettrez votre assurance aux personnes autour de vous. Lorsque vous avez le regard lumineux et le sourire aux lèvres, les gens vous trouvent belles. Au lieu de vous fier à la perception que certaines personnes ont de la beauté, apprenez à vous sentir belles et à vous regarder dans la glace sans grimacer.

Nous avons toutes nos petits complexes, mais chacune possède des traits particuliers et une beauté intérieure qu'elle doit aller chercher pour se sentir radieuse. Tout ça pour dire que l'important, c'est de savoir regarder à l'intérieur de vous pour trouver toute l'étendue de votre beauté. Il faut ensuite apprendre à l'extérioriser pour en faire profiter votre entourage. Si vous savez vous aimer telle que vous êtes, les autres pourront apprécier votre beauté à sa juste valeur. Que vous ayez les cheveux blonds, bruns, frisés ou raides, que vous soyez maigres ou grassouillettes, grandes ou petites, je vous assure que cela n'a aucune importance, puisque c'est l'éclat de votre âme qui reflète

SUJETS CONNEXES :

○ APPARENCE
○ ADOLESCENCE
○ COMPLEXE

votre beauté. Rappelez-vous ces mots de Victor Hugo : « Aucune grâce extérieure n'est complète si la beauté intérieure ne la vivifie. La beauté de l'âme se répand comme une lumière mystérieuse sur la beauté du corps. » Oubliez les critères basés sur l'apparence physique et concentrez-vous à faire transparaître votre bien-être et votre confiance en vous. Peu importe à quoi vous ressemblez, sachez que la beauté émane de l'intérieur !

Bitchage

PARLER EN MAL DE QUELQU'UN

Le bitchage se rapproche du potinage en ce sens qu'il consiste à parler dans le dos de quelqu'un et à répandre des rumeurs sans qu'elles soient fondées.

Cependant, de façon générale, il a une connotation plus négative et découle d'une intention plus cruelle. Bitcher, ça veut dire parler en mal de quelqu'un, dire à son sujet des choses haineuses qui dépassent souvent notre pensée sans s'adresser directement à la personne concernée.

Que ce soit au cours de notre adolescence ou de notre vie adulte, il est tout à fait normal d'être parfois énervée par la conduite de quelqu'un et de perdre patience face à ses comportements. Chaque personne est différente, et nous avons tous nos forces, nos faiblesses, nos qualités et nos défauts. Bien qu'il soit normal que les gens vous tapent parfois sur les nerfs, vous devez savoir que le bitchage peut avoir des conséquences plus graves que vous ne le croyez, et qu'il risque surtout de blesser ceux qui en sont la cible. Même si vous êtes persuadée que vos paroles cruelles ne se rendront pas aux oreilles de la personne concernée, vous devez vous rappeler que tout finit par se savoir, surtout dans une école secondaire ! Et même si vous vous croyez discrète, la personne contre qui vous médisez risque de se rendre compte que vous n'êtes pas franche avec elle. S'il s'agit d'une amie proche, ne croyez-vous pas qu'elle remarquera votre changement d'attitude et qu'elle sentira votre rejet ?

Le bitchage est une activité particulièrement féminine et, croyez-moi, on peut s'y adonner à tous les âges ! Je sais qu'il est parfois difficile d'affronter les gens et de leur dire les choses en face, mais, au bout du compte, l'honnêteté s'avérera moins blessante pour la personne qui vous énerve, et vous vous sentirez mieux après avoir discuté avec elle des vrais problèmes.

Si vos reproches ne sont pas fondés sur des faits concrets, mais relèvent plutôt de votre appréciation personnelle d'un individu et de vos affinités avec celui-ci, je vous conseillerai de garder vos commentaires pour vous. Il est impossible d'aimer tout le monde, et je sais que certaines personnes vous donnent envie de vous frapper la tête contre votre casier, mais ce sera ainsi pour le reste de votre vie, alors aussi bien vous habituer tout de suite à fréquenter des gens qui vous plaisent moins. Vous n'avez qu'à faire en sorte de ne pas vous retrouver dans les mêmes activités qu'eux et de leur parler le moins possible, mais vous n'avez pas à dénigrer quelqu'un simplement parce qu'il a une tête qui ne vous revient pas. Si vous avez des raisons concrètes d'être en colère contre quelqu'un, alors mieux vaut lui en parler ou lui écrire pour lui faire part de vos sentiments. Parler dans son dos vous permettra peut-être de vous défouler sur le coup, mais cela ne changera rien à ce que vous ressentez, et la personne en question ne pourra s'excuser ou changer son attitude si elle ne connaît pas le fond de votre pensée, et encore moins si elle entend de fausses rumeurs provenant des quatre coins de l'école.

Effet boule de neige

À l'adolescence, il est normal de former des clans, soit de petites bandes d'amies qui ont plus d'affinités. Le « bitchage » entre amies a par conséquent un effet boule de neige, puisqu'il pousse les filles à se réunir pour parler méchamment dans le dos de quelqu'un ou à partager les médisances et les frustrations des autres pour ne pas se sentir exclues. Même si elles n'ont pas les mêmes sentiments que vous, vos amies se laisseront con-vaincre par vos arguments et se joindront au « bitchage » collectif pour faire partie de la bande et éviter de se sentir rejetées à leur tour. Rappelez-vous que cela n'aidera en rien votre cause et que cela risque grandement de blesser quelqu'un. L'honnêteté et la franchise sont décidément des solutions plus matures et plus efficaces pour régler les problèmes.

Si c'est vous qui êtes la victime du bitchage, dites-vous que vous valez mieux que cela et tentez de ne pas vous laisser atteindre par les rumeurs qui courent. Vous pouvez plutôt affronter la personne qui répand ces méchancetés à votre sujet pour savoir quel est son problème et ce que vous avez fait pour l'énerver autant. Sachez aussi que vous ne pouvez pas plaire à tout le monde, alors tâchez d'être mature et de laisser passer la vague ; les gens auront tôt fait de passer à autre chose, surtout si vous n'embarquez pas dans leur petit jeu. Si une amie semble vous en vouloir et bitcher contre vous, écrivez-lui une lettre ou allez la voir pour lui dire que son comportement vous blesse et que vous préféreriez qu'elle soit honnête avec vous et qu'elle vous en parle lorsqu'elle est triste ou en colère.

Je sais que le « bitchage » fait partie de votre vie et que vous parlez parfois dans le dos de vos amies parce que vous croyez que c'est mieux que de leur dire la vérité et de leur faire de la peine, mais vous et vos amies devez apprendre à vous serrer les coudes et à agir de façon mature. Si vous vous laissez emporter par vos frustrations ou si vous cédez à la pression de votre entourage, songez à la personne que vous attaquez gratuitement et essayez de vous mettre à sa place quelques instants ; cela vous fera peut-être changer d'attitude ! Quelles que soient les raisons de votre colère et de votre irritation, dites-vous que le fait de blesser quelqu'un ne changera rien à votre problème et risque de vous faire sentir encore plus misérable. Alors, prenez votre courage à deux mains et optez pour l'honnêteté.

Léa ! Tu ne devineras jamais ! Après le cours de maths, Laurie m'a raconté que Steph lui avait raconté que Seb lui avait raconté que Thomas lui avait raconté que Sarah Beaupré s'était fait couper les cheveux, et que c'était vraiment laid ! Mouahaha !
Lou xox

Lou ! Aujourd'hui, j'ai entendu les nunuches qui bitchaient contre moi dans la salle de bain. Elles ne savaient pas que j'étais là (mais je ne crois pas que ça les aurait empêchées de le faire) et Maude racontait que j'étais tellement petite que je me perdais dans les foules, et que quand je rougissais, je ressemblais à une tomate ! Grrr !
Léa xox

Caresse

UN PEU DE TENDRESSE

Une caresse est une façon toute simple d'encourager, de consoler ou tout simplement de manifester son attachement pour une amie, un amoureux ou un membre de sa famille. C'est une manière affectueuse de témoigner notre amour aux gens qui nous importent.

Apprendre à donner et à recevoir des caresses, ainsi qu'à s'ouvrir à l'affection des autres est important. Pendant l'adolescence, on est parfois réticent à l'idée de partager nos émotions et on est moins enclin à vouloir poser des gestes qui témoignent de notre tendresse à l'égard de quelqu'un. Sachez toutefois qu'une caresse peut véritablement rendre les autres heureux et vaut parfois plus que mille mots. En effet, quand vous faites une caresse à quelqu'un, vous lui communiquez vos émotions ainsi que les mouvements de votre âme et de votre cœur, et personne n'est indifférent à un tel témoignage d'amour. Même s'il vous arrive de jouer les dures, une accolade est parfois tout ce dont vous avez besoin pour retrouver le sourire et vous sentir mieux. Ce n'est pas toujours facile d'assumer qu'on a besoin d'amour. Certaines personnes ont tendance à percevoir la chose comme une faiblesse, alors qu'il s'agit plutôt d'un acte naturel et extrêmement réconfortant. Il faut donc savoir passer par dessus sa pudeur émotionnelle pour se donner la chance de recevoir et de donner de la tendresse.

Quand c'est plus que de la simple affection ...

Les caresses peuvent également avoir un caractère sexuel. Il s'agit non seulement d'une façon de témoigner son amour et son affection, mais aussi d'un moyen d'apprendre à connaître le corps de son partenaire et de manifester son désir. Pour une fille, il est extrêmement important de se sentir aimée et désirée. Les caresses servent entre autres à établir ce rapport de confiance avec son partenaire. Même si les garçons ne sont pas tous naturellement portés vers les caresses, il est primordial que vous soyez en mesure d'expliquer à votre amoureux qu'elles sont importantes pour vous. Tentez aussi de lui expliquer ce que vous aimez et n'oubliez jamais de vous respecter vous-même et de sentir que l'autre est tout aussi attentif à vos désirs. Vous devez non seulement apprendre à écouter les besoins de votre partenaire, mais aussi être fidèle à vous-même et aller à votre propre rythme. Si vous ne vous sentez pas prête, dans les caresses, à dépasser un certain stade, expliquez clairement à votre petit ami que vous préférez attendre et faites-vous respecter. S'il fait fi de vos limites et n'écoute pas ce que vous avez à lui dire, dites-vous que vous méritez probablement mieux !

Une caresse s'il vous plaît!

N'oubliez pas qu'une caresse peut changer bien des choses. Que ce soit avec votre père, votre mère, votre amie ou même votre petit frère, il ne vous coûte rien d'exprimer votre amour et votre affection par une caresse de temps à autre. Vous devez aussi apprendre à laisser votre pudeur de côté et à accepter la tendresse des autres sans faire la tête. On ne réalise pas toujours à quel point une simple caresse sur la joue ou une accolade peut mettre du soleil dans notre journée et nous

SUJETS CONNEXES :
o *AMITIÉ*
o *PREMIER BAISER*
o *PREMIÈRE FOIS*

faire sentir importante aux yeux des autres. Il en va de même pour les gens autour de vous, alors n'hésitez pas à exprimer votre amour en leur faisant un câlin ou à demander à un proche de vous faire une caresse si vous en ressentez le besoin. C'est le genre de petit geste qui réconforte et qui vous aidera à refaire le plein d'énergie !

CÉGEP

COLLÈGE D'ENSEIGNEMENT GÉNÉRAL ET PROFESSIONNEL

Après six ans d'école primaire et cinq ans d'école secondaire, les jeunes Québécois entament une nouvelle étape de leur cheminement scolaire : ils entrent au cégep, soit dans un établissement public d'enseignement collégial.

Le mot « cégep » est l'acronyme de « collège d'enseignement général et professionnel ». Les cégeps ont été créés en 1967 et servent de transition entre les études secondaires et les études universitaires. Durant leurs années au cégep, les jeunes doivent choisir un domaine de spécialisation, et traversent par conséquent une importante période d'orientation. En effet, au cours de cette formation qui dure généralement deux ans, les jeunes choisissent une orientation de carrière pour poursuivre leurs études et leur vie professionnelle. Par exemple, les cégeps offrent un programme de sciences humaines, dont les cours se concentrent sur le comportement humain (psychologie, anthropologie, sociologie), un programme de sciences pures, dont les cours se concentrent sur les sciences (chimie, physique, mathématiques) et un programme d'arts où les étudiants sont invités à suivre une formation plus artistique (arts plastiques, théâtre, cinéma, etc.).

Les jeunes peuvent aussi opter pour une formation technique qui les prépare à entrer directement sur le marché du travail après l'obtention du diplôme plutôt que de poursuivre des études universitaires. Quel que soit le programme qu'ils choisissent, tous les étudiants doivent suivre un certain nombre de cours communs faisant partie de la formation générale (français, anglais, philosophie, éducation physique, etc.).

Une étape extrêmement importante

Non seulement le cégep constitue une étape cruciale sur les plans scolaire et professionnel, mais il s'agit aussi d'un échelon indispensable dans le cadre du développement humain d'un jeune adulte. Les adolescents qui entrent au cégep ont normalement entre 16 et 17 ans, et ils en sortent à l'âge de 18 ou 19 ans. C'est donc à cet âge qu'une adolescente devient une jeune adulte, qu'elle atteint la majorité et qu'elle doit faire des choix importants. Le cégep permet ainsi aux jeunes de s'épanouir dans un milieu plus mature et plus adapté aux gens de leur génération. À la fin du secondaire, tu es habituée de côtoyer des jeunes de 12 ou 13 ans qui, eux, viennent de terminer l'école primaire, et les gens ont tendance à te considérer comme une enfant. Lorsque tu entres au cégep, les choses changent complètement. Tu fréquentes des gens de ton âge, tu fais toi-même tes horaires et choisis tes cours et tes activités. L'enseignement collégial encourage en effet les jeunes à devenir plus autonomes. Les profs ne te dictent plus la voie ; c'est à toi de faire preuve de jugement. De plus, ils ne te disent plus quoi faire ou quoi prendre en note ; il est temps pour toi d'apprendre à écouter en classe et à distinguer les informations importantes de celles qui sont superficielles. N'oublie pas que le cégep est un passage obligé vers l'université, où tu seras encore plus indépendante et laissée à toi-même, alors cela fait partie du travail des enseignants de t'apprendre à devenir plus autonome et plus responsable. Note également que les profs du cégep ont tendance à être moins indulgents que ceux du secondaire, car ils tiennent pour acquis que tu es assez vieille pour assumer tes responsabilités et demander de l'aide si tu en as besoin.

Comment être responsable dans cette ambiance de fête ?

Je ne te le cacherai pas, le cégep est également une période de ta vie où tu élargiras ton cercle d'amis et développeras tes aptitudes sociales. La plupart des cégeps organisent des fêtes et des événements, au cours de l'année, pour célébrer les moments importants de la vie étudiante, l'Halloween, la fin de l'année scolaire, etc. Ce sont de bonnes occasions pour s'amuser, aller dans les bars et flirter avec l'alcool. En effet, tu seras normalement au cégep lorsque tu célébreras tes 18 ans et auras le droit d'entrer dans les bars et les discothèques.

Je sais que tout cela te semble bien attrayant à première vue, mais fais bien attention de ne pas abuser des bonnes choses et de ne pas tomber dans l'excès. Tes notes du cégep sont extrêmement importantes pour la poursuite de tes études, car ce sont elles qui détermineront si tu pourras être admise dans le programme universitaire de ton choix. Tu devras donc apprendre à trouver un équilibre entre les amis, les copains, les activités, les fêtes et les études. Si tu te sens égarée, tes parents s'assureront certainement de te ramener sur le droit chemin ! Ce n'est pas parce que tu as 18 ans qu'ils cesseront de te faire la morale !

Si tu es en première année de cégep, il se peut fort bien que tu ne sois pas encore majeure et que tu sois tout de même invitée à boire et à participer à des fêtes. Fais alors preuve de jugement et ne sois pas surprise si les agents de sécurité t'interdisent l'entrée à la porte des bars et des discothèques. Leur travail consiste à s'assurer que les jeunes qui se trouvent à l'intérieur soient majeurs. Ne t'en fais pas, ce sera ton tour dans quelques mois, et tu auras le reste de ta vie pour fréquenter les bars ! Profites-en pour passer du temps avec tes amies et pour t'impliquer dans les différents comités du cégep. Ce type d'implication contribuera à te donner la cote lors de ta demande d'admission à l'université.

L'importance du cégep

Bien que tu sois fière d'avoir obtenu ton diplôme d'études secondaires (je t'en félicite d'ailleurs !), sache que, de nos jours, la plupart des employeurs exigent au moins un diplôme d'études collégiales (DEC) pour t'engager. De plus, le cégep est une étape essentielle dans ton développement personnel, ainsi que dans le développement de ton autonomie et de tes aptitudes sociales. Les études collégiales te permettent également de t'orienter sur les plans scolaire et professionnel, et d'apprendre à te connaître davantage en côtoyant des gens de différentes cultures et de différents horizons. Par conséquent, n'hésite pas à t'inscrire à plusieurs activités et à t'impliquer dans des équipes sportives ou dans divers comités culturels ou sociaux. Cela te permettra de t'ouvrir l'esprit et de découvrir tes intérêts.

Il existe une cinquantaine de cégeps publics au Québec. Il y a également plusieurs collèges privés. Si tu veux avoir plus d'informations sur les cégeps de ta région ainsi que les divers programmes d'études qui y sont offerts,

consulte le site de la Fédération des cégeps : *http://www.fedecegeps.qc.ca/* et assiste aux journées d'information et d'orientation qui ont lieu normalement en février. Tu pourras ainsi choisir le cégep qui te convient le mieux et le programme qui t'intéresse le plus.

LISTE DES CÉGEPS PUBLICS

MONTRÉAL ET LES ENVIRONS

1 - Collège Ahuntsic
2 - Cégep André-Laurendeau
3 - Collège de Bois-de-Boulogne
4.1 - Champlain Regional College Campus Saint-Lambert
5 - Collège Dawson
6 - Collège Édouard-Montpetit
7 - Collège John Abbott
8 - Cégep régional de Lanaudière
9 - Collège Lionel-Groulx
10 - Collège de Maisonneuve
11 - Collège Montmorency
12 - Collège de Rosemont
13 - Cégep de Saint-Hyacinthe
14 - Cégep Saint-Jean-sur-Richelieu
15 - Cégep de Saint-Jérôme
16 - Cégep de Saint-Laurent
17 - Cégep de Sorel-Tracy
18 - Collège de Valleyfield
19 - Collège Vanier
20 - Cégep du Vieux Montréal
47 - Cégep Marie-Victorin
48 - Collège Gérald-Godin

QUÉBEC ET LES ENVIRONS

36 - Cégep Beauce-Appalaches
4.3 - Champlain Regional College Campus St.Lawrence
37 - Collège François-Xavier-Garneau
38 - Cégep de Lévis-Lauzon
39 - Cégep Limoilou
39.1 - Cégep Limoilou Campus de Charlesbourg
40 - Cégep de Thetford
41 - Cégep de Sainte-Foy

CENTRE DU QUÉBEC

32 - Cégep de Drummondville
33 - Collège Shawinigan
34 - Cégep de Trois-Rivières
35 - Cégep de Victoriaville

CÔTE-NORD

42 - Cégep de Baie-Comeau
43 - Cégep de Sept-Îles

OUTAOUAIS·NORD-OUEST

44 - Cégep de l'Abitibi-Témiscamingue
45 - Cégep de l'Outaouais
46 - Collège Héritage

ESTRIE

4.2 - Champlain Regional College Campus Lennoxville
21 - Cégep de Granby Haute-Yamaska
22 - Cégep de Sherbrooke

SAGUENAY·LAC-SAINT-JEAN

23 - Collège d'Alma
24 - Cégep de Chicoutimi
25 - Cégep de Jonquière
26 - Cégep de Saint-Félicien

BAS-SAINT-LAURENT ·GASPÉSIE

27 - Cégep de la Gaspésie et des Îles
28 - Cégep de Matane
29 - Cégep de Rimouski
30 - Cégep de Rivière-du-Loup
31 - Cégep de La Pocatière

Cheerleading

UN SPORT QUI BOUGE !

Tu fais peut-être partie des filles qui ont pris goût au cheerleading. Il y a plusieurs années, on croyait à tort que ce sport ne servait qu'à divertir les foules durant des matchs et à représenter les différentes équipes sportives. Aujourd'hui, le cheerleading est considéré comme un sport à part entière et est de plus en plus populaire dans les écoles du Québec.

L'historique[1]

Le cheerleading existe depuis déjà plus d'un siècle aux États-Unis. Les meneuses de claques arborent les couleurs d'une équipe sportive et exécutent des acrobaties et des numéros de danse sur de la musique en vue d'animer la foule et d'encourager l'équipe qu'elles représentent. Aux États-Unis, le cheerleading fait partie non seulement des traditions sportives (particulièrement au football), mais aussi de la culture du pays. Les équipes de meneuses de claques étaient autrefois reliées à des équipes sportives, à des écoles et à des universités, mais au cours des années 80, on assista à la création d'équipes indépendantes désirant s'affronter dans des compétitions. Au fil des années, le cheerleading s'est de plus en plus développé et a acquis une grande popularité au Québec et au Canada.

Au Québec

C'est en 1968 que naît l'Association de North-Shore dans l'ouest de Montréal, soit la première association de cheerleading au Québec. Dans les années 80, on assiste à

la formation d'une association provinciale appelée l'Association québécoise des Meneuses de Claques (AQMC). C'est également à cette époque qu'on peut voir les premières compétitions provinciales. L'AQMC devient ensuite la CPC (Commission provinciale de cheerleading), puis en 2003, l'Association des cheerleaders du Québec (ACQ) est créée dans le but de faire reconnaître le cheerleading comme un sport dans la province. À la suite de ces efforts, la Fédération de cheerleading du Québec (FCQ) ouvre ses portes en août 2007, permettant ainsi au cheerleading d'être reconnu officiellement comme sport auprès du ministère du Loisir et de l'Éducation. Aujourd'hui, la FCQ compte 7500 membres dans la division scolaire et civile et organise chaque année son championnat provincial de cheerleading. La FCQ offre également de la formation pour les entraîneurs et des cliniques d'entraînement pour les meneuses de claques afin de développer et d'approfondir leurs techniques. Comme la sécurité et le bien-être des jeunes sont des enjeux importants aux yeux de la Fédération, cette dernière exige que les équipes inscrites au championnat provincial disposent d'au moins un entraîneur qualifié et certifié. La Fédération

---

[1] Source : Fédération de cheerleading du Québec, http://www.cheerquebec.com

impose également une réglementation stricte à l'égard de la pratique du sport qui se base sur les règlements de l'USASF (United States All Star Federation), qui regroupe déjà plus de 1,5 million de meneuses de claques.

Le cheerleading est un sport qui exige une excellente condition physique ; non seulement les filles doivent exécuter des acrobaties et des numéros de danse et de gymnastique, mais il s'agit aussi d'un exercice cardiovasculaire très intense. Si tu as envie d'essayer un sport original qui prône l'égalité, le respect et l'esprit d'équipe, le cheerleading est un bon choix pour toi. Non seulement tu feras la connaissance d'une bande de filles avec qui tu t'entraîneras régulièrement et avec qui tu tisseras des liens étroits, mais tu apprendras également à développer un sentiment d'appartenance à l'égard de ton équipe, de ton école et des gens qui t'entourent et qui t'encouragent. En plus, c'est une excellente façon de rester active, de garder la forme et d'être entourée de garçons ! Informe-toi auprès de ton école pour savoir comment t'inscrire ou visite le site *www.cheerquebec.com* pour plus d'information sur la Fédération et les championnats !

Cheveux

SAVOIR DOMPTER SA TIGNASSE

Quand on se retrouve dans l'allée des shampoings d'une pharmacie, on se rend compte qu'il existe des produits pour tous les types de cheveux : les naturels, les teints, les longs, les courts, les frisés et les raides en passant par les cheveux gras, secs, cassés, épais ou fins! Comment s'y retrouver et comment savoir quel revitalisant, masque ou pommade vous convient ?

Chaque fille possède des cheveux différents, et on traverse toutes des moments où on a l'impression qu'il n'y a rien à faire avec notre tête et qu'il ne nous reste plus qu'à tout raser. Il y a de ces matins où on ne sait vraiment plus comment se coiffer. On s'est littéralement réveillée de mauvais poil ! On passe toutes par là, alors inutile de paniquer et d'envisager des solutions radicales. Vous devez seulement apprendre à connaître vos cheveux et à savoir ce qui vous convient le mieux.

Si vous ne savez pas quel est votre type de cheveux et quel shampoing ou revitalisant utiliser, la meilleure chose à faire est sans doute de demander l'avis de votre coiffeur ou de votre coiffeuse. Ceux-ci sont des spécialistes du cuir chevelu, et ils se feront un plaisir de vous donner des conseils pour vous aider à maîtriser votre tignasse.

Il existe toutefois quelques règles générales qui peuvent vous aider à avoir une belle chevelure. Le fait de laver vos cheveux tous les jours risque par exemple de les abîmer, au même titre que l'usage quotidien d'un fer à friser, d'un fer plat, de laque, de gel et de mousse coiffante. Les teintures qui contiennent des produits oxydants assèchent les cheveux et les rendent souvent ternes. Par conséquent, je vous encourage à utiliser des teintures naturelles et non permanentes qui s'estompent au bout de quelques lavages – cela vous évitera en plus d'être coincée pendant des mois avec une couleur qui vous plaît moins, et cela vous donnera la possibilité de faire des essais sur vos cheveux sans trop les abîmer.

Si vous en avez assez de votre tête et que vous avez envie de changement, n'hésitez pas à prendre des risques et à essayer une coupe différente. Demandez à votre coiffeur ce qui vous irait le mieux. Cela dépend de la forme de votre visage et de votre type de cheveux. Par exemple, si vous avez le visage rond, on ne vous conseillera sûrement pas une coiffure très courte ; et si vous avez les cheveux très fins, vous vous rendrez vite compte que vous avez de la difficulté à les faire pousser sans que des nœuds se forment ou qu'ils perdent tout leur volume.

> *Vous pouvez aussi consulter des magazines de mode pour connaître les dernières tendances et pour pouvoir décrire ou montrer précisément ce que vous voulez à votre coiffeur.*

Les instants passés à vous faire dorloter au salon de coiffure sont très agréables et relaxants. C'est le moment de vous faire plaisir, de prendre du temps pour vous et de changer de tête si le cœur vous en dit! C'est aussi l'occasion de jaser avec votre coiffeur. Certains salons offrent des petits extras qui sont toujours appréciés : massage du cuir chevelu pendant le shampoing ou encore café, chocolat chaud et autres boissons lorsque vous patientez sur la chaise de votre coiffeur. Par ailleurs, lorsque vous trouvez un coiffeur qui vous plaît et qui tient compte de vos envies et de vos besoins, ne le laissez pas vous glisser entre les doigts, car ce n'est pas toujours facile à trouver. Si vous prévoyez une sortie spéciale, vous pouvez aussi vous coiffer dans le confort de votre chambre. Vous pouvez vous friser les cheveux, les raidir, les coiffer en un élégant chignon, leur donner davantage de volume, ajouter une jolie broche, un bandeau, etc.

Bref, soyez audacieuse et osez tester de nouveaux styles et de nouvelles coiffures; c'est ainsi que vous saurez ce qui vous convient le mieux. Attention toutefois de ne pas vous lancer des défis trop radicaux! Amusez-vous avec des pinces et des accessoires, mais laissez les ciseaux dans votre tiroir, car une coupe de cheveux maison ratée semble prendre beaucoup plus de temps à repousser! De même, évitez de demander à votre coiffeur de vous raser la tête ou de vous teindre en bleu sur un coup de tête. C'est le genre de décision qui risque non seulement de faire pleurer vos parents, mais que vous regretterez amèrement chaque fois que vous vous regarderez dans le miroir. Si vous songez à un changement important de coupe ou de couleur, prenez le temps d'y réfléchir pour être bien certaine de ce que vous voulez.

Finalement, sachez qu'il n'est pas toujours bon de vouloir imiter la coiffure ou la coupe de cheveux des autres. Un style peut très bien aller à une amie qui possède une tignasse frisée et ne pas convenir à vos cheveux raides. Je sais que c'est plutôt typique d'envier la chevelure des autres, mais le mieux à faire est d'apprendre à apprécier vos cheveux et à mieux les connaître. C'est ainsi que vous pourrez savoir quelles coupes et quelles coiffures mettent le plus votre visage en valeur et vous font sentir belles et pleine d'assurance !

Choix de carrière

DES DÉCISIONS POUR LE FUTUR

En cinquième secondaire, vous devrez faire un choix important : ce que sera votre avenir scolaire et professionnel. DEP, DEC technique, DEC préuniversitaire… Les possibilités sont nombreuses. Si vous vous sentez mélangées, pas de panique! Plusieurs ressources sont disponibles pour vous aider et vous accompagner dans votre démarche.

Tant d'options s'offrent à vous! Il existe diverses façons de vous informer pour faire un choix éclairé. Certaines filles savent quel métier elles veulent exercer depuis qu'elles sont toutes petites. Pour quelques-unes d'entre elles, il s'agit d'une passion, comme la danse, le théâtre ou la médecine vétérinaire, qu'elles veulent développer pour en faire leur carrière. Pour d'autres, il s'agit simplement d'une ambition et d'un rêve qu'elles veulent absolument réaliser. Peut-être êtes-vous toutefois de celles qui sont indécises…

À l'adolescence, il est tout à fait normal de se poser beaucoup de questions sur ce que l'on veut faire dans la vie. Cela peut sembler être un problème énorme et impossible à résoudre, mais il ne faut pas vous en faire. Prenez plutôt cela une étape à la fois. Commencez par déterminer les domaines qui vous attirent, les activités que vous aimez pratiquer et les matières scolaires qui vous intéressent le plus. Vous pouvez procéder par élimination, ou simplement faire une liste des domaines que vous aimez ou qui vous passionnent réellement. Les cours d'éducation au choix de carrière offrent parfois des « journées carrière » où vous êtes invitées à intégrer un milieu professionnel pour voir comment les choses s'y déroulent. Aussi, divers tests existent afin de déterminer les domaines où vous vous démarquez ou qui sont plus susceptibles de

vous plaire. L'important, au secondaire, c'est de déterminer une branche dans laquelle vous désirez poursuivre vos études. Préférez-vous les sciences humaines, les sciences médicales, les sciences pures, les arts, les sports, les communications, l'administration ou les maths? Aimeriez-vous étudier dans un domaine plus général, ou vous sentez-vous prêtes à vous orienter immédiatement vers un métier particulier ou vers une technique professionnelle?

Si cela peut vous aider, vous pouvez essayer de penser plus loin que vos études en vous posant des questions sur le métier que vous aimeriez exercer. Peut-être réaliserez-vous que pour atteindre votre but, vous n'aurez pas à rester sur les bancs d'école pendant plusieurs années! Si vous restez dans le vague même après être allées chercher de l'aide, vous pouvez essayer de procéder par élimination; il y a certainement des domaines qui ne vous intéressent pas, et c'est en les écartant que vous arriverez à cibler ceux qui vous plaisent davantage.

Il est encore tôt pour savoir où la vie vous mènera, et ce sont souvent les expériences professionnelles que vous vivrez ou les opportunités que vous saisirez qui vous feront découvrir vos véritables passions.

Beaucoup de portes s'ouvriront à vous en cours de route, alors ne vous rongez pas tout de suite les sangs si vous ne savez pas exactement ce que vous voulez faire plus tard. Vous avez encore plusieurs années pour y penser, et il faut laisser le temps faire son

SUJETS CONNEXES :
○ *EMPLOI À TEMPS PARTIEL*
○ *CÉGEP*

œuvre. L'important, c'est d'avoir de l'ambition et de faire ce qui vous passionne.

Si vous vous sentez vraiment perdues et que vous ne savez pas trop dans quel domaine vous diriger, vous pouvez aussi consulter un conseiller en orientation qui pourra vous aider à déterminer ce qui vous plaît, en plus de cibler vos forces et vos faiblesses.

Quoi qu'il en soit, gardez toujours en tête qu'il existe une foule d'emplois différents dans tous les domaines et qu'il arrive souvent qu'on finisse par exercer un métier qu'on n'aurait pas nécessairement envisagé quelques années plus tôt. Laissez-vous la chance d'explorer vos intérêts tout au long de vos études et de garder plusieurs portes ouvertes. Expérimentez, foncez et n'hésitez pas à poursuivre vos rêves! Après tout, vous avez la vie devant vous !

Complexes

NE PAS LES LAISSER PRENDRE LE DESSUS !

Toute fille développe de petits complexes de temps à autre. Certaines trouvent que leurs cuisses sont trop grosses, que leur poitrine est trop petite, que leurs jambes ne sont pas assez effilées, etc.

À l'adolescence, il est commun de développer des complexes. Le corps se transforme, on ne le reconnaît plus et on sent qu'on en perd la maîtrise. De plus, les filles ont la fâcheuse habitude de se comparer aux autres ou encore de croire que les critères de beauté véhiculés dans les magazines de mode constituent une norme. Par conséquent, elles se pensent ultramoches.

La première chose à faire quand on a des complexes, c'est de ne pas les laisser prendre le dessus. Il ne faut pas en faire une obsession. Personne n'est parfait. Toutes les filles voudraient changer certaines parties de leur corps si elles en avaient la possibilité. Mais comme ce n'est pas le cas la plupart du temps, aussi bien apprendre à vivre avec votre corps et à vous aimer telle que vous êtes. Vous devez apprendre à maîtriser vos complexes pour éviter qu'ils deviennent de véritables handicaps qui vous empêchent de vous sentir confiante et bien dans votre peau. Vous êtes la seule juge de votre corps, alors ne soyez pas trop sévère. Si vous vous trouvez vraiment trop maigre, faites du sport, mangez davantage et développez vos muscles; si vous croyez que vous avez quelques kilos à perdre, prenez les mesures naécessaires pour le faire, sans vous rendre malade évidemment.

Apprenez aussi à identifier les aspects de votre corps et de votre personnalité que vous appréciez, et mettez-les en valeur plutôt que de vous acharner à penser à vos complexes. Vous devez apprendre à aimer votre corps tel qu'il est, car quoi que vous fassiez, vous ne parviendrez pas à ressembler comme par magie à Angelina Jolie. Vous êtes telle que vous êtes, et il est primordial de ne pas laisser des complexes souvent superficiels et superflus gâcher votre existence.

Il se peut aussi que vous développiez des complexes relativement à votre personnalité, ou à vos con- naissances générales, par exemple. Peut-être trouvez-vous que vous n'en savez pas assez sur l'actualité, que vous êtes nulle en maths, que vous ne comprenez rien aux sports ou que vous n'avez pas suffisamment d'expérience avec les garçons. Et alors ? Personne ne réussit dans tout. Vous avez certainement des domaines de prédilection et des talents qui vous distinguent des autres, alors songez à ce qui vous rend satisfaite de vous-même plutôt qu'à ce qui vous embête. De plus, il n'est jamais trop tard pour vous améliorer et en apprendre davantage dans les domaines que vous connaissez moins. Alors, plutôt que de pleurer sur votre sort et de vous apitoyer, foncez !. Même si vous n'obtenez pas les résultats voulus, vous serez tout de même fière d'avoir essayé et d'avoir cherché à vous surpasser. Il vous faut vaincre vos complexes et vos peurs, et apprendre à foncer pour atteindre vos objectifs.

Il va sans dire que les complexes sont directement liés à la confiance en soi. Ce n'est pas parce que vous ne raffolez pas de votre nez que vous avez une piètre estime de vous-même, mais vous ne devez pas laisser ce petit complexe prendre le dessus sur tout le reste. Il importe d'apprendre à vous

SUJETS CONNEXES :
o *BEAUTÉ*
o *CONFIANCE*

aimer telle que vous êtes et à vous mettre en valeur pour vous sentir jolie et intelligente. Les complexes se forment dans votre tête, et ils ne constituent en rien des indices de la perception qu'ont les autres de vous. Il n'en tient qu'à vous de les dominer et de les vaincre. Vous ne pouvez pas changer qui vous êtes, mais vous pouvez faire un effort pour vous améliorer et pour vous sentir mieux dans votre peau. Certains complexes disparaîtront d'eux-mêmes au fil du temps, avec le passage de l'adolescence ou lorsque votre corps aura terminé de se développer, mais, d'ici là, apprenez à vous apprécier, à vous valoriser et à accorder la priorité à vos qualités et à vos atouts plutôt qu'aux aspects de votre corps et de votre personnalité qui vous plaisent le moins. Tant et aussi longtemps que vous ne maîtriserez pas vos complexes et que vous ne serez pas capable de faire taire cette petite voix intérieure qui a tendance à vous rabaisser, vous ne pourrez pas vous sentir complètement épanouie. Alors, soyez forte et assumez-vous telle que vous êtes. Vous êtes la maîtresse de votre estime personnelle et de votre confiance en vous. Ne soyez pas trop dure envers vous-même, et prenez conscience de vos qualités et de votre beauté !

Déménagement

ADAPTATION 101

Catherine,
Ma meilleure amie a déménagé il y a quelques mois. Depuis, je ne l'ai vue qu'une fois ou deux. Ça me rend vraiment triste, puisqu'elle habitait sur ma rue et qu'on avait l'habitude de se voir tous les jours... Depuis, notre amitié a beaucoup changé.
Une fille déçue

Pas facile de changer de ville, de maison ou de quartier et de recommencer une nouvelle vie ailleurs ! Il faut s'accorder une période d'adaptation qui nous permette d'apprivoiser notre nouvel environnement et de s'accoutumer à notre entourage.

Un déménagement consiste en un changement majeur de domicile, et parfois même de quartier, de ville ou de pays. Cette période d'adaptation et de changements entraîne souvent du chagrin, du stress et de l'angoisse.

En effet, bien qu'un déménagement nous pousse vers l'inconnu et nous permette de sortir de notre zone de confort et de flirter avec de nouvelles expériences, il représente aussi la fin d'une étape de notre vie. Quand on est jeune, on accorde souvent beaucoup d'importance et de valeur sentimentale à notre domicile, à notre maison d'enfance et à notre quartier. On se familiarise avec notre entourage, on se fait de bons amis, on connaît les recoins et les cachettes et on se sent en sécurité dans son chez-soi. Au primaire, on fréquente souvent l'école de quartier, et il arrive fréquemment que nos bons amis ne demeurent qu'à quelques pas de la maison. Ainsi, pas étonnant que plusieurs perçoivent le déménagement comme une véritable rupture et qu'ils aient de la difficulté à traverser cette période de deuil.

C'est normal d'accorder de l'importance à nos habitudes, à notre mode de vie et de rechercher une certaine stabilité. Plusieurs détestent les déménagements et ont horreur du changement. La différence, c'est que, lorsqu'on est grande, on est maître de nos actions et c'est à nous que revient le choix de décider si l'on veut rester ou partir, tandis que, quand on est jeune, on doit suivre nos parents et on se sent négligée dans la prise de décision. Si tes parents t'annoncent que vous devez déménager, il se peut donc que tu vives de la tristesse, et même de la frustration face à ton impuissance. Tu aimes ton quartier, tes amis et tes habitudes de vie, et tu n'as pas envie de changer. Sache toutefois qu'un déménagement entraîne aussi des avantages et qu'il est préférable de voir les choses du bon côté. Le fait de vivre dans une nouvelle maison te permettra de redécorer à ton goût et de repartir à zéro. Bien que la transition soit souvent stressante et difficile à vivre, une fois installée, tu te sentiras prête à tout puisque tu auras des tonnes de défis à relever.

De petits et de grands changements

Si tu ne fais que changer de rue sans changer de quartier, ne panique pas ; tu auras besoin d'une période d'adaptation pour te familiariser avec ta nouvelle maison et pour te sentir chez toi, mais dis-toi que tu n'as pas perdu tes points de repère et que tes amis sont encore tout près. Si tu changes de quartier ou même de ville, il est évident que la transition sera plus difficile à vivre. Non seulement tu devras t'habituer à une nouvelle maison, mais tu devras aussi explorer un nouvel environnement, développer de nouvelles habitudes de vie et peut-être te faire de nouveaux amis. Un changement de pays entraîne, quant à lui, une période d'adaptation beaucoup plus profonde. Il se peut que tu te sentes déracinée et que tu aies besoin de temps pour apprécier le changement. Qu'il s'agisse d'un déménagement temporaire ou permanent, les filles qui changent de pays doivent souvent apprendre une nouvelle langue et se familiariser avec des mœurs, des habitudes de vie et des valeurs différentes des leurs. Pas toujours facile de se sentir à l'aise dans un milieu qui semble si différent du nôtre. À long terme, je t'assure qu'une telle expérience te fera grandir et que tu apprendras à t'adapter à différents milieux. En d'autres mots, quand on apprend à vivre dans un monde différent du nôtre, on devient comme un caméléon ; on développe des habitudes locales tout en restant soi-même.

Je sais que ce n'est pas facile de laisser un monde derrière soi et d'aller de l'avant pour plonger vers l'inconnu, mais tu peux percevoir un déménagement comme une sorte de renouveau ; tu peux recommencer à zéro, changer de chambre, refaire la décoration, te faire de nouveaux amis, changer tes habitudes et t'ouvrir à de nouvelles sensations et à de toutes nouvelles expériences. Laisse-toi le temps de t'acclimater, mais essaie de rester ouverte ; sors de ta coquille, parle aux gens et explore ton nouvel environnement. Ne sois pas trop dure envers tes parents ; ils ne font

pas ça pour te rendre la vie impossible. La vie est remplie de hauts et de bas, et lorsque tu te seras habituée à ton nouvel environnement et que tu te sentiras plus en confiance, tu sauras apprécier les changements qu'ils t'ont fait vivre. Pour ma part, j'ai quitté la ville de Québec à 14 ans pour m'installer à Montréal, et bien que la transition ait été difficile à vivre au cours de la première année, je ne regrette rien. Il faut t'accorder du temps et ne pas te sentir mal si tu angoisses au début. Un déménagement est une cause importante de stress et d'anxiété, et ce n'est pas facile de changer ses points de repère et de recommencer à neuf, mais au fil du temps, tu sauras apprécier l'expérience et tu réaliseras qu'elle t'a permis de devenir plus courageuse et plus aventureuse !

Salut, Manu.
Je t'écris parce que ça va très mal! Mes parents m'ont forcée à déménager à Montréal à cause de l'emploi de mon père et je ne connais personne ici. Tout m'est inconnu, et je me sens perdue. Je m'ennuie de chez moi, de ma meilleure amie et de mon chum. Comment faire pour m'adapter à ma nouvelle vie ?

Léa xox

Désordre

C'EST LA PAGAILLE !

C'est un classique d'être désordonnée à l'adolescence! Sans raison apparente, un fouillis sans nom s'installe souvent dans votre chambre. Soudainement, toutes les raisons sont bonnes pour éviter de faire le ménage! Le temps manque, vous êtes trop occupées et, soyons honnêtes, vous évitez parfois de ranger vos affaires simplement pour embêter vos parents.

Quoi qu'il en soit, vous devez admettre que ce n'est pas très agréable de vivre dans une chambre sens dessus dessous. On ne sait plus lesquels, parmi nos vêtements, sont propres et lesquels sont sales, on perd toutes nos choses et c'est la panique! Le désordre est l'une des causes de dispute les plus communes entre les adolescents et leurs parents. Ces derniers détestent l'odeur qui émane de votre chambre et ils ont franchement honte de vous voir vivre ainsi. Ils doivent absolument fermer la porte de votre chambre lorsqu'ils reçoivent des invités parce qu'ils ne veulent pas les confronter à un tel désastre. Ils vous font la morale, vous demandent de ranger votre chambre... et la dispute éclate. Il est vrai que vous n'êtes plus une enfant, que vous avez droit à votre intimité et à votre « bulle », mais cela n'empêche pas que vous vivez sous le même toit qu'eux et que vous vous sentirez sans doute mieux en mettant un peu d'ordre dans vos affaires.

Soyons honnêtes, le bordel qui s'est installé dans votre chambre ne vous rend pas la vie facile. Par esprit de contradiction, vous vous faites probablement un point d'honneur de ne pas écouter les supplications de vos parents qui n'en peuvent plus de votre fouillis, mais au fond, la situation vous déprime! Retrouver vos affaires représente un véritable défi et vous devez vous rendre à l'évidence : vos parents ont raison et il est grand temps de passer à l'action !

Voici quelques trucs qui vous aideront à éviter que la situation ne dégénère davantage.

Plutôt que de laisser les vêtements et les assiettes sales s'accumuler et finir par créer un chaos ingérable, prenez l'habitude de ramasser et de nettoyer au fur et à mesure. C'est beaucoup moins décourageant que de se retrouver devant une montagne de traîneries qui s'accumulent depuis des semaines.

Pour bien entamer une session de ménage, commencez par jeter les déchets ou les petites choses inutiles que vous avez gardées pour rien (aliments qui sont en train de moisir, vieux mouchoirs et crayons qui ne fonctionnent plus, etc.).

C'est ensuite le temps de sortir un torchon et de bien nettoyer! Je sais que ça demande un effort, mais vous vivrez beaucoup mieux dans une chambre propre que dans un bordel total. Mettez de la musique pour rendre le moment plus agréable, ou demandez à quelqu'un de vous aider ou de vous tenir compagnie pour faire passer le temps plus rapidement. Notez toutefois que faire le ménage demande un certain degré de concentration, alors je vous conseille plutôt de mettre vos écouteurs, de danser aux quatre coins de votre chambre tout en la nettoyant et de profiter de ce petit moment de solitude !

Cela dit, vous n'aurez probablement pas envie de recommencer toute l'opération chaque semaine. Je vous conseille donc d'adopter peu à peu de bonnes habitudes et de trouver des techniques pour mieux organiser

SUJETS CONNEXES :
o *ADOLESCENCE*
o *MATURITÉ*

votre espace. Vous pouvez acheter des bacs et des paniers pour ordonner votre garde-robe, ou des classeurs et des pochettes pour garder votre bureau bien propre.

🖊 Faire son lit tous les matins est aussi un bon moyen de garder votre chambre dans un état présentable.

🧺 Mettez votre linge sale directement dans un panier prévu à cet effet plutôt que de le laisser traîner sur le plancher, et allez accrocher vos vêtements propres dès qu'ils sortent de la sécheuse. Ce sont de petits gestes qui ne demandent pas beaucoup d'efforts, pour peu que vous preniez le temps de les intégrer à votre routine. Parions aussi qu'ils vous éviteront plusieurs prises de tête avec vos parents !

🕯 Vous pouvez aussi acheter un diffuseur ou de petites bougies parfumées pour que votre chambre sente toujours bon. Cela vous motivera à la garder propre (n'oubliez pas d'éteindre les bougies lorsque vous sortez de votre chambre).

🧷 Installez des crochets derrière votre porte, dans votre garde-robe ou sur le mur pour y accrocher vos manteaux, vos vestes et votre serviette lorsque vous sortez de la douche.

☺ Vous constaterez bientôt que tous ces efforts auront un effet très positif sur votre humeur et sur votre quotidien. Votre chambre vous paraîtra un endroit beaucoup plus

agréable à fréquenter lorsqu'elle sera propre et aérée et il vous sera beaucoup plus facile de vous retrouver. Sans devenir une accro de la propreté et du ménage, je vous suggère fortement de vous fier à ces petites astuces pour vivre de façon plus saine sans vous chamailler constamment avec vos parents.

Entraînement

✔ Collaboration spéciale de Daniel Fuenzalida

Comment se raffermir (surtout au niveau des cuisses) en faisant de l'exercice, mais sans prendre trop de muscles ?

En tant que professeur d'éducation physique dans une école de filles, j'ai souvent à répondre à ce genre de question par rapport à la prise de masse musculaire.

La peur de devenir une madame muscle est une peur non fondée. Les hommes sont plus musclés que les femmes, car ils produisent environ dix fois plus de testostérone, une hormone liée à la masse musculaire et à l'anabolisme. Une femme n'a pas la même capacité de croissance musculaire qu'un homme. Si tu t'entraînes, tu vas certainement gagner en force et en tonus musculaire, mais tu ne gagneras pas énormément de masse musculaire, et ce, même avec des charges plus lourdes.

Des exercices de musculation sont de mise pour se raffermir. Je te conseille de choisir des exercices qui font travailler plusieurs muscles à la fois. Pour les jambes, ça veut dire des exercices qui font travailler le devant de la cuisse (quadriceps), l'arrière de la cuisse (ischio-jambiers) et les fessiers. En voici deux que tu peux faire en super série (l'un après l'autre), pour un total de quatre séries chaque, deux ou trois fois par semaine.

COACH DAN

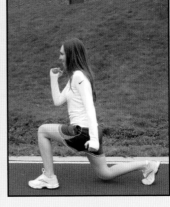

EXERCICE 1

A1 - Fentes 10 répétitions
pour chaque jambes

EXERCICE 2

A2 - Squat 20 répétitions
pour chaque jambes

Être cool

PAS TOUJOURS FACILE!

Ce n'est pas nouveau : quand on est adolescent, on devient plus conscient du monde qui nous entoure et on accorde beaucoup plus d'importance à notre apparence physique. Plusieurs filles traversent également une période de questionnements intenses à propos de leur identité. C'est normal de se poser des questions quand on traverse une période de changements aussi drastiques.

Premièrement, ton corps se transforme, et deuxièmement, tu dois affronter un univers social très différent où tu cherches ta place et où tu ne veux surtout pas déplaire.

Nombreuses sont les filles qui m'écrivent pour me demander des trucs pour plaire aux garçons ou pour sortir du moule. C'est une réaction normale ; je me souviens qu'entre 12 et 16 ans, je lisais parfois des articles dans les magazines qui suggéraient aux filles de rester elles-mêmes et je ne comprenais pas tout à fait à quoi ils faisaient référence. Aujourd'hui, je suis la première à prodiguer les mêmes conseils. Ce n'est pas évident de comprendre le concept de « rester soi-même » à une étape où on se cherche et où on ne sait pas clairement qui on est, mais l'important, c'est de se baser sur nos valeurs et sur nos principes. Dès l'adolescence, tu sais au fond de toi quelles sont tes priorités, quelles sont tes principales caractéristiques et aussi quelles sont les qualités les plus importantes à tes yeux. Ne fais rien contre ta volonté, même si tu crois que c'est cool de le faire. Il faut savoir s'écouter et se faire respecter, car nous sommes toutes responsables de notre propre bien-être. Si une fille se retrouve dans une situation précaire avec un gars qui fait pression sur elle pour faire l'amour alors qu'elle ne se sent pas prête, il faut qu'elle sache dire non et écouter ce que lui dicte son instinct. Si

quelqu'un te propose de fumer un joint et que tu as peur et que tu n'as pas envie d'essayer, il faut aussi savoir t'écouter et t'assumer telle que tu es. « Être cool », ça ne veut pas dire faire ce que les autres veulent que tu fasses, ou faire ce qui semble cool aux yeux des autres ; ça veut plutôt dire être assez bien dans ta peau pour être naturelle et pour exprimer tes idées et tes opinions sans avoir peur du ridicule. Ça ne signifie pas qu'il faut imposer ta loi et ne pas être à l'écoute des autres ; tu peux croire en tes idées et être à la fois ouverte à écouter les gens discuter des leurs. Il faut simplement trouver un équilibre entre le deux et pouvoir rire de soi-même et être ouverte aux différences.

Plusieurs sont celles qui se basent sur des caractéristiques superficielles ou physiques pour déterminer si elles sont cool ou non. C'est une chose de vouloir suivre la mode ou de vouloir s'arranger pour se sentir belle, mais ça n'a rien à voir avec le fait d'être cool ou non. Tristement, je sais qu'au secondaire les choses ne sont pas aussi simples et que le look compte pour beaucoup ; cependant, tu peux adopter un look à la mode tout en restant naturelle. Il faut tout simplement apprendre à agir selon tes principes et développer une confiance en toi qui ne te fasse pas douter de toi à tout instant. Si tu n'as pas encore de poitrine, ça ne veut pas dire que tu n'es pas cool. Il faut simplement attendre que ton corps se développe ; ça ne sert à rien de complexer et de se sentir inférieure puisque ça ne changera rien à la situation. Si tu n'aimes pas le techno, ça ne fait pas de toi quelqu'un de pas cool ; tu as simplement d'autres goûts que les autres.

SUJETS CONNEXES :
o COPAINS
o AMITIÉ
o GANG DE FILLES

Il faut aussi apprendre à t'entourer de gens qui te font sentir bien et qui t'acceptent comme tu es. Ne reste pas dans une gang si tu n'es pas bien, si tu n'as aucune affinité ou simplement parce que c'est cool. Les vrais amis, ce sont ceux qui t'aiment telle que tu es, qui te respectent et avec qui tu passes de bons moments. Vous devez avoir des affinités, des choses en commun ou même vous compléter dans vos différences. Les gens qui te poussent à agir contre ta volonté, qui t'encouragent à faire des choses que tu ne veux pas faire ou qui te poussent à changer qui tu es ne sont pas des amis.

En conclusion, je sais que ce n'est pas facile de trouver sa place dans un monde qu'on ne comprend pas encore et d'être bien dans sa peau sans se fier aux apparences et à des critères superficiels, mais apprends à te faire confiance. Sois bien dans ta peau, et n'aie pas peur de dire ce que tu penses et d'exprimer tes sentiments. Au fond, c'est ça être cool : c'est être prête à s'assumer sans se préoccuper du regard et de l'opinion des autres et adopter une attitude positive qui attire les gens vers nous. Pour le reste, tu apprendras à mieux te connaître au fil des années ; il suffit de laisser le temps faire son œuvre !

Gang de filles

DES HAUTS ET DES BAS

Chère Catherine,
Ça ne va plus du tout avec mes amies. Depuis quelques semaines, elles parlent dans mon dos et me niaisent quand je dis quelque chose. Je sens que je ne peux plus leur faire confiance, et je ne sais plus quoi faire, car je réalise que ce ne sont peut-être pas de bonnes amies après tout.
Une fille toute mélangée

> Il est normal que vous vous sentiez plus proches de certaines amies et que vous ayez plus de facilité à vous confier à elles, mais cela ne veut pas dire que vous devez parler dans le dos de celles avec qui vous avez moins d'affinités.

Au secondaire, il arrive souvent que les filles forment des groupes en fonction de leurs affinités, de leurs personnalités et de leurs goûts. Une bande d'amies, c'est souvent synonyme de soirées cinéma, de journées de magasinage, d'heures passées au téléphone, de potins partagés à côté des casiers et de fêtes qu'on organise chez l'une et chez l'autre. En d'autres mots, c'est génial de pouvoir compter sur des amies proches et de sentir qu'on appartient à un groupe, mais on doit s'assurer que les amitiés restent saines et que personne ne souffre de cette alliance amicale.

Le sentiment d'abandon

Il va sans dire que le «bitchage» fait partie de la vie d'une fille. Rares sont celles qui n'y ont jamais recours. Après, on se sent souvent mal d'avoir parlé dans le dos d'une amie, mais c'est plus fort que nous : quand on n'en peut plus, il faut que ça sorte ! Quand on fait partie d'un groupe de filles, il faut toutefois faire attention à ce genre de comportement. Par exemple, quand certaines ne sont pas d'accord avec d'autres ou qu'elles jugent que leurs comportements sont inacceptables, il peut survenir des affrontements à l'intérieur même d'un groupe d'amies. Parfois, cela provoque la formation de plusieurs petits groupes à l'intérieur de la bande.

Ce n'est pas facile de se faire rejeter des autres. On se sent abandonnée et extrêmement perturbée. Quand on fait partie des filles qui décident de rejeter quelqu'un de la bande, on ne se rend souvent pas compte de l'impact que cela peut avoir sur la ou les victimes, mais sachez que le fait de rejeter quelqu'un et de lui faire de la peine ne règle pas le problème. Si le comportement d'une fille de la bande ne vous plaît pas ou que vous n'êtes pas d'accord avec ses agissements, le fait d'en parler aux autres pour former une « coalition » contre elle et la rejeter de la bande ne vous fera pas sentir mieux et ne règlera pas la situation. Comment peut-elle savoir ce qui vous dérange si vous ne lui en parlez pas ? La communication est souvent la clé du problème et vous évite de blesser inutilement les autres.

Allô Catherine,
Je suis vraiment fâchée contre ma best parce qu'elle m'a trahie et a répété à tout le monde que j'aimais un gars quand je lui avais fait promettre de ne rien dire. Comment devrais-je la confronter ?
Une fille déçue

Éviter un conflit

Prenons un exemple précis : si une fille de la bande révèle vos secrets et que vous trouvez qu'elle est indiscrète et qu'elle ne respecte pas les autres, il vaut mieux lui en parler pour qu'elle se rende compte que son comportement vous déplaît et que vous ne pouvez pas lui faire confiance. Ce sera ensuite à elle de réagir à vos propos et de faire en sorte que la situation s'améliore. Si vous réagissez en la rejetant de la bande et en vous alliant aux autres pour l'humilier, vous entrerez dans un cercle vicieux en la blessant inutilement. Non seulement votre comportement ne sera pas plus acceptable que le sien, mais en plus, vous n'en tirerez aucun profit puisque vous saurez que vous lui avez fait de la peine sans même lui donner d'explications. En bref, la théorie de l'« œil pour œil, dent pour dent » n'attire rien de bon lorsqu'il est question d'une bande de filles. Avant de parler dans le dos des autres, mieux vaut régler personnellement le conflit avec la ou les personnes concernées. Si vraiment il y a une division dans le groupe, alors rien ne vous empêche de vous asseoir ensemble et d'en discuter. Il arrive parfois que les groupes d'amies éclatent et se reforment, mais il vaut toujours mieux aborder le problème en discutant plutôt qu'en «bitchant» et en tournant le dos aux autres.

Malheureusement, il faut parfois vivre le sentiment de rejet pour comprendre à quel point il est dévastateur. C'est facile de s'allier à la majorité et de rejeter quelqu'un quand on ne se sent pas menacée, mais quand c'est à nous que ça arrive, c'est une autre paire de manches. On ne comprend pas pourquoi nos meilleures amies nous boudent et parlent dans notre dos, ni pourquoi elles s'acharnent à nous rejeter sans même nous fournir d'explication.

> *Cela entraîne souvent une perte de confiance en soi et un sentiment d'insécurité qui peut nous hanter pendant des années. Croyez-moi, rien ne justifie de faire mal à quelqu'un.*

Si vous sentez qu'une amie se détache du groupe ou que son comportement est inadéquat, mieux vaut lui en parler que risquer de la blesser. Si une fille de la bande vous énerve pour des raisons plus superficielles ou que vous sentez que ça ne clique pas beaucoup avec elle, rien ne vous empêche de vous tenir un peu plus avec celles avec qui vous avez plus d'affinités et de vous en tenir aux activités de groupe avec celle avec qui ça clique moins. Il n'est pas nécessaire de «bitcher» contre celles qui vous ressemblent moins et de rallier les autres contre elles pour prouver votre point. Quand quelque chose de la sorte se produit, demandez-vous si vous aimeriez vous faire rejeter de cette façon. En gros, les filles, ne faites pas subir aux autres ce que vous n'aimeriez pas subir vous-mêmes.

Salut Catherine,
Je sens que je n'ai pas ma place dans ma gang et que je ne peux jamais exprimer mes idées sans faire rire de moi.
Julie

La dictature de la bande

Dans une gang de filles, il arrive aussi que certaines s'affichent comme les chefs du groupe. Sans être des dictatrices, certaines filles ont plus de facilité à mener les discussions et à prendre des décisions pour le groupe. Si vous n'êtes pas d'accord avec les « leaders », ça ne veut pas dire que vous devez vous taire de peur de vous faire rejeter. Dans les gangs de filles, on confond parfois l'admiration et la peur. Par exemple, si une fille de votre bande exerce plus d'influence que les autres et que vous la trouvez « cool », vous aurez tendance à agir pour lui plaire et pour vous attirer ses faveurs, car vous ne voulez surtout pas perdre son amitié ou vous la mettre à dos de peur de ce qui pourrait arriver. Si toutefois vous n'êtes pas d'accord avec ses agissements et qu'elle vous pousse à aller contre vos principes, vous ne vous sentirez pas mieux dans votre peau. Dites-vous que la relation la plus importante est celle que vous entretenez avec vous-mêmes, alors restez fidèles à vos valeurs et apprenez à vous exprimer lorsque quelque chose vous déplaît. Si la fille « cool » ne peut accepter que quelqu'un s'oppose à ce qu'elle dit,

dites-vous que vous n'avez pas besoin de quelqu'un comme cela dans votre vie. Vous devez trouver des amies qui vous font sentir bien dans votre peau, qui vous mettent à l'aise et avec qui vous pouvez être vous-mêmes.

La vie est trop courte pour perdre son temps à jouer des jeux visant à blesser les autres, alors soyez vigilantes lorsque vient le temps de régler un conflit.

CECI ÉTANT DIT, AMUSEZ-VOUS AVEC VOS AMIES ET PROFITEZ DE LA BANDE !

Salut, Léa !
Aujourd'hui, je suis tombée sur Sarah Beaupré et sa gang. Elles étaient en train de potiner près des casiers. Quand Laurie et Steph sont venues me rejoindre, j'ai remarqué que Sarah et ses amies nous dévisageaient. Je pense qu'elles sont jalouses qu'on se tienne avec JP et Seb. Tant pis pour elles ! Notre gang est la plus cool !

Lou xox

Garçons

Même si on le nie souvent et qu'on aime bien être indépendante, il va sans dire que les garçons prennent beaucoup de place dans nos vies. Je reçois chaque mois des dizaines et des dizaines de courriels de filles qui me demandent des conseils à propos des garçons et qui cherchent à mieux les comprendre. En vérité, il n'y a pas de manuel d'emploi, mais j'ai tout de même quelques lignes directrices à vous offrir pour vous aider à résoudre ce casse-tête !

Les garçons passent leur temps à dire que les filles sont compliquées et qu'ils ne les comprennent pas. L'inverse est aussi vrai ! Les garçons nous semblent souvent si différents de nous qu'on a de la difficulté à croire qu'on puisse les côtoyer tous les jours et survivre à leurs attitudes typiquement masculines. On a tendance à croire qu'on vient de deux mondes différents. Nos priorités ne sont pas les mêmes, nos sujets de conversation non plus. On ne comprend rien aux sports, aux voitures, aux jeux vidéo et au hockey, tandis qu'eux semblent se ficher royalement de notre nouvelle coupe de cheveux, de nos super magazines, de nos tournées de magasinage et de nos histoires de filles.

> *Soyez sans crainte : bien que les gars nous fassent parfois penser à des êtres préhistoriques et ne semblent rien comprendre à ce que nous vivons, nous ne sommes pas aussi différentes d'eux que nous pouvons le croire ; il suffit d'apprendre à les connaître et à les amadouer pour se rendre compte de leur sensibilité et de leur loyauté.*

Si vous ne comprenez rien aux garçons, dites-vous qu'ils sont moins compliqués qu'on ne le croit. Les filles ont généralement tendance à tout analyser et à se poser des milliers de questions. Les garçons préfèrent généralement agir de façon spontanée et dire clairement ce qu'ils pensent et ce qu'ils veulent. Chaque gars est bien sûr unique, et certains sont plus sensibles et plus complexes que d'autres, mais de façon générale, bien qu'ils n'aient pas les mêmes intérêts que nous, sachez qu'il est plutôt facile d'aborder un garçon et de discuter avec lui de tout ce qui nous passe par la tête. Les gars peuvent parfois même nous aider à y voir plus clair quand nous paniquons et que tout devient confus et nous simplifier la vie quand nous faisons une tempête dans un verre d'eau.

Vous croyez peut-être qu'il est impossible de parler aux garçons, car vous n'avez aucune idée de la façon dont ils pensent. Les gars aiment bien jouer les durs à cuire qui n'éprouvent rien et qui ne pensent qu'aux voitures, aux sports et au sexe, surtout à l'adolescence. En fait, les garçons et les filles se ressemblent beaucoup lorsqu'il est question des apparences et de l'insécurité. En tant que filles, nous devons admettre que nous sommes souvent obsédées par le jugement des autres, par l'apparence et par la peur de déplaire. C'est la même chose pour les gars, et c'est pour cette raison qu'ils font les durs. Ils ne veulent surtout pas que leurs amis et leurs coéquipiers de hockey croient qu'ils sont faibles ou trop sensibles. Ils ont peur qu'on se moque d'eux et ils craignent d'être exclus, au même titre que les filles ont peur d'être jugées et de mal paraître aux yeux des autres. Bref, n'allez pas croire qu'ils ne pensent qu'au sexe et qu'il est impossible de leur parler. Il faut simplement les apprivoiser et faire tomber leur masque!. Les gars traversent eux aussi une crise à l'adolescence et ils se cherchent tout autant que vous. Ils se sentent souvent anxieux, perdus et ils éprouvent autant de doutes que vous face à l'avenir, alors n'allez pas croire qu'ils n'ont aucune sensibilité simplement parce qu'ils agissent comme des brutes.

> ❝ *C'est simplement parfois le rôle des filles de les convaincre d'arrêter leur comédie et de s'ouvrir davantage.* ❞

Ne soyez toutefois pas surprise si un garçon s'ouvre à vous dans l'intimité et change du tout au tout quand il est avec des amis. Il se peut qu'il vous ignore, qu'il joue au macho et qu'il agisse comme si vous n'existiez pas. Même si ce comportement peut être blessant, ne le prenez pas trop au sérieux. Profitez-en plutôt pour aller voir vos copines et faire vos trucs de filles. Lorsque vous serez seule avec lui, vous pourrez lui dire que son comportement vous blesse et vous paraît ridicule, mais il est fort possible que vous continuiez à partager une amitié plus intense avec lui lorsque vous êtes seuls que lorsque vous êtes en groupe. Ne vous en faites pas avec ça ; ça ne veut pas dire qu'il s'en fiche, c'est simplement qu'il ne veut pas que ses amis se moquent de lui et qu'il souhaite éviter de perdre la face devant sa bande. Sachez toutefois que, l'amitié entre les gars et les filles est bel et bien possible ! Comme les garçons ont parfois moins tendance à juger, à « bitcher » et à potiner que les filles, cela rend les relations plus simples et vous permet de vous confier à eux sans aucune crainte.

Quand la nervosité s'empare de nous

Il se peut aussi que les gars vous intimident, et que, lorsque vous vous trouvez en présence d'un spécimen masculin, vous perdiez vos moyens et que vous ne sachiez plus quoi dire. Je vous conseillerai simplement d'être naturelle, comme si vous vous adressiez à une copine. Si c'est un garçon qui vous plaît, la situation peut se compliquer si la nervosité l'emporte sur le reste, mais dites-vous bien que la meilleure façon de vous démarquer et d'apprendre à le connaître est de lui montrer à quel point vous êtes sociable et d'ouvrir la porte aux discussions. Si vous sentez que le cœur va vous sortir de la poitrine et que vous êtes beaucoup trop nerveuse pour penser à quoi que ce soit, essayez de trouver un sujet de conversation qui vous concerne tous les deux, même si ce n'est pas le plus intéressant de la planète.

Par exemple, si vous êtes dans le même cours d'anglais, vous pouvez lui poser une question sur le cours ou sur un devoir pour briser la glace. Je vous suggère aussi de choisir un domaine qui le passionne et de lui poser une question surà ce sujet. Il se fera alors une joie de répondre à votre question et sera heureux de constater que vous souhaitez en savoir plus sur son sport préféré ou sur son activité favorite (même si, au fond, vous vous fichez complètement de la façon dont fonctionne le moteur d'une voiture ou du quart-arrière des Alouettes !). Prenez votre courage à deux mains et foncez ! Vous ne perdez absolument rien à essayer et vous n'aurez pas à vivre avec les regrets.

Un corps de gars, ça change aussi !

Il se peut fort bien qu'au cours de l'adolescence, vous remarquiez des changements importants chez les gars de votre entourage. Lors de la puberté, les gars grandissent rapidement, des poils leur poussent au menton et leur voix se met à muer. Même si ça vous paraît drôle ou étrange, sachez qu'ils n'aiment pas qu'on se moque de ces changements physiques intenses, tout comme vous n'aimez pas qu'on se moque de vos nouvelles formes et de vos seins qui se développent. Au point de vue de la sexualité, les garçons commencent aussi à avoir des érections, causées par le désir ou simplement par les hormones. Les érections surviennent principalement au cours de la nuit ou au réveil et aboutissent parfois à une éjaculation, soit une expulsion du sperme.

Bref, les gars ne sont pas aussi différents des filles qu'on pourrait le croire. L'adolescence est une période intense pour eux comme pour vous, et même si vous croyez qu'ils sont grossiers, vulgaires et insensibles, je vous invite à apprendre à les connaître davantage et à regarder au-delà de leurs apparences de dur à cuire. Bien que les gars vous énervent parfois, sachez que la vie serait bien triste et bien monotone sans eux, et que plus vous vieillirez, moins vous pourrez vous en passer !

CE QU'IL FAUT SAVOIR SUR LES GARS :

☞ *Ils ont moins tendance à remarquer les détails, comme votre nouveau chandail ou votre nouvelle coupe de cheveux, alors ne vous cassez pas trop la tête avec cela ; ce n'est pas qu'ils se fichent de vous, c'est simplement qu'ils ont moins le sens de l'observation et qu'ils accordent souvent moins d'importance à l'esthétique.*

☞ *Si votre amoureux oublie de vous appeler quand il est avec ses amis, ne vous en faites pas trop. Ce n'est pas qu'il ne vous aime pas ou qu'il ne pense pas à vous, c'est simplement qu'il profite du moment présent et qu'il ne se doute pas que vous êtes désespérée.*

☞ *Les garçons ont moins tendance à analyser chaque détail que les filles et disent généralement ce qu'ils pensent. Par conséquent, n'essayez pas toujours de trouver un sens caché à leurs paroles.*

☞ *Pour les garçons, les amis ont souvent la priorité, alors il faut prendre votre mal en patience.*

☞ Si vous pleurez et que votre copain ne réagit pas, ce n'est pas parce qu'il est insensible ou qu'il se fiche de vos sentiments ; c'est bien souvent qu'il ne sait pas trop comment réagir à vos larmes et qu'il ne veut pas commettre de faux-pas.

☞ Les garçons ont souvent de la difficulté à exprimer leurs émotions. Donc, soyez patiente et aidez-les à sortir de leur coquille.

☞ Si votre copain ne peut pas vous voir parce qu'il veut absolument regarder un match de hockey, ne faites pas de crise inutile. Il risquerait de se sentir étouffé et de paniquer. Profitez-en plutôt pour faire les activités que vous adorez, mais que vous ne pouvez pas faire quand vous êtes avec lui !

Identité

TRAITS QUI NOUS RENDENT UNIQUE

L'identité, ce sont les traits de personnalité et de caractère qui nous distinguent des autres.

En gros, ce sont les qualités et les défauts qui forment notre caractère et qui rendent chacune de nous si unique.

Divers facteurs façonnent notre identité : l'expérience, le bagage personnel, l'environnement social et familial, les gens qui nous entourent, la façon dont nous avons été élevées, nos amis, la société dans laquelle nous évoluons, etc.

À l'adolescence, le concept d'identité est toutefois assez ambigu. Vous êtes déchirée entre la petite fille que vous étiez et la femme que vous êtes en train de devenir. Vous êtes encore en train de cerner qui vous êtes et, la plupart du temps, vous ne comprenez même pas vos propres réactions. Comme vous êtes en train de changer et de former votre caractère, vous n'avez pas eu le temps de vous habituer à votre personnalité, ni de bien saisir qui vous êtes et ce qui vous arrive. Certes, les gens autour de vous sont capables de vous dire comment ils vous perçoivent, mais, généralement, vous ne comprenez pas vraiment pourquoi ils vous voient ainsi. Vous êtes donc déchirée entre la façon dont les autres vous voient, l'image que vous projetez en public, les attentes des gens autour de vous et la jeune femme que vous souhaitez devenir. Il n'est pas facile d'y voir clair et de bien comprendre qui vous êtes et ce qui vous distingue des autres, mais prenez votre mal en patience, car l'identité se développe tout au long de votre vie, et vous êtes en train de traverser une période de changements majeurs qui aura une influence importante sur la femme que vous deviendrez.

Il y a diverses façons d'apprendre à se connaître davantage. Lorsqu'une amie vous décrit ou vous explique de quelle façon elle vous perçoit, n'hésitez pas à lui demander pourquoi elle vous voit ainsi afin de mieux comprendre. Par exemple, vous vous considérez peut-être comme une fille extrêmement sensible, alors que votre amie s'entête à vous dire que vous êtes l'une des personnes les plus fortes et les plus fonceuses qu'elle connaisse. Cela peut vous permettre de constater que lorsque vous êtes en présence des autres, vous adoptez une attitude de dure à cuire pour vous protéger ou pour cacher cette sensibilité. On peut donc apprendre à se connaître par le regard des autres (sans toutefois se laisser leurrer par leur vision), et surtout par la perception des gens qui nous connaissent le mieux.

De plus, les expériences que vous vivez, que ce soient les crises que vous traversez ou les aventures incroyables dans lesquelles vous vous lancez, sont toutes susceptibles de forger votre identité. Nous apprenons toujours de nos expériences, et surtout des erreurs que nous commettons. C'est pour cette raison qu'il ne faut pas trop dramatiser lorsque nous traversons une période difficile ; même si nous sentons la vie n'a plus aucun sens et que nous sommes complètement découragées, ce sentiment de vulnérabilité temporaire nous pousse à devenir plus fortes et à travailler sur nous-mêmes. C'est souvent dans les moments de grande détresse personnelle que nous faisons le plus d'introspection et que nous apprenons le plus sur nous-mêmes.

SUJETS CONNEXES :
o *CULTURE*
o *MATURITÉ*

Si ce que je vous raconte vous semble étrange et que vous ne comprenez toujours pas « qui vous êtes », ne vous arrachez pas les cheveux. Je me souviens qu'à 14 ans, quand je lisais une revue et qu'on me conseillait d'être fidèle à mes principes et à moi-même, j'avais de la difficulté à comprendre car je ne savais pas encore vraiment qui j'étais. Plus de 10 ans plus tard, je sens qu'il me reste encore beaucoup de chemin à faire pour bien saisir qui je suis et ce que je vis. Par conséquent, ne vous découragez pas. L'identité se forme au fil des années, et vous apprendrez énormément des expériences que vous vivrez, des connaissances que vous acquerrez, du milieu dans lequel vous évoluerez et des gens que vous côtoierez, alors, prenez une chose à la fois ! Même les erreurs que vous commettrez vous permettront d'apprendre et d'agir différemment dans l'avenir.

Pour bien apprendre à vous connaître, soyez donc à l'écoute des gens qui vous aiment et efforcez-vous d'être honnête avec vous-même. Si vous savez que vous êtes têtue, assumez-vous, c'est ce qui forme votre caractère ! On peut corriger ses défauts et même les faire disparaître avec le temps, mais dites-vous que ce sont eux aussi qui vous rendent humaine ! De plus, ne vous laissez pas influencer par la pression ou le regard des autres et des gens que vous trouvez cool. Apprenez à fixer vous-même vos limites et à établir ce qui vous plaît et ce qui ne vous plaît pas. Trouvez votre propre style et assumez-vous telle que vous êtes, car c'est votre assurance et votre confiance qui feront de vous une meilleure personne. Ne laissez personne vous forcer la main si vous ne vous sentez pas à l'aise. C'est dans ces moments-là que vous devez prendre conscience de ce que vous êtes. Au fond, vous êtes la petite voix intérieure qui s'exprime et que vous refusez trop souvent d'écouter. Laissez-lui sa place.

Tâchez aussi de vous entourer de gens avec qui vous vous sentez bien et qui vous font grandir, plutôt que de traîner avec ceux qui vous rabaissent et qui ne vous respectent pas telle que vous êtes. Pour le reste, je vous assure que le temps fera son œuvre. Peu à peu, vous y verrez plus clair dans cette histoire d'identité et vous pourrez vous comprendre et vous décrire avec plus de certitude et de précision.

Journal intime

UN JOURNAL NE POURRA JAMAIS VOUS JUGER

À l'adolescence, on vit souvent des choses difficiles ou on traverse des périodes de grande insécurité, et on ne sait pas trop vers qui se tourner. C'est à cela que sert un journal intime.

Quelle que soit l'expérience que vous vivez ou la crise que vous traversez, il est toujours bon d'extérioriser ce que vous ressentez et d'apprendre à exprimer vos émotions. Je sais que vous vous sentez parfois seule ou moche, et que vous croyez que personne ne peut vous comprendre, mais un journal ne pourra jamais vous juger, puisque c'est vous qui en êtes maîtresse et qui décidez ce que vous désirez y raconter.

Les journaux intimes ne sont pas pour toutes les filles. Certaines n'ont aucune difficulté à se confier à leurs amies et ne ressentent pas le besoin d'écrire. Pour d'autres, la tâche est plus ardue et elles aiment pouvoir compter sur un tel confident. La fréquence à laquelle vous écrivez dans votre journal et la façon dont vous vous adressez à ce dernier sont également des aspects très personnels. Certaines filles écrivent de façon assidue, alors que d'autres préfèrent se confier à leur journal en cas d'extrême urgence. Ce confident répond à un besoin, alors vous seule pouvez décider de ce que vous voulez en faire. Il y a des filles qui ont l'âme plus créative et qui aiment coller des photos ou écrire des poèmes dans leur journal. D'autres écrivent pour confier leurs secrets les plus intimes, exprimer leurs sentiments, leurs pensées ou leurs angoisses.

Un journal intime est donc plus qu'un confident ; il peut aussi servir de thérapie pour celles qui ont de la difficulté à se confier aux autres. Il leur donne la possibilité de s'exprimer sans pudeur et leur apprend à mettre le doigt sur leurs angoisses, leurs

inquiétudes et leurs insécurités. Une fois que cette étape difficile sera terminée, vous aurez peut-être moins envie d'écrire quotidiennement dans votre journal, mais je vous conseille quand même de le conserver comme souvenir de jeunesse.

> *C'est là que vous avez appris à vous connaître et à vous dévoiler.*

De plus, même si vous êtes plus vieille et que vos problèmes d'adolescente vous semblent complètement anodins, il se peut très bien que vos insécurités ressurgissent un jour ou que vous retraversiez une période difficile. Votre journal pourra alors vous servir de guide et vous rassurer dans vos moments de panique, puisqu'il vous rappellera ce que vous avez traversé et la façon dont vous vous en êtes sortie. Il vous confirmera peut-être à quel point vous avez changé et mûri, ce qui vous donnera encore plus de confiance en vous.

Si vous vous sentez triste, angoissée ou déprimée sans trop savoir pourquoi, un journal intime peut aussi vous permettre de faire le ménage dans vos pensées et d'y voir plus clair. En écrivant, on met souvent le doigt sur ce qui nous tracasse et on se sent beaucoup mieux après, comme si un poids avait été enlevé de nos épaules. Si vous ne ressentez pas du tout le besoin d'écrire un journal ou que vous savez que vous n'aurez jamais la discipline pour écrire dedans, ne vous forcez pas à le faire, mais si vous pensez que cela peut vous être utile, n'en ayez surtout pas honte. Il s'agit d'un outil de développement personnel, et rien ne vous oblige à en parler aux autres. Veillez toutefois à le tenir loin des regards indiscrets et, dans la même veine, n'allez surtout pas fouiner dans celui de quelqu'un d'autre. Un journal intime est extrêmement personnel et confidentiel, et lorsqu'on se confie à son journal, on le fait en sachant bien que personne ne pourra le lire et nous juger. On ne doit donc pas envahir le jardin secret des autres au même titre qu'on ne voudrait pas que le nôtre soit étalé à la vue de tous. À chacune ses secrets et ses petites confidences.

Magasinage

ACTIVITÉ TYPIQUEMENT FÉMININE

Rares sont les filles qui ne raffolent pas du magasinage. C'est l'occasion rêvée de découvrir les nouvelles tendances de la mode, d'explorer de nouvelles boutiques, de nouveaux genres, de vous amuser avec vos copines, d'apprendre à vous créer un style bien à vous et de vous faire plaisir.

Le magasinage est une activité typiquement féminine. La plupart des garçons ne sont pas de fervents amateurs de lèche-vitrine et font preuve de très peu de patience dans les boutiques. C'est donc le moment idéal pour vous réunir entre copines et pour vous amuser en faisant le tour des magasins et en essayant des vêtements différents.

Les petits trucs

Quand on adore magasiner, on a souvent tendance à confondre l'envie de dépenser avec le besoin de le faire. Par exemple, même si on se fixe un budget de 80 $ pour s'acheter une paire de bottes, on risque parfois de craquer pour un jeans, un chandail ou un soutien-gorge et de dépenser plus de 200 $. C'est pourquoi je vous recommande de vous faire une liste des accessoires et des vêtements dont vous avez vraiment besoin, et de vous efforcer de respecter votre budget, surtout si vous n'avez pas les moyens de le dépasser. Quand une fille magasine, elle se laisse souvent emporter par le moment, par les jolis tissus et par le fait que ses amies semblent dépenser sans réfléchir, mais je vous conseille de faire bien attention à votre portefeuille !

Bien qu'il soit recommandé de rester à l'affût des soldes, puisque certains rabais peuvent atteindre jusqu'à 75 % du prix régulier, prenez garde de ne pas vous faire duper : plusieurs boutiques ne veulent que vous mettre l'eau à la bouche, mais, en réalité, les rabais offerts s'avèrent beaucoup moins avantageux que vous ne le croyez, ou encore ne s'appliquent qu'à une petite partie de la marchandise. C'est à vous de juger si le prix sur l'étiquette constitue vraiment une aubaine...

Je vous conseille aussi fortement de faire le tour des boutiques avant d'acheter un vêtement, à moins d'avoir un véritable coup de foudre. Vous trouvez qu'une jupe vous va à merveille, mais vous la trouvez un peu chère ? Continuez de magasiner, vous trouverez peut-être mieux pour moins cher ailleurs. Si, à la fin de la journée, vous êtes persuadée qu'il s'agit du bon choix, alors il est temps de passer à l'acte. Rappelez-vous que la plupart des boutiques acceptent de faire des mises de côté pendant quelques heures, ce qui vous assurera que personne ne chipera le vêtement de vos rêves !

Je vous recommande aussi de TOUJOURS essayer un vêtement avant de l'acheter, même si ça vous demande un peu plus d'efforts.

> *Certaines boutiques n'acceptent pas les échanges ni les remboursements, et il n'y a rien de pire que de regretter un achat quand on revient à la maison !*

Lorsque vous essayez un vêtement, il est important de vous sentir à l'aise et belle. N'achetez pas quelque chose pour les autres ; c'est le moment de vous écouter, de vous gâter et de penser à vous ! Soyez à l'écoute de votre corps, de vos besoins et de vos envies, même s'il s'agit d'un vêtement un peu plus excentrique. Après tout, c'est vous et vous seule qui le porterez !

Si vos parents paient pour vos achats, déterminez le montant avant de vous lancer dans les boutiques et respectez bien leurs limites. S'il s'agit de votre propre argent de poche, je vous suggère fortement, encore une fois, de faire au préalable un budget ainsi qu'une liste des choses dont vous avez besoin. Si vous voulez, prévoyez un certain montant pour vos achats impulsifs, ce qui vous évitera de faire des bêtises en achetant quelque chose de tout à fait inutile et de trop cher pour vos moyens.

Les vendeuses sont là pour vous aider et pour vous conseiller, alors soyez gentille avec elles, même si vous n'avez pas les mêmes goûts, que vous n'êtes pas d'accord avec leurs opinions ou que vous n'avez pas besoin d'aide. Elles ne sont pas là pour vous embêter ; vous suivre comme une ombre à l'intérieur d'une boutique fait souvent partie de leur travail, surtout si elles sont payées à la commission.

Un dernier petit conseil personnel : mieux vaut parfois payer un peu plus cher pour un vêtement que vous aimez vraiment et que, par conséquent, vous porterez souvent que de payer un peu moins pour quelque chose qui finira au fond de votre garde-robe. On a souvent tendance à acheter plusieurs petites choses en croyant qu'on dépense moins, mais, en fin de compte, il serait peut-être plus économique d'acheter le chandail à 50 $ qui vous fait craquer que d'acheter trois articles à 15 $ chacun que vous ne désirez pas autant.

Même si vous êtes prise d'une envie irrésistible de dépenser et que vous raffolez du magasinage, efforcez-vous de réfléchir avant d'acheter, mais sachez vous faire plaisir de temps à autre. Si vous faites preuve de jugement dans vos achats et que vous n'agissez pas de façon compulsive, vous prendrez l'attitude idéale pour devenir la reine du magasinage !

Maquillage

PALETTES DE COULEURS, STYLES ET TEXTURES

Ce n'est pas un secret : à l'adolescence, les filles changent et commencent à se préoccuper davantage de leur apparence. Elles changent leur style, leur attitude, leur coiffure, et plusieurs commencent à porter du maquillage.

C'est vraiment l'âge où on peut essayer toutes les palettes de couleurs, tous les styles et toutes les textures imaginables. Le problème, c'est que lorsqu'on arrive à la pharmacie pour acheter ce dont on a besoin pour se maquiller, on se retrouve devant des rayons et des rayons couverts de produits, et il est difficile de s'y retrouver. Comment savoir quoi choisir si on n'est pas experte dans le domaine du maquillage et si on ne sait pas ce qui nous convient le mieux ?

Pas de panique ! Dans la plupart des pharmacies, des magasins à grande surface et des boutiques de produits de beauté, vous pouvez demander l'aide de cosméticiennes qui sauront vous conseiller sur les marques et les teintes qui vous iront à merveille. Cependant, ne soyez pas dupes : certaines tenteront de vous vendre le produit le plus cher, alors restez à l'affût des rabais !

L'art du maquillage s'apprend par essais et erreurs. Lorsque je regarde des photos de moi à 14 ans, je trouve que j'ai l'air d'un clown tout droit sorti des années 1980, mais je dois me rappeler que la mode et les tendances étaient différentes à l'époque, et que j'étais encore en période d'apprentissage ! Vous pouvez aussi choisir votre maquillage avec un groupe de copines qui sauront vous conseiller. Il s'agit encore une fois d'une activité propre aux filles et d'une excellente occasion de s'amuser et de se faire plaisir ! Si vous vous sentez nulle dans le domaine du maquillage, ou que vous ne sentez pas la nécessité d'en appliquer sur votre visage, ne soyez pas gênée de vous exprimer ! À chacune son style et son visage, alors restez fidèle à vous-même ! Si vous n'êtes pas experte dans le domaine, certaines de vos amies qui s'y connaissent davantage se feront certainement un plaisir de vous aider. Vous pouvez aussi demander de l'aide à votre sœur, à votre cousine et même à votre mère ! Le maquillage, c'est une histoire de filles, pas une histoire de générations ! Si vous ne ressentez pas la nécessité de vous maquiller, soyez fière d'être naturelle ! Un visage sans maquillage est souvent bien plus joli que celui d'une fille qui abuse des crayons et du fard à joues !

Par où commencer ?

Lorsque vous commencez à porter du maquillage, il est préférable d'y aller progressivement. Vous pouvez commencer par le mascara, qui s'applique sur les cils et leur donne de la couleur et du volume. L'effet demeure discret, mais vous constaterez quand même une différence importante sur votre visage.

Vous pouvez aussi appliquer de l'ombre à paupières. Celle-ci sert à sculpter la paupière et à faire ressortir la forme et la couleur des yeux. Encore une fois, il faut y aller avec parcimonie. Appliquez de la couleur sur votre paupière en fermant votre œil. Comme il existe une quantité illimitée de couleurs, vous pouvez choisir la teinte en fonction de votre tenue, de votre teint ou de la couleur de vos cheveux. Les blondes choisiront souvent des couleurs plus pâles tandis que les brunes peuvent appliquer des couleurs plus foncées. Il faut cependant tenir compte du teint de votre peau. Si vous êtes brune mais que vous avez le teint très pâle, optez quand même pour une couleur claire, et si vous avez le teint foncé, vous pouvez choisir des couleurs plus chaudes. La meilleure chose à faire, c'est d'essayer devant un miroir et de choisir ce qui vous convient le mieux.

Certaines filles aiment bien souligner le bord de leurs paupières avec un crayon ou un eye-liner. On en trouve dans différentes teintes de noir, de bleu ou de brun. Le crayon et l'eye-liner servent à faire ressortir vos yeux et peuvent donner un effet éclatant, mais attention de ne pas en appliquer en trop grande quantité. Vous risqueriez de ressembler à Marilyn Manson (à moins que ce ne soit votre intention ; après tout, tous les goûts sont dans la nature !).

Le fard à joues vous permet quant à lui de mettre un peu de couleur sur votre visage et de faire ressortir votre teint. S'il fait 20 degrés sous zéro à l'extérieur et que votre peau devient de plus en plus transparente, le fard saura égayer votre visage ! Si vous êtes pâle, choisissez une teinte claire et appliquez-en un tout petit peu sur vos joues pour donner un effet naturel. Si vous avez le teint foncé, vous aurez peut-être à en appliquer davantage.

Si vous voulez essayer l'autobronzant pour reprendre un peu de couleur, faites attention à la quantité que vous appliquez pour ne pas devenir orange ! Choisissez aussi une teinte d'autobronzant qui est proche de la teinte de votre peau. On utilise de l'autobronzant pour colorer légèrement la peau et avoir l'air moins blême, mais il est essentiel de le faire de la façon la plus naturelle possible. Un conseil : n'oubliez pas de bien vous laver les mains après avoir appliqué l'autobronzant, sinon celles-ci pourraient rester tachées...

SUJETS CONNEXES :
o *BEAUTÉ*
o *APPARENCE*

Le fond de teint est, quant à lui, conçu pour dissimuler les défauts de votre peau, et pour unifier et colorer votre visage. Ce produit se présente sous forme de poudre, de mousse, de crème ou de gel. Il est primordial de choisir la teinte qui s'apparente le plus à la couleur de votre peau pour que votre visage ne soit pas d'une couleur différente et qu'on ne puisse pas voir une démarcation dans votre cou. Appliquez légèrement le fond de teint du milieu du visage vers les côtés en utilisant une éponge légèrement humide pour obtenir un teint uniforme.

Les rouges à lèvres ont eux aussi tendance à nous donner mal à la tête... Il existe une quantité illimitée de couleurs, de textures, de tubes, de bâtons et de brillants à lèvres. Vous pouvez changer de couleur selon votre humeur, votre coiffure, votre tenue et le reste de votre maquillage. Vous pouvez choisir une couleur discrète ou une teinte plus vive ; l'important, c'est de suivre votre instinct et d'être fidèle à vous-même et à vos goûts.

La plupart des filles ne se maquillent pas les sourcils, mais décident d'épiler les poils superflus afin de dessiner un arc plus uniforme et d'obtenir des sourcils parfaitement symétriques, mais attention : l'épilation des sourcils peut faire très mal ! Appliquez de la glace au besoin ainsi que de la crème hydratante après coup pour apaiser la peau.

L'ÉLÉMENT CLÉ : LE DÉMAQUILLANT

Si vous voulez conserver une belle peau, il est essentiel de vous démaquiller avant de vous mettre au lit. Le maquillage a tendance à assécher la peau et même à donner des boutons. Le produit démaquillant sert ainsi à nettoyer votre peau tout en réhydratant votre visage. Je vous conseille de compléter ce nettoyage avec une lotion, puis d'appliquer une crème hydratante pour nourrir et hydrater votre peau, ce qui lui permettra de rester belle et éclatante.

Le choix de votre maquillage demeure personnel et, comme je vous le disais plus tôt, l'apprentissage se fait souvent par essais et erreurs. Vous pouvez aussi, avant d'acheter vos propres produits de maquillage, demander à votre mère de vous prêter les siens pour les essayer et pour choisir les teintes que vous préférez. N'hésitez pas à demander l'avis des cosméticiennes qui travaillent dans les pharmacies ; elles s'y connaissent très bien dans le domaine et elles sauront vous conseiller selon votre type de peau. Choisissez un maquillage qui vous ressemble et vous représente bien, gâtez-vous et n'oubliez surtout pas de vous laver le visage avant d'aller vous coucher !

Menstruations

UNE NOUVELLE ÉTAPE DE LA VIE

Vous avez sûrement entendu parler des menstruations bien avant d'entrer dans la puberté. Certaines filles ont hâte de franchir cette étape alors que d'autres redoutent ce moment. Quel que soit votre sentiment par rapport aux règles, il est important de bien comprendre pourquoi elles se produisent et quels sont les mécanismes corporels qui les déclenchent. En vous informant adéquatement, vous pourrez faire ce premier pas dans l'âge adulte avec assurance.

Les filles et les femmes qui ont déjà leurs règles vous ont probablement parlé de l'inconfort lié à celles-ci. Il ne semble pas y avoir grand-chose d'excitant à l'idée de subir ce supplice tous les 28 jours jusqu'à la cinquantaine !

Toutes les filles se font cette réflexion à un moment ou à un autre.

C'est un changement physique qui peut être difficile à apprivoiser au début, mais qui deviendra rapidement familier.

Il faut savoir l'accepter, puisqu'il marque vos premiers pas dans votre vie de femme.

La première étape : les pertes blanches

Les premières pertes blanchâtres surviennent quelques mois avant l'arrivée des menstruations.

Ces pertes sont des sécrétions vaginales qui continueront d'être là entre les périodes de menstruation tout le long de votre vie. Les pertes blanches sont en fait constituées de cellules, et c'est grâce à elles que le vagin reste toujours protégé puisqu'elles préservent l'équilibre de la flore vaginale. (Source : Doctissimo.) Soyez sans crainte, les pertes blanchâtres sont tout à fait normales et ne veulent pas dire que vous êtes « sale ». Au contraire, c'est le premier pas vers votre vie d'adulte.

Comment fonctionnent les menstruations

Les règles surviennent chez une fille qui n'est pas enceinte et sont le résultat du cycle menstruel, qui dure environ 28 jours. Au cours des premiers jours du cycle menstruel (normalement, les 14 premiers), votre muqueuse utérine s'épaissit pour pouvoir accueillir un ovule. Lors du quatorzième jour, soit celui de l'ovulation, un ovule est expulsé de l'ovaire et descend peu à peu vers l'utérus par les trompes de Fallope. C'est d'ailleurs au cours de cette période que la femme devient extrêmement fertile puisque l'ovule est en mesure de rencontrer un spermatozoïde et de se développer dans l'utérus pour former un embryon, et ultérieurement un petit bébé. S'il n'y a pas de fécondation de l'ovule, votre corps rejettera la muqueuse durant la deuxième phase du cycle menstruel, ce qui entraînera les saignements après les 28 jours du cycle. Les premières règles surviennent au cours de la puberté. L'âge des premières menstruations varie d'une fille à l'autre : certaines se développent très rapidement et commencent à avoir leurs menstruations dès l'âge de 10 ou 11 ans, tandis que d'autres doivent attendre la fin de l'adolescence.

De façon générale, les règles surviennent entre 12 et 16 ans, au moment où votre corps se transforme et où vous entamez intensément votre puberté.

Les règles

Les règles durent normalement de quatre à cinq jours. Pendant cette période, il est normal de ressentir des maux de ventre, une sensibilité aux seins et au reste du corps, un sentiment de fatigue générale et une plus grande vulnérabilité émotive ou une humeur moins stable que d'habitude. Chacune ressent les changements physiques et émotionnels de façon différente, mais si vous subissez beaucoup de désagréments, je vous conseille de prendre des comprimés d'ibuprofène ou d'en parler à votre médecin pour qu'il vous prescrive un traitement adéquat. Bien que les règles nous ennuient parce qu'elles nous empêchent souvent de vaquer normalement

à nos occupations, qu'elles nous fatiguent et qu'elles nous empoisonnent la vie, il est tout de même bien de savoir que notre corps fonctionne normalement et que nous sommes devenues femmes. Une fois que vous avez eu vos premières menstruations, vous devenez physiquement aptes à porter un bébé et votre corps entre officiellement dans le monde adulte. Avoir ses règles n'est jamais quelque chose de particulièrement plaisant, mais vous vous y habituerez avec le temps. Avec le temps, elles deviennent de moins en moins gênantes et vous apprendrez à trouver des moyens afin de gérer ces quelques jours plus ou moins agréables.

Serviettes ou tampons ?

Choisir le type de protection est à la discrétion de chacune. Certaines filles préfèrent porter des serviettes hygiéniques parce qu'elles les trouvent plus faciles à installer et plus confortables, tandis que d'autres ne jurent que par les tampons puisqu'ils se transportent mieux et qu'ils offrent une meilleure sensation de propreté. Il existe toutes sortes de serviettes (parfumées, non parfumées, avec ailes, sans ailes, etc.) et de tampons (avec applicateur en plastique ou en

carton, sans applicateur, de tailles variables en fonction de votre flux menstruel). Optez pour la protection que vous trouvez la plus confortable et la plus adaptée à votre cas.

Comment insérer un tampon

Tout d'abord, mettons une chose au clair : le fait d'insérer un tampon dans votre vagin ne vous fera pas perdre votre virginité et cela ne vous fera pas saigner davantage. Il se peut qu'il soit un peu difficile de l'insérer au début, mais vous devez bien vous détendre et l'orienter de façon à ce qu'il entre bien dans l'axe du vagin. Installez-vous en position accroupie au-dessus de la toilette, puis insérez le bout de l'applicateur dans le vagin, tout en tenant le tube avec vos doigts et en vous assurant de maintenir la corde à l'extérieur. Appuyez ensuite sur le tube qui se trouve à l'intérieur

de l'applicateur pour qu'il propulse le tampon à l'intérieur de votre vagin, puis retirez et jetez l'applicateur. Si vous ne vous sentez pas confortable, c'est sûrement que vous n'avez pas enfoncé le tampon assez profondément. Je vous conseille donc de l'enlever et de recommencer. Par ailleurs, durant les premiers jours de vos menstruations, le flux sanguin sera normalement beaucoup plus abondant, et il vous faudra changer de tampon assez souvent (environ toutes les trois ou quatre heures). Si vous voyez du sang apparaître sur la corde, c'est que votre tampon est pleinement imbibé et qu'il est grand temps de le changer. Vous n'avez qu'à tirer sur la corde reliée à l'extrémité extérieure du tampon pour le retirer de votre vagin. Enroulez-le ensuite dans un mouchoir et jetez-le à la poubelle.

Vive les femmes !

Avoir ses règles ne doit pas être une source de honte : ça arrive à toutes les femmes! Il se peut que vous n'ayez pas envie de partager la nouvelle avec votre père ou avec votre frère parce que vous ne vous sentez pas à l'aise, mais parlez-en à votre mère. Elle est déjà passée par là et peut tout à fait comprendre ce qui vous arrive et vous expliquer davantage les changements qui surviennent dans votre corps. Il se peut que vous vous sentiez « changée » après vos premières règles, mais dites-vous que les gens autour de vous ne remarqueront probablement pas ce

changement, alors il n'y a pas de raison de vous terrer dans votre chambre. Les règles surviendront normalement tous les mois jusqu'à votre ménopause, soit dans environ 35 à 40 ans, alors aussi bien vous y habituer et embrasser votre nouvelle identité de femme !

Mode

QUEL EST TON STYLE ?

Vous êtes peut-être quelqu'un qui s'intéresse beaucoup à la mode. Qu'elle vous influence ou non, vous savez que la mode fait partie de notre quotidien et varie selon les saisons, les époques, les tendances, les inspirations et les styles.

De plus, la mode ne s'applique pas uniquement aux vêtements ; elle régit également l'ensemble de notre style de vie. Il y a les restos branchés, les endroits qu'on doit « absolument » fréquenter parce qu'ils sont à la mode, les coupes de cheveux, la déco, les sports, les activités, la musique, etc. C'est par ailleurs à vous de déterminer si vous vous laissez influencer par la mode ou non, et à quel point elle joue un rôle important dans votre vie.

On doit en fait chercher un équilibre avec la mode. À l'adolescence, on a parfois de la difficulté à trouver son propre style et à exprimer ses goûts personnels, et on préfère faire comme tout le monde pour ne pas se sentir out ou « rejet ». Il est normal d'être influençable et, malgré tout, il y a des choses vraiment jolies et cool qui sont à la mode. Mais vous pouvez tout de même créer votre propre style en vous inspirant des trucs branchés tout en y mettant votre touche personnelle. Il vaut mieux être originale que d'avoir le même chandail que cinq autres filles de votre classe, non ? Il suffit parfois de quelques accessoires qui vous paraissent spéciaux ou vraiment cool pour ajouter une touche d'originalité à votre ensemble. La mode vous sert alors de guide. Vous pouvez vous laisser influencer par certaines tendances tout en restant à l'affût des éléments originaux, ou même classiques, que vous pourrez porter pendant des années plutôt que de les balancer au recyclage dans quelques semaines, quand ils seront out.

Pour certaines, la mode est une véritable passion. Si vous faites partie des vraies adeptes, et que vous dévorez les magazines de mode et faites du lèche-vitrine plusieurs fois par semaine dans le but de découvrir les nouveautés, sachez qu'il existe des professions pour vous. Vous pouvez vous diriger vers les écoles professionnelles de mode afin de vous spécialiser en commercialisation ou en design. Il existe plusieurs programmes d'études liés à la mode, au cégep et à l'université.

Une chose est sûre : la mode ne vient pas sans prix. Quand on veut toujours être au courant des dernières nouveautés ou qu'on raffole des créations de designers locaux et étrangers, on se rend vite compte que ça coûte cher d'être à la mode ! Si votre budget ne vous permet pas de dévaliser les magasins, vous pouvez apprendre à modifier vos vêtements de façon à les rendre plus branchés, ou alors visiter les boutiques moins chères et les friperies qui renferment toujours de vrais trésors, mais où on ne prend pas toujours la peine d'entrer. Ne sous-estimez pas l'importance des accessoires : peu dispendieux, ils peuvent être utilisés sous plusieurs formes et changer une tenue du tout au tout. Restez aussi à l'affût des soldes dans les magasins. Vous pourriez vraiment faire de grandes économies. De plus, consultez les revues ou Internet pour vous tenir au courant des dernières tendances et pour évaluer de quelle façon vous pourriez modifier votre garde-robe pour la rendre plus cool sans toutefois dépenser une fortune.

> **Même si vous êtes une mordue, il ne faut pas devenir une victime de la mode pour autant.**

Ce n'est pas parce qu'un vêtement est à la mode qu'il est joli ou qu'il doit absolument vous intéresser. Vous devez aussi tenir compte de l'usage que vous en ferez, ainsi que de votre propre style. Tous les trucs « à la mode » ne con-viennent pas automatiquement à tout le monde ! Lorsque vous essayez un vêtement, vous devez bien regarder la taille, la couleur et le style afin de déterminer s'il vous met en valeur et s'il vous va bien. Assurez-vous de vous sentir jolie et à l'aise dans vos vêtements, et ne vous laissez pas convaincre d'acheter quelque chose qui ne vous va pas bien du tout simplement parce que c'est à la mode. Il y a des trucs branchés qui sont franchement horribles, alors fiez-vous à votre jugement.

Je vous conseille aussi de ne pas vous débarrasser trop vite des vêtements que vous ne portez plus. La mode fonctionne par cycles, et plusieurs des trucs que vous trouvez vraiment out risquent de revenir à la mode dans les prochaines années. Par conséquent, si vous avez de l'espace, rangez le tout dans des boîtes et attendez que la vague repasse. Après tout, les années 1980 et le rétro sont bel et bien revenus à la mode, non ?

Peut-être êtes-vous déchirée entre le désir d'être à la mode et celui de créer votre propre style. Vous ne voulez pas avoir l'air ridicule aux yeux des autres, mais vous n'avez pas les moyens de vous acheter des nouveaux trucs chaque semaine. Sachez que l'important, c'est de vous assumer dans ce que vous faites. Que ce soit en matière de musique, d'habillement, d'activités ou de style de vie, vous avez vos préférences et il est important de vous écouter et de vous faire plaisir. Il n'est pas mauvais d'être un peu excentrique et d'inventer son propre style sans toujours vouloir faire comme les autres. Apprenez à vous affirmer et n'ayez pas peur de sortir du moule. Qui sait, vous lancerez peut-être une nouvelle mode !

Passion

MORDRE DANS LA VIE

La passion est un concept souvent très controversé. On ne sait pas s'il s'agit d'un bonheur ultime à atteindre ou plutôt d'un danger à éviter.

Est-ce bien d'être passionnée, ou est-ce que ça nous mène inévitablement à notre perte ? Que dire de l'amour ? Est-ce vrai que la passion ne dure jamais ? Doit-on opter pour une relation basée sur la confiance et la tendresse, ou devons-nous nous laisser guider par notre instinct passionné et profiter entièrement du moment présent sans penser au lendemain ? Toutes ces questions sont tout à fait pertinentes lorsqu'on aborde le thème de la passion. Il s'agit d'un sentiment très intense qui nous fait planer, nous enivre et nous pousse souvent à dépasser nos limites. Quoi qu'il en soit, la passion comporte des avantages et des inconvénients à considérer.

Le feu de la passion

Quand on est passionnée par quelque chose, on est souvent portée à se surpasser et à tout faire pour atteindre ses objectifs. Par exemple, si vous êtes une passionnée de danse, vous ferez tout ce qui est en votre pouvoir pour être admise dans un programme d'études spécialisé et pour parvenir à en faire une carrière. C'est la passion que vous éprouvez pour cette activité qui vous pousse à faire des efforts et à donner tout ce que vous avez pour réussir. La passion peut donc nous servir de guide, nous encourager à nous dépasser et à réaliser nos rêves. De plus, une personne passionnée est souvent quelqu'un qui mordra dans la vie et qui savourera pleinement toutes les occasions qui s'offrent à elle. La passion peut donc s'avérer très saine puisqu' elle donne de la couleur à la vie et nous fait sentir extrêmement vivante.

Quoi de plus exaltant qu'une première passion amoureuse ? Il ne faut toutefois pas confondre passion et amour. La passion a parfois tendance à nous aveugler, à nous faire ressentir des choses intenses et à nous inciter à brûler la chandelle par les deux bouts. Dans une relation, il s'agit d'un sentiment extrêmement vif et d'une forte intensité qui nous transporte au septième ciel. À force de connaître la personne et de la côtoyer, il se peut que ce sentiment s'atténue et qu'il se transforme en véritable amour. On ressent alors un sentiment de plénitude, de tendresse et de bonheur en présence de l'autre, mais on a l'esprit plus tranquille.

Les dangers de la passion

La passion peut parfois s'avérer dangereuse. Comme il s'agit d'un sentiment qui peut affecter le jugement, vous pourriez commettre des actes sur un coup de tête et le regretter par la suite. De plus, la passion peut vous pousser aux extrêmes et vous entraîner à vouloir l'autre à tout prix et en toute exclusivité. Vous risquez alors de tomber dans le piège de la jalousie, des crises de larmes, des déchirements inutiles, et de vous livrer à des comportements d'une extrême violence émotionnelle. D'accord, vous vous sentez vivante, mais il ne faut pas devenir folle ! La passion nous rend souvent aveugles et nous incite à agir sans prendre conscience de nos actes. Tout est si intense et torride qu'on y devient accro et qu'on n'arrive plus à prendre du recul. Il arrive aussi que les passions s'éteignent brusquement, ce qui peut nous bouleverser pendant très longtemps. Souvent, ce n'est pas parce qu'on aimait tellement l'autre, mais plutôt parce qu'on vivait quelque chose de si intense que la chute est beaucoup plus abrupte que ce à quoi on s'attendait.

> *La passion nous pousse aussi parfois à vouloir atteindre un objectif à tout prix, et la déception de ne pas l'avoir atteint nous ébranle encore plus que le reste.*

Néanmoins, il est important d'être passionnée dans la vie. Que ce soit par un garçon, par vos amitiés, par une activité, par un métier ou par la vie en général, il vaut toujours mieux mordre dans la vie à pleines dents que la regarder filer sans rien faire. Vous devez toutefois être prudente et éviter de laisser vos passions vous aveugler et vous fermer à tout ce qui vous entoure. Utilisez plutôt ce caractère passionné qui vous définit si bien pour transmettre aux autres votre amour de la vie et votre joie de vivre. Ouvrez les yeux sur ce qui vous entoure et apprenez à dompter vos passions pour qu'elles demeurent saines et vous poussent à vous surpasser sans vous écraser. Pour ce qui est de l'amour, si vous vivez une grande passion et qu'elle ne s'avère pas viable à long terme, dites-vous que vous avez de la chance d'avoir ressenti quelque chose d'aussi intense et apprenez de votre expérience sans devenir trop amère. La vie est remplie de hauts et de bas, et il faut apprendre à apprécier toutes les expériences qui se présentent à vous et à profiter de la vie avec une attitude positive !

Poids

SOUVENT UN COMPLEXE DE FILLE

Le poids complexe souvent les filles. On dirait qu'on ne peut jamais atteindre le poids désiré. On se trouve toujours trop grosse, trop mince, trop ronde, trop maigre.

Attention ! Il ne faut pas être trop dure avec soi-même et s'imaginer qu'on est obèse si on a quelques kilos en trop, ou trop maigre parce qu'on ne porte pas encore de soutien-gorge !

À l'adolescence, le corps se développe et se transforme du tout au tout. Il faut plusieurs années avant qu'il ne se définisse et qu'on ne s'habitue vraiment à ses nouvelles formes. Bien que ce soit traumatisant de voir vos fesses grossir, vos hanches s'élargir, vos seins pousser et vos cuisses se raffermir, sachez que vous êtes en train de devenir une femme, qu'il s'agit d'un processus naturel et que les formes sont très jolies.

Si vous jugez que vous avez vraiment quelques kilos à perdre, vous devez vous fixer un objectif réaliste et raisonnable qui ne vous rendra pas malade. N'oubliez pas que nous avons toutes des corps différents. Donc, si vous êtes plutôt pulpeuse, ne cherchez pas à devenir maigre. Cela risque de nuire à votre santé physique et mentale, et vous n'obtiendrez probablement pas les résultats voulus. Vous pouvez raffermir votre corps en faisant de l'exercice physique, ou alors mieux surveiller votre alimentation pour éviter les aliments gras qui semblent se loger directement dans vos fesses. Apprenez quand même à apprécier votre corps et à le mettre en valeur sans attraper de complexes inutiles. Je sais qu'à l'adolescence, on bouge sans cesse et on dépense beaucoup d'énergie, ce qui fait qu'on a souvent très faim. Plutôt que d'opter pour du fast-food, du chocolat ou des chips, choisissez des aliments qui vous feront sentir bien dans votre peau et qui ne font pas grossir inutilement. Mangez des fruits, des légumes, des barres tendres, des yogourts, du fromage faible en gras, etc. Faites preuve de jugement, mangez sainement et de façon équilibrée, et faites du sport. C'est vraiment la meilleure façon de contrôler votre poids. Par ailleurs, ne tombez pas dans les régimes excessifs ou trop frustrants. Évitez de jeûner ou de sauter le petit-déjeuner en vous disant que vous évitez des calories. Le déjeuner est très important, et il est conseillé d'ingérer la plupart de vos calories en début de journée, puisque vous les dépenserez rapidement en pratiquant toutes vos activités et en vous concentrant durant vos cours. Il faut aussi apprendre à vous faire plaisir de temps à autre. Si vous ne vous permettez aucun aliment gras, aucune sucrerie ni aucun féculent, non seulement vous souffrirez de carences nutritives importantes pouvant vous rendre malade, mais vous développerez des frustrations intenses, voire même des troubles alimentaires très nocifs pour votre santé mentale et physique. L'important, c'est de trouver un équilibre, de manger sainement et en quantité normale.

On vous casse sans cesse les oreilles en vous répétant à quel point il est important de faire du sport. Il s'agit en effet d'une excellente façon de dépenser votre énergie, de vous défouler et de prendre soin de votre corps. Même si vous vous sentez paresseuse, je vous assure que vous vous sentirez mieux après avoir fait de l'exercice physique. Il suffit de trouver l'activité ou le sport que vous aimez pour vous stimuler davantage. Il n'y a rien de mieux que le sport pour contrôler le poids. Celles qui se trouvent trop grosses

SUJETS CONNEXES :
○ ANOREXIE
○ RÉGIME
○ QUELQUES TRUCS POUR UN
CORPS EN SANTÉ

pourront se raffermir et perdre quelques kilos, et celles qui se trouvent trop maigres pourront muscler leur corps et lui donner un peu plus de tonus.

> Mon corps, c'est mon corps, ce n'est pas le tien !

Règle très importante à suivre : ne vous comparez pas aux autres. C'est tout à fait inutile, car votre corps est unique et ne pourra jamais être pareil à celui d'une autre. Apprenez à vous aimer telle que vous êtes. Nous avons toutes des complexes et des défauts physiques, mais concentrez-vous plutôt sur vos atouts pour les mettre en valeur. Vous avez des yeux magnifiques, alors pourquoi ne pas porter des vêtements dont la couleur les fait ressortir ? Vos jambes font l'envie de toutes les filles de la classe ? Eh bien, ne vous gênez pas pour les montrer, sans toutefois exagérer et vous habiller de façon vulgaire ! Les gens ne cessent de vous faire des compliments sur vos cheveux ? Mettez-les en valeur et soyez-en fière : ils ne sont qu'à vous ! Ne vous comparez pas non plus aux mannequins des revues de mode ou aux actrices d'Hollywood. Vous vivez dans le vrai monde et vous êtes belle au naturel. Les femmes sont faites pour avoir des formes. C'est joli, naturel et sexy. Il est donc essentiel que vous soyez bien dans votre peau. Je sais qu'il peut être ardu au cours de l'adolescence de voir votre corps changer et d'accepter vos nouvelles formes, mais ce n'est qu'une étape à passer. Ne vous en faites pas si vous avez quelques kilos en trop : il s'agit parfois des hormones qui s'emballent et qui auront tôt fait de se calmer, ou alors du « gras de bébé » que vous perdrez avec les années.

Sachez également que le poids n'est pas toujours un bon indicateur. Comme les muscles pèsent plus que le gras, une fille mince et musclée peut peser plus qu'une fille un peu plus rondelette. Ne vous laissez pas leurrer par la balance. Laissez-vous plutôt guider par vos vêtements pour savoir si vous avez vraiment pris du poids ou perdu quelques kilos. Si vous n'entrez plus dans vos jeans, c'est que votre corps est en train de se développer, ou alors c'est un petit avertissement à l'effet que vous avez pris quelques kilos. Si vous flottez dans vos pantalons, vous avez sûrement perdu du poids.

L'indice de masse corporelle

L'indice de masse corporelle permet de déterminer la quantité de matière grasse que contient le corps d'un individu, ainsi que sa corpulence en général. Vous pouvez ainsi voir si votre poids se trouve dans la moyenne. Il se calcule en fonction de votre poids et de votre taille. Vous devez diviser votre poids par le carré de votre taille.

$$IMC = Poids \div taille^2$$

Par exemple, si vous pesez 50 kg et que vous mesurez 1,63 m, vous devez diviser 50 par (1,63 x 1,63). Cela donne un IMC de 18,80, qui est considéré comme normal. Un IMC inférieur à 18,5 indique un poids insuffisant. L'IMC normal se situe entre 18,5 et 25. Un IMC qui se situe entre 25 et 30 indique un surpoids ; entre 30 et 35, de l'obésité modérée ; entre 35 et 40, de l'obésité sévère ; et supérieur à 40, de l'obésité morbide. *(Source :http://www.doctissimo.fr/asp/quizz/visu_form_bmi.asp)*

Poil

APPRENDRE À VIVRE AVEC LES POILS

Aucune fille n'aime vraiment les poils. Ces intrus apparaissent au moment de la puberté et ne disparaissent que lorsqu'on le décide.

En effet, on doit apprendre à vivre avec les poils, et à s'en débarrasser soi-même lorsqu'on ne veut plus les voir.C'est normalement entre 11 et 13 ans qu'on voit apparaître les premiers poils. Ils surgissent de façon éparse sur le pubis, sur les jambes et sous les aisselles. Certaines filles en souffrent plus que d'autres, puisqu'il existe différents types de poils : ils peuvent être plus ou moins fournis, plus ou moins foncés, etc. Il s'agit non seulement d'une question d'hormones et de croissance, mais aussi d'hérédité. N'en veuillez toutefois pas à votre mère parce que vous vous trouvez trop poilue ! Après tout, elle n'a pas choisi de naître ainsi. Prenez plutôt le taureau par les cornes pour vous débarrasser de ces ignobles intrus.

Comment s'y prendre ?

Il existe plusieurs techniques pour se débarrasser des poils, et c'est à vous de choisir laquelle vous convient le mieux, en fonction évidemment de la densité de votre pilosité, de la partie du corps ciblée et de votre sensibilité. L'usage du rasoir est sans contredit la technique la plus simple, la plus rapide et la plus économique. Rasez-vous lorsque vous êtes sous la douche. Mouillez généreusement votre peau avant de procéder, afin de bien l'assouplir. Appliquez ensuite du savon, de la mousse ou du gel à raser sur votre jambe, puis passez le rasoir en un seul mouvement en partant de la cheville jusqu'au genou. Répétez l'étape pour toute la jambe, et terminez par les retouches plus délicates, comme le contour de la cheville.

Attention, il se peut fort bien que vous vous coupiez lors de vos premières tentatives. Je vous préviens : ça chauffe et ça saigne beaucoup, mais ça ne dure que quelques secondes. Je vous conseille par ailleurs de vous acheter un bon rasoir et de changer la lame régulièrement pour obtenir de meilleurs résultats. Rincez aussi votre rasoir après chaque épilation pour que les poils ne restent pas collés sous la lame, et évitez bien sûr d'emprunter le rasoir des autres membres de votre famille, pour des raisons de santé et d'hygiène.

Le plus grand désavantage du rasage est le fait que les poils repoussent plus rapidement et plus dru que lorsqu'on les épile à la cire. Je vous conseille l'usage du rasoir pour vos aisselles (on se fiche un peu plus des repousses à cet endroit, et vous devrez peut-être répéter l'opération plusieurs fois par semaine, alors la technique du rasoir demeure la plus rapide et la plus efficace), mais n'utilisez surtout pas le rasoir pour vous débarrasser des poils qui poussent sur votre visage !

Vous pouvez aussi avoir recours à la cire pour enlever les poils. En les emprisonnant dans la résine, la cire chaude les arrache sans laisser de trace. Suivez les indications inscrites sur la boîte pour faire chauffer la cire (que ce soit au four, dans une casserole ou au four à micro-ondes), mais prenez garde de ne pas la faire chauffer trop longtemps, car vous pourriez vous brûler. Étalez ensuite les bandes de cire avec une petite spatule sur toute la surface de la jambe, en commençant par le genou et en descendant jusqu'à la cheville. Appuyez sur la bande de cire à l'aide de la spatule et, lorsque vous constatez que la cire ne colle plus, arrachez la bande d'un seul coup en tirant vers le haut. Recommencez pour toute la surface de la jambe. Encore une fois, je vous préviens : l'épilation peut être assez douloureuse. Elle vous donne toutefois un répit plus long que le rasage. Vous serez en effet débarrassée des poils pour plusieurs semaines. Si vous avez la peau irritée après l'épilation, je vous recommande d'y appliquer une bonne crème hydratante. Il est aussi conseillé d'attendre que vos poils mesurent au moins 5 mm pour vous épiler à la cire afin que celle-ci puisse bien les emprisonner. Vous pouvez aussi avoir recours à de la cire froide ou tiède, mais la cire chaude est souvent plus efficace, puisqu'elle dilate les pores de la peau, ce qui facilite le processus.

Il existe également des épilateurs électriques qui vous permettent de vous débarrasser de vos poils pour plusieurs semaines, car ils en arrachent la racine. Mouillez d'abord votre peau avec de l'eau chaude pour ouvrir les pores, puis passez l'épilateur sur vos jambes pour bien faire disparaître tous les poils.

De plus, vous pouvez vous rendre chez une esthéticienne pour vous faire épiler, ou simplement pour demander des conseils sur la meilleure façon de vous débarrasser de vos poils. Sachez par ailleurs que même si certaines filles ont la chance de n'avoir

pratiquement pas de poils, nous devons toutes apprendre à vivre avec ; c'est un problème universel. De nombreuses filles ont des complexes parce qu'elles se trouvent trop poilues ou que des poils poussent sur des parties de leur corps où elles ne désirent pas les voir (autour des mamelons, sur le ventre, près des oreilles, près des lèvres). Pour le visage, l'usage d'un décolorant suffira souvent à faire disparaître vos complexes. Sinon, utilisez de la cire ou un épilateur électrique. Si vos poils vous complexent beaucoup, sachez aussi qu'il existe l'épilation au laser, qui est beaucoup plus dispendieuse, mais qui vous permet de vous débarrasser des poils pour une très longue durée.

> **Les poils, c'est signe que vous devenez une femme !**

Quoi qu'il en soit, c'est à vous de choisir la méthode qui vous convient le mieux. Sachez que les poils sont la preuve que vous devenez une femme, alors, aussi bien vous en réjouir. Pour le reste, dites-vous que vous aurez tôt fait de vous habituer à vous débarrasser de ces poils et rappelez-vous que, parfois, il faut souffrir pour être belle !

Poitrine

APPARITION DE CES ATOUTS FÉMININS

Les adolescentes sont souvent perturbées lorsque leurs seins commencent à pousser. En effet, ce changement physique entraîne toutes sortes de questionnements qui ont tendance à complexifier davantage cette période de métamorphose. Tentons donc de démystifier ensemble l'apparition de ces atouts féminins...

Chacune à son propre rythme

Certaines filles commencent leur puberté à un très jeune âge, tandis que d'autres doivent attendre la fin de l'adolescence avant de constater de vrais changements physiques. Le développement des seins se produit normalement entre 8 et 14 ans, mais, là encore, tous les corps sont différents et évoluent à leur propre rythme. Quoi qu'il en soit, le développement de la poitrine peut souvent entraîner une légère douleur, ou du moins une sensibilité dans cette région du corps. Un sein peut commencer à pousser avant l'autre. Je sais, c'est étrange, mais cela arrive à beaucoup de filles. Si c'est votre cas, ne vous en faites surtout pas, le second ne saurait tarder à apparaître à son tour ! La poitrine prend un certain temps à se développer (cela se termine normalement à 16 ans), mais vos deux seins seront ultimement de la même taille ! Il arrive également que le mamelon se forme en premier lieu. Il devient alors dur, gonflé et souvent très sensible. Encore une fois, ne vous inquiétez pas : il ne s'agit que de la première étape, et les seins rattraperont bientôt leur retard.

Un complexe bien commun

Que ce soit parce qu'ils sont trop gros ou pas assez développés, les seins ont souvent tendance à nous complexer. Lorsqu'on a de petits seins, on ferait tout pour en avoir de plus proéminents et pour se sentir plus adulte. On est alors portée à se comparer aux filles de notre âge qui connaissent un développement plus rapide, et même à rembourrer notre soutien-gorge pour se sentir mieux. Sachez que même si vos seins prennent plus de temps à se développer, cela n'indique en rien la taille qu'ils auront à la fin de leur croissance. Plutôt que de faire des comparaisons, apprenez à apprécier votre corps tel qu'il est et soyez patiente !

Les jeunes filles qui ont une grosse poitrine sont aussi souvent complexées par leur apparence physique. En effet, le corps se développe parfois un peu trop vite à notre goût, et il n'est pas facile d'accepter tous ces changements physiques et l'impact que cela peut avoir autour de nous. Les garçons nous regardent d'une autre façon, les yeux se tournent vers nous, et nous ne nous sentons pas bien dans notre corps. Les filles dont les seins se développent plus rapidement ont ainsi tendance à vouloir ralentir ce processus et à porter des vêtements amples qui cachent leurs atouts. Encore une fois, toutes les adolescentes du monde franchissent cette étape, alors il serait sûrement plus simple d'apprendre à vous accepter telle que vous êtes et à être fière de votre nouveau corps de femme ! Les autres filles ne sauraient tarder à vous rattraper !

Le soutien-gorge

Qui dit développement des seins dit soutiengorge, mais comment s'y retrouver dans toute cette gamme de sous-vêtements inconnus ? Le port du soutien-gorge peut causer un léger inconfort au début ; il faut parfois un certain temps pour s'y habituer. Le choix du soutien-gorge est très personnel : les filles actives opteront pour le soutien-gorge sport qui assure un meilleur soutien, alors que d'autres choisiront un joli modèle en dentelle. C'est à vous de voir dans quoi vous êtes le plus à l'aise : certaines préfèrent les bonnets avec armature, tandis que d'autres aiment bien les élastiques. La forme, le style et la couleur sont des choix très personnels. Vous avez l'embarras du choix, alors amusez-vous !

La bonne taille...

La taille du soutien-gorge est évidemment un critère très important du confort. Saviez-vous que près de 80 % des femmes ne portent pas la bonne taille de soutien-gorge ? On est souvent à l'aise dans une taille sans chercher à aller plus loin. Je vous recommande donc fortement de demander à une vendeuse de mesurer votre tour de dos lorsque vous magasinez dans une boutique de sous-vêtements, ou alors d'essayer différents modèles pour voir lequel est le plus confortable. Sachez que le numéro (32, 34, 36) correspond à votre tour de dos, qui ne devrait pas trop changer au fil des années, tandis que la lettre (A, B, C, D) correspond à la taille du bonnet de votre soutien-gorge.

Tous différents

La forme, le poids et la taille des seins varient pour chaque femme. Alors, apprenez à apprécier les vôtres : ils sont uniques ! Il se peut que des poils apparaissent autour des aréoles. Ne vous inquiétez surtout pas, puisque cela se produit chez beaucoup de filles. Vous n'avez qu'à vous épiler pour vous débarrasser de ces intrus. Si vous sentez une masse sous votre sein, il s'agit certainement d'un kyste bénin, très fréquent chez les jeunes filles. Ne paniquez pas, mais consultez votre médecin pour en savoir davantage et vous assurer que tout va bien.

De nouveaux atouts...

En général, les seins ont tendance à attirer les garçons ; aussi, ne soyez pas surprise si les regards se tournent vers vous lorsque survient votre puberté. Les seins sont une zone érogène qui possède un caractère fort sexuel. Si vous n'êtes pas à l'aise avec cette réalité, habillez-vous de façon un peu plus conservatrice pour ne pas attirer les regards. Les seins sont également très sensibles. Alors, faites-y bien attention. La peau de la poitrine n'étant jamais exposée au soleil, soyez prudente lorsque vous enfilez votre bikini et assurez-vous d'appliquer une couche supplémentaire d'écran solaire. De plus, certaines filles ont parfois mal aux seins lorsqu'elles dorment sur le ventre. Tout dépend du degré de sensibilité de votre poitrine. Donc, soyez bien à l'écoute de votre corps !

Quelques conseils :

Le sport permet souvent de définir cette région du corps et de développer une poitrine plus jolie. La natation, les poids légers et le tennis, par exemple, musclent les pectoraux qui soutiennent les seins.

Si votre poitrine vous le permet, tâchez de porter un soutien-gorge tout au long de la journée. Le fait de ne pas en porter risque d'irriter vos mamelons, ce qui est souvent très douloureux. Vous vous sentirez également plus à l'aise pour vaquer à vos occupations si vos seins sont soutenus.

Ôtez toutefois votre soutien-gorge pour dormir. Cela permet d'enlever la pression exercée sur votre dos et vous permet de dormir en étant beaucoup plus confortable.

Salut Catherine !
Je voulais te demander si c'est
normal que mes seins poussent
différemment... Mon sein droit
est différent du sein gauche (le
mamelon est plus gros !). Est-ce
que ça va s'arranger
avec le temps ?
Anonyme

Allo Catherine,
J'ai 11 ans et mes seins poussent
et ils sont pointus. Je trouve ça
laid quand je porte mes chandails,
et j'aimerais avoir un soutien-gorge,
mais je suis gênée de demander à
ma mère, mais presque toutes mes
amies en ont un.
Que dois-je faire ?
Anonyme

Salut Catherine !
J'ai 11 ans et toutes mes amies
commencent à avoir des seins, mais
moi non. Je suis d'une grandeur
normale et jusqu'à présent,
j'évoluais comme les autres. Je suis
la seule à ne pas en avoir. L'an
prochain, je m'en vais au secondaire
et ce serait vraiment gênant.
Anonyme

Potins

DÉFORMATION DE LA RÉALITÉ

Le mot « potin » est un synonyme de « commérage ». Il s'agit d'un racontar ou d'une rumeur qui se transmet de bouche à oreille et qui n'est souvent fondé que sur un mensonge ou sur une déformation de la réalité.

Les potins sont un phénomène plutôt commun durant l'adolescence, et particulièrement au sein d'une école secondaire.

Pour quelle raison les gens décident-ils de propager une rumeur, de « potiner » ? Il n'existe pas de réponse universelle, mais il ne s'agit souvent que d'une façon de passer le temps et de rendre la réalité plus « intéressante ». Les clans qui se forment à l'adolescence s'affrontent souvent sur le terrain des valeurs, de l'apparence ou de la popularité. Potiner sur les gens est par conséquent un moyen plutôt mesquin de se rapprocher de ses camarades en inventant des ragots sur les autres groupes d'amis qui semblent si différents du nôtre. Les potins peuvent également se propager au sein de notre propre groupe d'amis. On tente ainsi de se rapprocher de certaines personnes ou de tisser des liens plus étroits, puisqu'on partage des secrets et des confidences que les autres ne connaissent pas. Les adolescents peuvent faire cela pour tromper l'ennui, ou pour essayer de se valoriser en se racontant des histoires sans fondement.

Certains potinent aussi simplement pour se divertir, sans aucune intention de blesser qui que se soit. Lorsqu'ils entendent une rumeur, ils servent de maillon à la chaîne et transmettent rapidement l'information aux autres dans le but de rigoler et de placoter entre amis.

Les potins font également partie de la réalité du monde adulte. On n'a qu'à regarder les émissions de télé ou à jeter un coup d'œil à tous les sites Internet consacrés aux potins des vedettes d'ici ou de Hollywood. Bien que nous sachions que ces ragots ne sont souvent que des fabulations ou des altérations de la réalité, nous continuons tout de même à regarder ces émissions pour la simple raison qu'elles nous distraient et nous permettent, durant quelques instants, d'oublier nos propres problèmes.

Les potins blessent cependant trop souvent les gens qui en sont la cible ; il est donc important de faire preuve de maturité et de freiner la diffusion des commérages. Les gens qui propagent les potins le font souvent parce qu'ils sont jaloux ou qu'ils souffrent d'insécurité. Blesser ses camarades n'est pas une solution pour combler ses propres faiblesses. Si on vous raconte un ragot, vous avez le choix entre interrompre sa diffusion et la poursuivre. Il vaut alors la peine de faire un effort et d'agir de façon mature. Efforcez-vous de partager vos propres secrets avec vos amis plutôt que de répandre de fausses rumeurs sur les autres.

Si quelqu'un lance des potins à votre sujet, vous devez également vous rappeler qu'il est probablement jaloux et qu'il souffre d'insécurité, et que ce n'est absolument pas votre cas. La meilleure chose à faire est certainement d'ignorer les potins et d'attendre que cela passe. Ces histoires sont une façon d'attirer l'attention et de faire réagir les gens qui vous entourent. Si vous ne vous laissez pas atteindre par les potins, ceux-ci auront tôt fait de s'estomper et de sombrer

SUJETS CONNEXES :
○ BITCHAGE
○ RESPECT

dans l'oubli. La maturité et l'indifférence sont donc les meilleurs atouts face aux potins, que ce soit quand on se trouve devant la possibilité de diffuser de fausses informations ou quand on apprend que des rumeurs circulent sur soi. Dites-vous bien que vous valez plus que cela, et qu'il est toujours mieux d'éviter de blesser les gens ; vous savez bien que ce n'est pas une façon de vous sentir mieux face à vous-même. Prônons donc la discrétion et la maturité à tout âge !

Premier baiser

UN MOMENT MAGIQUE

Les filles se posent toutes des questions au sujet de leur premier baiser. Est-ce vraiment censé être un moment magique ? Doit-on vraiment en faire toute une histoire ? Y a-t-il un mode d'emploi ? Comment savoir si on embrasse bien ou mal ? Comment s'assurer que tout se passe bien ?

Tout d'abord, pas de panique. Le premier baiser dépend de chaque fille ; certaines attendent d'être amoureuses pour franchir ce pas, alors que d'autres embrassent quelqu'un pour la première fois sans trop y penser. Je dois toutefois mentionner qu'il s'agit bel et bien d'un moment magique et d'un souvenir que vous conserverez probablement tout au long de votre vie. Aussi, je vous conseillerai personnellement de partager votre premier baiser avec quelqu'un qui vous est cher pour rendre le moment encore plus magique et pour apprécier davantage ce geste d'intimité et de tendresse.

Il existe divers types de baisers, mais lorsqu'on parle du « premier baiser », on fait généralement allusion au « french », c'est-à-dire au premier baiser avec la langue. Il se peut que votre premier baiser vous paraisse dégoûtant, surtout s'il survient dans un contexte où vous n'en avez pas vraiment envie, avec quelqu'un qui ne vous plaît pas tellement ou dans le cadre d'un jeu comme la bouteille. Vous trouverez peut-être qu'il y a trop de salive, que le contact de la langue n'est pas très agréable ou que cela n'attise en rien votre désir ; ne vous découragez pas ! Un baiser est une sorte de connexion qui se crée entre deux personnes, et le jour où vous embrasserez quelqu'un dont vous êtes amoureuse, vous comprendrez davantage tout l'attrait émotif, sensuel et même sexuel d'un baiser. Il s'agit aussi de quelque chose qui se développe entre deux personnes

❝Chacun embrasse à sa façon, alors il est normal qu'il y ait une période d'adaptation durant laquelle vous devez apprendre à vous habituer à la « technique » de l'autre, et vice-versa. Après quelques baisers, la technique deviendra commune, car vous aurez inventé ensemble une façon très intime de vous embrasser. ❞

Plusieurs se demandent s'il y a un âge pour recevoir son premier baiser. Encore une fois, il n'existe aucune règle générale. L'important, c'est d'y aller à votre rythme et de le faire quand vous sentez prête et que vous en avez réellement envie. Ne vous laissez pas influencer par la pression sociale ou les histoires des autres filles. Mieux vaut que votre premier baiser soit un peu tardif, mais que vous le partagiez avec quelqu'un qui en vaut la peine et dans un contexte où vous vous sentez tout à fait à l'aise. Par ailleurs, il est tout à fait normal de se sentir nerveuse lors du premier baiser, mais je vous assure que lorsque vos lèvres se touchent, que vos bouches s'ouvrent légèrement et que vos langues se joignent, les choses finissent par s'enchaîner de façon naturelle. Un baiser ne doit pas être trop technique ; vous devez vous laisser guider par vos émotions et par votre désir tout en restant à l'écoute de votre corps.

Si vous êtes amoureuse, je vous garantis que vous y prendrez vite goût et que vous et votre amoureux passerez sûrement de longues heures à vous embrasser passionnément.

Cher Manu,
J'ai un chum depuis quelques semaines ! Il s'appelle Thomas et je l'aime beaucoup, mais je sens qu'il veut m'embrasser. Je ne l'ai jamais fait auparavant et j'ai peur que ça se passe mal ! Est-ce qu'il existe un truc pour bien embrasser ?

Léa xox

Première fois

INSTANT DE GRANDE INTIMITÉ

La première relation sexuelle est un moment extrêmement important chez une fille. Quand on parle de la « première fois », on fait allusion à la première vraie pénétration et à cet instant de grande intimité entre deux individus.

Bien que plusieurs filles perdent leur virginité au cours de l'adolescence, il n'y a pas d'âge pour franchir cette étape importante. L'essentiel, c'est de se sentir prête tant sur le plan physique que psychologique. Comment sait-on si on est prête ? Physiquement, on ressent un désir de l'autre qui nous donne envie d'aller plus loin et, psychologiquement, on sait qu'on ne regrettera pas de l'avoir fait, car personne n'exerce de pression sur nous. C'est notre choix, notre rythme et notre décision.

Il est en effet essentiel que vous ne franchissiez pas cette étape pour répondre aux attentes de l'autre alors que, vous, vous ne vous sentez pas prête à le faire. Vous devez respecter votre corps et aller à votre propre rythme, et si votre partenaire vous aime et vous respecte, il saura attendre sans exercer de pression sur vous. Sinon, c'est qu'il n'en vaut pas la peine. Le choix du partenaire est par ailleurs très important. Si vous êtes amoureuse, alors vous n'aurez peut-être aucune difficulté à vous imaginer en train de faire l'amour avec votre petit ami. Vous savez que vous ne regretterez jamais d'avoir partagé ce moment avec lui, et vous lui faites entièrement confiance. Il est évidemment préférable d'avoir votre première relation sexuelle avec un garçon qui vous respecte, qui vous aime, qui est à l'écoute de votre corps et de vos besoins et qui ne pense pas qu'à lui. La première fois est une étape déterminante à franchir, puisqu'il s'agit d'un pas important vers le monde adulte. Vous découvrez votre corps et votre sexualité.

Il ne faut donc pas prendre ce moment à la légère et perdre sa virginité simplement pour s'en débarrasser. C'est le genre de décision que vous regretteriez amèrement plus tard, car il y a de forts risques pour que vous ne vous sentiez ni respectée ni désirée. Une relation sexuelle est un rapport extrêmement intime durant lequel on se dévoile et on s'offre à l'autre, et vice-versa. Ce n'est pas uniquement une relation physique qui vous unit à votre partenaire ; c'est aussi un lien émotif où vous pourrez établir une connexion intense et apprendre à vous connaître davantage.

Une ambiance appropriée

Si vous vous sentez prête à avoir votre première relation sexuelle, je vous conseille par ailleurs de vous aider en créant une ambiance qui vous permettra de vous détendre, et de le faire dans un contexte où vous vous sentirez à l'aise. Évitez par exemple de le faire dans la chambre de votre petit ami lorsque ses parents se trouvent tout près, ou lorsque vous êtes pressés par le temps. Choisissez un moment propice où vous pourrez prendre votre temps en toute intimité sans ajouter une source de stress inutile qui risque de vous nuire. Rappelez-vous qu'il s'agit d'un moment magique et inoubliable et que ça vaut la peine d'attendre un peu plus pour que les choses se déroulent le mieux possible. Optez pour un éclairage tamisé ou romantique qui vous mette bien à l'aise, ainsi que pour une musique qui se prête bien à ce moment d'intimité. Choisissez un endroit confortable et détendez-vous !

Est-ce que ça fait mal ?

La première relation sexuelle peut en effet être douloureuse. Par conséquent, il est important d'y aller doucement et de bien prendre votre temps. Il se peut aussi qu'il y ait des saignements si votre hymen n'est pas assez souple. Donc, ne vous en faites surtout pas si vous voyez du sang, puisque cela arrive à beaucoup de filles. La douleur dépend en grande partie de votre désir et de votre niveau d'excitation. Plus vous êtes détendue, excitée et lubrifiée, plus la pénétration sera facile et moins elle sera douloureuse. Si au contraire vous n'arrivez pas à vous détendre et que vous êtes crispée et sèche, cela risque de vous faire mal. Bref, prenez votre temps et n'hésitez pas à avoir recours aux baisers et aux préliminaires pour être lubrifiée au maximum. Vous pouvez aussi acheter du lubrifiant intime que vous appliquerez sur votre vulve pour aider la pénétration, si besoin est, et je vous recommande fortement d'opter pour des préservatifs lubrifiés qui rendront la chose plus facile.

Problèmes de gars

Il se peut que, lors de la première relation sexuelle, la nervosité et l'intensité du désir causent de petits problèmes à votre partenaire. Il se pourrait par exemple qu'il ait de la difficulté à contrôler son désir et qu'il éjacule très rapidement, ou encore qu'il ne parvienne pas à contrôler son érection et que la nervosité l'empêche de passer à l'acte. Si c'est le cas, il est important que vous le mettiez à l'aise sans lui poser des milliers de questions ni lui faire des reproches qui risqueraient d'accroître son anxiété et d'empirer la situation. Vous

devez tous deux être à l'écoute de vos corps et vous respecter mutuellement. Que vous soyez tous deux vierges ou non, la communication entre votre partenaire et vous est extrêmement importante. Allez-y à votre rythme, n'hésitez pas à le lui dire si vous ressentez de la douleur ou si vous voulez arrêter en cours de route. Si votre partenaire a un peu plus d'expérience, il comprendra peut-être davantage votre situation et saura vous mettre bien à l'aise. Mais si c'est la première fois pour lui également, il est tout aussi essentiel que vous lui disiez ce que vous ressentez et que vous franchissiez cette étape ensemble, en toute sincérité et en toute intimité.

Quand ça ne fonctionne pas

Encore une fois, pas de panique ! Plusieurs filles doivent essayer à plusieurs reprises avant que le pénis puisse pénétrer complètement dans le vagin. Il se peut donc que vous deviez y aller peu à peu, ce qui vous permettra d'apprendre à connaître davantage votre corps et de discerner ce qu'il aime de ce qu'il aime moins. Il se peut aussi que la première fois soit désagréable et que vous soyez un peu déçue. En quoi est-ce que ça fait du bien ? Comment pourrai-je un jour éprouver du désir en faisant l'amour ? En quoi est-ce si « spécial » ? Ces questions et ces doutes sont tout à fait normaux ; vous êtes en train d'explorer votre corps et votre sexualité. Il s'agit d'une période d'apprentissage où vous découvrirez peu à peu ce que vous aimez et où vous apprendrez à contrôler votre désir et à apprivoiser le corps de votre partenaire. Même si la première fois est décevante, les choses se replaceront au fur et à mesure ; vous connaîtrez de mieux en mieux votre corps, et vous découvrirez peu à peu ce qui vous excite.

Quoi qu'il en soit, allez à votre rythme, respectez vos limites et soyez à l'écoute de votre corps. La première fois ne doit pas être prise à la légère ; ce n'est pas quelque chose dont on se débarrasse pour être comme les autres. À chacune son rythme et ses propres expériences, alors ne vous comparez pas aux autres. Si vous vous sentez prête à franchir cette étape et à partager ce moment d'intimité avec votre amoureux, n'oubliez surtout pas de vous protéger pour éviter les mauvaises surprises, comme les grossesses et les MTS. Soyez toujours à l'écoute de votre corps, de votre esprit et de votre désir, et n'hésitez pas à exprimer vos émotions à votre petit ami pour vous sentir mieux et plus confiante.

Puberté

ENCHAÎNEMENT DE CHANGEMENTS PHYSIQUES MAJEURS

Quand tu étais plus jeune, les choses te semblaient peut-être plus simples : ton corps ne subissait pas toutes sortes de transformations et tu ne te posais pas autant de questions sur la vie, la famille, l'amour, la sexualité et ton corps. Depuis quelque temps, tu remarques toutefois de grands changements. Que ces transformations te terrifient, te mystifient ou t'enchantent, tu ne peux pas faire autrement que d'y faire face et chercher à mieux comprendre l'étape de ta vie dans laquelle tu viens d'embarquer : la puberté.

La puberté, c'est quoi ?

En quelques mots, la puberté, c'est quand ton esprit et ton corps d'enfant se transforment peu à peu pour que tu deviennes une adulte. Non seulement tu observes des changements physiques comme tes seins qui se mettent à pousser, tes premières règles, des poils qui apparaissent un peu partout sur ton corps et une poussée de croissance qui fait en sorte que tu n'arrives plus à rentrer dans tes vêtements, mais ton esprit acquiert aussi de la maturité au fil du temps. La puberté est intimement liée aux hormones de croissance qui provoquent le développement des formes de ton corps, de tes organes génitaux, de ton caractère sexuel et de tes premières menstruations. Tu commences à te questionner de plus en plus sur tes nouvelles formes, sur ta sexualité, sur ton apparence physique et sur les mystères de la vie. En d'autres mots, tu es en pleine transition, et il se peut que ça te terrifie. Quoi qu'il en soit, souviens-toi que tu n'es pas seule, car toutes les filles et tous les garçons du monde

passent par cette étape. Il vaut donc mieux t'armer de patience, apprendre à accepter ce qui t'arrive et chercher à t'informer sur les changements que tu vis et sur les questions qui te tourmentent.

La puberté, c'est quand ?

Chaque fille se développe à un rythme différent et la puberté peut survenir à des moments distincts, selon chacune. Par exemple, une fille peut avoir ses premières règles à 9 ans, tandis qu'une autre ne commencera à se développer qu'autour de 13 ans. De façon générale, la puberté fait son apparition entre 9 et 15 ans, mais certaines filles peuvent être plus précoces ou plus tardives, alors ne t'en fais pas si tu fais partie de cette catégorie. Tu dois aussi savoir que la puberté arrive bien souvent sans crier gare et sans te donner le temps de te préparer aux premiers signes, mais qu'elle s'étend souvent sur plusieurs années, te donnant ainsi la chance de t'adapter peu à peu aux changements que tu traverses et de t'informer davantage sur les doutes et les questionnements qui te tracassent.

La puberté, ça dure combien de temps ?

Tel que mentionné précédemment, la puberté s'étire souvent sur plusieurs années. Certaines filles vont vivre la majorité de leurs changements physiques entre 10 et 13 ans, alors que d'autres les connaîtront entre 12 et 16 ans. Il n'existe pas de période ou d'âge précis pour toutes les filles. Au cours de ces années, les hanches, les cuisses et les fesses se développent et s'élargissent de façon à préparer ton corps à donner naissance à des bébés lorsque tu seras plus grande. C'est le passage de l'enfance au monde adulte, et c'est l'une des étapes les plus marquantes chez une fille. C'est aussi durant cette étape que tu commenceras à avoir des seins et à éprouver du désir sexuel. Les changements physiques peuvent s'avérer troublants au début, car tu sens que tu n'as plus le contrôle sur ton corps en plus d'éprouver de l'inconfort, mais avec le temps, tu t'ajusteras à tes nouvelles formes et à ton corps de femme.

D'autre part, la puberté s'avère plus facile si tu prends soin de toi et de ton corps. Par exemple, efforce-toi de pratiquer des sports et de faire des activités physiques pour te mettre en forme, te défouler et pour dépenser de l'énergie. Aussi, ne néglige pas l'importance d'une hygiène personnelle impeccable. Tu as peut-être déjà constaté que tu transpires plus qu'avant et que tu as davantage besoin de prendre soin de ton corps et de te laver pour éviter de sentir mauvais. L'hygiène personnelle est extrêmement importante tout au long de ta vie. Songe à tes cheveux, à tes ongles, à ton visage, à tes oreilles et à tes parties génitales. Aussi, n'oublie pas de bien te nettoyer les mains après être allée aux toilettes ou avant de faire à manger pour éviter la transmission de germes et de maladies. Efforce-toi d'avoir de bonnes nuits de sommeil pour te permettre d'être en super forme tout au long de la journée et n'oublie pas de manger sainement et de façon équilibrée. Limite la malbouffe et les boissons gazeuses et bois beaucoup d'eau : ça fait des miracles. En d'autres mots, tu deviens de plus en plus responsable de ton propre bien-être, alors c'est à toi de mener une vie équilibrée pour t'ajuster aux changements que tu subis et pour entretenir un esprit sain dans un corps sain.

Et les garçons ?

La puberté chez les garçons est intimement liée à l'augmentation du taux de testostérone dans leur corps qui a un impact direct sur leur façon de penser et sur leur croissance. Des poils apparaissent sur leur corps, ils connaissent une importante poussée de croissance et leur voix mue. Leur sexe grandit, ils éprouvent du désir sexuel et ils ont parfois de la difficulté à maîtriser leurs érections, ce qui peut s'avérer embarrassant. Comme les filles, il s'agit d'une période de transition et d'adaptation assez troublante qui s'ajuste avec le temps lorsque les garçons deviennent des hommes et apprennent à contrôler leurs émotions et leur corps.

Chaque garçon se développe à un rythme différent. Normalement, le taux de testostérone augmente fortement entre l'âge de 10 à 14 ans, ce qui entraîne des changements physiques et émotionnels majeurs comme la croissance, l'apparition des poils, la mue de la voix et le développement des organes sexuels. La puberté a aussi un impact majeur sur les émotions. Ces changements se stabiliseront avec le temps et les garçons apprendront eux aussi à se familiariser avec leur corps et avec leurs nouvelles émotions. La puberté survient généralement au cours de l'adolescence. La pilosité et la croissance varient d'un garçon à l'autre, tout comme chez les filles. La puberté s'étend par ailleurs sur plusieurs années. L'augmentation du taux de testostérone joue un rôle direct avec la production de spermatozoïdes et contribue ainsi au déclenchement de la puberté en encourageant le corps des garçons à se développer et à entreprendre ses transformations majeures. Vers l'âge de 10 ans, les garçons constatent l'apparition de poils sous leurs aisselles et à la base de leur pénis. Ces poils s'épaississent et s'étendent au fil des années. La mue de la voix et le développement des organes génitaux surviennent également au cours de ces années, mais il n'existe pas d'âge précis puisque le développement varie d'un garçon à l'autre.

Comme tu peux le constater, la puberté est une étape transitoire très marquante chez les garçons comme chez les filles. Même si c'est perturbant au début, efforce-toi de te familiariser avec ces changements et évite de te comparer aux autres, car chaque fille se développe différemment et tu ne peux ni ralentir ni accélérer le processus, alors aussi bien t'y faire et t'apprécier telle que tu es !

Quelques trucs
pour un corps en santé

UN RÉGIME ÉQUILIBRÉ POUR UN CORPS EN SANTÉ

Selon le Guide alimentaire canadien, les adolescentes ont besoin de consommer environ 2000 calories par jour pour fonctionner à plein régime. Sachez toutefois que les besoins énergétiques varient d'une fille à l'autre, selon votre métabolisme et votre niveau d'activité physique.

Par exemple, une fille très sédentaire peut se contenter de 1700 calories par jour, alors qu'une fille hyperactive aura peut-être besoin de 2300 calories. Quoi qu'il en soit, il est très important de manger de façon équilibrée et de consommer des aliments provenant des quatre groupes alimentaires. Toujours selon le Guide alimentaire canadien, une adolescente doit consommer de 6 à 7 portions de fruits et légumes par jour, environ 6 portions de produits céréaliers, de 3 à 4 portions de lait et produits laitiers et de 1 à 2 portions de viandes et substituts. Pour bien comprendre à quoi correspond une portion (puisque cela varie pour chaque groupe d'aliments), je vous invite à consulter le site *http://www.hc-sc. gc.ca/fn-an/food-guide-aliment/basics-base/ serving-portion-fra.php.*

Je sais qu'on vous casse les oreilles depuis que vous êtes toute petite à propos du petit-déjeuner, mais sachez qu'il s'agit effectivement d'un repas essentiel qui vous permet d'être concentrée à l'école et vous donne l'énergie nécessaire pour bien fonctionner. Comme vous êtes surtout active au cours de la journée, vous dépensez rapidement ces calories. Donc, en prenant un bon petit-déjeuner, vous risquez beaucoup moins d'engraisser qu'en mangeant une poutine avant d'aller au lit, au moment où le corps est au repos.

De façon générale, il faut éviter d'aller aux extrêmes ; en d'autres mots, il est évident que le fait de manger du fast-food et du chocolat tous les jours n'aidera pas votre ligne et votre état de santé, mais rien ne vous empêche de vous faire plaisir de temps à autre. Voici quelques suggestions de repas équilibrés qui vous aideront à rester en pleine forme, tout en consommant des aliments sains et nutritifs.

Petit-déjeuner :

Une boisson frappée préparée avec des fruits frais et du yogourt nature ou du lait écrémé.

Du gruau servi avec des raisins secs et de la cannelle, le tout accompagné d'un bon verre de jus d'orange.

Un bol de céréales de blé entier servies avec du lait écrémé et des fruits.

Des œufs brouillés servis avec des légumes frais et une tranche de pain de blé entier.

Un bol de céréales muesli ou de granolas servi avec du yogourt nature et des fruits.

Dîner :

Une salade complète avec des légumes, du blanc de poulet ou du thon, un peu de fromage, le tout servi avec une tranche de pain à grains entiers.

Une bonne soupe-repas composée de haricots, de maïs, de nouilles et de tomates. Vous pouvez l'agrémenter d'une tranche de pain ou d'un bagel avec fromage. Miam !

SUJETS CONNEXES :
o *SPORT*
o *VÉGÉTARISME*

Une pizza sur pain pita ! Il suffit d'ajouter de la sauce tomate, des légumes et tous les ingrédients qui vous font envie, puis de mettre le tout au four pendant une quinzaine de minutes !

Une bonne salade de légumineuses avec des légumes et du maïs.

Le poulet est très facile à apprêter ! Vous pouvez le déposer dans une tortilla pour en faire des fajitas ou le servir avec du riz brun ou des nouilles pour un repas de type oriental ! Miam !

QUELQUES TRUCS SUPPLÉMENTAIRES POUR MIEUX MANGER

Gardez votre métabolisme actif en mangeant une petite collation, comme des carottes avec du houmous, ou du céleri avec du beurre d'arachide entre les repas. Le jeûne fait ralentir le métabolisme et ne fait pas perdre de poids !

Un sandwich dans un pain pita ou une tortilla de blé entier. Garnissez le tout avec de la dinde, de la salade de poulet, de thon ou de saumon, de la laitue, du fromage et des tomates.

Un délicieux roulé avec du houmous, de la laitue, des tomates, du fromage, du poivron et des carottes sur un pain pita.

Souper :

Un chili à la viande ou végétarien avec des haricots et des tomates. C'est nourrissant et super bon !

Des pâtes (préférablement de blé entier) avec de la sauce tomate et basilic. C'est prêt en un rien de temps !

Une bonne salade-repas dans laquelle on ajoute de la viande ou du tofu à la laitue. Vous pouvez agrémenter le tout de maïs, de tomates, de concombre, d'avocat, de poivrons et de fromage !

Une savoureuse omelette au jambon avec du fromage et des légumes. Qui a dit que les omelettes ne se mangeaient que le matin ?

Boire beaucoup d'eau !

Évitez de vous peser tout le temps ! Si vous êtes active, rappelez-vous que les muscles pèsent plus que la graisse. Le poids indiqué par le pèse-personne peut donc être trompeur. Fiez-vous à vos jeans pour savoir si vous avez engraissé.

Optez pour le pain brun à la place du pain blanc. C'est VRAIMENT meilleur pour la santé.

Essayez aussi de couper dans le gras en optant pour du fromage léger, du yogourt nature ou du lait écrémé. C'est aussi bon et ça fait la différence !

Méfiez-vous des muffins commerciaux ! Ils sont bourrés de sucre et de calories superflues, et ils ne sont pas très bons pour la santé. Mieux vaut les préparer vous-même !

Apprenez à vous faire plaisir de temps à autre. N'oubliez pas que manger est un des plaisirs de la vie !

Régime

IL N'Y A RIEN DE MAL À AVOIR DES FORMES !

À l'adolescence, votre corps se transforme, ce qui peut vous occasionner des complexes.

J'ai beau vous répéter mille fois que c'est normal et qu'il n'y a rien de mal à avoir des formes, je sais que les adolescentes sont parfois dépassées par les changements physiques qui surviennent et par la graisse qui peut s'accumuler sur leurs cuisses, leurs fesses et leur ventre. Ainsi, beaucoup de filles décident de commencer un régime pour perdre du poids; en fait, au Canada, plus de 80 % des filles admettent avoir suivi un régime avant l'âge de 18 ans *(source : Amabilia.com)*.

Bien que certaines filles souffrent d'obésité ou considèrent avoir réellement quelques kilos à perdre pour leur bien-être physique et mental, plusieurs autres ont une perception déformée de leur propre corps et se trouvent grosses parce qu'elles se comparent aux vedettes d'Hollywood ou parce qu'elles se laissent influencer par les critères de beauté stéréotypés nord-américains. Les publicités van-tant les mérites de divers régimes amaigrissants sont partout autour de nous : elles envahissent le petit écran ainsi que les pages des magazines et des journaux. Il semblerait que tout le monde vous encourage à faire un régime, ce qui vous pousse à croire que ce n'est pas si mauvais. Je dois tout de suite vous mettre en garde : bien qu'il soit très responsable et fortement recommandé de manger sainement et de façon équilibrée tout en étant active physiquement, ne vous faites pas duper par les régimes miracles, les pilules qui vous font prétendument maigrir, les crèmes amincissantes et les méthodes extrêmes pour perdre du poids.

> ❝ C'est sûr qu'en arrêtant de manger, vous perdrez du poids, mais vous souffrirez aussi de carences, vous développerez des troubles alimentaires et vous mettrez votre vie en danger. Bref, si vous voulez vraiment perdre du poids, ne vous laissez pas influencer par toutes ces pseudo-solutions ni par ces moyens extrêmes d'y parvenir; optez plutôt pour la simplicité. ❞

Sachez en premier lieu qu'une adolescente normalement active a besoin d'au moins 2000 calories par jour pour fonctionner *(source : Guide alimentaire canadien)*. Ne vous laissez toutefois pas trop influencer par la valeur nutritive des aliments. Si vous ingérer 2000 calories de façon saine et équilibrée, c'est-à-dire en mangeant des fruits et des légumes, des produits céréaliers, de la viande et des substituts ainsi que des produits laitiers, bref, en consommant les aliments qui vous procureront suffisamment d'éléments nutritifs, alors vous risquez bien plus d'atteindre un poids santé que si vous absorbez 2000 calories provenant de la malbouffe. Tout est question d'équilibre. Si vous entamez un régime trop strict et que vous laissez de côté les aliments sains et nécessaires à votre santé, vous risquez de développer des carences qui peuvent entraver le développement de vos os et de votre corps. Vous fréquentez l'école tous les jours, vous êtes active et votre corps se développe sans cesse, alors il ne faut pas avoir peur de lui fournir du carburant pour qu'il puisse fonctionner normalement. L'important, c'est d'avoir une alimentation saine et équilibrée, car c'est ainsi que vous pourrez mieux vous concentrer en classe et vaquer à toutes vos occupations sans ressentir de fatigue ou de faiblesse générale.

Si vous jugez que vous avez vraiment quelques kilos à perdre ou que vous désirez vous alimenter plus sainement pour vous sentir mieux dans votre peau, il existe des règles et des conseils de base pour ne pas nuire à votre santé. Bien au contraire, ces directives vous permettront de développer des habitudes alimentaires plus saines et de vous sentir extrêmement bien dans votre peau. Si vous tenez absolument à suivre un régime, je vous invite par ailleurs à consulter un diététiste ou un nutritionniste qui pourra établir un plan sain et équilibré pour vous, plutôt que de suivre des régimes extrêmes qui risquent de nuire à votre santé et même de vous faire prendre davantage de poids !

SUJETS CONNEXES :

o *POIDS*
o *PUBERTÉ*
o *ANOREXIE*

Quelques trucs

- Essayez de limiter votre consommation de fast-food et d'aliments très caloriques qui ne vous fournissent aucun nutriment essentiel à votre croissance. Je parle ici des sodas, de la bière, des croustilles, des pizzas de style américain et de la plupart des mets qu'on vous sert dans les établissements de restauration rapide. Il faut se gâter de temps à autre, mais n'abusez pas de la malbouffe.

- Buvez beaucoup d'eau ! Vous hydraterez votre corps, vous le revitaliserez et vous vous sentirez remplie !

- Mangez de façon équilibrée plusieurs fois par jour. Optez pour de petits repas complets plusieurs fois par jour pour que votre métabolisme ne ralentisse pas, pour vous donner toute l'énergie dont vous avez besoin et pour brûler les calories plus rapidement !

- Ne vous empiffrez pas juste avant de vous mettre au lit. Vous ne brûlerez pas ce surplus n'énergie et vous risquez de mal dormir à cause de la digestion, alors mieux vaut opter pour une collation légère.

- Ne sautez pas de repas. Vous risquez de ralentir votre métabolisme, de vous sentir extrêmement faible et de manger davantage lors du prochain repas. Bref, vous risquez plus de prendre du poids que d'en perdre !

- Ne sautez surtout pas le petit déjeuner. C'est un repas essentiel pour le bon fonctionnement de votre métabolisme. Dites-vous que le matin, ça fait plus de 12 heures que vous jeûnez. Votre corps a besoin de carburant nutritif pour commencer sa journée.

Faites de l'exercice, bougez !

Mangez sainement et de façon équilibrée. Consultez le Guide alimentaire canadien pour vous aider.

Notez ce que vous mangez tous les jours pour déterminer vos habitudes et pour savoir ce que vous pouvez éliminer.

Ne soyez pas trop dure envers vous-même et apprenez à vous faire plaisir et à vous gâter de temps à autre. Un morceau de chocolat n'a jamais tué personne ! De plus, en vous privant de façon abusive ou en vous imposant un régime trop restrictif, vous risquez de développer des frustrations qui nuiront à votre bien-être et augmenteront la fréquence de vos fringales.

Demandez aux gens autour de vous de vous aider et à vos parents d'acheter des aliments bons pour la santé, ou d'éloigner les aliments qui vous font craquer et pour lesquels vous oubliez vos bonnes résolutions !

❝ *Ayez de la volonté, et apprenez à vous aimer telle que vous êtes !* ❞

Secondaire

UNE ÉTAPE IMPORTANTE

Au bout de six années de fréquentation de l'école primaire, vient enfin le temps d'entrer au secondaire. Vous devez alors choisir une école qui vous convient.

Dans certains cas, ce sont les parents qui prennent la décision tandis que, parfois, les filles choisissent elles-mêmes quelle école elles désirent fréquenter. Dans la plupart des cas, la décision se prend ensemble, en fonction de l'endroit où se trouve l'école, des coûts, des amis ou du désir d'étudier dans une école publique ou dans une école privée.

Quoi qu'il en soit, lorsque viendra le temps de choisir, vous voudrez peut-être suivre vos amies, fréquenter l'école du quartier, aller dans un collège privé ou opter plutôt pour une école qui se spécialise dans un domaine qui vous passionne (la danse, la musique, les arts plastiques, les sports, etc.). L'important, c'est de choisir un endroit où vous vous sentez à l'aise et où vous croyez que vous pourrez vous épanouir tant sur le plan scolaire que sur le plan personnel. En effet, en plus des cours, des examens et des devoirs, le secondaire est une véritable école de vie. C'est là que vous passerez près de cinq années de votre vie, cinq années cruciales durant lesquelles vous vous transformerez du tout au tout. C'est là que vous vous ferez des amis, que vous vous créerez un réseau social, que vous vous impliquerez dans des activités, que vous connaîtrez peut-être votre premier amour et que vous apprendrez à mieux vous connaître vous-même. C'est en effet au cours de vos études secondaires, soit généralement entre 12 et 17 ans, que vous façonnerez les grandes lignes de votre personnalité et de votre caractère. En d'autres termes, c'est au secondaire que vous évoluerez peu à peu pour devenir une jeune adulte.

Ça fait peut-être un peu cliché, mais quand j'y repense, l'école secondaire a joué un rôle essentiel dans ma vie d'adulte. C'est dans la cour que vous traînerez avec vos amis, dans les classes que vous apprendrez des tas de trucs (et que vous pourrez déterminer quels sont les domaines qui vous intéressent) et dans les toilettes que vous aurez des conversations intimes avec vos meilleures amies. Vous passerez peut-être de longues heures dans les escaliers à embrasser votre amoureux, ou devant votre casier à discuter avec vos amis. En d'autres mots, l'école secondaire, c'est l'endroit où vous apprendrez à vous connaître vous-même, où vous flirterez, où vous observerez tout ce qui se passe autour de vous et où vous apprendrez des tas de choses en compagnie de votre bande et des gens qui vous entourent.

Pour rendre cette expérience encore plus inoubliable, je vous conseille de vous impliquer dans des activités parascolaires ou dans une équipe sportive afin de rencontrer plus de gens et d'acquérir un sentiment d'appartenance à votre école. De plus, ces activités vous permettront de sortir un peu du cadre scolaire et d'apprendre des nouvelles choses qui pourraient vous passionner. Que ce soit le théâtre, l'improvisation, la danse, le basket, le hockey ou le club des sciences, choisissez une activité qui vous intéresse et où vous pourrez rencontrer des gens différents qui ont eux aussi beaucoup à offrir. Je vous invite également à vous impliquer dans les comités de l'école (conseil étudiant, comité des danses, du bal, de l'album, de la parade de mode, etc.). Ces expériences vous seront très utiles quand viendra le temps de chercher un emploi ou de faire une demande d'admission au cégep et même à l'université. De plus, elles vous apprendront à devenir plus autonome, plus responsable (dans les

SUJETS CONNEXES :
o *CÉGEP*
o *ADOLESCENCE*

comités étudiants, on apprend bien souvent à gérer un budget, par exemple) et à être à l'écoute des autres.

Durant la première et la deuxième années du secondaire, il se peut toutefois que vous regardiez les gens de troisième, quatrième et cinquième secondaires comme s'ils étaient des héros, et que vous vous sentiez nulle d'être aussi jeune. Sachez qu'absolument tout le monde passe par cette étape, et qu'il est préférable de vous impliquer à fond dans des activités prévues pour les gens de votre niveau plutôt que d'envier les plus vieux. Les années auront tôt fait de passer, et ce sera bientôt vous qui recevrez votre diplôme (et qui serez l'objet de l'admiration des plus jeunes) sans avoir vraiment réalisé que le temps filait. Alors, profitez de ces années pour vivre pleinement vos expériences et pour aller à votre propre rythme. Vive le secondaire !

Secret

VOS SECRETS VOUS APPARTIENNENT

Un secret, c'est une information personnelle qu'on ne veut pas divulguer à la terre entière. Cela peut être un sentiment qu'on ressent, quelque chose qui nous est arrivé, une confidence faite par autrui, une trouvaille incroyable ou une profonde blessure du passé.

Bref, vos secrets vous appartiennent, et vous seule pouvez déterminer si vous voulez les partager et, si c'est le cas, à qui vous désirez en parler.

Les types de secrets

Il existe différents types de secrets. Il y a les secrets de Polichinelle qui sont connus de tous – ils peuvent être reliés à des rumeurs qu'on entend et qu'on s'empresse de répéter à ses amies (tel gars sort avec telle fille, tel prof a engueulé tel élève, etc.) –, et les secrets plus importants qu'on vous a confiés ou encore que vous gardez scrupuleusement pour vous, sans même en parler à votre meilleure amie. Lorsqu'on vous confie un secret, vous devez faire preuve de beaucoup de jugement pour faire la distinction entre les ragots propagés dans les corridors, qui ne feront de mal à personne, et les secrets plus importants que vous a confiés votre meilleure amie.

Soyez discrète

Lorsque quelqu'un vous confie un secret, il s'agit d'une preuve de confiance de sa part. La personne juge que vous saurez vous montrer suffisamment discrète pour qu'elle puisse vous en parler et se vider le cœur. Il est donc extrêmement important que vous respectiez cette confiance et que vous ne trahissiez pas une personne qui vous voit comme sa confidente, même si vous pensez qu'il ne s'agit pas d'un secret important. Chacun possède son petit jardin secret, et ce n'est pas à vous d'évaluer l'importance de la confidence qui vous est faite. Par exemple, si une amie vous confie qu'elle a un faible pour un garçon et que vous le répétez à tout le monde, non seulement vous trompez sa confiance, mais vous risquez aussi de lui faire de la peine. C'est à elle de juger à qui elle veut en parler, et si elle vous fait suffisamment confiance, vous devez la respecter et accepter cette marque de loyauté comme un grand honneur. Ne prenez pas le risque de briser votre amitié parce que vous êtes incapable de garder un secret. Rappelez-vous que c'est génial que les autres vous voient comme une grande confidente et qu'ils puissent vous faire confiance de cette façon.

À qui dois-je en parler ?

Si vous désirez confier un secret à une amie, c'est à vous d'apprendre à faire confiance aux gens de votre entourage et à reconnaître ceux à qui vous pouvez parler en toute confidentialité. Je suis sûre que vous avez des amies qui sont dignes de cette confiance. Précisez-leur que votre secret est important et que vous ne voulez pas qu'elles en parlent aux autres. Je sais que c'est un risque de confier une partie de son jardin secret à ses proches, mais apprendre à faire confiance et à vous ouvrir aux autres vous permettra de vous épanouir davantage.

S'il s'agit d'un secret plus important ou plus lourd à porter et que vous ne savez pas à qui vous confier, n'oubliez pas qu'il existe des services téléphoniques, comme Tel-jeunes ou Jeunesse J'écoute, ainsi que des professionnels qui sont là pour vous aider. S'il s'agit par exemple d'un secret de famille aux conséquences sérieuses, ou d'une blessure d'enfance liée au viol, à l'inceste ou à la violence, ne gardez pas ces secrets à l'intérieur. Il est indispensable que vous parliez de ces problèmes et de ces traumatismes avec des gens qualifiés, pour vous en libérer et pour éviter qu'ils vous empêchent d'avancer dans la vie ou qu'ils vous laissent des séquelles nuisant au développement de votre estime personnelle.

> *Chaque famille a ses fantômes et ses petits secrets, mais c'est à vous de déterminer leur importance et leur gravité.*

De plus, si une amie vous confie un terrible secret et que vous jugez qu'il est de votre devoir d'intervenir pour la protéger (par exemple, si elle est victime d'abus ou de violence), dites-lui qu'elle doit en parler et agir pour changer la situation. Si elle refuse catégoriquement, c'est à vous qu'il revient de discuter du problème avec un professionnel qui vous écoutera en toute confidentialité, ou même avec vos parents qui pourront vous aider sans divulguer l'information dans toute l'école. Si le but est de protéger votre amie et de l'aider à régler son problème, il faut lui dire que vous agissez pour son bien-être et parce que vous l'aimez. N'allez surtout pas révéler son secret à d'autres jeunes à qui elle n'a pas voulu se confier ; parlez-en plutôt à un adulte responsable qui pourra vraiment vous aider et intervenir pour régler la situation.

En conclusion

Lorsqu'on confie un secret à une personne de son entourage, on crée des liens de confiance et une grande complicité avec elle. C'est un privilège d'être la confidente de quelqu'un, et il faut veiller à ne pas trahir cette confiance qui vous unit. Apprenez donc à faire confiance aux gens qui le méritent, mais aussi à respecter l'importance qu'on vous accorde. Si vous avez de la difficulté à vous exprimer ou à faire confiance aux gens, vous pouvez vous confier à votre journal intime. C'est une excellente façon d'exprimer ce que vous ressentez en étant certaine que personne ne répétera vos confidences. Il suffit de bien ranger votre journal dans un endroit qui soit loin des regards indiscrets ! Tenir un journal intime est une bonne façon d'exorciser ses peines et ses angoisses, et de ne pas tout garder à l'intérieur. Apprenez toutefois à faire confiance aux autres et, surtout, apprenez à respecter la confiance qu'on vous fait en vous livrant des secrets !

Sexualité

REPRODUCTION, PRATIQUES SEXUELLES ET IDENTITÉ SEXUELLE

La sexualité fait non seulement référence au concept de reproduction entre l'homme et la femme, mais aussi à toutes les pratiques sexuelles, de même qu'à votre identité sexuelle comme telle.

Au cours de l'adolescence, votre corps devient peu à peu celui d'une femme et vous commencez à éprouver du désir et à développer une curiosité sexuelle. Les hormones de votre corps se développent et votre caractère sexuel se définit de plus en plus, ce qui vous fait éprouver de l'attirance envers les garçons et une plus grande curiosité à l'égard de vos désirs et de votre corps.

En ce sens, l'homme est un animal, car il éprouve un besoin instinctif de se reproduire. Toutefois, au contraire des autres animaux, nous avons aussi une sensibilité et nous éprouvons des sentiments qui rendent l'acte sexuel très intime. On cherche à se sentir près de l'autre, à lui communiquer notre désir et à fusionner avec lui. Ce ne sont pas seulement nos instincts sexuels qui nous guident, mais bien notre sensibilité et nos émotions. Par exemple, quand vous êtes amoureuse d'un garçon et que vous faites l'amour avec lui, vous ne percevez pas cet acte comme étant purement physique. Il s'agit aussi d'une communion des corps et d'une volonté de se sentir près de l'autre et de partager une intimité avec lui.

La sexualité concerne aussi toutes les pratiques sexuelles que vous pouvez explorer, seule (grâce à la masturbation) ou avec un garçon. En effet, lorsque vous commencez à avoir des rapports sexuels avec votre amoureux, vous apprenez peu à peu à découvrir votre corps et le sien. Tout ceci s'effectue en différentes étapes, d'où l'importance d'apprendre à être à l'écoute de votre corps et à respecter vos limites.

Vous pouvez commencer par embrasser votre amoureux et par le toucher avant d'avoir des rapports complets.

Vous pouvez vous exciter mutuellement en touchant vos organes génitaux et en apprivoisant vos corps. Vous pouvez aussi pratiquer l'amour oral en faisant une fellation au garçon. Ce dernier peut aussi pratiquer l'amour oral en vous faisant un cunnilingus ou en vous embrassant les parties génitales. Quoi qu'il en soit, allez-y à votre rythme. Ne faites rien que vous n'êtes pas prête à faire. Respectez vos limites et prenez votre temps pour découvrir votre sexualité, et pour explorer votre corps et celui de votre partenaire. Dites-lui ce que vous ressentez et prenez le temps de bien analyser vos émotions lors de vos contacts physiques et sexuels.

Rappelez-vous qu'il est bon de prendre votre temps et de communiquer vos émotions à l'autre. De plus, n'ayez pas honte de vous masturber et de vous informer au sujet des pratiques sexuelles et de vos désirs. Vous développerez ainsi une sexualité plus épanouie qui ajoutera à votre joie de vivre et vous fera sentir bien dans votre peau.

SUJETS CONNEXES :
○ PUBERTÉ
○ PREMIÈRE FOIS
○ CONTRACEPTION
○ ITS
○ GROSSESSE

Sommeil

100.. 101.. 102..

BIEN DORMIR EST ESSENTIEL

On vous répète à quel point il est important de bien dormir depuis que vous êtes toute petite. En vieillissant, vous vous rendez certainement compte que vos parents avaient raison de vous casser les oreilles avec cette histoire de sommeil !

Un adolescent a besoin de dormir de huit à neuf heures par nuit pour pouvoir fonctionner à plein régime. Avec la croissance, les devoirs, l'école et toute l'énergie que vous dépensez, n'allez pas croire que ce soit excessif.

Le sommeil est essentiel, tant au point de vue physique que mental. Vous avez besoin de sommeil pour pratiquer vos activités préférées, sportives ou autres, et pour être capable de vous concentrer en classe. Lorsqu'on est fatiguée, on traîne de la patte, on éprouve de la difficulté à faire nos devoirs, à étudier et à passer au travers de la journée. On se sent toujours mieux quand on déborde d'énergie et qu'on se sent prête à relever tous les défis qui se présentent à nous. Sur le plan physique, le manque de sommeil a tendance à nous donner un teint blême et des cernes sous les yeux. Ainsi, non seulement nous sentons-nous épuisées, mais nous avons aussi l'impression d'être moches, et puisque nous sommes des filles, nous attrapons vite des complexes. Au lieu de dramatiser et de vous imaginer que plus personne ne vous trouve jolie, passez une bonne nuit de sommeil et vous constaterez que votre état physique et mental changera du tout au tout.

Une ambiance de rêve...

Lorsque vous vous apprêtez à dormir, efforcez-vous de créer une ambiance propice au sommeil. Éteignez la télévision et la lumière, et gardez votre chambre au frais plutôt que de monter excessivement le chauffage. Vous pouvez mettre de la musique douce, mais évitez les rythmes trop intenses. Le silence et le calme sont de mise pour permettre à votre corps et à votre esprit de se reposer. Enfilez un pyjama confortable et dormez dans des draps propres et douillets. Installez-vous confortablement et tentez de ne pas penser aux choses que vous devez faire le lendemain ; le stress risque de vous empêcher de dormir. Faites plutôt le vide, détendez-vous et vous sombrerez bientôt dans le sommeil.

Les choses à faire et à éviter

Il est conseillé de prendre un bain ou de boire une tisane avant de vous coucher pour vous détendre. Vous pouvez aussi lire un bon roman ou votre magazine favori, mais évitez les activités qui stimuleront votre corps et votre esprit, et qui vous empêcheront de dormir. Veillez à ne pas vous gaver avant de vous mettre au lit ; optez plutôt pour une collation légère si vous avez un petit creux. Si vous écoutez un film, il vaut mieux éviter les longs métrages sanglants, les histoires d'horreur ou les drames qui vous traumatiseront ou vous feront faire des cauchemars. Faites preuve de jugement et choisissez des activités qui sauront vous détendre. Évitez aussi de faire un exercice physique intense juste avant de vous coucher.

Les bras de Morphée

Le sommeil est constitué de plusieurs cycles qui durent environ 90 minutes chacun. Le premier cycle est celui du sommeil léger. Le cerveau sécrète alors de la sérotonine, soit une hormone qui crée la somnolence et les bâillements. Votre pouls ralentit et votre corps est parfois secoué par de petits tremblements musculaires. Différentes images traversent votre esprit, mais vous ne rêvez pas encore et votre sommeil demeure très fragile. Au cours de la deuxième phase, vous entrez dans une étape transitoire entre le sommeil léger et le sommeil profond. L'activité cérébrale est réduite, et votre corps est beaucoup moins sensible aux stimuli extérieurs. Vous entrez ensuite dans la troisième phase, soit celle du sommeil profond, où il devient ardu de vous réveiller et où vous vous isolez du monde extérieur. Vos muscles sont complètement détendus. C'est au cours de la quatrième étape, soit celle du sommeil paradoxal, que votre corps s'agite, que votre pouls augmente et que l'activité cérébrale s'accélère, ce qui vous permet de rêver de façon plus intense. Si on vous réveille durant ce cycle, vous serez plus en mesure de vous souvenir de vos rêves. Sachez que votre corps traverse ces cycles à plusieurs reprises au cours d'une même nuit.

Et les rêves dans tout ça ?

Les rêves occupent environ 20 % de notre nuit de sommeil. Il s'agit d'une succession d'images qui proviennent de l'inconscient ou qui sont liées à des choses qu'on a vécues. Un grand mystère entoure encore les rêves, et plusieurs spécialistes se sont penchés sur leurs interprétations. Vous pouvez par conséquent consulter des livres ou des articles dans Internet si vous souhaitez trouver un sens à vos rêves, ou vous pouvez les noter dans votre journal et le consulter pour voir si vous faites souvent les mêmes rêves et pour écrire les différentes interprétations proposées.

N'abusez pas des bonnes choses !

Bien que le sommeil soit extrêmement important pour le bien-être physique et mental, et bien qu'il soit très agréable de dormir, tâchez de ne pas exagérer en passant vos journées entières au lit et en négligeant toutes les autres sphères de votre vie. À l'adolescence, les sorties, les activités et les travaux scolaires s'accumulent souvent à un rythme effréné, ce qui vous oblige à vous coucher tard et parfois même à vivre la nuit plutôt que le jour. Essayez quand même de conserver un mode de vie normal et sain et de ne pas vivre à l'envers du reste du monde ! Efforcez-vous de trouver un équilibre et apprenez à profiter de ce plaisir de la vie.

Téléphone *cellulaire*

PRATICO-PRATIQUE

De nos jours, il est devenu très commun d'avoir un téléphone cellulaire. La plupart des jeunes en possèdent un, et les autres rêvent d'en avoir.

Il est vrai que le cellulaire a un aspect pratique qui est indéniable. Ça permet de pouvoir rejoindre les gens et d'être rejointe en tout temps et d'avoir un moyen de communication sous la main en cas d'urgence. Que faisions-nous en cas de panne d'essence sur l'autoroute avant l'arrivée du cellulaire ? Comment pouvions-nous rapidement avertir les autorités en cas d'accident de la route ? Et sur un plan plus personnel, comment pouvions-nous vivre sans pouvoir appeler notre meilleure amie pour lui parler du chandail vraiment cool qu'on vient juste de voir dans la vitrine ?

Les filles adorent parler au téléphone. C'est une réalité qui va de soi, mais qui coûte très chère ! Bien qu'il existe aujourd'hui diverses compagnies de téléphones cellulaires au Québec qui sont prêtes à vous offrir toutes sortes de forfaits, vous devez quand même rester à l'affût de votre consommation, surtout quand il est temps de discuter d'un garçon en plein milieu de l'après-midi. Pour que ça vous coûte moins cher, je vous conseille de prendre en note vos habitudes téléphoniques pour choisir le forfait qui vous convienne le mieux. Si vous parlez davantage durant le jour, alors ça ne sert à rien de payer pour les soirées illimitées; optez plutôt pour un forfait vous offrant plus de minutes de jour, et moins de minutes en soirée. Si vos parents paient la facture, ils auront tôt fait de vous avertir si vous dépassez les limites !

Le cellulaire conçu pour vous

Les compagnies mettent de plus en plus de cellulaires sur le marché. Vous pouvez maintenant en trouver de toutes les formes et de toutes les couleurs, en plus de choisir toutes les options qui vous plaisent. Vous pouvez par exemple choisir un cellulaire pourvu d'une caméra ou même d'un lecteur MP3. Si vous avez déjà une caméra numérique et un lecteur de musique indépendants, rien de ne sert de payer davantage pour des gadgets dont vous n'avez pas besoin. Je tiens aussi à vous mettre en garde contre les cellulaires « trop » jolis, mais aussi trop délicats pour l'usage que vous en faites. Ils sont souvent plus dispendieux et ne résistent à aucun coup ou aucune intempérie, alors soyez réaliste lors de l'achat de votre cellulaire et soyez honnête quant aux soins que vous lui réservez !

Cellulaire et savoir-vivre

Ces deux concepts ne vont souvent pas de paire, mais si vous décidez d'avoir un cellulaire, il faut absolument apprendre à vous en servir de façon à respecter votre interlocuteur et les gens qui vous entourent.

VOICI QUELQUES RÈGLES DE SAVOIR-VIVRE QUE VOUS DEVEZ ABSOLUMENT RESPECTER SI VOUS NE VOULEZ PAS QUE ÇA TOURNE MAL :

Si vous êtes en présence d'amis ou de votre famille, ne les abandonnez pas pour parler au téléphone, car c'est franchement un manque de politesse. Imaginez que vous passez la journée à magasiner avec votre meilleure copine, mais que vous êtes incapable d'en profiter parce qu'elle passe tout son temps à parler au téléphone sans vous accorder d'importance. Ne faites pas aux autres ce que vous ne voudriez pas qu'on vous fasse !

Dans le même ordre d'idées, même si vous ne « parlez » pas au téléphone, ne passez pas tout votre temps à envoyer des messages textuels aux autres si vous êtes déjà avec des gens. Profitez plutôt du moment présent. Si vous êtes dans un endroit public, comme l'autobus, la pharmacie, le supermarché ou même la cour d'école, évitez de mettre votre sonnerie au maximum pour ne pas déranger les gens autour de vous, et ne parlez pas trop fort, car les personnes qui vous entourent ne tiennent pas nécessairement à connaître votre vie et ne recherchent peut-être qu'un peu de tranquillité.

Fermez toujours votre cellulaire lorsque vous êtes en classe (sinon je vous assure qu'on finira par vous le confisquer), au cinéma ou dans un auditoire. Il n'y a rien de plus embêtant que de se faire interrompre par une sonnerie de cellulaire. Bien que vous puissiez maintenant rejoindre vos copines en tout temps, sachez qu'à certains moments, le sentiment n'est peut-être pas réciproque. Par exemple, si vous décidez de prendre un bain et de lire une revue pour relaxer, si vous êtes avec votre petit-ami ou si vous devez absolument vous concentrer pour étudier, vous n'avez peut-être pas envie qu'on vous dérange en vous appelant sur le cellulaire, alors pensez aussi aux autres.

Il y a des heures décentes pour appeler les gens, tout dépendant de la journée et des habitudes de vie de chacun, mais de façon générale, évitez d'appeler après 22h30 ou avant 9h le matin. S'il y vraiment une urgence, envoyez un message texte pour savoir si vous pouvez appeler.

Au Québec, il est maintenant interdit de parler au téléphone cellulaire lorsque vous conduisez. Si vous ne voulez pas vous faire déranger, fermez votre cellulaire et rouvrez-le lorsque vous en aurez envie. Vous pouvez aussi choisir l'option de sonnerie par vibration pour ne pas déranger les autres.

Pour de plus amples informations, voici les sites Web des principales compagnies de téléphones cellulaires au Québec. Vous pourrez y trouver des renseignements sur les forfaits et les modèles de téléphones offerts pour chaque compagnie.

Fido : www.fido.ca
Bell-mobilité : www.bell.ca
Telus : www.telusmobilite.com
Rogers : http://www.rogers.com

Lou ! Je t'écris de mon nouveau téléphone cellulaire ! Après des mois, voire des années à se faire casser les oreilles, mes parents ont finalement accepté de m'en acheter un ! Yahoo ! On va pouvoir communiquer encore plus souvent ! JTM !

Léa xox

Travaux *scolaires*

SOUVENT
À LA DERNIÈRE MINUTE

Évidemment, qui dit école dit travaux scolaires. Mais détrompez-vous tout de suite : les devoirs, ce n'est pas toujours aussi casse-pieds qu'on le croit.

En effet, il est normal d'avoir plus de facilité dans certaines matières, et les travaux exigés nous paraissent alors très faciles. Malheureusement, ce n'est pas le cas avec les cours dans lesquels on traîne davantage de la patte, mais dites-vous que les devoirs vous aident à faire le point sur vos connaissances et à déterminer vos forces et vos faiblesses. C'est ce qui vous permet d'apprendre des tas de choses même si, sur le coup, on se dit toutes qu'il ne sert à rien de savoir comment factoriser des nombres ou comment s'est déroulée la guerre de Troie. Sachez que les apprentissages que vous faites vous seront vraiment utiles un jour ou l'autre et qu'en plus, les travaux vous permettent de mieux vous préparer pour les examens et vous évitent de vous arracher les cheveux à la dernière minute !

Question de méthode

Chaque fille doit établir le rythme qui lui convient le mieux : certaines préfèrent se débarrasser de leurs devoirs tout de suite après les cours pour avoir du temps libre dans la soirée, tandis que d'autres ressentent le besoin de se changer les idées et de se détendre avant de s'y remettre de plus belle. C'est vraiment une question d'équilibre, et il faut trouver la méthode qui est la plus efficace pour vous. Je vous déconseille évidemment de laisser les travaux s'accumuler sur votre bureau jusqu'à ce que vous vous sentiez complètement débordée. Dites-vous qu'à un moment donné, vous devrez inévitablement rendre les travaux qui sont exigés, alors aussi bien commencer tout de suite et les faire au fur à mesure. Évitez également d'attendre la dernière minute. Je sais que certaines croient qu'elles sont plus efficaces sous la pression, mais, en vérité, on travaille moins bien, la plupart du temps, quand on est stressée et qu'on manque de temps. Apprenez donc à gérer votre temps et vos travaux, et à les répartir de façon équilibrée et réaliste. Vous pouvez par exemple choisir de consacrer deux heures tous les soirs à vos travaux, ou alors une soirée pour chaque matière. Certaines filles sont capables de travailler durant des heures sans prendre de pause, alors que d'autres ont besoin de se détendre un peu après une période intense d'étude. Choisissez la méthode la plus efficace pour vous et organisez bien votre emploi du temps de façon à vous laisser un peu de temps libre pour relaxer.

C'est aussi à vous de déterminer l'ambiance qui vous plaît le plus pour étudier. Certaines ont besoin de silence absolu, alors que d'autres travaillent très bien avec de la musique ou lorsqu'elles sont entourées de gens. Si vous croyez que le fait d'étudier avec une copine améliore votre rendement, alors n'hésitez pas à organiser des séances d'étude en groupe, mais si vous savez pertinemment que vous ne serez pas capable de vous concentrer et que vous risquez de perdre votre temps et de bavarder pendant des heures plutôt que de faire vos travaux, alors mieux vaut vous isoler pour étudier et rejoindre vos amies quand vous aurez terminé. Il se peut aussi que vos parents exigent que vous ayez terminé vos devoirs avant de faire une activité. Bien que cela vous casse les pieds, apprenez à respecter cette

SUJETS CONNEXES :

○ ÉCHEC SCOLAIRE
○ SECONDAIRE
○ CÉGEP

règle qui vous forcera à vous concentrer et à vous appliquer pour terminer vos travaux le plus rapidement et le plus efficacement possible.

Aussi, si vous éprouvez de la difficulté dans une matière, n'hésitez surtout pas à demander de l'aide à des gens qualifiés, que ce soit vos parents, vos amis, un professeur ou un tuteur. Lorsque vient le temps d'étudier, choisissez la technique qui vous plaît le plus. Certaines filles sont plus visuelles qu'auditives, et le simple fait de relire leurs notes ou de faire des résumés les aide à étudier. D'autres préfèrent se faire poser des questions oralement, ou même s'enregistrer pour étudier. Sachez donc que les travaux font partie de la vie et du cheminement scolaires,

et qu'il n'y a aucune façon de s'y soustraire. Même si cela vous embête, les devoirs et les examens vous encouragent aussi à vous surpasser et à donner le meilleur de vous-même. Soyez honnête : ne vous sentez-vous pas extrêmement fière lorsque vous obtenez une bonne note et qu'elle est bien méritée ? Je sais que cela demande de la détermination et que, parfois, vous ne demanderiez pas mieux que d'être une adulte et d'en avoir terminé avec ces travaux scolaires, mais dites-vous que vous devrez récolter le fruit de vos efforts tout au long de votre vie, alors aussi bien vous y habituer tout de suite et apprendre à vous surpasser. Les résultats en valent grandement la peine !

Societé

Accommodement raisonnable, anglais, athéisme, bénévolat, corruption, culture, droit de vote, droits humains, égalité, emploi à temps partiel, environnement, États-Unis, évolution, français, gang de rue, guerre, internet, justice, liberté, mariage, permis de conduire, politique, Québec, racisme, religion, scène artistique, végétarisme et violence.

Sociète

Société

Lorsque vous lisez les journaux et que vous écoutez les conversations de vos parents, vous êtes souvent confrontées à certains concepts difficiles à comprendre. Vous avez sûrement l'impression que personne ne vous explique clairement les enjeux qui en découlent ni l'importance qu'ils peuvent avoir dans notre société. Ce n'est pas donné à tout le monde de savoir vulgariser des concepts plus complexes, et même moi j'ai parfois de la difficulté à m'y retrouver !

Par exemple, vous comprenez sûrement que l'environnement est un enjeu primordial dans notre société et que tout le monde met du sien pour améliorer le sort de la planète, mais je crois que c'est aussi très important de comprendre toutes les composantes de cette thématique. C'est pourquoi j'ai rédigé un article qui vous aidera à mieux comprendre pourquoi il est grand temps d'agir pour changer les choses.

Il en est de même lorsqu'il est question du français, de l'anglais, du droit de vote, des droits de la personne, des États-Unis, des accommodements raisonnables et de la liberté d'expression. Même si vous saisissez les grandes lignes, je crois sincèrement que la trentaine d'articles présentés dans cette section vous permettront d'approfondir vos connaissances sur les thématiques ayant trait à la vie en société et aux enjeux auxquels nous faisons face tous les jours.

Dans cette section, vous y retrouverez aussi des thèmes qui réfèrent aux réalités auxquelles vous êtes souvent confrontées à l'adolescence, comme les emplois à temps partiel, le permis de conduire, les médias sociaux, les dangers de l'internet, la majorité et le bénévolat. Vous pourrez également y découvrir des articles sur les gangs de rue, la guerre, le mariage, les subtilités des concepts culturels, les différentes religions et l'athéisme.

L'objectif est de vous aider à mieux saisir des thématiques qui vous concernent afin de pouvoir prendre position de façon plus éclairée. Je crois que c'est génial de vouloir vous tenir informées afin d'exprimer votre opinion sur certains thèmes, de jouer un rôle concret dans notre société et de vous impliquer dans les causes qui vous tiennent à cœur.

Accommodement raisonnable

RESPECT DU DROIT À L'ÉGALITÉ DE CHAQUE CITOYEN

Depuis quelques années, la notion d'accommodement raisonnable fait souvent la manchette au Québec. Certains la critiquent, d'autres la défendent, et plusieurs ont de la difficulté à comprendre exactement de quoi il s'agit.

De façon générale, un accommodement raisonnable vise à assouplir un règlement pour empêcher qu'il ne soit discriminatoire envers les communautés ou les individus auxquels il s'applique, cela dans le but de respecter le droit à l'égalité et au respect de chaque citoyen. Un accommodement raisonnable est donc une façon de prendre des mesures dites « raisonnables » pour répondre aux demandes des individus concernés.

Lorsqu'un individu, un groupe ethnique ou une communauté religieuse fait une demande pour qu'une règle soit modifiée, plusieurs éléments doivent être examinés afin d'évaluer cette demande et de savoir si on peut la satisfaire. On doit d'abord tenir compte des ressources financières de la compagnie ou de l'institution à qui la requête est adressée. En d'autres mots, on doit vérifier si les coûts reliés à la modification demandée sont excessifs ou non. On doit ensuite s'assurer que cet accommodement raisonnable ne va pas à l'encontre des droits des autres individus. Le but est avant tout de modifier une norme pour prévenir la discrimination et encourager le respect de tous les individus. L'accommodement raisonnable ne doit donc pas entraîner davantage de conflits ni nuire au respect et aux droits des autres. Il ne doit pas non plus nuire au bon fonctionnement de la compagnie ou de l'institution concernée. Autrement dit, si une entreprise décide de modifier une règle pour répondre à la demande de certains individus, elle doit s'assurer que cette modification ne nuira pas au travail et au rendement des autres employés et patrons de l'établissement, ni au confort des clients qui le fréquentent. Par exemple, si un aveugle demande à la direction d'un supermarché de le laisser faire ses courses en compagnie de son chien guide, celle-ci doit tenir compte du handicap de cet individu et respecter son droit de citoyen de faire ses courses en dépit de son handicap. Au cours des dernières années, plusieurs établissements et véhicules publics (les autobus, notamment) se sont équipés de rampes pour permettre aux handicapés ou aux personnes à mobilité réduite de circuler plus rapidement dans la ville et d'avoir accès à un plus grand nombre d'édifices. Bien que cela implique des coûts importants, il s'agit d'un accommodement raisonnable, puisqu'il répond aux besoins des handicapés et tente de contrer la discrimination en favorisant le respect et l'égalité de ces individus. Ce sont là des problèmes réels qu'il faut régler rapidement pour favoriser l'implication et l'insertion des personnes à mobilité réduite dans la société.

Toutefois, une demande est jugée excessive lorsque l'accommodement revendiqué ne respecte pas le droit à l'égalité des citoyens. Celui-ci n'est alors plus considéré comme « raisonnable ». Le but de l'accommodement raisonnable est de permettre à tous de coexister dans une société qui promeut l'égalité et le respect des citoyens, et ainsi de répondre à certaines exigences des citoyens pour respecter leurs droits et leurs différences religieuses, culturelles et ethniques. Les accommodements raisonnables s'appliquent généralement à la discrimination liée au sexe des individus, à leur orientation sexuelle, à la grossesse, à l'âge, aux handicaps et maladies physiques, à la religion, aux traditions culturelles et ethniques et à la tenue vestimentaire.

Un débat controversé

Au Québec, la notion d'accommodement raisonnable est très controversée et fait couler beaucoup d'encre. Un grand nombre de gens pensent que les accommodements exigés par certains groupes ethniques ou religieux sont excessifs et vont à l'encontre des valeurs québécoises. Ainsi, la société doit s'ajuster aux différences culturelles et promouvoir le multiculturalisme, mais jusqu'où doit-elle aller ?

Par exemple, en novembre 2006, les fenêtres d'un YMCA de Montréal ont été « givrées » à la demande des juifs hassidiques vivant dans le quartier. Par ces fenêtres, on pouvait voir des femmes qui s'entraînaient en short, en leggings et en t-shirt, ce qui irritait certaines personnes de la communauté juive qui n'aimaient pas que leurs enfants voient des femmes en tenue de sport. Bien que cette communauté religieuse ait demandé un changement pour que ses valeurs soient respectées, et bien qu'un accommodement raisonnable soit par définition un assouplissement visant à assurer l'égalité des citoyens et le respect des différences culturelles, plusieurs s'entendent pour dire que nous vivons dans une société ouverte et libre, et qu'il n'est pas choquant pour la majorité des Québécois de voir une femme en tenue de sport. Cet accommodement irait donc à l'encontre de

nos valeurs et de la liberté de la majorité des citoyens. Plusieurs autres débats ont été lancés, concernant principalement les demandes d'accommodements faites par des groupes ethniques minoritaires et religieux. Certes, nous devons promouvoir l'ouverture d'esprit et le respect des différences culturelles, mais les minorités ethniques et religieuses ont elles aussi un rôle à jouer et doivent s'adapter à la société québécoise dans laquelle elles ont décidé de vivre. Une commission de consultation a été mise sur pied en février 2007. Elle était dirigée par le philosophe Charles Taylor et le sociologue Gérard Bouchard. Dans son rapport final, rendu en 2008, elle suggère notamment au gouvernement du Québec de produire un livre blanc sur la laïcité, de promouvoir l'interculturalisme, de mieux intégrer ses immigrants et de les protéger plus efficacement contre toute forme de discrimination. Le débat sur les accommodements raisonnables s'est de nouveau retrouvé au cœur de l'actualité en 2014, au moment de la proposition, par le parti québécois, d'une Charte sur les valeurs québécoises, dont certaines mesures ont été qualifiées de « draconiennes » par Charles Taylor.

Anglais

LA LANGUE LA PLUS PARLÉE AU MONDE

Tous les Québécois savent que le français est la langue officielle de la province, et nous en sommes tous très fiers. On est toutefois encouragé dès un très jeune âge à apprendre l'anglais.

On se fait casser les oreilles toute notre jeunesse sur l'importance de cette langue, et on est même parfois obligée d'aller dans des camps d'immersion ou des séjours linguistiques pour parfaire notre anglais. Pourquoi donc, si tous nos amis et les membres de notre famille parlent français ?

Tout d'abord, l'anglais est l'une des langues les plus parlées au monde. On la considère souvent comme une « langue internationale », ce qui veut dire que lorsqu'on voyage ou qu'on rencontre des gens d'un autre pays ou d'une autre culture qui parlent une langue différente de la nôtre, c'est souvent l'anglais qui est utilisé comme langue intermédiaire. Il s'agit également d'une langue communément employée dans les textes professionnels et dans les organisations mondiales et humanitaires. L'anglais est aussi la langue la plus utilisée sur Internet et celle qui est parlée dans la plupart des films qui passent sur nos petits écrans. Bref, je me dois de tenir le même discours que tes parents et professeurs : l'apprentissage de l'anglais est non seulement utile, mais il est devenu plutôt nécessaire au XXIe siècle. Lorsque tu entreras dans le monde adulte, tu seras de plus en plus confrontée à des situations où tu auras à comprendre ou à communiquer en anglais, que ce soit dans le milieu professionnel, personnel ou médiatique. La plupart des gens qui travaillent doivent lire des textes en anglais ou discuter avec des anglophones de temps à autre. De plus, si tu as la chance de voyager dans un pays étranger, l'anglais te permettra de communiquer avec les gens de pratiquement tous les continents de la terre.

Au point de vue des arts, tu apprécieras de voir un film dans sa langue originale ou de lire du Shakespeare sans devoir te rabattre sur les traductions.

Au Québec, l'enseignement de l'anglais langue seconde est obligatoire au secondaire. Je n'ai pas besoin de te répéter que le Canada est un pays bilingue et que l'anglais est l'une des deux langues officielles. Par ailleurs, bien qu'il soit important de préserver notre langue maternelle, pourquoi ne pas tirer profit de notre environnement et d'apprendre une deuxième langue ? Tu constateras que l'anglais est une langue beaucoup plus simple grammaticalement que le français, et qu'elle s'apprend généralement assez vite. Il est plus facile d'assimiler une langue et ses subtilités lorsqu'on est jeune, alors profites-en pour parfaire ton accent et acquérir plus de vocabulaire. Les gens de Montréal sont davantage portés à communiquer en anglais puisqu'il s'agit d'une métropole multiculturelle, et je sais que celles d'entre vous qui habitent en région ont moins la chance de pratiquer leur anglais. C'est pour cette raison que tu dois sauter sur toutes les occasions qui se présentent à toi pour apprendre l'anglais. Tu peux participer à des immersions ou à des échanges étudiants, écouter la télé en anglais ou pratiquer avec des gens de ton entourage qui maîtrisent bien la langue. Si tu loues un film américain ou une télésérie en anglais, je te conseille également de l'écouter dans la langue originale et de mettre des sous-titres en français ou en anglais pour te familiariser avec les termes et accroître ton vocabulaire. Tu peux aussi faire imprimer les chansons anglaises qui te plaisent le plus et fouiller dans le dictionnaire pour les traduire et comprendre leur sens exact. Lire est un autre moyen efficace de pratiquer et d'apprendre l'anglais, même si ça te prend le double du temps. Garde un dictionnaire à portée de la main pour chercher les mots que tu ne comprends pas. C'est de cette façon que tu développeras ton vocabulaire et assimileras de plus en plus les subtilités de la langue. Bref, il existe des milliers de façons d'apprendre l'anglais de façon amusante et agréable. Tu n'as qu'à l'inclure dans tes activités favorites et à faire un petit effort pour le pratiquer le plus souvent possible. Lorsque tu seras bilingue ou que tu pourras t'exprimer avec beaucoup de facilité, tu seras extrêmement reconnaissante et fière d'avoir appris une autre langue.

SEE YOU !

' *En 1977, le gouvernement de René Lévesque adopte la Charte de la langue française, communément appelée la « Loi 101 ». Le français devient alors la langue de la majorité et la seule langue officielle de l'État québécois et force les allophones à fréquenter des établissements scolaires francophones, faisant ainsi doubler leur intégration à la culture francophone.*

La Loi 101 a été retouchée et remodelée depuis 35 ans et le débat sur la place de la langue française au Québec se retrouve régulièrement au cœur de l'actualité. Avec le recul, de nombreux détracteurs de cette loi conviennent aujourd'hui qu'elle a permis de rassurer les Québécois francophones, de donner un visage majoritairement français à Montréal, tout en garantissant leurs institutions aux Anglophones. En un mot, la Loi aurait pacifié notre société.

Certains souverainistes considèrent par contre que la Loi 101 aurait tué le projet d'indépendance, en le privant de son principal carburant émotif. '

Lou, je capote. Aujourd'hui, j'ai fait mon exposé oral en anglais et j'ai eu un blanc pendant ma présentation ! Je ne me souvenais plus de rien ! Je me suis mise à bégayer et le professeur a dû m'aider pour que je puisse continuer. Penses-tu qu'un jour, je parlerai en anglais comme du monde ?
Léa xox

Athéisme

CROYANCE VERSUS ATHÉISME

Tu connais déjà certainement l'univers des religions. La foi est rattachée aux religions en ce sens qu'elle fait allusion à la croyance en l'existence incontournable d'un dieu ou d'un être supérieur ou surnaturel.

Les chrétiens qui ont la foi croient que Jésus de Nazareth est le Messie et le fils de Dieu envoyé sur terre pour prophétiser l'Ancien Testament, tandis que les islamistes croient en Allah et en l'unicité de Dieu. En d'autres mots, la croyance sous-entend la foi en une divinité et un être surnaturel, et ce, peu importe la religion.

À l'opposé, l'athéisme est une doctrine qui nie l'existence d'un dieu, d'une divinité ou d'un être supérieur. Bref, quand quelqu'un est athée, c'est qu'il ne croit en aucune divinité. Il ne faut toutefois pas penser qu'une personne qui est non croyante ne peut croire en certaines valeurs et certains principes prônés par les religions et par l'Église. Par exemple, même si quelqu'un ne croit pas à l'existence d'un être divin, il peut tout de même croire en la solidarité, en l'amour et au respect et préconiser l'entraide et la paix dans le monde. Ce sont là des qualités humaines qu'il faut dissocier de la religion.

La laïcité

Quand on parle de laïcité, on fait allusion à la séparation entre l'état religieux et l'état civil. Le Québec a par ailleurs adopté une laïcité ouverte basée sur les mêmes principes que les accommodements raisonnables ; en d'autres mots, on veut assouplir certaines règles afin de respecter l'égalité de tous et la liberté d'expression dans les différences culturelles et religieuses. Par exemple, le port du hidjab est toléré dans les établissements scolaires publics, mais le gouvernement québécois a tout de même décidé de remplacer l'enseignement religieux catholique jusque-là offert dans les écoles publiques par un programme d'éthique et de culture multireligieux[1].

[1] http://www.mels.gouv.qc.ca/lancement/ Prog_ethique_cult_reli/index.asp

Agnosticisme

L'agnosticisme représente quant à lui une doctrine selon laquelle on ne peut reconnaître ni nier complètement l'existence d'un dieu. C'est une théorie basée sur le doute, tant et aussi longtemps qu'aucune explication scientifique ne peut confirmer ou infirmer l'existence divine. Les gens agnostiques croient donc qu'il sera peut-être un jour possible de déterminer ou non l'existence d'un dieu si nous obtenons les informations nécessaires pour le savoir, tandis que d'autres croient que l'existence de Dieu ne pourra jamais être démentie ou confirmée et qu'ils resteront dans le doute.

Respect d'autrui

Que tu sois croyante, athée ou agnostique, tu devras apprendre à respecter les croyances des autres et écouter ce qu'ils ont à dire, même si ça te semble farfelu. Certaines personnes grandissent dans un cadre très religieux, et il est inconcevable pour elles de renier l'existence d'un dieu, tandis que d'autres naissent dans un contexte très athée, ne sont pas baptisées et ne croiront jamais en Dieu. Il ne faut pas généraliser et classer les gens en fonction de leurs croyances. Les différences d'opinions et de cultures peuvent nous faire grandir et nous ouvrir davantage l'esprit sur le reste du monde. L'important, c'est que tu sois en accord avec tes choix et que tu saches les assumer et t'exprimer tout en laissant les autres faire la même chose.

Bénévolat

DONNER AUX AUTRES

Ensemble des activités, conduites par des individus ou des groupes, sans obligation et sans rémunération.
Source : http://www.granddictionnaire.com/btml/fra/r_motclef/index800_1.asp)

Être bénévole, c'est offrir une partie de son temps et de son énergie sans être payé en retour. C'est faire preuve d'une grande générosité, et faire sa part dans la société de façon altruiste en aidant les gens ou les organismes qui en ont besoin.

Il existe différents secteurs dans lesquels vous pouvez faire du bénévolat. Vous pouvez par exemple travailler dans un centre de santé, aider les jeunes dans le besoin, les personnes âgées, les enfants orphelins, les démunis, les malades, etc. Sachez que les possibilités sont illimitées et que, peu importe celle que vous choisirez, votre aide sera grandement appréciée.

De grands organismes, voués à aider des clientèles dans le besoin, embauchent des professionnels en plus de solliciter l'aide de bénévoles. De plus petites organisations, pour leur part, fonctionnent uniquement grâce à la contribution de volontaires. Vous pouvez ainsi offrir vos services pour amasser des dons, des vêtements ou de la nourriture, ou encore pour faire du porte-à-porte afin d'aider à financer l'organisme dont la cause vous tient le plus à cœur. Certaines écoles encouragent d'ailleurs fortement les élèves à s'engager comme bénévoles au sein de la société, tandis que d'autres exigent carrément qu'ils le fassent, imposant le bénévolat comme une façon d'obtenir des crédits scolaires. Même si cela peut vous sembler exagéré et que cela vous embête de consacrer autant d'heures à une telle activité, dites-vous bien qu'à long terme, vous serez heureuse d'avoir contribué, d'une façon ou d'une autre, à aider les gens dans le besoin, et rappelez-vous qu'une expérience de bénévolat est un grand atout sur le plan professionnel et que cela fait bonne impression dans un curriculum vitæ.

EXEMPLES D'ENDROITS OÙ VOUS POUVEZ VOUS ADRESSER POUR OFFRIR VOS SERVICES :

- *Centraide*
- *Hôpitaux*
- *Fondation québécoise en environnement*
- *Foyers pour personnes agées*
- *Mouvement scout*
- *Téléthons*
- *Collecte pour les paniers de Noël*
- *Croix-Rouge*

Rêver de l'étranger

Si vous désirez aller travailler comme bénévole à l'étranger, sachez qu'il faut bien vous renseigner avant de prendre une décision : plusieurs organismes refusent la candidature de mineurs, ou alors n'acceptent de les engager que sous diverses conditions, comme l'accompagnement d'un adulte. De plus, le fait de séjourner dans un pays étranger comporte des risques et des dangers dont vous devez être consciente. Cela exige également beaucoup de préparation. Aussi, je vous encourage à bien vous informer auprès des organismes en question (par exemple : Croix-Rouge, Jeunesse Canada Monde, CECI, YMCA, Student Volunteer Program, Oxfam Québec, Carrefour Canadien International,

Conseil canadien pour la coopération internationale, etc.).

Pourquoi devenir bénévole ?

Plusieurs raisons peuvent vous pousser à travailler bénévolement au sein d'un organisme ou de la société. Vous pouvez le faire par obligation, par altruisme, pour découvrir et apprendre de nouvelles choses, pour vous ouvrir l'esprit et acquérir une plus grande conscience sociale ou pour des raisons plus personnelles (aider des proches dans le besoin, soutenir une cause qui vous est chère, travailler dans un domaine qui vous intéresse, prendre de l'expérience, etc.). Il s'agit donc d'un choix personnel. Quelles que soient vos raisons, sachez que vous ne regretterez pas cette expérience. Il se peut que vous vous engagiez dans un secteur et que vous vous aperceviez par la suite que vous n'y êtes pas tout à fait à l'aise. Il n'est jamais trop tard pour vous informer et pour changer de voie. Les organismes vous accueilleront à bras ouverts !

Lorsqu'on travaille en tant que bénévole, on acquiert des tas de connaissances ainsi qu'une expérience de vie qui sont loin d'être négligeables. Ce sont ces expériences qui nous font grandir et avancer dans la vie. Alors, même si votre contribution vous semble minime, soyez fière des résultats obtenus et de l'expérience que vous avez acquise, et sachez que tout apport, aussi petit soit-il, peut changer les choses au sein de la société. De cette façon, vous éprouverez un sentiment d'accomplissement et de bien-être, car vous aurez soutenu une cause qui vous tient à cœur sans rien demander en retour.

Rappelez-vous toutefois que travailler en tant que bénévole est une responsabilité sérieuse et que vous ne pouvez vous engager sans être prête à faire des compromis et à vous investir à fond. Il est normal d'avoir des empêchements, et je ne vous dis pas de vous impliquer au détriment de votre réussite scolaire et de votre vie sociale, mais lorsque vous prenez un engagement, vous devez être prête à en assumer les conséquences, autrement dit, à agir de façon responsable. Si vous avez un examen ou un rendez-vous qui vous empêche de vous rendre à l'endroit où vous faites du bénévolat, avertissez-en les responsables pour qu'ils puissent prendre les dispositions nécessaires. Essayez aussi d'être réaliste : si vous croyez que votre horaire est déjà trop chargé, ne vous engagez pas à faire plus que ce que vous pouvez faire. Allez-y progressivement, et augmentez vos heures au fur et à mesure que vous prenez de l'expérience. Le but du bénévolat n'est pas de vous surmener, ni de voir cette activité comme une obligation ou comme un fardeau lourd à porter ; il s'agit plutôt d'une expérience enrichissante qui vous permet d'en apprendre davantage sur vous-même et d'acquérir des connaissances tout en offrant vos services de façon volontaire et altruiste.

' *Un petit exemple...*

J'ai moi-même fait du bénévolat lorsque j'étais adolescente. J'ai d'abord travaillé auprès des personnes âgées, et je dois avouer que cette expérience m'a beaucoup appris. Elle m'a forcée à laisser tomber mes préjugés et à devenir plus responsable. Aussi, à 19 ans, je suis partie au Honduras pendant 6 mois pour travailler comme volontaire dans les bidonvilles auprès des enfants démunis. Je me suis vite rendu compte que je ne pourrais pas changer le monde ni faire baisser la pauvreté en quelques mois. Quand je me suis aperçue que mes objectifs n'étaient pas réalistes et que mes ressources étaient très limitées, je me suis sentie abattue, mais j'ai vite constaté que non seulement ma présence changeait la vie de ces enfants, mais que j'acquérais pour ma part une une immense maturité et une expérience inoubliable. Ces enfants qui avaient vécu des choses très difficiles et qui grandissaient dans la misère la plus extrême m'apprenaient des tas de choses sur la vie et sur moi-même, et même si je n'ai pas changé le monde et que mon expérience ne s'est pas déroulée comme je l'avais imaginé avant mon départ, j'ai la certitude d'avoir rendu ces enfants heureux pendant quelques semaines, et leurs sourires ont suffi à me convaincre de l'importance de mon travail. Bref, ne vous découragez pas, et sachez que votre aide sera grandement appréciée et fera du bien aux gens qui en bénéficieront. '

SUJETS CONNEXES :
○ *EMPLOI À TEMPS PARTIEL*
○ *CÉGEP*

Corruption

Vous devez souvent entendre parler de corruption aux nouvelles. Après tout, il s'agit d'une problématique dans l'air du temps.

Même si vous savez qu'il faut dénoncer la corruption et que le concept n'a rien de très honorable, j'essaierai de vous expliquer plus clairement ce qui en est pour que vous compreniez pourquoi tant de Québécois s'acharnent à la dénoncer.

La corruption est une sorte de détournement ou de perversion d'une interaction entre une personne ou un groupe d'individus et un autre dans lequel le corrupteur cherchera à obtenir des avantages de la part du corrompu en échange d'une rétribution. Par exemple, si un homme politique accepte une somme d'argent ou un voyage dans le Sud de la part d'entrepreneurs et qu'en échange il leur attribue plus de contrats et de soumissions, il s'agit là d'un type de corruption au même titre qu'un policier qui accepte une somme d'argent comptant pour laisser partir un automobiliste qui a commis une infraction.

La corruption est un couteau à double tranchant puisqu'elle sous-entend l'intervention d'une personne corrompue qui accepte les faveurs et d'un corrupteur qui offre des avantages pour obtenir ce qu'il veut. Lorsqu'un acte de corruption est connu et dénoncé au grand jour, il est normal que la population s'indigne et crie à l'injustice, puisqu'il s'agit d'un acte illégal et immoral qui vise à tromper délibérément les lois et les valeurs établies par une société en portant atteinte aux droits et aux intérêts de la population. Nous vivons dans une société où l'on prône la justice, l'égalité et l'éthique des mœurs, alors quand on se rend compte que les dirigeants sont corrompus, c'est assez bouleversant pour ceux qui les ont élus et qui ont cru en leur bonne foi. Il ne faut toutefois pas croire que tous les politiciens et hauts dirigeants sont corrompus, car nombreux sont ceux qui agissent dans le meilleur intérêt de la population et qui cherchent à améliorer les choses.

Nous avons peut-être trop souvent cru que la corruption n'existait qu'à l'étranger et que le Canada et le Québec étaient à l'abri de tels scandales, mais, au cours des dernières années, de nombreux cas de corruption locale ont fait irruption et nous ont fait réaliser qu'il fallait aussi agir au sein de notre propre système de valeurs et dénoncer de telles injustices. Il y aura toujours des corrupteurs et des corrompus qui sont prêts à tout pour obtenir ce qu'ils désirent et qui ne songent qu'à leur propre intérêt, mais cela ne veut pas dire que ces actes ne sont pas répréhensibles et qu'il ne faut pas chercher à travailler les uns avec les autres pour lutter contre la corruption et vivre dans une société plus juste et plus honnête.

SUJETS CONNEXES :
o *FRAUDE*
o *JUSTICE*

Culture

VALEURS ET TRADITIONS

Ainsi, lorsqu'on parle de la culture québécoise, on parle des arts, de la cuisine, de la langue française, du hockey, de l'hiver, de notre système social et politique, et de toutes les valeurs et traditions que nous partageons en tant que communauté. C'est ce qui fait de nous une société distincte et unique, et qui nous différencie de toutes les autres.

La culture se définit donc par des traits distincts qui caractérisent une société ou un groupe de gens partageant les mêmes valeurs. Lorsqu'on parle d'une culture, quelle qu'elle soit, on fait référence à une philosophie de vie et à un ensemble de valeurs propre à cette culture (on parlera par exemple de culture européenne, nord-américaine, latino-américaine, indienne, de culture populaire, de culture punk, etc.). Ainsi, même si, au Québec, on s'associe à la culture québécoise, car on se distingue par un ensemble de valeurs et de traditions qui nous est propre, chacun peut aussi appartenir à une autre culture qui le définit de façon plus personnelle. Les immigrants qui vivent au Québec se sentiront par conséquent inclus dans la culture québécoise, sans toutefois nier leur appartenance à la culture de leur pays d'origine. C'est le mélange de ces deux cultures qui forme leur identité culturelle et fait d'eux des gens uniques.

De plus, un jeune peut par exemple considérer qu'il fait partie de la culture alternative parce que, non seulement il raffole de ce style de musique, mais il partage en outre les idées et les valeurs qui sont prônées par le mouvement alternatif.

À l'échelle de la société, il s'agit donc d'un ensemble de facteurs ayant trait aux arts, aux lettres, aux droits, à la religion, aux croyances, aux valeurs, à la langue ou alors aux traditions culinaires, culturelles et sportives qui définit une société ou un groupe de gens et qui leur donne un sentiment d'appartenance et une immense fierté de faire partie de cette culture.

La culture québécoise

La culture québécoise ne se définit pas seulement par le pâté chinois, la gigue et les hivers rigoureux. Elle constitue aussi un croisement du caractère européen et du caractère nord-américain, puisque le Québec est une société relativement jeune qui cherche encore à faire sa place dans un pays aussi vaste que le Canada. C'est une culture bien distincte de celle du reste de l'Amérique du Nord, puisqu'elle se différencie par sa langue, sa musique, sa nourriture, ses sports, son climat, ses arts, les droits de ceux qui la composent, ses paysages, son système social-démocrate et son histoire. Bref, tous ces éléments nous unissent en tant que société et nous rendent uniques. Soyons fières d'être Québécoises !

SUJETS CONNEXES :
o *QUÉBEC*
o *MUSIQUE*
o *SCÈNE ARTISTIQUE*

Droit de vote

UN DEVOIR ET UN PRIVILÈGE

Lorsque vous aurez 18 ans, vous serez invitée à voter lors des élections municipales, provinciales et fédérales, car vous aurez l'âge légal pour voter.

On ne s'en rend pas toujours compte, mais le droit de vote fait intégralement partie de la démocratie dans laquelle nous vivons, et c'est une chance que nous avons d'avoir la possibilité de nous exprimer librement et d'élire les dirigeants en qui nous avons confiance.

Liberté d'expression et responsabilité

Quand on vote, on peut exprimer notre volonté et notre désir d'élire les représentants que nous croyons les plus aptes à diriger notre ville, notre province ou notre pays, mais il en revient à nous de comprendre l'importance de notre voix au scrutin. Nous avons la chance de vivre dans une démocratie qui tient compte de la volonté du peuple, qui peut lui-même élire ses gouvernants contrairement aux dictatures dans lesquelles une seule personne ou un groupe restreint de hauts dirigeants exercent tous les pouvoirs sans loi qui les limitent ou qui donnent la parole à la population. Nombreux sont les peuples et les pays qui se battent encore aujourd'hui pour la démocratie et pour avoir le droit de parole au sein de leur société, alors c'est à nous de réaliser la chance que nous avons de vivre dans une société telle que la nôtre, et aussi d'assumer notre rôle de citoyen et d'électeur pour que les résultats du scrutin témoignent de l'opinion générale, et non pas seulement d'une partie restreinte de la population qui s'est déplacée pour voter. En effet, il arrive parfois que des changements de gouvernement surviennent en raison du nombre limité d'électeurs qui se sont donné la peine de voter. Il va de soi que les gens qui désirent le plus changer les choses seront

ceux qui tiendront à voter lors de la tenue d'une élection, mais il est aussi dans le devoir des autres électeurs d'exprimer leur opinion et d'assumer leur responsabilité. C'est un honneur et une chance que nous avons de pouvoir exprimer librement ce que nous désirons, alors il revient à nous de faire honneur à ce droit et de voter lorsque le temps est venu.

On passe au vote !

Toutes les femmes du Canada se sont vues accorder le droit de voter aux élections fédérales à partir du 1er janvier 1919, tandis qu'au Québec, ce n'est qu'à partir du 25 avril 1940 que les femmes ont obtenu le droit de vote aux élections provinciales. Aujourd'hui, il en revient autant aux hommes qu'aux femmes de prendre le droit de parole qui leur est offert et d'exprimer leur opinion lors des scrutins afin d'élire les représentants choisis par une majorité d'électeurs. Nous vivons dans une démocratie qui fait l'envie de plusieurs millions de gens sur la planète, alors il vaut mieux rendre hommage à cette liberté d'expression et voter, que ce soit pour exprimer un désir de changement, un sentiment d'insatisfaction ou une volonté de continuer dans la même direction.

SUJETS CONNEXES :
o *RESPOSABILITÉ*
o *POLITIQUE*
o *DROITS HUMAINS*

Droits humains

REVENDIQUER LES DROITS HUMAINS

Est-ce que vous trouvez juste que certains enfants doivent travailler au lieu d'aller à l'école?

Est-ce que vous trouvez juste que des enfants-soldats soient enrôlés dans des armées et qu'ils doivent aller se battre à la guerre? Est-ce que vous trouvez juste que des personnes se fassent emprisonner et même torturer parce qu'elles osent émettre une opinion contraire à celle de leur gouvernement ? Est-ce que vous trouvez juste qu'il y ait chaque jour des femmes, des hommes et des enfants qui meurent de faim ?

Non ? Sur quoi vous basez-vous pour dire que cela est injuste?

Cela est injuste car tous ces exemples illustrent des violations des droits humains : le droit à l'éducation, le droit d'être protégé, le droit de s'exprimer librement, le droit à un niveau de vie décent ! Ces violations de droits humains représentent de réelles attaques à la vie d'une personne ; ce sont des atteintes à sa dignité humaine.

Petite question : selon vous, qui peut revendiquer des droits humains ? Peut-on refuser à certaines personnes la jouissance de ces droits ? La réponse : Tous les êtres humains ont des droits! Oui, tous, sans exception, et ce, peu importe où nous vivons dans le monde, qui sont nos parents ou quel est le genre de gouvernement qui gère la société dont nous faisons partie. Et ces droits, vous ne pouvez pas les perdre, on ne peut pas vous les enlever. Ils peuvent être violés, bafoués, mais ils sont toujours présents pour chacun d'entre nous.

Avez-vous déjà entendu cette phrase : « Tous les êtres humains naissent libres et

égaux en dignité et en droits » ? Elle est tirée de la Déclaration universelle des droits de l'homme, un document qui réunit la liste des droits humains. Les droits contenus dans cette liste ne devraient jamais, sous aucun prétexte, être violés ! La Déclaration universelle des droits de l'homme a été adoptée par l'Assemblée générale des Nations unies (l'ONU) le 10 décembre 1948, juste après la Deuxième Guerre mondiale, durant laquelle des atrocités sans nom ont été commises, notamment par le régime nazi. Après la guerre, les chefs de pays du monde entier se sont rassemblés et se sont entendus sur ce que devraient être les droits des êtres humains, pour éviter que de telles souffrances soient répétées. Ils ont déclaré que ces droits appartenaient à tous les individus, quels que soient leur identité, leur sexe, leur origine, leur état de santé mentale ou physique, leur religion ou leur âge.

Il n'y a pas de hiérarchie entre les droits : tous les droits sont aussi importants les uns que les autres. Cependant, on a divisé les droits humains en deux catégories. Il y a les droits civils et politiques - comme le droit à la liberté d'expression, à subir un procès juste et équitable, le droit de s'associer librement avec d'autres -, et il y a les droits sociaux, économiques et culturels - comme le droit à la santé, le droit à l'éducation ou le droit de participer à la vie culturelle.

Il existe aussi des textes qu'on appelle « conventions » et qui énumèrent et protègent les droits de certains groupes plus vulnérables de la population : des groupes dont les droits ont été très souvent violés dans l'histoire. Par exemple, il existe une convention pour protéger les droits des femmes, une autre pour protéger les droits des migrants et des réfugiés, une autre encore pour protéger les individus contre la discrimination raciale. Il existe également une convention pour protéger les droits des enfants. Les enfants sont très vulnérables, car ils sont dépendants des adultes. En effet, pour survivre et pour faire respecter leurs droits, ils doivent compter sur l'aide des plus grands. On a donc écrit un texte pour s'assurer que les États comprennent bien quelle est leur responsabilité en ce qui concerne le respect des droits des enfants.

Selon vous, dans le monde, quel est le pourcentage d'enfants qui n'ont jamais eu la chance d'aller à l'école et qui ne peuvent ni lire, ni écrire, ni compter ? Selon l'Unicef, sur 100 enfants nés en 2000, ce sont 17 enfants qui ne fréquenteront jamais l'école. De plus, l'Unicef estime que, de ces 100 enfants, 30 souffriront très certainement de malnutrition au cours des 5 premières années de leur vie, et 19 n'auront pas accès à de l'eau potable. Cette situation est bien sûr inadmissible, et c'est pour tenter d'y remédier que les droits humains ont été écrits et proclamés par et pour les gouvernements des pays du monde entier.

Vous voulez en apprendre davantage sur les droits humains ou encore vous impliquer auprès d'organismes qui travaillent à les faire respecter ? Faites comme les Cowboys Fringants et soutenez les actions d'organisations telles qu'Amnistie internationale. Amnistie internationale est un mouvement mondial mobilisant des personnes qui choisissent, par solidarité, de consacrer une partie de leur temps et de leur énergie à défendre les victimes d'atteintes aux droits humains. L'organisation compte

2,2 millions de membres et de sympathisants dans plus de 150 pays et territoires.

Vous pouvez vous inscrire dans un groupe d'Amnistie internationale. Ces groupes sont établis un peu partout au Québec, et ils sont même présents dans des centaines d'écoles. Si votre école n'a pas encore le sien, vous pouvez mettre sur pied votre propre groupe. C'est une super activité à entreprendre avec des amis et qui est bien moins bête que de passer tous vos temps libres devant la télévision. Vous pourriez faire un geste pour militer en faveur de la libération d'un prisonnier d'opinion, ou encore pour empêcher une compagnie de polluer la terre ou d'exploiter des enfants.

De nombreuses célébrités choisissent aussi de s'impliquer pour défendre les droits humains. Par exemple, les Cowboys Fringants ont appuyé en 2012 une campagne d'Amnistie internationale concernant l'adoption d'un traité international fort et contraignant sur le commerce des armes à feu. Depuis cette campagne, les pays membres des Nations unies ont accepté le principe d'un traité international sur le commerce des armes, et le Canada a bel et bien soutenu cette initiative. Néanmoins, un an après l'adoption du traité par l'Assemblée générale des Nations Unies, le Canada refuse toujours de signer ce texte, faisant de notre pays un des seuls pays développés à ne pas l'avoir fait.

Salut, on est les Cowboys Fringants.

On souhaite que le Canada appuie la signature du traité sur le commerce des armes à feu. Il y a présentement des millions d'armes, surtout de petit calibre, qui circulent librement sur la planète. À chaque minute, il y a une personne qui meurt dans le monde à cause de la violence armée. Il y a plus de 14 milliards de balles qui sont produites chaque année. Ça, c'est assez de balles pour tuer tout le monde deux fois sur la planète. Ces balles se retrouvent dans des armes qui son utilisées dans des conflits partout à travers la planète et se retrouvent souvent dans les mains des enfants. Alors, on vous suggère de faire comme nous, de faire le tour des sites d'Amnistie internationale, d'Oxfam, de regarder tous les liens, de vous informer sur ce sujet-là, de signer des pétitions, d'envoyer un petit courriel au premier ministre, de dire que c'est vraiment important de donner suite à ce traité.

Merci !

Pour voir le vidéo : http:// www.amnistie.ca/content/ view/10208/314/

Égalité

DROIT NATUREL ET INALIÉNABLE DE L'HOMME

L'égalité est une notion complexe. En premier lieu, il s'agit d'un droit naturel et inaliénable de l'homme. Tous les humains sont égaux, et ce, peu importe leur culture, leurs traditions, leurs origines, leur profession, leur sexe ou la couleur de leur peau.

Toutefois, lorsqu'on songe au racisme, à l'esclavagisme et aux hiérarchies sociales, on se rend compte que l'égalité entre les hommes est loin d'être acquise. Il est cependant important de mentionner que tout le monde a le droit de s'exprimer, d'agir, de penser et de se faire entendre. Peu importe le statut social, la profession ou le groupe ethnique auquel appartient un individu, il a droit au respect et à l'égalité. Tout le monde a le droit d'aimer et de se faire aimer. Ça peut sembler évident, mais ce n'est pourtant pas si simple.

Par exemple, bien qu'on se dise que nous sommes tous égaux et que nous avons tous des droits protégés par la Constitution et par la loi, nous faisons parfois face à des situations qui nous semblent injustes. Ne vous est-il jamais arrivé de vous insurger contre le fait que le prof ait un « chouchou », ou encore que certaines filles partent toujours en vacances et soient exagérément gâtées par leurs parents ? Pourquoi certaines personnes semblent-elles plus chanceuses que d'autres ? Pourquoi certaines sont-elles riches et d'autres pauvres ? Pourquoi des individus ont-ils droit à une deuxième chance alors que d'autres, non ? Toutes ces questions nous font inévitablement douter de l'existence d'une véritable égalité entre les hommes.

Ce que vous devez savoir, c'est que nous sommes égaux au chapitre des valeurs, des droits et des besoins primaires. Chaque personne a le droit de dormir, de manger, d'aimer et de penser, mais cela ne change pas le fait que certaines personnes atteignent des objectifs, se surpassent en tant qu'individu ou possèdent plus de biens matériels que d'autres. Je sais que la barrière entre les riches et les pauvres peut parfois nous sembler insurmontable, mais sachez qu'il y a moyen d'agir pour atténuer ces distinctions.

Le communisme, par exemple, est une idéologie sociale qui prône l'égalité de tous les individus par l'abolition des classes sociales, privilégiant la propriété commune de tous les produits de la société. Ce principe, basé sur de belles valeurs sociales, est malheureusement utopique. Dans les faits, le communisme entraîne la violence et la répression, puisqu'on doit retirer leurs possessions aux riches pour les distribuer aux pauvres. Par conséquent, bien qu'il s'agisse d'une idéologie qui prône l'égalité, les moyens employés pour atteindre celle-ci vont directement à l'encontre du principe d'égalité entre les individus.

Au Québec, il existe divers systèmes sociaux qui aident à répartir également les richesses et à aider les gens dans le besoin, comme les systèmes d'assurance-maladie, d'assurance-emploi et d'aide sociale. Certes, notre charge fiscale est importante, mais dites-vous que les impôts que nous payons servent justement à appliquer ce concept d'égalité et de justice entre les individus.

En d'autres mots, l'égalité relève d'un équilibre qui n'est pas facile à atteindre. Bien que tous les individus soient égaux du point de vue des droits et des valeurs fondamentales qui nous guident dans la vie, il ne faut pas ignorer le mérite de chacun. Si un artiste se surpasse, qu'un sportif gagne une compétition ou qu'un élève obtient une bonne note à un examen, il mérite d'être récompensé pour ses efforts et pour ses accomplissements. Si vous obtenez 100 % dans un cours, ce serait injuste de vous donner 65 % pour que tout le monde obtienne la même note; vous avez travaillé fort pour obtenir cette note, et vous méritez qu'elle apparaisse sur votre bulletin !

Vous avez le droit de penser, de vous exprimer et d'agir comme bon vous semble, dans la mesure où vous respectez le principe d'égalité qui assure aux autres de pouvoir jouir de ces mêmes droits. Pour promouvoir l'égalité et ainsi favoriser la justice et l'équité au sein de la société, apprenez à partager vos talents et vos qualités. Montrez-vous généreuse avec les gens dans le besoin. Non seulement vous participerez à l'avancement de notre société, mais vous vous sentirez extrêmement fière d'avoir collaboré au bien-être collectif.

Emploi
à temps partiel

ACQUÉRIR DE L'INDÉPENDANCE

À l'adolescence, vous allez commencer à ressentir le besoin d'acquérir un peu plus d'indépendance. Vous aurez peut-être envie de vous acheter un joli chandail sans devoir demander la permission à vos parents, ou de partir en voyage en ayant les moyens de le faire.

Vous aurez donc sans doute envie de travailler à temps partiel pour pouvoir jouir d'une telle autonomie. Vos parents seront d'ailleurs peut-être les premiers à vous encourager à le faire, non pas parce que vous êtes un poids pour eux, mais plutôt parce qu'ils pensent qu'il s'agit d'un bon moyen pour vous de devenir plus responsable et d'avoir une plus grande autonomie.

Au Québec, les jeunes de moins de 14 ans ne peuvent travailler sans le consentement de leurs parents ou de leur tuteur. Il faut avoir 16 ans pour devenir apprenti dans un métier régi par la loi, et les employeurs ne peuvent demander aux jeunes de moins de 17 ans de travailler durant les heures de classe (la priorité étant évidemment donnée à l'éducation, et la loi indiquant que les jeunes doivent fréquenter l'école jusqu'à l'âge de 16 ans) ou entre 23 h et 6 h, sauf pour la livraison de journaux. *(Source, et pour plus d'informations : http://www.hrsdc.gc.ca/fr/pt/ psait/rltc/lmnec/minage(f).pdf)*

Mettre les priorités à la bonne place

Même si vous désirez vraiment travailler et amasser votre propre argent de poche, il est important d'accorder la priorité à vos études. Ainsi, durant l'année scolaire, efforcez-vous de ne pas travailler tous les soirs après l'école ou toutes les fins de semaine. Gardez-vous du temps pour étudier, faire vos devoirs et vous détendre. Vous aurez toute la vie pour travailler à temps plein. Par ailleurs, si votre employeur vous demande de travailler plus souvent et que vous trouvez que c'est trop, n'hésitez surtout pas à le lui dire. Durant l'année scolaire, vous pouvez opter pour un emploi dans le cadre duquel il est possible de faire vos devoirs à temps perdu (gardienne, réceptionniste, caissière, etc.). Vous pouvez aussi demander à vos parents de vous payer pour accomplir des tâches ménagères, un travail que vous pourrez faire dans vos moments libres sans que cela empiète sur vos heures d'étude.

Un été à temps plein

Même si vous n'avez pas le temps de travailler beaucoup durant l'année scolaire, vous pourrez amplement vous rattraper au cours de l'été. Les vacances estivales durent généralement deux mois, et plusieurs employeurs offrent des postes aux étudiants qui cherchent un emploi d'été, que ce soit dans le cadre des festivals, ou alors dans les crèmeries, les cafés, les restaurants, les établissements culturels, les camps de vacances, etc. Je vous conseille par ailleurs d'envoyer votre curriculum vitæ quelques semaines avant la fin des classes pour ne pas vous retrouver coincée à la dernière minute. Parlez-en aux gens autour de vous, appelez ou allez voir un ancien employeur ; bref, utilisez vos relations pour vous faire connaître et décrocher l'emploi qui vous convient le mieux. Choisissez un travail qui saura vous motiver et où vous pourrez vous épanouir et avoir du plaisir. Rappelez-vous qu'il s'agit d'un emploi d'été et non de votre choix de carrière !

Le C.V. et l'entrevue

Lorsque vous posez votre candidature pour un emploi à temps partiel ou un emploi d'été, l'employeur vous demandera de lui remettre un curriculum vitæ qui contient vos coordonnées (nom, adresse, numéro de téléphone), ainsi qu'une énumération et une courte description des diplômes obtenus jusqu'à présent et de l'expérience professionnelle que vous avez acquise. S'il s'agit de votre premier emploi et que vous n'avez pas encore votre diplôme, ne paniquez pas ! Nous passons toutes par là (après tout, il faut bien commencer quelque part !). Inscrivez les études que vous êtes en train de poursuivre, l'année où vous devriez obtenir votre diplôme et toutes les expériences communautaires et bénévoles que vous avez acquises jusqu'à maintenant. Vous avez par exemple travaillé en tant que bénévole dans un centre pour personnes âgées ou dans le centre communautaire de votre quartier, ou vous gardez des enfants depuis que vous avez 12 ans ? Ne négligez rien s'il s'agit de votre première expérience professionnelle. Les employeurs sont généralement très indulgents à l'égard des jeunes qui entrent sur le marché du travail. Mentionnez toutes les activités parascolaires auxquelles vous avez participé et les comités dans lesquels vous vous êtes impliquée, que ce soit le théâtre, le conseil étudiant ou le basket. Votre employeur pourra alors voir que vous aimez participer à différentes activités et que vous êtes une personne motivée et responsable. Si vous avez obtenu des mentions d'honneur ou de mérite à l'école, indiquez-le aussi dans votre C.V. afin de mettre en valeur vos aptitudes.

Si un employeur sélectionne votre C.V., vous serez normalement invitée à le rencontrer pour une entrevue. Il vous posera diverses questions d'ordre professionnel, scolaire et personnel. C'est le moment de vous « vendre » et de lui démontrer que vous êtes la candidate idéale, alors ayez confiance en vous et n'ayez pas peur d'énoncer vos principales qualités. Les employeurs aiment les candidates responsables, matures, polies et qui ont de l'entregent. Efforcez-vous ne pas avoir l'air trop coincée, mais demeurez polie et vouvoyez toujours votre employeur lors des premières rencontres. Les entrevues vous permettront d'apprendre à vous connaître et d'acquérir davantage de confiance en vous. Si vos premières entrevues se déroulent mal, ne vous en faites pas, cela fait partie de la période d'apprentissage !

Pas de sots métiers

Rappelez-vous que vous êtes encore jeune et que tous les emplois offerts vous donneront une expérience unique et vous permettront de devenir plus endurante, plus indépendante et plus mature. Ne jugez pas les emplois par le titre et ne levez pas le nez sur ceux qui vous sont proposés. Nous devons toutes commencer quelque part, et même si vous ne pensez pas qu'un emploi de caissière ou de réceptionniste puisse vous aider dans votre carrière, il vous permettra au moins d'acquérir des aptitudes sur le plan personnel qui sont loin d'être négligeables. Alors, n'hésitez surtout pas à foncer !

Environnement

UNE PRIORITÉ POUR TOUS

Depuis plusieurs années, l'environnement est devenu une priorité d'ordre social, culturel et politique. Les catastrophes naturelles qui sont survenues au cours des dernières années, le réchauffement planétaire, l'épuisement des ressources naturelles et l'état de plus en plus préoccupant de notre planète n'inquiètent plus seulement les écologistes, mais aussi le reste de la population mondiale.

Plusieurs éléments expliquent l'aggravation de la situation et l'importance donnée à la conscientisation. Tout d'abord, on connaît un phénomène de surpopulation mondiale assez important. Il y a plus de six milliards d'habitants sur la Terre et, dans certaines régions du monde, comme au tiers-monde, les gens se reproduisent à une vitesse alarmante. La surpopulation entraîne évidemment un accroissement des besoins de matières premières, que ce soit sur les plans de l'énergie, de l'alimentation, de l'eau potable ou même du territoire habitable. On craint donc l'épuisement des ressources naturelles si on n'agit pas rapidement pour améliorer la situation, en encourageant par exemple le développement des énergies renouvelables, soit les sources d'énergie qu'on peut renouveler assez vite pour qu'elles deviennent inépuisables, et ce, même à l'échelle mondiale. Vous avez sûrement déjà vu des moulins à vent au bord des autoroutes du Québec. L'énergie éolienne est un exemple d'énergie renouvelable, puisqu'elle permet de transformer l'énergie cinétique du vent en énergie électrique. L'énergie hydraulique (de l'eau) est un autre bon exemple, puisqu'on se sert du mouvement de l'eau pour produire de l'électricité. Il s'agit d'ailleurs d'une ressource importante au Québec.

> ❛ Bref, on se rend maintenant compte que nos ressources naturelles ne sont pas inépuisables, et qu'on se doit d'agir rapidement pour améliorer la situation. ❜

Au point de vue de l'agriculture, la situation est également grave. L'homme ne cesse de défricher des terres, de couper la végétation, de raser des forêts et d'utiliser des engrais et des agents pollueurs qui nuisent aux sols et à la production agricole, et qui accélèrent l'érosion. L'accroissement de la population mondiale et de ses besoins a évidemment un effet direct sur la dégradation des sols et sur le phénomène de déforestation aux quatre coins de la planète. L'intensification de la production animale a également une influence sur la dégradation de la terre, puisqu'elle encourage le surpâturage et entraîne la réduction de la fertilité des sols, la désertification et l'érosion. (Source : Organisation des Nations Unies pour l'alimentation et l'agriculture)

On entend aussi souvent parler du réchauffement de la planète. Ce phénomène est principalement lié à une augmentation de la température moyenne de l'atmosphère et des océans s'étalant sur plusieurs années. Depuis quelques décennies, on constate un changement important sur le plan climatique. On n'a qu'à penser aux hivers étranges qu'on connaît au Québec, aux ouragans qui frappent de plus en plus fort le Sud des États-Unis et les Antilles, aux tremblements de terre et aux tsunamis qui ont secoué gravement l'Asie, sans parler des milliers de personnes ayant péri lors de ces catastrophes qui semblent trop souvent survenir dans les régions les plus pauvres du monde. Le réchauffement planétaire a aussi des effets catastrophiques sur les sols, les glaciers et la production agricole. Le phénomène du réchauffement planétaire est par ailleurs principalement dû aux émissions de gaz à effet de serre qui deviennent de plus en plus importantes à cause de la déforestation, des décharges de déchets, du CO2 produit par les voitures, par le smog, par la pollution des grandes et des petites villes, etc. Par ailleurs, les probabilités que le réchauffement planétaire soit d'origine humaine sont de plus de 90 % (source : Groupe d'experts intergouvernemental sur l'évolution du climat), et on note qu'au cours du xxe siècle, l'augmentation de la température moyenne de la Terre aurait été de 0,6 °C (source : NASA GISS).

Le Protocole de Kyoto

Pour contrer ce problème, environ 180 pays ont signé le Protocole de Kyoto, au Japon, en décembre 1997. « Dans le Protocole, 38 pays industrialisés s'obligent à abaisser leurs émissions de gaz à effet de serre entre 2008 et 2012 à des niveaux inférieurs de 5,2 % à ceux de 1990. » (Source : Gouvernement du Canada) Le Protocole vise en effet à stabiliser l'émission de gaz à effet de serre dans l'atmosphère pour réduire les dangers qui menacent le système climatique. Il propose ainsi des mesures concrètes afin de prévenir et de réduire les causes du changement climatique. Les pays signataires se sont donc ainsi engagés à faire un inventaire de leurs émissions de gaz à effet de serre et à mettre sur pied des programmes visant à contribuer à atténuer les changements climatiques. Le Protocole propose aussi un calendrier pour la réduction des gaz à effet de serre au

cours des 50 prochaines années, puisque ceux-ci représentent la cause principale du réchauffement climatique qui met la survie de notre planète en danger. Il faut savoir que le Protocole est le seul instrument juridique contraignant limitant les émissions de gaz à effet de serre. Le Canada a ratifié le Protocole en 2002, mais a décidé de s'en retirer en décembre 2011, prétextant le fait de ne pas pouvoir remplir ses engagements et donc de courir le risque de payer des pénalités. Il est à noter que le Canada est encore aujourd'hui le seul pays à s'être retiré du Protocole. Ce geste a été fortement dénoncé par les groupes écologistes à travers le monde.

L'Accord de Copenhague

En décembre 2009 se tenait à Copenhague la 15e Conférence des Parties sur les changements climatiques afin de renégocier un accord international sur le climat qui remplacerait le Protocole de Kyoto. L'Accord vise à réduire de moitié les émissions de gaz à effet de serre d'ici 2050. Chaque pays participant devait formuler avant la fin du mois de janvier 2010 ses objectifs concernant la baisse d'émission de gaz à effet de serre. Certains pays se sont entendus pour lutter contre la déforestation. Pour ce qui est du Canada, le pays s'est engagé à réduire de 20 % ses émissions de carbone d'ici 2020, mais le Québec, l'Ontario et la Colombie-Britannique considèrent que ces engagements ne sont pas assez ambitieux. Le Québec à lui seul veut atteindre des baisses de 20 %. Il est à noter que l'Inde et la Chine (le plus important émetteur de gaz à effet de serre), se sont officiellement jointes à l'accord de Copenhague, en 2010.

Un effort mondial

La préservation de l'environnement est une philosophie qui doit être adoptée à l'échelle mondiale. Chacun doit mettre du sien pour améliorer le sort de notre planète et permettre aux générations futures, c'est-à-dire à vos enfants, d'y vivre de façon saine. Nous devons pour cela acquérir des habitudes de vie plus écologiques. Il est toutefois important de ne pas nous refermer sur nous-mêmes et d'éviter de ne penser qu'à notre propre bien-être et qu'à la survie de notre ville, de notre province et de notre pays. La préservation de la Terre doit être un objectif mondial, et il est essentiel de poursuivre le travail de conscientisation et de sensibilisation qui a été entrepris dans les dernières années. Certains pays du tiers-monde ont par ailleurs beaucoup d'autres problèmes à résoudre, tels que la pauvreté, la famine, le sida et le manque d'eau potable. Nous pouvons donc nous estimer chanceux de pouvoir tenir certaines choses pour acquises et de pouvoir nous concentrer sur les phénomènes environnementaux qu'il ne faut absolument plus négliger. Plutôt que de jouir de cette liberté et de cette richesse en nous refermant sur nous-mêmes, nous devons profiter de notre image et de notre prospérité pour agir à l'échelle mondiale et poursuivre la sensibilisation et la mobilisation de groupes écologiques dans le monde entier. Quant à vous, il existe des tas de petites choses que vous pouvez faire au quotidien pour aider l'ensemble de la population à reprendre le contrôle de la situation. Je vous invite à consulter l'article « Sauvons la planète » pour en savoir davantage.

En 2012, le Canada se disait à mi-chemin de ses objectifs. Notons toutefois que cet Accord n'étant pas contraignant, les États peuvent à tout moment abandonner leurs objectifs, et qu'il faudra donc attendre 2020 pour mesurer les effets réels de cet Accord.

États-Unis

SALUT, VOISIN !

Les États-Unis sont situés au sud du Canada et au nord du Mexique. Ils sont bordés par l'océan Atlantique à l'est et par l'océan Pacifique à l'ouest. Le pays regroupe 50 États, et sa capitale nationale est Washington. En 2010, les États-Unis comptaient plus de 307 millions d'habitants, ce qui les situe au troisième rang des pays les plus peuplés, après la Chine et l'Inde.. Leur superficie de 9,4 millions de kilomètres carrés en fait le quatrième plus grand pays au monde, après la Russie, le Canada et la Chine. (Source : Institut géographique national).

Au niveau mondial, les États-Unis sont perçus comme une superpuissance. Il s'agit d'un pays riche et développé qui possède une économie très diversifiée. Qu'on aime ou non le peuple américain, son influence mondiale est indéniable, et le pays est un partenaire économique très important du Canada et du Québec.

Culturellement, les États-Unis offrent un véritable panorama sur le monde. En effet, l'immigration abondante rend la population américaine extrêmement cosmopolite, et ce, tant au plan ethnique que culturel. On trouve par exemple une forte proportion de Latino-Américains dans l'ensemble du pays, et l'espagnol est la deuxième langue la plus parlée aux États-Unis. D'une côte à l'autre, on peut explorer des cultures et des décors très variés. Par exemple, la côte ouest, ce sont les plages, la chaleur, Hollywood, Los Angeles, San Francisco, les grandes vedettes de cinéma, le surf, tout ça dans une ambiance plutôt exaltée. Sur la côte est, vous trouverez bien sûr New York, la plus grande ville des États-Unis, et Miami, tout au sud, qui est reconnue pour ses plages, son ambiance festive et son influence hispanique. Bien que les États-Unis, en raison de leur proximité, ne nous semblent peut-être pas aussi exotiques que les Caraïbes, sachez qu'il y a des tas de choses à découvrir dans ce vaste pays, comme le Grand Canyon, la Nouvelle-Orléans, les déserts de l'Arizona et du Nevada, les immenses montagnes enneigées pour celles qui raffolent du ski et des centaines de villes débordantes de trésors culturels et artistiques.

Une élection historique

Le 4 novembre 2008, Barack Hussein Obama a été élu 44e président des États-Unis. Il a défait le candidat républicain John McCain et a permis aux démocrates de reprendre le pouvoir. Originaire d'Hawaï, Barack Obama est le premier Afro-Américain de l'histoire à accéder à la Maison-Blanche. Il entre au pouvoir dans un contexte de guerre en Irak et en Afghanistan, d'importantes tensions en Orient et d'une grave période de récession qui a engendré une crise économique mondiale. En d'autres mots, la pression est forte sur le nouveau président, mais l'accession d'Obama au pouvoir a soulevé une vague d'optimisme, tant au niveau national qu'international, et les gens croient sincèrement qu'il pourra faire une différence et aider à rétablir la paix dans certaines régions du monde, en plus de stabiliser l'économie mondiale.

En effet, les États-Unis ont une influence très importante sur le reste du monde. Suite à la déclaration de l'Indépendance des États-Unis en 1776 et de leur indépendance de l'Angleterre obtenue en 1783, le développement du territoire s'est poursuivi tout au long du XIXe siècle. Depuis le milieu du XXe siècle, l'influence exercée par les États-Unis sur les plans économique,

SUJETS CONNEXES :
o *NEW YORK*
o *VOYAGE*

culturel, politique, social et militaire s'est tant accrue que le pays est devenu une véritable superpuissance. C'est souvent pour cette raison qu'on éprouve des sentiments partagés à son égard : nous dépendons de lui à plusieurs niveaux et, même si nous ne sommes pas toujours d'accord avec les décisions politiques et militaires qui sont prises par ses dirigeants, il serait très difficile pour le Canada de couper les ponts avec les États-Unis. Cela ne veut toutefois pas dire qu'il faut porter un jugement sur les habitants et leur culture. Il faut apprendre à respecter les différences tout en sachant exprimer notre point de vue lorsque nous ne sommes pas d'accord avec nos voisins du sud. N'empêche que, si vous avez la chance de parcourir un peu le pays, vous vous rendrez compte qu'il y a beaucoup plus de choses à y découvrir que des hamburgers et du football américain, alors n'hésitez pas à vous y rendre, la frontière est tout près !

Réélection d'Obama

Originaire d'Hawaï, Barack Obama est le premier Afro-Américain de l'histoire à accéder à la Maison-Blanche. Au cours des dernières années, cet homme inspirant a accompli de grandes choses pour cette grande nation. C'est sous sa présidence que la guerre entre les États-Unis et l'Iraq s'est terminée et que le gouvernement américain a commencé à retirer ses troupes de l'Afghanistan. C'est aussi à Barack Obama que les Américains doivent leur nouvelle

réforme en matière de santé. Elle va permettre à 32 milliards d'Américains dans le besoin d'obtenir une assurance maladie gratuite, un peu comme celle que nous avons au Québec. Grâce à toutes ses réalisations, qui ont redoré l'image du pays, le 6 novembre 2012, Barack Obama a été élu pour un second mandat à la présidence des États-Unis !

SOURCES

Population des É.-U. : *Census Bureau des États-Unis*

Pays les plus peuplés : *Site Web de la CIA https://www.cia.gov/library/publications/the-world-factbook/rankorder/2119rank.html*

Les réalisations de Barack Obama : *Le magazine Washington Monthly http://www.washingtonmonthly.com/magazine/march_april_2012/features/obamas_top_50_accomplishments035755.php*

Évolution

NOTRE ORIGINE

En 1859, Charles Darwin publie
« L'Origine des espèces par le moyen de
la sélection naturelle, ou la préservation
des races favorisées
dans la lutte pour la vie ».

Son œuvre vient littéralement révolutionner la théorie de l'évolution de l'homme puisqu'il présente un caractère scientifique et émet l'hypothèse que tous les humains sur terre descendent d'ancêtres communs, qu'ils ont subi des transformations biologiques et qu'ils ont connu une évolution graduelle dans la nature. En d'autres mots, l'espèce humaine est une espèce animale issue d'une autre espèce animale (le singe) qui a connu des transformations biologiques au fil du temps pour s'adapter à son environnement. Cette théorie s'oppose radicalement à celle du créationnisme selon laquelle Dieu est le créateur de la Terre et des êtres qui l'habitent. Cette dualité a causé plusieurs discussions et polémiques au fil des années. Le débat entre la théorie du créationnisme (Dieu a créé la Terre) et de l'évolutionnisme (théorie de Darwin) fait encore rage aujourd'hui, bien que la théorie de l'évolution soit reconnue et prouvée scientifiquement. Certains groupes religieux refusent effectivement de croire à l'évolution et de rejeter Dieu de l'équation, et ce, malgré les preuves scientifiques qui soutiennent cette théorie.

La théorie de l'évolution de Darwin a eu un impact majeur sur toute la communauté scientifique et sur notre compréhension de l'arrivée de l'espèce humaine sur terre et de son évolution au fil des siècles.

En résumé, cette théorie ne repose pas sur des croyances religieuses. Au contraire, elle se détache complètement des théories selon lesquelles Dieu aurait créé l'homme et la Terre. Il s'agit d'une explication scientifique et logique qui présente l'homme comme un descendant direct des singes ayant évolué à travers l'histoire pour s'adapter à son environnement et pour survivre. Le principe de sélection naturelle repose encore aujourd'hui au centre de la théorie de l'évolution, qui a, quant à elle, été adoptée et acceptée officiellement par la communauté scientifique depuis le milieu du XXe siècle.

SUJETS CONNEXES :
○ *RELIGIONS*
○ *CROYANCES*
○ *VALEURS*

Français

BIEN PLUS QU'UNE SIMPLE LANGUE !

Vous savez probablement que le français est la langue officielle du Québec, et l'une des deux langues officielles du Canada (avec l'anglais).

Au sein de notre pays, le français est majoritairement parlé au Québec, ainsi que dans certaines régions du Nouveau-Brunswick, de l'Ontario et des Prairies.

Nous apprenons le français depuis que nous sommes toutes petites et, pourtant, la plupart d'entre nous éprouvent encore beaucoup de difficulté à l'écrire correctement. Bien que certaines personnes ne fassent pas les efforts nécessaires pour maîtriser correctement l'orthographe, la syntaxe et la grammaire, il faut bien admettre qu'il s'agit d'une langue très complexe et assez difficile à posséder. Presque tous les immigrants qui ont dû apprendre le français vous le diront. Le vocabulaire que nous utilisons au Québec est par ailleurs très différent de celui de la France ou d'autres régions du monde. Le français que nous utilisons ici tient ses racines de l'ancien et du moyen français, en plus d'être influencé par la langue anglaise qui est omniprésente dans notre vie de tous les jours.

Un accent bien à nous

On nous dit souvent que l'accent québécois est très particulier. Vous n'avez qu'à le demander à un Français, et il se fera un plaisir de confirmer la spécificité de notre accent, qui reflète bien l'unicité de notre culture. De plus, si on se balade à travers le Québec, on remarque par exemple que les gens du Saguenay, de la Gaspésie, de Québec et de Montréal n'ont pas du tout le même accent. Nous sommes tous Québécois, certes, et nous partageons certaines expressions et

une façon bien à nous de nous exprimer, mais chaque région se distingue tout de même pas ses tonalités et par ses petites expressions qui, mises ensemble, traduisent toute la splendeur et toute la diversité de notre patrimoine.

Quoi qu'il en soit, le français fait partie de notre identité culturelle et de notre folklore. Cette langue nous distingue du reste de l'Amérique du Nord et fait de nous un peuple tout à fait unique. Quand on y pense, il est incroyable de parler encore français après avoir vécu dans une mer anglophone pendant plus de 300 ans, et d'avoir su protéger notre langue malgré la prise de pouvoir de l'Angleterre et l'influence de nos voisins du sud !

Un peu d'histoire

C'est en 1848 qu'il devient légal de parler français au Parlement, et c'est en 1974 que le gouvernement libéral de Robert Bourassa adopte la Loi sur la langue officielle. En 1977, le gouvernement péquiste de René Lévesque adopte la Charte de la langue française, communément appelée la loi 101. Le français devient alors la langue de la majorité et la seule langue officielle de l'État québécois. L'Office québécois de la langue française a été créé le 24 mars 1961, et on a augmenté ses responsabilités lors des modifications à la Charte en 2002. De façon générale, l'Office occupe un rôle à la fois normatif et consultatif. Il s'assure de suivre les règles communes et les normes générales du français, de suivre les règles de la Charte, de faire la promotion du français et d'encadrer notre variante nord-américaine dans le respect des règles générales du français (source : Office québécois de la langue française). Aujourd'hui, environ 80 % des Québécois sont de langue maternelle française[] (source : Statistique Canada).

La langue de chez nous

Comme le disait Albert Camus : « [Ma] patrie, c'est la langue française. » C'est aussi vrai pour le Québec. Le français fait non seulement partie de notre histoire et de nos traditions, mais c'est aussi ce qui nous définit et nous distingue des autres nations. Par conséquent, nous devons non seulement chérir notre langue et la protéger, mais également faire un effort pour la parler et l'écrire correctement.

Le français est une langue poétique. On dit souvent qu'en français, il y a des milliers de façons de dire une seule chose, alors qu'en anglais, on va directement au but. Il faut célébrer la diversité et la richesse de notre langue tout en l'étudiant avec assiduité pour apprendre ses règles afin de lui faire honneur. Je sais que ce n'est pas simple, mais le français nous définit et nous rend si fières que c'est la moindre des choses que de l'utiliser de façon adéquate. Vive la langue de chez nous !

SUJETS CONNEXES :
o *CULTURE*
o *ANGLAIS*

Gang de rue

ATTENTION DANGER !

Depuis les années 1980, on entend de plus en plus parler du phénomène des gangs de rue. Qui sont-ils ? Que font-ils ? Sont-ils tous dangereux ?

Il s'agit de jeunes qui se rassemblent pour former une bande. Ils sont généralement âgés entre 12 et 25 ans, et partagent des valeurs et une idéologie qui leur donnent un sentiment d'appartenance au groupe. Les membres d'un gang de rue éprouvent souvent le désir de se créer une identité, une sorte de petite famille qui leur est propre et qui leur ressemble.

Cela m'amène à parler du recrutement. Comment se forme un gang de rue ? Certains sont bien organisés, et d'autres non. De façon générale, il y a, au sein du groupe, un chef, ou un leader, qui détermine les critères de recrutement. Les membres d'un gang peuvent aller traîner dans une cour d'école secondaire afin de repérer les jeunes qui leur semblent vulnérables, et ainsi d'attirer leurs proies. Ils utiliseront leurs points faibles pour les entraîner au sein de leur bande. Par exemple, ils jetteront leur dévolu sur les immigrants nouvellement arrivés, les jeunes qui se sentent exclus, ceux qui ont des problèmes familiaux, qui ont fait une fugue, qui ont des problèmes financiers ou qui cherchent simplement à appartenir à un groupe, à former une culture qui leur est propre, à se joindre à une famille ou à être libres. Internet est un moyen de plus en plus courant de courtiser les adolescents et de créer des liens. Les membres des gangs abordent souvent les jeunes en leur proposant une solution à leur problème, ou tout simplement en leur procurant le sentiment de liberté et d'appartenance que la plupart recherchent. Ils utilisent donc la manipulation pour attirer les gens vulnérables, leur promettant respect, attention, protection et aisance matérielle.

Les jeunes qui souffrent de solitude, soit parce qu'ils se sentent exclus ou parce qu'ils sont nouvellement arrivés au pays, se laissent souvent tenter, puisqu'on leur propose d'appartenir à un groupe et de former une sorte de famille ou de petite société marginale qui établit ses propres règles et dont les membres doivent se serrer les coudes et peuvent toujours compter les uns sur les autres.

Attention, danger !

Les gangs de rue ne sont pas tous dangereux, mais beaucoup d'entre eux commettent des crimes mineurs ou plongent carrément dans la violence, la drogue, le taxage, les vols, les menaces et le vandalisme. L'objectif est parfois de se renflouer financièrement, de tester ses limites, de mettre les nouveaux membres à l'épreuve ou d'affronter les gangs rivaux. Il existe différents types de gangs de rue, et certains sont beaucoup mieux organisés et structurés que d'autres. Les gangs de rue dits « majeurs » sont ceux qui commettent des crimes plus graves. Ils recrutent généralement leurs membres dans les gangs de rue « mineurs » qui traînent aux quatre coins de la ville. Bien que 99 % de ces jeunes ne soient pas criminalisés (*source :http://www.spvm.qc.ca/fr/ service/1_4_3_1_phenomene.asp*), il s'agit tout de même d'un univers dangereux, corrompu et violent. Les organismes communautaires, les parents, les policiers et les professeurs s'efforcent par ailleurs de faire de la prévention auprès des jeunes pour leur faire comprendre qu'ils ont tout intérêt à se tenir loin de ces groupes dont les activités criminelles sont le plus souvent reliées au vol, au taxage, à la prostitution juvénile et au trafic de drogues.

> ❛ *Soyez donc prudentes et méfiez-vous des gens qui vous abordent pour vous proposer des solutions miracles à vos problèmes.* ❜

Appartenance

Les membres d'un gang de rue possèdent souvent des signes qui les distinguent de ceux des autres gangs, que ce soit une couleur, un style spécial, un sigle, un tatouage ou un lieu de rassemblement particulier. Les membres d'un gang partagent donc des traits communs, des valeurs et une solidarité qui leur semble à toute épreuve. Ce sentiment d'appartenance crée souvent une forte rivalité avec les autres gangs de rue, ce qui peut provoquer des affrontements violents.

Violence et statistiques

Bien que les membres des gangs de rue ne soient pas tous violents, la plupart des crimes commis dans les grandes villes sont reliés à ces groupes. Par exemple, plus de la moitié des tentatives de meurtre, ainsi que 14 des 41 meurtres commis à Montréal en 2007 sont reliés aux gangs de rue. (*Source : http://www.cyberpresse.ca/article/20080201/ CPACTUALITES/802010616/-1/CPACTUALITES*)

Il y a à Montréal une vingtaine de gangs de rue importants qui regroupent entre 300 et 500 membres. Ces derniers se divisent en deux groupes majeurs : les Bleus et les Rouges. (*Source : http://www.spvm.qc.ca/fr/service/1_4_3_1_phenomene. asp*). Les plus petits gangs ont tendance à se former et à se dissoudre, et à errer d'un bout à l'autre de la ville. Dans la métropole, on trouve un fort regroupement de gangs de rue dans les quartiers Saint-Michel, Montréal-Nord, Notre-Dame-de-Grâce, Côte-des-Neiges et Côte-Saint-Luc. Les gangs de rue étaient responsables d'environ 17 % des meurtres signalés à la police, en l'an 2010. Les homicides

SUJETS CONNEXES :
o *DROGUE*
o *VIOLENCE*

liés aux gangs de rue sont de moins en moins fréquents chaque année, ce qui est une bonne nouvelle (*source : Statistiques Canada, pour l'année 2010. http://www.statcan.gc.ca/pub/85-002-x/2011001/ article/11561-fra.htm#a8*)

La prévention

La prévention demeure l'une des meilleures solutions pour freiner le problème. Il est donc normal que des gens de votre école vous en parlent fréquemment et vous expliquent les dangers reliés aux gangs de rue. Il circule par ailleurs beaucoup d'information sur le sujet.

Si vous connaissez quelqu'un qui fait partie d'un gang de rue, tentez de lui en parler en lui expliquant les dangers et en lui démontrant que beaucoup d'autres possibilités existent pour passer du bon temps et surmonter son sentiment desolitude ou d'exclusion. Comme il s'agit d'un problème sérieux, je vous conseille également de demander l'avis d'un professionnel ou d'un membre de sa famille.

Il existe également des lignes d'écoute téléphoniques où vous pouvez appeler pour obtenir de l'information ou des conseils sur le sujet.

Info-Crime :
1-800-711-1800

Tel-jeunes :
1-800-263-2266

Guerre

QUAND LA VIOLENCE RÈGNE

« La guerre, phénomène collectif, social et historique, est une manifestation de violence physique à caractère homicide puisqu'elle implique nécessairement l'utilisation d'armes. Qu'elle soit officiellement déclarée ou non, la guerre est une situation socialement reconnue, qui perdure dans le temps et dont les affrontements revêtent une certaineampleur. La fin peut en être marquée ou non par un accord de paix (traité ou armistice). » *Source : www. granddictionnaire.com*

La guerre existe depuis le début des temps. C'est un phénomène révoltant qui nous paraît trop souvent injuste. Que dire de toutes ces personnes chassées de leur pays, de ces familles détruites, de ces territoires dévastés et de toutes les innocentes victimes qui périssent durant des conflits armés ? Il existe toutes sortes de raisons pour déclencher une guerre. Parfois, il s'agit d'une dispute au sujet de l'attribution d'un pays ou d'un territoire, ou alors d'une querelle politique, religieuse, économique ou idéologique. Il y a même des peuples qui se battent pendant si longtemps qu'ils en oublient la source initiale de leur conflit. Quoi qu'il en soit, il est attristant de constater le nombre de gens qui souffrent à cause de ces guerres, et il est normal que vous soyez révoltée et contrariée par la barbarie de ces gestes et que vous vous sentiez bien impuissante devant tant de violence. Nous avons la chance de vivre dans un pays pacifique qui opte souvent pour la neutralité dans les conflits, mais cela ne veut pas dire qu'il faille se fermer les yeux sur les injustices sociales si courantes dans le monde et sur toutes les guerres qui font rage ailleurs sur la planète.

On en vient souvent à se demander en quoi la violence peut vraiment régler un problème. Pourquoi doit-on prendre les armes et tuer pour faire valoir son point de vue ? Malheureusement, il s'agit d'un phénomène vieux comme le monde. Dans plusieurs cas, la violence éclate lors d'un règlement de comptes, à cause d'une injustice qui a été commise ou du simple désir de se venger. Les peuples en guerre tombent dans un cercle vicieux, car bien que la communauté internationale encourage la résolution du conflit et que les dirigeants soient prêts à entamer des discussions, il suffit parfois d'un extrémiste ou d'un rebelle pour commettre un crime isolé et remettre de l'huile sur le feu.

Lorsqu'on met fin à une guerre, on signe normalement un traité de paix ou une entente de cessez-le-feu. Même lorsque ces ententes sont signées, il suffit parfois d'un rien pour faire redémarrer le conflit et pour passer outre aux conditions de paix. La guerre est une situation extrêmement complexe, puisqu'elle est causée par une série de facteurs, alors il n'est pas rare que des gens se révoltent à la suite d'un traité de paix parce que celui-ci ne respecte pas leurs droits ou qu'ils sentent que leurs revendications n'ont pas été entendues.

Durant les conflits armés, plusieurs organismes comme les ONG interviennent dans les régions en guerre pour fournir des abris temporaires, de la nourriture, de l'eau potable et des soins aux gens qui ont été chassés de chez eux et aux blessés. La violence qui règne et les risques d'attentats sont toutefois parfois si élevés que les organismes en question ont de la difficulté à atteindre ces régions ou à s'établir en toute sécurité sur un territoire donné. Quoi qu'il en soit, n'hésitez jamais à faire des dons pour les victimes de guerre et à appuyer les organismes qui viennent en aide aux innocentes victimes et aux familles qui sont obligées de quitter leurs villes et leurs villages détruits par la guerre. C'est quand on s'informe un peu et qu'on lit sur le sujet qu'on réalise qu'on a vraiment de la chance de vivre ici. Plutôt que de nous asseoir sur nos lauriers, venons plutôt en aide aux gens qui en ont vraiment besoin.

Malheureusement, il y a encore des guerres aujourd'hui, et particulièrement des guerres civiles, qui sont des conflits armés entre les habitants d'un même pays. Par exemple, dans la foulée des révoltes du Printemps arabe de 2011, des guerres civiles ont éclaté en Lybie et en Syrie. La guerre civile qui déchire la Syrie a fait à elle seule plus de 160 000 morts et plus de 9 millions de réfugiés depuis 2011. On a aussi assisté au déclenchement d'une guerre civile au Mali en 2012. À noter toutefois que sur les 150 guerres civiles qui ont eu lieu depuis 1945, moins de 10 font encore rage aujourd'hui.

Une menace grandissante

À la suite des événements du 11 septembre 2001, vous avez certainement entendu parler du perfectionnement de certaines armes et de la progression de la menace d'attaque terroriste, bactériologique et nucléaire. Il est vrai qu'au XXIe siècle, les armes et toute l'artillerie de guerre ont beaucoup évolué et que les gens qui les fabriquent ne cessent d'améliorer leur précision et la force de leur impact. Il est sage de rester à l'affût des progrès technologiques qui sont faits dans ce domaine et d'être consciente des dangers que cela peut représenter, mais il ne faut pas pour autant devenir complètement parano, encourager le racisme et se laisser emporter par un tourbillon de panique générale. Mieux vaut prôner la paix et adopter une attitude pacifique. Il faut encourager les dirigeants à s'engager dans des discussions pouvant mener à des traités de paix et inciter la communauté internationale à se mobiliser contre la violence. Même si on se sent parfois bien loin de tous ces conflits et qu'on ne se sent pas toujours touchée par ce que leurs participants revendiquent, cela n'empêche pas de promouvoir l'égalité, la justice, le respect et la paix dans le monde. Bien que ça puisse vous sembler un peu utopiste et irréaliste, une telle attitude pourrait réellement avoir une influence à l'échelle internationale, surtout si nous nous serrons les coudes pour promouvoir la paix dans le monde.

Internet

UN OUTIL DEVENU PRATIQUEMENT INDISPENSABLE

En décembre 2009, on dénombrait 1,8 milliard d'internautes (source : Internet World Stats) dans le monde, dont près 260 millions en Amérique du Nord. L'Internet, ou le Web, nous permet en effet de consulter quotidiennement des pages et des pages de données sur tous les sujets et en provenance des quatre coins de la planète.

Dans notre société, Internet est devenu pratiquement indispensable, que ce soit pour faire des recherches, pour avoir accès au courrier électronique, pour clavarder avec nos amis ou simplement pour y naviguer.

Internet commence à prendre forme au début des années 1960 aux États-Unis, avec la parution des premiers articles sur la transmission de données par la voie de réseaux informatiques. C'est en 1972 que la première application de grande importance, soit la messagerie électronique, voit le jour. Le système s'ouvre véritablement au trafic commercial au début des années 1990, qui marque en fait la naissance d'Internet tel que nous le connaissons aujourd'hui. Yahoo fait son apparition en 1994 et Google, le moteur de recherche le plus utilisé au monde, en 1998.

Des heures de plaisir

Non seulement Internet nous permet-il de communiquer rapidement avec les gens aux quatre coins de la planète, mais il offre aussi une banque illimitée d'informations sur tous les sujets. Lorsque vous avez une recherche à faire ou que vous voulez simplement en savoir davantage sur quelque chose, vous n'avez qu'à ouvrir votre moteur de recherche, taper quelques mots et ta-da ! tout apparaît comme par magie. Vous devez toutefois être prudente lorsque vous surfez sur le Web. En effet, certaines pages ont été créées par des amateurs et les informations qui y sont présentées ne reposent pas sur des sources officielles. Par conséquent, les données qu'elles contiennent sont parfois erronées. C'est pour cette raison qu'il vaut toujours mieux visiter les sites des gouvernements ou des organismes officiels qui mettent régulièrement leurs informations à jour et qui font un suivi assidu des données qu'ils affichent en ligne.

Attention !

Aujourd'hui, on peut pratiquement tout faire sur Internet : acheter des choses, payer ses factures, consulter ses relevés bancaires, échanger des photos, s'envoyer du matériel de travail, etc. Il s'agit d'une façon rapide et efficace d'entrer en communication avec les gens et d'avoir recours à des millions de pages d'informations qui nous intéressent. Sachez toutefois que vous devez être très prudente au chapitre de la confidentialité. Certaines pages ne sont que de la frime ou ne possèdent pas de système de sécurité efficace, alors ne dévoilez pas d'informations personnelles ou confidentielles en ligne ou sur les sites de chat. Certaines personnes s'infiltrent parfois dans les réseaux pour récupérer ces informations et frauder les gens. Ne donnez jamais votre numéro de carte de crédit, votre numéro d'assurance sociale, votre adresse ou votre numéro de téléphone dans les sites ouvertement non sécurisés, ou dans ceux dont la fiabilité vous semble douteuse. Sur les sites de clavardage où vous bavardez avec des gens, méfiez-vous aussi de ceux que vous ne connaissez pas, car les prédateurs sexuels et les pédophiles profitent parfois de la vulnérabilité des jeunes et de leur grande curiosité sexuelle pour entrer en contact avec eux et éventuellement passer à l'acte. Il s'agit d'un phénomène déplorable qui ne fait que souligner le manque de contrôle exercé sur Internet. Certaines pages promeuvent aussi la violence, la colère, le crime, la drogue, la pornographie, et présentent des photographies inappropriées et des propos immoraux. Donc, tenez-vous loin de ces sites, et évitez de vous laisser berner par des inconnus. Concentrez-vous sur les sujets qui vous intéressent, et ne communiquez qu'avec les gens que vous connaissez.

Prenez garde aux virus !

Les virus sont des petits programmes conçus pour endommager ou parfois même détruire les logiciels installés dans votre ordinateur, ou même l'ensemble du contenu de ce dernier. N'ouvrez jamais les pages de publicité qui vous offrent toutes sortes d'aubaines et de prix incroyables, et ne croyez surtout pas les sites qui vous assurent que vous êtes l'heureuse gagnante d'un prix, d'un montant d'argent, etc. Aussi, n'ouvrez jamais les courriels dont vous ne connaissez pas l'expéditeur. Ceux-ci peuvent contenir des virus qui s'attaquent à votre ordinateur aussitôt que vous les ouvrez. Munissez-vous également d'un bon logiciel antivirus qui vous préviendra des dangers, vous avertira en cas d'infection et réglera le problème si virus il y a.

Réseaux sociaux

En janvier 2008, la moitié des internautes canadiens étaient membres de Facebook (source : Branchez-vous !). Le réseautage personnel permet d'établir un réseau de relations interpersonnelles sur Internet. Les utilisateurs peuvent constituer ou élargir leur cercle de connaissances par l'intermédiaire de leurs amis, et des gens qui font partie du réseau de leurs amis. En bref, le réseautage donne la possibilité de rester en contact avec les gens de notre entourage, ou avec ceux qu'on avait un peu perdus de vue, grâce à une variété d'outils appelés « services de réseautage social en ligne ». Les réseaux sociaux permettent aussi de gérer sa carrière professionnelle, d'afficher des photographies ou des informations sur sa propre vie et même de s'exprimer sur le plan artistique en créant sa propre page (comme dans le cas de MySpace). Je dois encore une fois vous mettre en garde contre les regards indiscrets et malveillants de ceux qui pourraient être tentés de consulter vos informations personnelles ou d'entrer en communication avec vous. Bref, n'acceptez pas d'être amie avec les gens que vous ne connaissez pas, et ne publiez pas d'informations trop confidentielles ni de photos compromettantes sur ces sites. Contentez-vous de les utiliser pour donner des nouvelles aux gens de votre entourage et pour rester au courant de ce qui leur arrive.

Il y a tant d'informations et de diversité sur Internet qu'il est parfois facile de s'y perdre ou de laisser filer les heures sans même s'en rendre compte ! Si vous demeurez prudente, vous aurez un plaisir fou à surfer et à découvrir toutes les joies d'Internet, mais n'oubliez pas de sortir et de prendre l'air de temps à autre !

Justice

VIVRE DANS L'ÉGALITÉ ET L'IMPARTIALITÉ

Du point de vue de l'individu, la justice est une qualité morale qui vise la reconnaissance et le respect des droits des individus de manière impartiale. Elle permet aux gens d'obtenir ce qui leur est dû.

Dans un contexte social, c'est le système judiciaire qui est garant de la justice. Il détermine les droits de chacun et fait appliquer les lois. Pour vivre dans l'égalité et dans l'impartialité, les gens qui composent une société doivent suivre les règles et les lois qui leur sont imposées tout en respectant les droits d'autrui. Lorsque quelqu'un commet un crime ou enfreint une règle, la justice prévoit qu'il paie pour sa faute et qu'il apprenne de ses erreurs. Les conséquences qui lui sont imposées doivent être justes et proportionnelles au crime qui a été commis. Par exemple, si vous parlez en même temps que le professeur, vous privez ce dernier de son droit de parole, et vos camarades de classe des explications auxquelles ils ont droit. Il est donc juste que vous payiez pour votre faute.

> *La justice est également une vertu qui encourage à la réciprocité et à l'équité.*

On doit payer le juste prix d'un vêtement pour l'obtenir, tout comme on a le droit d'exiger la parole lors d'un débat. La justice n'est pas là pour nous mettre des bâtons dans les roues; elle est là pour s'assurer que tout le monde soit sur un pied d'égalité et puisse vivre en société en faisant respecter ses droits et en respectant la liberté d'autrui. La justice permet aussi d'imposer des valeurs morales et des barèmes visant à assurer l'harmonie et la paix sociales.

Il ne faut toutefois pas confondre la justice et la vengeance. Si quelqu'un commet un crime, l'objectif n'est pas de lui faire subir la même chose ou de lui faire regretter amèrement ce qu'il a fait en ayant recours à la violence et au chantage. La justice doit donner le bon exemple ; elle doit encourager à faire le bien et non le mal. On doit faire comprendre au fautif qu'il a mal agi en l'obligeant à réfléchir sur ses actes par une sanction juste et proportionnelle au crime qu'il a commis. Il peut s'agir d'une amende ou d'une peine d'emprisonnement pour un criminel, ou encore d'une retenue ou d'une interdiction de sortir, dans le cas de fautes mineures comme celles qu'on peut commettre à l'adolescence. Par exemple, quelqu'un conduisant une voiture en état d'ébriété se verra confisquer temporairement son véhicule et retirer son permis de conduire puisqu'il n'a pas été capable d'assumer ses responsabilités, c'est-à-dire de conduire en suivant les règles et en respectant la sécurité des autres usagers de la route. La justice lui imposera donc des sanctions pour lui faire comprendre qu'il a agi de façon irresponsable et irrespectueuse des lois comme d'autrui.

Dans la vie, on est souvent confrontée aux injustices. Parfois, on se révolte quand un autre élève reçoit un traitement de faveur, lorsqu'il est le chouchou du prof ou lorsqu'il réussit un cours alors qu'il devrait échouer. D'autres fois, on s'insurge contre la liberté qui est accordée à notre grand frère ou contre le fait que notre sœur ait obtenu la grande chambre au sous-sol alors qu'on

SUJETS CONNEXES :
o DROITS HUMAINS
o RESPECT
o TOLÉRANCE

est encore coincée à côté de celle de nos parents. On peut également se révolter face aux grandes injustices telles que la pauvreté, la guerre, le racisme, la famine, l'esclavagisme, le sexisme, les inégalités sociales et ethniques et les maladies graves qui frappent sans prévenir. Il y a des choses qui sont au-delà de notre pouvoir, et on est souvent frustrée par notre incapacité à agir. Quoi qu'il en soit, sachez qu'il y a de petits gestes que vous pouvez faire dans votre quotidien pour réclamer la justice et pour faire valoir vos droits. Efforcez-vous d'être juste dans vos jugements et dans votre façon de penser. Apprenez à traiter les gens avec justice et impartialité, de même qu'à respecter les droits d'autrui. N'ayez pas peur de vous insurger contre les injustices et de réclamer votre droit de parole. C'est de cette façon que nous construirons une société plus juste, plus équitable et plus ouverte aux différences.

Liberté

AGIR À SA GUISE

Selon le Multidictionnaire de la langue française, la liberté se définit par une indépendance et un pouvoir d'agir à sa guise. Il peut s'agir d'une liberté d'action, d'esprit, de pensée, de presse, de réunion ou de culte.

Vous êtes donc libre d'avoir vos propres goûts, préférences, opinions et idées. Vous êtes libre d'agir à votre guise dans le respect des lois et des règles de la société, et vous êtes tout à fait libre d'être telle que vous êtes, de choisir votre métier, vos amis, de décider de ce que vous voulez faire de votre vie.

Tout ça semble extraordinaire, mais il peut parfois être extrêmement angoissant de jouir d'une telle liberté. Lorsqu'on est jeune, nos parents prennent des décisions à notre place et agissent en fonction de notre bien-être. Puis, peu à peu, ils nous accordent plus de liberté et d'autonomie, et parfois on ne sait pas trop quoi en faire. En effet, il y a des choix et des responsabilités qui accompagnent la liberté, et ce n'est pas toujours facile de les assumer lorsqu'on est jeune. Par exemple, vos parents ont peut-être décidé de vous laisser choisir vous-même le domaine d'études vers lequel vous souhaitez vous diriger après le secondaire. Au départ, vous êtes enchantée et vous commencez à feuilleter toutes sortes de dépliants sur les choix de carrière et les différentes professions qui s'offrent à vous. Ensuite, bien souvent, c'est la panique. Pourquoi devez-vous prendre une telle décision maintenant ? Qui sait ce que la vie vous réserve ? Il s'agit d'une décision qui influencera le reste de votre existence ! Vous n'êtes pas certaine d'être en mesure de la prendre et d'endosser toutes les responsabilités qui en découlent. C'était si simple quand vos parents prenaient des décisions pour vous et que vous n'aviez pas à vous poser de questions existentielles !

Sans vouloir vous déprimer, je me dois de vous prévenir : votre vie d'adulte sera remplie de décisions que vous devrez prendre et assumer. Vous jouirez d'une grande liberté d'action sans pour autant savoir vers où aller. Ne vous en faites pas : la liberté entraîne aussi de belles surprises, et il faut la goûter de façon positive.

Par ailleurs, vous avez sans doute remarqué que divers obstacles entravent votre liberté. À l'adolescence, on se sent souvent réprimée par ses parents, par les règlements, par les devoirs, par les profs et par toutes les limites qui nous sont imposées et qu'on ne peut pas franchir. On est libre de sortir jusqu'à 22 heures. On est libre de dîner jusqu'à 13 heures. On est libre de discuter avec nos amies, mais seulement quand le professeur l'autorise, et on est libre de faire ce qui nous plaît durant les fins de semaine, mais on doit d'abord terminer les tâches ménagères qui nous sont assignées. On se sent parfois même révoltée par notre manque de liberté. Nous n'avons pas choisi nos parents, ni nos frères, ni nos sœurs. Nous n'avons pas choisi de naître ici et d'être telle que nous sommes. Plutôt que de s'apitoyer sur ces « injustices », il faut se considérer chanceuse de pouvoir vivre et s'épanouir en tant qu'individu.

Bien qu'on éprouve souvent un grand besoin de liberté et d'indépendance au cours de l'adolescence, sachez que la liberté et l'autonomie s'acquièrent avec l'expérience et qu'on doit franchir différentes étapes avant d'y accéder. Par exemple, lorsque vous avez

SUJETS CONNEXES :
o ÉGALITÉ
o RESPECT
o DROITS HUMAINS

16 ans, vous jouissez légalement du droit de conduire un véhicule. Vous acquérez alors une grande autonomie. À 18 ans, vous devenez majeure, donc, selon la loi, responsable de vos actes et de vos agissements. De plus, le jour où vous décidez de quitter le nid familial, vous acquérez une autonomie sans précédent, puisque plus personne n'est là pour vous dire quoi faire ou pour surveiller ce que vous faites. Quand on est jeune, on rêve de cet affranchissement, mais rappelez-vous que la liberté s'accompagne de responsabilités que vous devez être en mesure d'assumer. Vous devez être une conductrice responsable et respecter le code de la sécurité routière. Après votre 18e anniversaire, vous devez entre autres voter et répondre entièrement de vos actes. Lorsque vous partez de la maison, vous devez être capable de subvenir à vos besoins, et de payer votre loyer et vos factures, sans compter que vous devez apprendre à vous responsabiliser et à vous discipliner pour atteindre vos objectifs.

La liberté vous permet par conséquent de prendre des décisions en fonction de votre bien-être et de votre bonheur. La maturité que vous allez acquérir vous permettra d'agir en fonction de vos convictions et de vos valeurs, ainsi que de penser à votre avenir et à votre bien-être à long terme. Quand on prend une décision, on doit non seulement songer au présent, mais aussi aux conséquences qu'elle aura dans le futur. Vous devez donc jouir de toutes les libertés et de tous les choix qui s'offrent à vous, et saisir les occasions qui se présentent tout en vous remettant en question et en cherchant à vous surpasser. Bien que cela puisse vous sembler lourd à assumer, apprenez à ne pas douter de vos capacités et de vos talents; cherchez plutôt à atteindre le bonheur en restant consciente de vos limites. Vous avez la liberté de devenir qui vous voulez et d'être foncièrement heureuse dans la vie, alors pourquoi ne pas en profiter ?

Majorité

DEVENIR MAJEURE ET VACCINÉE

À 18 ans, vous devenez majeure et vaccinée, comme le dit l'expression. Qui dit majorité dit toutefois responsabilités, et n'allez pas croire que parce que vous avez enfin atteint vos 18 ans, vous pouvez faire comme bon vous semble.

Bien sûr, vous acquérez plus de droits, plus de liberté et plus de pouvoir, mais vous devenez aussi entièrement responsable de vos actes. Si, par exemple, vous commettez un crime majeur ou un délit grave, vous risquez d'en subir les conséquences comme une adulte, c'est-à-dire que vous risquez la prison, un casier judiciaire ou une forte amende.

Droit de vote

Au Québec, les femmes ont le droit de voter et de se faire élire depuis 1940. L'âge légal pour voter est 18 ans, et il s'agit non seulement d'un droit que vous acquérez lorsque vous devenez majeure, mais aussi d'un devoir que vous devez exercer en tant que citoyenne vivant dans un pays démocratique. Chacune a droit à son opinion, et chacune doit l'exprimer en votant lors des scrutins. Si vous jugez que vous n'êtes pas suffisamment informée de ce qui se passe pour prendre une décision réfléchie, il n'est jamais trop tard pour lire sur le sujet, pour vous renseigner sur les différents partis ou pour demander aux gens de votre entourage de bien vous expliquer (de façon objective, si possible) quels sont vos choix.

Les bars et l'alcool

À 18 ans, vous pouvez aussi entrer légalement dans les bars et les discothèques, en plus de pouvoir acheter de l'alcool à la SAQ. Bien que vous sentiez qu'un monde rempli de liberté et de folies s'ouvre à vous, vous devez aussi apprendre à être responsable et à ne pas abuser des bonnes choses. Si vous avez 18 ans, vous fréquentez probablement le cégep, et vous avez certainement des tas de travaux à faire, alors ne négligez pas ces derniers pour boire et faire la fête.

La révolte contre les parents

Je sais, vos parents n'ont cessé de vous répéter, durant votre adolescence, que vous obtiendriez plus de liberté lorsque vous deviendriez majeure, et maintenant que c'est fait, leur discours change. Mainte-nant, ils disent que vous devrez leur obéir tant et aussi longtemps que vous vivrez sous leur toit. Ne vous en faites pas trop avec cela ; ils n'agissent pas ainsi parce qu'ils ne vous font pas confiance, ni parce qu'ils veulent à tout prix vous rendre la vie impossible le plus longtemps possible. C'est simplement qu'ils sentent qu'ils vous perdent peu à peu. Le temps a filé si vite qu'ils ne savent plus trop comment réagir face à la jeune femme que vous êtes devenue. Et puis, soyons honnêtes : bien que vous ayez 18 ans, vous avez encore beaucoup à apprendre, et vos parents sont là pour vous montrer la voie. Ce n'est pas parce que vous êtes majeure que vous êtes frappée du jour au lendemain par un éclair de sagesse et de maturité, et il se peut très bien que vous commettiez encore des erreurs. Peu importe votre âge, vos parents sont là pour vous ramener sur le droit chemin. Après tout, c'est leur travail !

De plus, comme vous étudiez encore, votre travail à temps partiel (souvent au salaire minimum) ne vous permet sûrement pas

SUJETS CONNEXES :
o *ALCOOL*
o *PERMIS DE CONDUIRE*
o *CÉGEP*

d'être autonome, et, quel que soit votre âge, tant que vous êtes dépendante financièrement de vos parents, il est normal qu'ils fassent preuve d'autorité et qu'ils vous demandent de leur rendre des comptes. La meilleure façon de bien gérer sa majorité, c'est d'accepter les responsabilités qui accompagnent la nouvelle liberté qu'on vient d'acquérir. Votez et réfléchissez. Apprenez à être à l'écoute des autres et soyez responsable dans ce que vous entreprenez. Bref, agissez en jeune adulte et rappelez-vous que, pour la première fois de votre existence, vous pouvez réellement vous dire que vous êtes légalement libre de choisir ce que vous voulez faire de votre vie, alors aussi bien en profiter pour analyser toutes les options qui s'offrent à vous et pour faire des choix éclairés !

Mariage

UNION FORMELLE ET LÉGITIME ENTRE DEUX PERSONNES

Il s'agit d'une façon de célébrer son amour avec son conjoint et d'officialiser son union.

Au Québec, l'âge légal pour se marier est de 16 ans. Avant 18 ans, on a toutefois besoin du consentement de ses parents ou de ses tuteurs pour s'unir légitimement. Les individus de sexe différent ou de même sexe peuvent se marier civilement.

Il existe deux types de mariage : le mariage civil et le mariage religieux. Les deux ont la même valeur aux yeux de la loi, et soumettent les époux aux mêmes devoirs et responsabilités. Le mariage civil doit être célébré par un greffier, un notaire, un officier municipal ou toute autre personne qui obtient au préalable l'autorisation du ministre de la Justice. Les conjoints peuvent également choisir le lieu de la cérémonie. Pour un mariage religieux, ils décident de se marier devant Dieu, et l'union est généralement célébrée dans un lieu de culte. Ils doivent la plupart du temps se conformer aux traditions imposées par leur religion. Ces traditions varient d'une religion à l'autre.

Sur le plan juridique, le mariage au Québec entraîne un principe d'égalité entre les deux époux, qui se voient dans l'obligation d'assumer ensemble les responsabilités de leur union et de prendre des décisions communes. Il existe des tonnes de principes, de règles et d'ententes à lire et à suivre lorsqu'on se marie. Il est important de bien s'informer avant de passer à l'acte ou de signer quoi que ce soit. Pour plus d'informations, consultez le site du gouvernement du Québec concernant le mariage : *http://www.justice. gouv.qc.ca/francais/publications/generale/ maria.htm#propos*

Peu importe le type de mariage choisi, lorsqu'on se marie, on s'engage à partager sa vie avec son conjoint. Il ne faut donc jamais sous-estimer l'importance de cette union. Au Québec, le mariage a perdu beaucoup de sa popularité au cours des dernières années. En 1980, on comptait 44 849 mariages au Québec. Ce nombre a chuté à 32 059 en 1990, puis à 21 918 en 2006. (Source : Institut de la statistique du Québec) Cette importante diminution du nombre d'unions légitimes est sans aucun doute liée à la hausse importante des cas de divorces. En 1980, on comptait 13 899 divorces au Québec, ce qui veut dire que 31,7 % des mariages se soldaient par un divorce. En 1990, le nombre de divorces était de 20 474, soit 49,6 % des mariages. En 2003, le pourcentage de divorces atteignait 53 %, ce qui veut dire que plus de la moitié des mariages aboutissaient à un divorce. (Source : Institut de la statistique du Québec)

La séparation de l'État et de l'Église au Québec a grandement contribué à ces changements, puisque les gens ne sont plus obligés de se marier et peuvent vivre ensemble toute leur vie sans devoir s'unir formellement. Les mœurs, les valeurs et les traditions ont beaucoup changé au cours des dernières décennies, ce qui a fait perdre beaucoup d'importance au mariage. Notre société est devenue de plus en plus ouverte et moderne. Cela a eu une influence directe sur le comportement de la population qui éprouvait moins le besoin de suivre les traditions plus conservatrices.

SUJETS CONNEXES :
o *COUPLE*
o *AMOUR*

Il ne faut toutefois pas dénigrer le mariage. Cela demeure un choix personnel basé sur le désir de célébrer son amour et son union. Au Québec, se marier représente aujourd'hui un défi et une façon de braver les statistiques. Il faut encourager les gens qui sont prêts à se marier, qui croient sincèrement en leur amour et au fait qu'ils passeront toute leur vie ensemble. Le mariage est aussi une fête, un spectacle et une façon de célébrer notre amour avec les gens qui nous sont chers.

On ne doit pas prendre le mariage à la légère, et on doit évidemment être prête et sûre de soi avant de se lancer dans cette grande aventure. À l'adolescence, les sentiments amoureux sont parfois d'une grande intensité, mais rappelez-vous que vous êtes encore très jeune, et que bien que vous croyiez sincèrement pouvoir passer votre vie avec votre amoureux, mieux vaut attendre de voir ce que vous réservent les années qui viennent, sans brûler d'étapes. Vous avez amplement le temps de prendre des décisions. Alors, ne brusquez pas les choses.

Média

MOYEN DE DIFFUSION DE L'INFORMATION

Un média sert avant tout à diffuser de l'information. Les principaux médias sont la télévision, la radio, Internet et les journaux. Ce sont ces moyens de diffusion que nous utilisons tous les jours pour nous divertir, pour nous informer de ce qui se passe dans le monde ou pour trouver des réponses à nos questions.

La télévision

Depuis l'invention de la télévision en 1926, nombreux sont ses adeptes qui n'arrivent plus en s'en passer. Au cours des dernières années, une importante campagne de conscientisation a été entreprise dans le but d'encourager les jeunes à passer moins de temps devant la télévision, qui est associée aux problèmes d'obésité et de paresse intellectuelle, pour faire d'autres types d'activités. Comme tout autre média, la télé a ses avantages et ses inconvénients. Bien que beaucoup d'émissions soient considérées comme abrutissantes et que la télé ait cet effet hypnotique qui nous rend un peu « légumes », il s'agit aussi d'un outil fort utile pour transmettre des informations et des faits fascinants dans toutes sortes de domaines. Il y a par exemple plusieurs émissions éducatives qui permettent aux enfants d'apprendre tout en s'amusant. Pour les plus vieux, certaines émissions à caractère informatif et culturel sont également passionnantes. La télé donne aussi la possibilité de diffuser des téléromans, des téléséries et des films qui savent à la fois nous émouvoir et nous distraire, et qui permettent de promouvoir l'art et la culture locaux. Cela dit, certaines familles n'ont pas de télé et ne sont pas folles pour autant. La télé peut faire partie ou non de notre mode de vie, et chacun est libre de décider si elle convient à ses valeurs et à ses priorités. Plusieurs personnes refusent d'avoir une télé parce qu'elles ont peur d'en devenir complètement dépendantes, de passer trop de temps devant l'écran et de sacrifier toutes autres activités à son profit. On peut également choisir de payer pour s'abonner au câble, et ainsi avoir accès à plus de chaînes, ou alors se contenter des canaux gratuits.

Si vous jugez que vous êtes dépendante de la télé, efforcez-vous de limiter votre temps d'écoute à deux heures par jour. La télé peut être très enrichissante, mais elle a aussi souvent tendance à nous rendre paresseuse. Par conséquent, optez pour des émissions qui peuvent vous apprendre des choses, ou alors obligez-vous à lire un livre ou à prendre l'air plutôt que d'allumer la télé. Vous sentirez vite la différence !

Les journaux

Les journaux existent depuis belle lurette, et ils ont l'avantage d'être à la fois économiques, extrêmement variés et de nous forcer à faire un effort intellectuel supplémentaire. Lire le journal est un moment de détente absolu durant lequel on oublie le monde qui nous entoure. Ce n'est pas pour rien que vos parents passent le samedi matin en pantoufles à lire leur journal devant un bon café. Il existe des journaux pour tous les styles et pour tous les goûts. En plus de la presse quotidienne, qui relate les événements de l'actualité et commente les nouvelles locales, nationales et internationales, vous pouvez opter pour les journaux culturels, sportifs, spécialisés, de potins, etc. Les journaux permettent aussi d'exprimer son opinion sur des sujets qui nous tiennent à cœur, ou alors d'apprendre des tas de choses en lisant les analyses et les éditoriaux des gens qui y collaborent. Si vous avez toujours voulu lire le journal, mais que celui que vos parents reçoivent vous fait peur tellement il est énorme, choisissez les sections qui vous intéressent le plus. Apprenez aussi à discuter de l'actualité avec les gens de votre entourage. Il est très important de savoir ce qui se passe dans notre société et dans le reste du monde pour rester connectée avec la réalité. C'est une aptitude qui s'acquiert petit à petit, alors ne vous découragez pas si, au début, vous êtes surtout tentée par les bandes dessinées. Choisissez des articles qui vous intéressent et qui portent sur des sujets qui attirent votre attention, et je suis certaine que, peu à peu, vous prendrez goût à l'actualité et vous forgerez votre propre opinion sur ce qui se passe autour de vous, que ce soit en matière de politique, d'économie, de sport ou de sciences.

Les médias en crise ?

Avec l'arrivée et l'omniprésence d'Internet, les amateurs de nouvelles peuvent maintenant consulter leurs médias en ligne, que ce soit les journaux (cyberpresse), la radio (le site de Radio-Canada) ou même la télé, puisqu'il est maintenant possible d'écouter des émissions directement sur le Web. Avec l'expansion d'Internet et l'offensive des quotidiens offerts gratuitement, les médias souffrent d'une crise mondiale et enregistrent d'importantes baisses de popularité, de lectorat, d'auditoire et ont par conséquent dû composer avec des compressions budgétaires, engendrant bien souvent des grèves dans plusieurs secteurs.

Autres médias

Internet fournit également des tas d'informations par le biais d'une multitude de journaux électroniques que vous pouvez consulter à toute heure de la journée, puisqu'ils sont continuellement mis à jour. Cela vous permet de rester bien informée et à l'affût des événements qui marquent le monde. La radio peut, quant à elle, nous offrir un moment de détente et, selon la station que vous écoutez, elle propose une grande variété d'émissions d'ordre musical, politique, culturel, etc. C'est à vous de trouver ce qui vous plaît le plus et de syntoniser le bon poste.

Les médias sont partout et vous permettent de rester branchée sur le monde qui vous entoure. Il s'agit d'un moyen de diffusion massive des actualités et des informations de toutes sortes. Je vous encourage donc fortement à en faire bon usage et à en profiter pour vous tenir au courant de l'actualité et pour forger votre propre opinion sur les sujets qui vous touchent. La liberté d'expression nous permet d'émettre librement nos opinions, alors n'hésitez pas à dire ce que vous pensez et à partager vos connaissances. Je suis sûre que vous avez des tas de choses intéressantes à dire et que les gens ont beaucoup à apprendre de vous.

Permis de conduire

OFFRE UN SENTIMENT DE LIBERTÉ

Si vous avez déjà 16 ans, ou que vous les aurez bientôt, il se peut très bien que vous désiriez obtenir votre permis de conduire au plus vite. Après tout, conduire offre un sentiment de liberté et de maturité vraiment intense. La loi au Québec autorise les gens à conduire à partir de 16 ans, mais attention, il y a plusieurs étapes à suivre avant de pouvoir obtenir votre permis.

Tout d'abord, il y a l'approbation des parents. Si vous n'êtes pas encore âgée de 18 ans, vous aurez besoin d'une autorisation écrite de vos parents ou de votre tuteur pour pouvoir passer l'examen théorique et l'examen pratique. L'obtention du permis est un sujet de négociation dans la plupart des familles. Si vos parents sont réticents, ce n'est certainement pas pour vous rendre la vie difficile. Au contraire, ils ont sûrement peur des risques que peut entraîner une conduite irresponsable. On compte plus de 41 000 victimes de la route chaque année au Québec. Les routes sont souvent enneigées et glissantes durant l'hiver, certains conducteurs ne respectent pas le code de la route et plusieurs conducteurs inexpérimentés s'avèrent souvent trop téméraires, ce qui donne des résultats désolants. Bref, il est normal que vos parents soient inquiets quand ils vous imaginent en train de conduire seule le soir. Ce n'est pas nécessairement parce qu'ils ne croient pas en vos talents de conductrice ; ils sont plutôt méfiants à l'égard des autres conducteurs. Ce sont des parents, alors ils pensent avant tout à votre sécurité.

Un bon moyen de les convaincre est de vous entraîner avec eux durant les mois d'apprentissage. Ils pourront ainsi constater vos progrès et se sentir plus tranquilles à l'idée de vous voir conduire. Vous pouvez aussi trouver un compromis en limitant la conduite au cours des premiers mois qui suivent l'obtention de votre permis. Par exemple, si vous prenez la voiture, vous devez rentrer à la maison à une heure précise et téléphoner avant de prendre la route. Quoi qu'il en soit, vous ne pourrez pas désobéir à vos parents, puisque leur consentement est obligatoire. Par conséquent, mieux vaut en discuter calmement avec eux et savoir exactement ce qui les inquiète pour tenter de les rassurer et de trouver un terrain d'entente qui vous offre une certaine liberté tout en les mettant en confiance.

Les étapes à suivre

> ❝ Nouvelles règles en vigueur depuis le 17 janvier 2010 pour obtenir un permis de conduire. ❞

Pour obtenir un permis de conduire, vous devez d'abord vous inscrire à un cours de conduite théorique et pratique dans une école reconnue par l'Association québécoise du transport et des routes, puis passer un examen théorique contenant 64 questions à choix multiples qui sont divisées en 3 parties. La note de passage est de 75 % pour chacune des parties. Si vous échouez à l'examen, vous devez attendre 28 jours avant de vous présenter de nouveau pour recommencer la partie que vous avez ratée (et non pas tout l'examen). Il existe plusieurs guides que vous devez bien lire et étudier pour vous préparer avant l'examen. Les questions sont parfois assez ardues et demandent de la préparation. Vous devez aussi vous entraîner en ligne sur le site de la Société de l'assurance automobile du Québec, qui offre des tests préparatoires interactifs et précise ce que vous devez étudier. Si vous réussissez l'examen, vous obtiendrez un permis d'apprenti conducteur valide pour une période de 18 mois. Avec ce permis, vous ne pourrez conduire qu'en étant accompagnées d'une personne qui a son permis de conduire régulier depuis au moins deux ans. Vous ne pouvez donc pas conduire seule lorsque vous obtenez le permis d'apprenti, mais vous pouvez vous entraîner avec un conducteur expérimenté. Vos parents vous offriront certainement de vous aider. Il se peut que vous soyez nerveuses à l'idée de conduire avec l'un d'eux à vos côtés, mais c'est un bon exercice pour vous préparer à l'examen pratique.

Si tout se passe bien, que vous vous entrainez adéquatement et que vous vous sentez à l'aise, il sera bientôt temps de songer à l'examen pratique. Pour ce faire, vous devez être titulaire d'un permis d'apprenti conducteur depuis au moins 12 mois. Vous devez ensuite prendre un rendez-vous à la Société de l'assurance automobile du Québec par Internet ou par téléphone pour passer l'examen et pour réserver un véhicule. Ce dernier coûte environ 25 $, et vous devez prévoir des frais additionnels pour l'obtention de votre permis de conduire. Pour l'examen, l'instructeur vous fera conduire en pleine ville, avec une multitude d'autres voitures autour. Je sais que l'examen pratique peut être terriblement stressant, mais efforcez-vous de prendre une grande respiration et d'avoir l'air confiante. La note de passage est aussi de 75 %. Si vous échouez à cet examen, vous pouvez le repasser après 28 jours (durant lesquels vous avez tout intérêt à vous entraîner davantage), et, si vous réussissez, vous serez titulaire d'un permis de conduire probatoire d'une durée de 24 mois, qui vous accorde 4 points d'inaptitude et vous interdit de conduire si vous avez consommé de l'alcool (tolérance zéro). Bref, soyez prudentes, car si vous commettez une infraction, votre permis sera suspendu pendant trois mois et vous devrez payer une grosse amende. Lorsque vous obtenez votre permis de conduire régulier, vous avez droit à 14 points d'inaptitude. Si vous consommez de l'alcool, votre taux d'alcoolémie ne peut être supérieur à 0,08 (ce qui veut dire 80 mg d'alcool par 100 ml de sang). Si c'est le cas, non seulement votre permis sera suspendu, mais vous risquez en plus de subir des conséquences assez graves comme une amende extrêmement élevée et, dans certains cas, un casier judiciaire. Depuis le 15 avril 2012, une nouvelle loi concernant l'alcool au volant est entrée en vigueur au Québec : c'est désormais tolérance zéro pour les conducteurs de 21 ans et moins, peu importe le type de permis, probatoire ou régulier. Si vous enfreignez cette loi, les conséquences seront les mêmes que celles listées ci-haut. Par contre, à partir de 22 ans, vous pouvez consommer un peu d'alcool avant de conduire, à condition que votre taux d'alcoolémie ne dépasse pas 0,08 (ce qui équivaut à 80 mg d'alcool par 100 ml de sang). Habituellement, ce taux correspond à une ou deux consommations, mais ça peut varier selon votre taille et votre poids.

Dans la plupart des cas, ça oscille plutôt autour d'une seule consommation. On ne vous le dira jamais assez : ne risquez pas votre vie ou celle des autres. Si vous avez bu, soyez responsable et ne touchez pas au volant. Prenez un taxi ou le transport en commun. Demandez à une amie qui n'a pas consommé d'alcool de vous raccompagner ou téléphonez à vos parents pour leur demander de venir vous chercher, mais ne prenez pas de risques inutiles.

Sachez également que conduire coûte beaucoup d'argent. Non seulement l'essence est de plus en plus chère, mais vous devez aussi penser aux réparations, aux assurances, au stationnement, etc. Par ailleurs, lorsque vous obtenez votre permis de conduire, ce dernier est bon pour une période de quatre ans, mais sachez que vous devez payer des frais de renouvellement chaque année (s'il y a des infractions enregistrées à votre

dossier et que vous avez perdu des points d'inaptitude, le montant sera plus élevé).

Bref, même si l'idée de conduire vous enchante, sachez que tout n'est pas rose. Vous devez être très prudente, mature et responsable. C'est votre vie qui est en jeu, et aussi celle des autres conducteurs. N'ayez pas honte de vous entraîner durant des heures en compagnie d'un conducteur expérimenté, ne consommez pas d'alcool lorsque vous conduisez et respectez le code de la route et les limites de vitesse. Même si vous vous sentez nulle au début, vous deviendrez de plus en plus habile au fil des années, avec l'entraînement et l'expérience.

ATTACHEZ VOTRE CEINTURE, ET BONNE ROUTE !

Politique

LES RELATIONS QUÉBEC-CANADA

Les relations entre le Québec et le Canada sont généralement assez tendues et les raisons de cette tension ne sont pas partagées. C'est ce qui explique que ce sujet entraîne parfois chez les adultes des discussions enflammées et des prises de bec aux soupers de famille du temps des fêtes.

Pourquoi est-ce que la province du Québec ne jouit pas des relations plutôt cordiales que l'Ontario, par exemple, entretient avec Ottawa ? Les raisons sont nombreuses, j'en soulignerai seulement quelques-unes.

L'identité : c'est pas seulement personnel !

Chose certaine, on revient souvent à la question de la langue : le Québec est majoritairement francophone — et souhaite le rester—, tandis que les autres provinces sont majoritairement anglophones — et n'ont aucune difficulté à le rester. Mais au-delà de la langue, il y a aussi une question d'orgueil. On remarque, en effet, que pour certains Canadiens français, le problème remonte à la Conquête de 1759, lorsque les Britanniques ont envahi la Nouvelle-France. S'il est vrai que pendant presque deux siècles, les Canadiens français ont vécu sous la domination économique et politique des anglophones, il est difficile d'affirmer aujourd'hui que les Canadiens français au Québec sont opprimés par les anglophones.

Néanmoins, au plan linguistique et identitaire, la situation n'est pas aussi simple. Ce qui crée le malaise de bien des Québécois lorsqu'ils se promènent dans le reste du Canada, ce n'est pas une bataille perdue il y a 250 ans sur les plaines d'Abraham, mais plutôt le sentiment d'être différents des autres canadiens et de ne pas être pleinement acceptés dans cette identité francophone, de langue et de culture.

Il faut ajouter à cela la crainte que la toute petite minorité que représentent les francophones en Amérique du Nord ne disparaisse un jour dans la masse d'anglophones. Pour bien des parents, il est insupportable de penser que leurs enfants ou leurs petits enfants ne pleureront pas en lisant Les Misérables en français et ne riront pas devant Louis-José Houde. C'est peut-être ce qui explique pourquoi l'identité culturelle est si importante pour les Québécois. Toujours est-il que l'identité québécoise est certainement au cœur des tensions entre le Québec et le reste du Canada, dont Ottawa est le symbole par excellence.

Les solutions politiques

Ce sentiment d'incompréhension et d'être assiéger de l'extérieur s'est depuis longtemps traduit en action politique. Afin d'assurer la survie de la langue française au Québec et de la culture québécoise, tous les gouvernements du Québec revendiquent depuis des décennies une plus grande autonomie politique de la belle province. Si le Parti Québécois prône l'indépendance du Québec pour protéger l'identité québécoise, les autres partis politiques n'hésitent pas à confronter Ottawa lorsqu'il s'agit de défendre le partage des compétences entre le fédéral et les provinces et lorsqu'il s'agit de répartir les richesses entre les provinces. Cette attitude des différents gouvernements québécois à réclamer toujours plus de pouvoir, d'argent et d'autonomie a encouragé, dans le reste du Canada, l'idée que les Québécois sont les « enfants gâtés du Canada » ; ce qui, en retour, n'améliore pas les relations !

L'Histoire

Comme si ça n'était pas assez, l'histoire récente du pays n'a rien fait pour apaiser les tensions entre Ottawa et Québec. En effet, tandis que le Québec cherche à obtenir une plus grande autonomie, le gouvernement fédéral cherche au contraire à centraliser les pouvoirs des provinces à Ottawa. Concrètement, cela veut dire que le gouvernement fédéral essaie d'intervenir dans des domaines normalement réservés aux Provinces, comme l'éducation, les services sociaux, etc. Cette ingérence politique s'est produite souvent sous le couvert de ce qu'Ottawa appelle son « pouvoir de dépenser », c'est ainsi qu'il a créé la Fondation des Bourses du millénaire alors que l'éducation est une compétence provinciale.

Pour ajouter à cela, le Québec a tenu deux référendums sur l'avenir de la Province dans le Canada. Le camp fédéraliste a remporté le premier référendum de 1980 par une large majorité de 60 %, mais il a bien failli perdre le deuxième référendum tenu en 1995, où le camp souverainiste a perdu par une marge de seulement 54 000 voix.

Ce regain de la cause souverainiste entre le premier et le deuxième référendum s'explique en partie par la dégradation des relations Québec-Canada après le « rapatriement de la Constitution » en 1982. Lors de cet épisode, le gouvernement fédéral ainsi que la plupart des provinces canadiennes ont accepté de modifier la Constitution canadienne sans l'accord du Québec. Ce coup bas porté au Québec a mené le pays dans une crise constitutionnelle. Les gouvernements qui ont suivi ont bien essayé de raccommoder le Québec avec le reste du Canada, mais sans succès : ce sont les accords ratés du Lac Meech (1987-1990) et de Charlottetown (1992-1993).

Les problèmes que rencontre le Québec dans ses négociations constitutionnelles avec Ottawa et le reste du Canada revient souvent à une différence d'opinions sur la place du Québec dans la fédération. Pour les gouvernements québécois, les Canadiens français représentent l'un des deux peuples fondateurs du Canada ce qui devrait donner au Québec une place particulière dans la fédération canadienne. Ce point de vue n'est pas partagé ailleurs au Canada où l'on préfère considérer que le Québec est une province comme une autre.

La Constitution

La Constitution canadienne est la Loi suprême du pays. C'est en fait plusieurs textes de loi qui établissent le fonctionnement général du Canada et des provinces. On y trouve par exemple, la composition du Sénat et de la chambre des communes, le partage des compétences entre le fédéral et les provinces, la protection des minorités linguistiques, la procédure de modification de la Constitution et, pièce majeure ajoutée en 1982, la Charte canadienne des droits et libertés.

Contrairement aux lois fédérales ordinaires, la Constitution ne peut pas être modifiée unilatéralement par le Parlement du Canada. Pour la modifier, il faut passer par un processus particulier qui implique un certain consentement des provinces.

Le fédéralisme canadien

Pour bien comprendre les relations entre le Québec et le Canada, il faut d'abord comprendre que le Canada est une fédération composée de 10 provinces et de trois territoires. Une fédération est un type d'État dans lequel plusieurs ordres de gouvernement (ex. le fédéral, le provincial et, dans une certaine mesure, le municipal) se partagent des pouvoirs ou des « compétences ». Au Canada, c'est la Constitution de 1867 qui établit le partage des compétences. Par exemple, tout ce qui touche à l'éducation est, en théorie, de la compétence exclusive des provinces. En revanche, tout ce qui touche aux relations internationales revient exclusivement au gouvernement fédéral qui siège à Ottawa. Bien des tensions entre le Québec et le Canada découlent du fait qu'en pratique la frontière entre les pouvoirs des gouvernements provinciaux et les pouvoirs du gouvernement fédéral n'est pas facile à tracer.

La péréquation

Au cœur des tensions actuelles entre Québec et Ottawa se trouve le problème de la péréquation. La raison d'être du fédéralisme canadien est d'assurer un équilibre entre l'autonomie des provinces et le bien-être des Canadiens d'un océan à l'autre. Une façon d'y parvenir est de redistribuer l'argent des provinces les plus riches vers les provinces les plus pauvres : c'est la péréquation. Évidemment, en pratique la

chose est complexe et chacun veut se tailler la plus grosse part du gâteau. Le calcul de la péréquation fait sans cesse l'objet de querelles entre Québec et Ottawa, mais aussi entre les autres provinces canadiennes et Ottawa qui a la tâche difficile de décider de la taille des parts du gâteau et... de la taille du gâteau lui-même.

Saviez-vous que : pour l'année budgétaire 2010-2011, le Québec a reçu plus de 8,5 milliards de dollars en paiement de péréquation, laissant 5,9 milliards pour les autres provinces.

Québec

PLUS QU'UNE SIMPLE PROVINCE !

Le Québec est l'une des 10 provinces du Canada. Situé à l'est du pays, il est bordé au nord par le Nunavut, à l'ouest par l'Ontario, au sud par les États-Unis et à l'est par le Nouveau-Brunswick, l'Île-du-Prince-Édouard et Terre-Neuve-et-Labrador.

La capitale de la province est la ville de Québec, et son agglomération principale est Montréal.

Le Québec compte aujourd'hui près de huit millions d'habitants. C'est la province ayant le plus grand territoire (environ six fois la superficie de la France !) et la deuxième province la plus peuplée du Canada, après l'Ontario. La langue officielle du Québec est le français. En effet, environ 80 % des Québécois sont de langue maternelle française . L'anglais est la langue maternelle de près de 8 % de la population, et 71 % des Québécois anglophones se considèrent comme bilingues, c'est-à-dire qu'ils maîtrisent suffisamment le français pour entretenir une conversation. Les allophones (c'est-à-dire ceux dont la langue parlée à la maison ou la langue maternelle est différente de la langue officielle du Québec ou de celles du Canada) représentent quant à eux près de 12 % des Québécois. (*Source : Recensement 2006, Statistique Canada*)

Le drapeau du Québec est composé d'une croix blanche représentant la foi chrétienne et de quatre fleurs de lys sur fond azur symbolisant les souches françaises. Il a été adopté en 1948. (*Source : Gouvernement du Québec*)

La fête nationale du Québec est le 24 juin, et on l'appelle communément la Saint-Jean-Baptiste. Plusieurs célébrations sont alors organisées partout au Québec, que ce soit au parc Maisonneuve à Montréal, sur les plaines d'Abraham à Québec ou dans les parcs de pratiquement toutes les villes et tous les villages du Québec. On en profite pour célébrer notre culture et nos traditions, bref, ce qui nous distingue du reste du monde. On chante, on danse, on mange des mets traditionnels et on se détend en regardant les feux d'artifice. C'est la fête, et c'est aussi le début de l'été, alors aussi bien en profiter !

Petite chronologie de l'histoire du Québec

1534 - Jacques Cartier plante une croix dans le sol de la péninsule de Gaspé et prend ainsi possession du territoire au nom du roi de France.

1608 - Samuel de Champlain fonde la ville de Québec.

1642 - Paul Chomedey de Maisonneuve et Jeanne Mance fondent Ville-Marie (Montréal).

1663 - La Nouvelle-France devient une province royale sous Louis XIV.

1670 - Fondation de la Compagnie de la baie d'Hudson à Londres pour la traite des fourrures sur le nouveau continent.

1712 - La Nouvelle-France est à son apogée et s'étend de Terre-Neuve jusqu'en bas des montagnes Rocheuses, et de la baie d'Hudson jusqu'au golfe du Mexique.

SUJETS CONNEXES :
o *CULTURE*
o *FRANÇAIS*

1759 - Le 13 septembre, les troupes britanniques de James Wolfe remportent la bataille des plaines d'Abraham contre les troupes du marquis de Montcalm.

1763 - La guerre de Sept Ans prend fin lors de la signature du traité de Paris le 10 février. Avec ce traité, la Nouvelle-France est démantelée. Le Canada et toutes ses dépendances appartiennent désormais à la Grande-Bretagne. La France perd donc le contrôle du Canada.

1837 à

1838 - Rébellion des Patriotes.

1838 - Robert Nelson proclame l'indépendance du Bas-Canada.

1840 à

1841 - L'Acte d'Union crée le Canada-Uni. Le Haut-Canada et le Bas-Canada sont réunis pour ne former qu'une seule colonie.

1848 - Il est maintenant légal d'utiliser la langue française au Parlement.

1867 - L'Acte de l'Amérique du Nord britannique est adopté au Parlement britannique. Le Québec devient une province de la fédération canadienne.

1916 à

1922 - Les femmes obtiennent le droit de vote dans toutes les provinces canadiennes ainsi que sur la scène fédérale en 1917. Seule la province de Québec fait exception jusqu'en 1940.

1960 - L'élection des libéraux de Jean Lesage marque le début d'une décennie de grands changements qu'on appelle aujourd'hui la Révolution tranquille.

1970 - Création de l'assurance maladie au Québec.

1974 - Le gouvernement libéral de Bourassa adopte la Loi sur la langue officielle qui fait du français la seule langue officielle du Québec.

1980 - Premier référendum où le projet d'indépendance du Québec est rejeté par 59,44 % des votants.

1990 - Début de la crise d'Oka.

1995 - Deuxième référendum sur la souveraineté du Québec, qui est rejetée par 50,58 % des votants.

1998 - Une tempête de verglas s'abat sur la région de Montréal et sur la Montérégie au début du mois de janvier et fait d'importants dégâts, en plus de passer à l'histoire.

2008 - 400ème anniversaire de la fondation de la ville de Québec.

2012 - Au printemps 2012, une crise sociale ébranle le Québec : les étudiants se révoltent contre la hausse des frais de scolarité annoncée par le gouvernement Charest. Le « Printemps érable » dure près de six mois. Il s'agit de la plus grosse grève étudiante de l'histoire du Québec.

Après neuf ans au pouvoir, le gouvernement libéral de Jean Charest est défait par le Parti québécois aux élections du 4 septembre 2012.

Pauline Marois, élue première ministre le 4 septembre 2012, est officiellement la première femme à prendre la tête du gouvernement québécois.

2014 - Le Parti québécois est défait par les Libéraux aux élections d'avril.

Racisme

PHÉNOMÈNE À COMBATTRE À TOUT PRIX

Selon le Multidictionnaire de la langue française, le racisme est une « attitude qui favorise un groupe racial en particulier et qui est hostile à d'autres groupes ».

Cette notion d'hostilité envers les groupes ethniques différents du nôtre se trouve au cœur du concept du racisme. Il s'agit d'une attitude déplorable, propre à un individu qui établit des différences en fonction de la couleur de la peau, de la culture ou des origines d'un autre individu. Cela va par conséquent à l'encontre des concepts de liberté et d'égalité prônés dans notre société et selon lesquels chaque personne a le droit de penser, d'agir, de s'exprimer et de se faire entendre, et ce, peu importe la couleur de sa peau ou son origine ethnique.

Il est donc tout à fait normal de s'insurger ou de se révolter contre le racisme. On ne peut juger les gens en fonction de la couleur de leur peau, de leur religion ou de leurs traditions. Le racisme fait malheureusement partie intégrante de l'histoire de l'humanité, et plusieurs se laissent encore influencer par une présumée hiérarchie raciale. D'un point de vue historique, il suffit de penser à la Seconde Guerre mondiale pour comprendre toute l'ampleur que peut prendre le racisme. Les nazis n'ont-ils pas assassiné des millions de juifs sous le pur prétexte de la ségrégation raciale ? Et que dire de l'esclavage des Noirs aux États-Unis avant son abolition en 1865 ? et de la ségrégation raciale très marquée dans les années 1960 au sud du continent nord-américain ?

Aujourd'hui, l'idée de racisme perd un peu de son sens puisqu'on a établi le principe d'inexistence des races. En d'autres mots, on a déterminé que tous les humains font partie de la même race, soit la race humaine, et que nous partageons tous les mêmes racines et les mêmes ancêtres préhistoriques. De plus, on a déterminé que nous avons en commun des groupes sanguins qui varient en fonction de chaque individu, et non en fonction de la couleur de la peau. Autrement dit, nous sommes tous fondamentalement semblables. Les traditions, les valeurs et les coutumes qui nous distinguent ne justifient pas qu'on établisse une hiérarchie raciale, puisque tous les humains sont égaux et ont droit au respect.

> *Vous devez donc apprendre à vous ouvrir aux différences culturelles et à ne pas juger les gens en fonction de leur couleur de peau et de leur apparence.*

Les gens ont tendance à développer une attitude raciste parce qu'ils se laissent influencer par l'image projetée dans les médias ou par les clichés que véhiculent certains groupes ou personnes. Nous avons souvent peur de ce qui est différent de nous.

Or, plutôt que de percevoir les différences culturelles comme une menace, il est préférable d'apprendre de cette diversité. Sous les apparences se cachent des gens comme vous et moi, qui ont des tas de choses à vous faire découvrir. Ne vous laissez donc pas prendre au piège de la ségrégation raciale. Nous sommes au XXIe siècle, à l'ère de la communication et de la mondialisation. Il est grand temps de s'ouvrir aux gens et aux différences culturelles. Faites-en l'expérience, et vous constaterez que vous avez beaucoup à apprendre des gens qui vous entourent, et ce, peu importe leurs origines et leurs traditions. Ne jugez pas les gens selon les apparences. L'ouverture d'esprit permet d'apprendre des tas de choses qui vous seront bénéfiques tout au long de votre vie.

Religion

ENSEMBLE DE CROYANCES

Définition : « Ensemble de doctrines et de pratiques ayant pour objet les rapports de l'âme humaine avec le sacré. » (*Source : Multidictionnaire de la langue française*)

En d'autres mots, la religion est un ensemble de croyances, de traditions et de règles qui est adopté par un individu ou par l'ensemble d'une société. L'étymologie du mot « religion » est toutefois controversée et incertaine depuis l'Antiquité. La religion est souvent associée au principe de la foi, c'est-à-dire au fait de croire en Dieu ou à des concepts spirituels ou religieux.

Les principales religions

Si on inclut les doctrines obscures et de moindre envergure, il existe dans le monde d'innombrables religions. De façon générale, les principales religions sont cependant regroupées en trois grandes catégories, soit les religions animistes, les religions orientales et les religions monothéistes. Voici une brève description de certaines de ces principales religions.

LES RELIGIONS ANIMISTES

Les religions animistes reposent sur la croyance selon laquelle tous les êtres vivants et les objets inanimés possèdent une âme et un esprit, bon ou mauvais. Aujourd'hui, elles sont davantage perçues comme relevant de la superstition, de la magie ou de la sorcellerie. Les religions animistes se fondent sur la croyance en l'âme, et on les trouve principalement en Afrique et en Océanie.

LES RELIGIONS ORIENTALES

L'hindouisme

L'hindouisme provient de l'histoire même de l'Inde. Les hindouistes se basent sur les Védas, soit les écritures les plus anciennes du monde, et croient en la réincarnation et en la préexistence. Selon les hindous, l'homme possède une nature divine et doit consacrer sa vie à la connaissance de son être et à la recherche du divin qui réside en lui.

Le bouddhisme

Le bouddhisme est issu des enseignements de Bouddha. Cette religion s'est développée en Inde et s'est étendue aux quatre coins de l'Asie à partir du iiie siècle av. J.-C. Sa philosophie est basée sur la recherche de la sagesse et du salut, et l'objectif des bouddhistes est de se libérer des souffrances et de l'insatisfaction pour atteindre le nirvana et un plein épanouissement. Le bouddhisme est souvent considéré davantage comme une éthique spirituelle ou une philosophie athée que comme une religion, puisque ses adeptes ne croient ni en l'âme éternelle, ni en un dieu unique, ni aux dieux créateurs.

Le shintoïsme

Le shintoïsme est la religion fondamentale la plus ancienne du Japon et se base sur la mythologie. Les shintoïstes vénèrent les éléments naturels et considèrent le soleil et la lune comme des divinités.

Le confucianisme

Le confucianisme trouve son origine dans les enseignements de Confucius (Chine, 551-479 av. J.-C.) et a beaucoup influencé la société chinoise. Les confucianistes s'efforcent de rechercher la vertu et la sagesse individuelle, et leur religion repose sur l'harmonie de la société et sur une morale humaniste basée sur la recherche de l'équilibre et l'amour de son prochain.

LES RELIGIONS MONOTHÉISTES

Les religions monothéistes reposent sur la croyance en un dieu unique et s'appuient sur la Bible.

Le judaïsme

Le judaïsme est fondé sur l'immortalité de l'âme et sur l'attente du Messie qui viendra instaurer un royaume de paix et d'amour. Les juifs entretiennent une relation directe et personnelle avec Dieu. Les principales fêtes religieuses du judaïsme sont le sabbat, la Pâque, le Yom Kippour et le Rosh Haschana.

On compte aujourd'hui plus de 15 millions de juifs dans le monde. Ils sont principalement concentrés en Israël, aux États-Unis et en Europe.

Le christianisme

Le christianisme est basé sur la reconnaissance de Jésus de Nazareth comme étant le fils de Dieu, sur l'immortalité de l'âme, la résurrection et l'amour de son prochain. Le christianisme s'inspire de la Bible, et particulièrement du Nouveau Testament, qui relate l'histoire de Jésus.

Le christianisme a lui-même donné naissance à plusieurs religions chrétiennes telles que le catholicisme, le protestantisme, l'évangélisme et l'orthodoxie.

L'islam

Fondé par Mahomet (début du viie siècle), l'islam s'appuie sur le Coran. En plus d'être considéré comme une religion, il impose un système de gouvernement et des règles de vie. Les musulmans croient en Allah, dieu et créateur unique, ainsi qu'en Mahomet, son prophète. Ils doivent également jeûner pendant 29 jours pour commémorer le mois du Ramadan, durant lequel le Coran leur a été dévoilé.

Les musulmans doivent donc systématiquement se référer au Coran, avoir une foi absolue en leur dieu et s'abandonner à lui pour perfectionner leur comportement.

L'agnosticisme

L'agnosticisme est une doctrine selon laquelle on ne peut ni croire en l'existence de Dieu ni la nier, puisqu'on ne sait pas. Elle est donc basée sur le doute et le scepticisme, car la vérité absolue est inconnue.

L'athéisme

L'athéisme est une doctrine à laquelle adhèrent les gens qui nient complètement l'existence de Dieu ou de toute autre divinité.

La religion au Canada

Bien qu'on trouve une grande variété de religions au Canada, il n'existe aucune religion officielle. C'est ce qu'on appelle le pluralisme religieux, soit une diversité religieuse propre à la culture du Canada.

De plus, une enquête réalisée par la Presse canadienne – Harris Décima en 2008 sur un échantillonnage de 1 000 personnes, stipule que 23% des Canadiens sont athées et que 6% sont agnostiques.

La religion au Québec

En 1950, le Québec était encore l'une des régions les plus catholiques du monde. L'État était alors contrôlé par l'Église, et le taux de fréquentation des églises était extrêmement élevé, puisque cela faisait partie des mœurs et de la culture de l'époque.

L'arrivée de la Révolution tranquille dans les années 1960 a changé radicalement la situation. Un mouvement de libéralisation des mœurs et de restructuration sociale est venu transformer totalement le rôle de l'Église dans la société québécoise.

Même si, aujourd'hui, un grand nombre de Québécois se disent encore catholiques, le taux de fréquentation des églises au Québec est le plus bas en Amérique du Nord, et ce, particulièrement dans les grandes villes, où nombre d'églises furent converties en bureaux et en condominiums. La libéralisation des mœurs, la modernisation de la société, la laïcisation des écoles et des hôpitaux, l'augmentation du taux de divorce et la révolution sexuelle ont fortement contribué à cette diminution de l'importance de la religion dans la société québécoise. Même aujourd'hui, les pratiques et les valeurs libérales sont plus répandues au Québec que dans le reste du Canada et que dans presque toutes les régions du monde, et c'est aussi là qu'on trouve le plus de gens en faveur de l'avortement et du mariage entre conjoints de même sexe.

Attention, danger !

Il ne faut surtout pas confondre les religions, qui sont reliées à un ensemble de croyances, de doctrines et de pratiques, avec les sectes, qui désignent un groupe d'adeptes prônant des valeurs ou une idéologie et obéissant à un chef charismatique. Les sectes sont souvent très mal vues au Québec, et elles s'avèrent parfois dangereuses, puisque leurs adeptes chercheront bien souvent à recruter et à endoctriner de nouveaux membres par le biais du mensonge et de la manipulation.

Un choix très personnel

Bien que la religion n'ait plus l'importance qu'elle avait auparavant au sein de notre société, le choix de croire en Dieu ou d'adhérer à une religion demeure tout à fait personnel, voire souvent culturel. Dans une société aussi multiculturelle que la nôtre, il est primordial d'apprendre à respecter et à comprendre les différences de coutumes, de traditions, de valeurs et de croyances. Il est essentiel de s'informer correctement pour prendre une décision réfléchie, pour assumer ses propres choix et pour être bien dans sa peau. Si vous êtes curieuse au sujet d'une religion et des valeurs qui y sont rattachées, n'hésitez pas à vous informer et tâchez d'être ouverte aux différences de valeurs qui forgent l'identité religieuse et culturelle. À chacun ses valeurs et ses opinions !

SUJETS CONNEXES :
o *RESPECT*
o *ACCOMODEMENT*
  RAISONNABLE
o *CULTURE*

PRINCIPALES CONFESSIONS RELIGIEUSES AU CANADA

2001		
	Nombre d'adeptes	% de la population
Total Chrétienne	22 822 057	77
Catholique romaine	12 936 905	43,6
Total protestante	8 654 850	29,2
Église unie du Canada	2 839 125	9,6
Église anglicane du Canada	2 035 495	6,9
Chrétienne, non incluse ailleurs[1]	780 450	2,6
Église baptiste	729 475	2,5
Luthérienne	606 590	2,0
Protestante, non incluse ailleurs[2]	549 205	1,9
Presbytérienne	409 830	1,4
Chrétienne orthodoxe	479 620	1,6
Aucune religion	4 796 325	16,2
Autre		
Musulmane	579 640	2,0
Juive	329 995	1,1

[1] Comprend les personnes ayant déclaré « chrétienne » de même que celles ayant indiqué « apostolique », « chrétienne régénérée » et « évangélique ».

[2] Comprend les personnes n'ayant déclaré que « protestante ».

* Pour des besoins de comparabilité, les données de 1991 sont présentées selon les limites géographiques de 2001.

Source : Recensement du Canada de 2001.

Sauvons la planète

PETITS TRUCS POUR ÊTRE ÉCOLO

On sait maintenant que l'environnement est devenu une priorité dans notre société. De plus en plus de groupes écologistes travaillent d'arrache-pied pour tenter de faire comprendre à la population de la province, du pays et du monde entier la nécessité de faire un effort et d'agir maintenant pour sauver notre planète.

Des articles et des livres sont publiés sur le sujet, et des films alarmants passent à l'écran pour sensibiliser les gens et pour que la population mondiale se rende compte de l'urgence du problème. Nous devons tous agir au plus vite et se serrer les coudes pour empêcher que la situation ne se détériore davantage. Il s'agit d'un problème mondial, et bien que chacun doive y mettre du sien pour améliorer le sort de la planète, il est important de s'ouvrir les yeux et de faire un effort commun à l'échelle planétaire. Puisque chacun doit faire sa part, voici une petite liste de conseils et de trucs que vous pouvez intégrer dans votre train-train quotidien pour réduire votre consommation d'énergie, pour prévenir la pollution, pour améliorer le sort des matières premières et pour permettre aux générations futures de vivre en toute tranquillité sur notre planète.

Recyclez ! On ne le dira jamais assez, le recyclage est essentiel au XXIe siècle. Consultez le site de Recyc-Québec pour connaître tous les produits que vous pouvez recycler ou pour demander un bac vert (*www.recyc-quebec.gouv.qc.ca*).

Prenez le transport en commun, marchez ou utilisez votre bicyclette ! Évitez d'utiliser inutilement une voiture. La marche et la bicyclette sont meilleures pour la santé, et le transport en commun est une excellente façon d'encourager l'effort communautaire.

Il faut absolument diminuer les émissions de CO_2 !

Ne jetez pas vos déchets dans la rue, sur la plage ou n'importe où ailleurs dans la nature. Les poubelles servent à recueillir les ordures. Transportez toujours un sac en plastique pour y jeter vos déchets au cas où il n'y ait pas de poubelles dans les environs.

Ne jetez pas vos mégots de cigarettes ou vos gommes à mâcher dans la rue !

Ne jetez pas vos piles dans la poubelle ! Placez-les plutôt dans les contenants de recyclage conçus à cet effet.

Éteignez les lumières lorsque vous partez de la maison ou que vous quittez une pièce !

N'abusez pas de l'eau ! Fermez le robinet lorsque vous vous brossez les dents ou lorsque vous lavez la vaisselle.

> *Sensibilisez les gens ! Informez-vous sur le sujet, discutez d'environnement, faites des recherches et joignez-vous à l'effort commun pour sauver la planète !*

Pensez bio ! Non seulement les aliments biologiques sont meilleurs pour la santé, car ils excluent l'usage de pesticides,

SUJET CONNEXE :
o *ENVIRONNEMENT*

d'engrais chimiques, d'OGM ou d'agents de conservation artificiels, mais l'agriculture biologique favorise également le recyclage, le maintien et l'amélioration de la fertilité et de la qualité des sols, en plus de privilégier la santé et le bien-être des animaux dans un contexte qui valorise l'économie locale et tient compte d'aspects socioculturels.

(*Source : Agriculture, Pêcherie et Alimentation Québec*)

LIENS UTILES

http://www.davidsuzuki.org/fr/

Scène artistique

Depuis des décennies, la scène artistique québécoise est reconnue pour produire des spectacles de grande qualité, et ce, qu'il s'agisse de danse, de théâtre ou de musique. Plusieurs troupes rayonnent même jusqu'à l'extérieur du pays. Il serait difficile de parler de toutes les compagnies et de tous les groupes existant au Québec. Toutefois, un survol général de ce qui est présenté dans nos salles de spectacles pourra vous donner une idée de l'activité artistique québécoise.

On a souvent l'impression que pour voir un spectacle, il faut débourser des sommes faramineuses. Comme on n'en a pas toujours les moyens, on se prive de faire de belles découvertes. Mais ce ne sont pas tous les spectacles qui coûtent cher. Il suffit de savoir où aller et à quel moment.

Théâtre

Au Québec, on retrouve énormément de théâtres et de compagnies qui présentent toutes sortes de dramaturgies différentes. Les théâtres les plus connus, ceux que l'on appelle les théâtres institutionnels, sont le Théâtre du Nouveau Monde, le Théâtre du Rideau Vert, la Compagnie Jean Duceppe, le théâtre Espace Go, la Société de la Place des Arts, le Théâtre d'Aujourd'hui et le Théâtre de Quat'Sous, tous situés à Montréal, en plus du Trident qui se trouve à Québec. Ce sont les théâtres dont vous pouvez voir les publicités à la télévision. Mais d'autres compagnies et d'autres salles sont tout aussi productives. À Montréal, par exemple, le Théâtre Denise-Pelletier offre souvent des forfaits aux écoles désirant assister aux représentations et, la plupart du temps, présente des pièces du répertoire classique. Juste à côté se trouve la salle Fred-Barry, où l'on présente le plus souvent des spectacles de jeunes compagnies émergentes. On retrouve aussi

la Maison Théâtre, spécialisée dans le théâtre pour enfants, le Gesù, le théâtre La Chapelle, le Théâtre de la Licorne (où sont jouées beaucoup de pièces de jeunes auteurs d'ici ou d'ailleurs) et Espace Libre qui accueille deux compagnies différentes : le Nouveau Théâtre Expérimental et Omnibus.

D'autres salles présentent autant de spectacles de danse que de théâtre, par exemple, l'Usine C et le Monument-National. Le Festival TransAmérique se déroule aussi à Montréal.

Il existe aussi de petites salles sur la scène desquelles de jeunes compagnies ont l'habitude de se produire ; entre autres, l'Espace Geordie et le Théâtre Ste-Catherine. Et si vous ne voulez pas débourser trop d'argent, il est possible d'assister aux productions des finissants des écoles de théâtre (UQAM, Conservatoire d'art dramatique de Montréal et de Québec, Cégep Lionel-Groulx, Cégep de Saint-Hyacinthe et École nationale de théâtre), qui sont des spectacles de grande qualité dont les droits d'entrée vous coûteront entre 5 et 10 $. Il n'y a qu'à visiter le site Internet de chacune des écoles pour connaître les productions à venir.

Qui plus est, si vous allez au théâtre le jeudi et achetez vos billets sur place la journée même, vous aurez droit à un « deux pour un » dans la plupart des théâtres.

À Québec, il y a les théâtres plus institutionnels, comme le Trident et le Théâtre de la Bordée. La salle de répétition du dramaturge Robert Lepage, Ex Machina, se trouve aussi dans cette ville. Le Théâtre Périscope, quant à lui, présente des créations de compagnies de la relève ayant fait leurs preuves, telles que Niveau Parking et Théâtre Blanc. L'une des salles de répétition de ce théâtre sert aussi à présenter des créations de la plus jeune relève. Pour ce qui est du théâtre émergeant (c'est-à-dire, produit par des compagnies composées de comédiens ayant terminé leurs études depuis peu), il est surtout présenté au Premier Acte. De plus, à tous les deux ans, la Ville de Québec organise le festival du Carrefour international de théâtre, qui présente les pièces de compagnies de partout à travers le monde. Les Chantiers du Carrefour, quant à eux, servent à présenter les créations des jeunes artistes de Québec.

Ailleurs au Québec, on retrouve le Théâtre du Bic près de Rimouski, le Théâtre Parminous à Victoriaville, le théâtre La Rubrique à Saguenay ainsi que plusieurs autres. Un peu partout dans la province, des théâtres d'été offrent de très bons divertissements en saison estivale. Sans compter que de nombreuses villes possèdent des salles de spectacles qui, si elles ne présentent pas toujours des productions locales, reçoivent plusieurs spectacles en tournée.

Danse

Les Grands Ballets canadiens est sans doute la compagnie la plus connue. Elle présente la plupart du temps ses spectacles à la Place des Arts, mais elle donne également parfois des représentations gratuites au parc Lafontaine durant l'été. D'autres troupes de danse offrent aussi d'excellents programmes, parmi lesquelles O Vertigo, qui donne des spectacles partout au Québec, mais aussi à travers le monde, La La La Human Steps, spécialisée en danse contemporaine, et les Ballets jazz de Montréal. L'Agora de la danse, appartenant au département de danse de l'UQAM, présente aussi de nombreux spectacles de danse de toutes sortes. Et, comme pour le théâtre, les écoles offrent aussi des présentations : Ladmmi et le département de danse de l'UQAM en sont deux exemples.

Musique

Chaque ville possède ses grandes salles qui présentent divers spectacles de musique. À Montréal, on retrouve la Place des Arts, le Centre Bell, le Medley et le Métropolis. Comme pour le théâtre et la danse, il est possible d'assister aux spectacles créés par les écoles de musique : le Conservatoire de musique ainsi que les départements de musique de l'UQAM, de l'Université de Montréal et du Collège Lionel-Groulx.

En ce qui concerne les autres villes, vous pouvez vous référer au site subquebec.com, qui fournit une information très complète sur toutes les salles et sur tous les groupes qui y donnent des performances.

Presque chaque ville possède aussi une Maison de la culture. Celles-ci n'imposent jamais de prix d'entrée exorbitants et présentent des spectacles variés tout au long de l'année. Vous pouvez vous informer auprès de la Maison de la culture de votre ville ou de votre quartier.

Vous pouvez aussi consulter chaque mois le journal Voir, qui annonce chaque semaine la plupart des événements artistiques, qu'ils soient du domaine de la danse, du théâtre ou de la musique.

Il n'en tient qu'à vous de découvrir cette mine d'or artistique qu'est le Québec. Ouvrez le journal, fouillez sur Internet, choisissez un spectacle et partez à l'aventure. Ce n'est pas plus cher que d'aller au cinéma, vous encouragerez les artistes d'ici et vous ferez de magnifiques rencontres. Qui sait, peut-être vous découvrirez-vous une nouvelle passion !

Végétarisme

PLUS QU'UN SIMPLE CHOIX D'ALIMENTATION

Le végétarisme est une pratique alimentaire qui exclut toute chair animale, comme la viande rouge, la volaille, le poisson et les fruits de mer.

Pour sa part, en plus d'exclure la chair animale, un régime végétalien (aussi appelé végétarien strict) rejette aussi les autres aliments d'origine animale, par exemple les œufs, les produits laitiers et le miel. Le véganisme (du terme anglo-saxon veganism), quant à lui, ne se limite pas à l'alimentation. Il s'agit d'un mode de vie qui étend le refus de consommer les produits d'origine animale aux autres facettes du quotidien. Les végans sont végétaliens, mais évitent également la laine, le cuir, la fourrure, la cire d'abeille, ainsi que les produits cosmétiques et domestiques qui contiennent des substances d'origine animale ou qui ont été testés sur les animaux.

Pourquoi être végétarienne /végétalienne ?

Le régime végétarien/végétalien est de plus en plus populaire depuis quelques années dans les pays occidentaux, particulièrement chez les jeunes. Les raisons qui motivent ce choix sont diverses et dépendent de la sensibilité et des valeurs de chacun.

Pour les animaux

Grâce à la grande diversité de produits alternatifs qui sont disponibles dans nos épiceries, la consommation de viande et d'autres produits d'origine animale n'est plus une nécessité pour la plupart des Québécois et Québécoises. Cependant, la majorité d'entre nous continuons à manger ces aliments par tradition, par habitude ou par plaisir. Mais ces raisons sont-elles suffisantes pour justifier la souffrance et la mort des animaux impliqués? En effet, la ferme moderne n'a rien à voir avec l'image idyllique que la plupart des gens s'en font : vaches broutant dans de vertes prairies, cochons s'ébattant joyeusement dans des mares de boue et poules se promenant en liberté dans la basse-cour. De nos jours, la viande, le lait et les œufs proviennent généralement de fermes industrielles, qui élèvent les animaux en grand nombre, avec pour but principal de faire le plus de profit possible. Par conséquent, le bien-être des animaux est souvent négligé. Ceux-ci passent leur vie entière entassés dans de petites cages, privés de contact avec leurs congénères, se font couper la queue ou le bout du bec sans anesthésie et ne voient la lumière du jour qu'au moment où ils sont chargés dans des camions pour être conduits à l'abattoir. Chaque année, au Canada, des centaines de millions d'animaux sont élevés dans de telles conditions avant d'aboutir dans nos assiettes, ce qui incite de nombreuses personnes à devenir végétariennes. Ce n'est cependant pas seulement la production de viande, mais la production de tout produit d'origine animale qui implique de la souffrance pour les animaux. Dans le cas de la production des œufs, par exemple, les poules pondeuses sont élevées et entassées dans des cages en batterie, et dans celui de la production du lait (et de tous les produits dérivés du lait), les veaux sont séparés de leur mère dès la naissance et isolés ; le lait qui leur est naturellement destiné est alors tiré et distribué pour satisfaire la demande humaine. Certains considèrent donc que, si c'est la compassion envers les animaux qui nous motive à changer nos habitudes alimentaires, un régime végétalien et un mode de vie végan s'imposent également.

Pour la planète

La production de viande et de produits d'origine animale consomme énormément de ressources naturelles et d'énergie. Alors qu'il faut 100 000 litres d'eau pour produire 1 kg de viande de bœuf, 1 000 à 2 000 litres suffisent pour produire 1 kg de blé, de riz ou de soya. *(source en anglais :www.ajcn.org/cgi/con-tent/full/78/3/660S)*

L'élevage nécessite également des grandes étendues de terre afin de cultiver les céréales qui servent à nourrir les animaux. Ceci entraîne la déforestation de terres non développées et le « gaspillage » de terres agricoles qui pourraient être utilisées pour nourrir directement les humains. L'élevage requiert une consommation importante d'énergie fossile et produit de grandes quantités de fumier, ce qui résulte en l'émission de gaz à effet de serre. Ainsi, l'Organisation des nations unies pour l'alimentation et l'agriculture (FAO) rapporte que l'élevage d'animaux pour l'alimentation est responsable de 18% des émissions totales de gaz à effet de serre, soit plus que l'ensemble des véhicules circulant sur la planète (automobiles, camions, avions, etc.). Selon une récente étude scientifique, la production d'un kilo de viande de bœuf émet plus de gaz à effet de serre et de pollution qu'une voiture que vous conduiriez pendant 250 kilomètres en laissant toutes les lumières allumées chez vous! *(Source : http://environment.newscientist.com/article/mg19526134.500-meat-is-murder-on-the-environment.html)*

Pour la santé

L'Association américaine de diététique et l'association des Diététistes du Canada considèrent que le régime végétarien est efficace pour la prévention de nombreux problèmes de santé. En effet, les statistiques démontrent que les végétariens/végétaliens courent moins de risques de développer de nombreuses maladies, telles que les maladies cardio-vasculaires, le diabète, l'hypertension, l'obésité, l'ostéoporose, l'arthritisme et certains cancers.

Par solidarité

Certaine personnes choisissent d'adhérer à un régime végétarien/végétalien par solidarité envers les peuples du tiers-monde. La production de viande, de lait et d'œufs demande une quantité importante de céréales, car les animaux d'élevage doivent absorber sept calories végétales pour fournir une seule calorie animale. En effet, plus du tiers des céréales produites dans le monde sert à nourrir les animaux d'élevage alors qu'elles pourraient être utilisées pour nourrir les populations qui les cultivent.

L'ALIMENTATION VÉGÉTARIENNE/ VÉGÉTALIENNE

Comment faire la transition vers un régime végétarien/végétalien ?

Il est aujourd'hui plus facile que jamais d'adopter un régime qui limite ou exclut complètement les produits d'origine animale. En effet, des produits de remplacement, tels que le lait de soya, la fausse viande hachée, le yogourt de soya et les saucisses de tofu, sont disponibles dans la grande majorité des épiceries. Ces produits peuvent remplacer la viande, les œufs et les produits laitiers dans les plats que vous avez déjà l'habitude de manger. Si vous éprouvez de la difficulté à trouver des produits de remplacement à votre épicerie, faites un tour au magasin d'aliments naturels ; vous y trouverez une grande variété de produits spécialisés. Essayez aussi les mets végétariens/végétaliens d'autres pays, comme par exemple l'houmous (une trempette faite à base de pois chiches) et le curry aux légumes indien ou thaï. Lancez-vous dans la cuisine : d'innombrables recettes végétariennes/végétaliennes sont disponibles sur Internet, et vous découvrirez un monde de nouvelles saveurs. Quand on a l'habitude de manger de la viande et des produits animaux, il peut être difficile d'imaginer comment on pourrait s'en priver. La manière la plus simple est sans doute d'y aller graduellement, en commençant par un repas végétarien/végétalien par jour, par exemple.

Est-ce dangereux pour la santé ?

Comme le soutient l'association des Diététistes du Canada, les régimes végétariens/végétaliens sont en mesure de répondre à tous nos besoins nutritionnels. Cependant, comme tous les régimes, l'alimentation végétarienne/ végétalienne doit être équilibrée et inclure une variété d'aliments. Contrairement à ce que beaucoup de gens pensent, les végétariennes et végétaliennes qui se nourrissent de manière équilibrée et variée ne risquent pas de manquer de protéines, de fer, de calcium, ni d'acides gras oméga-3, car tous ces nutriments se retrouvent en quantités suffisantes dans les végétaux. Les protéines sont présentes en grandes quantités dans les légumineuses (soya, haricots, fèves, lentilles, pois chiches), les céréales à grains entiers (pain de blé entier, riz brun), les noix (amandes, noix de Grenoble, arachides) et les graines (de tournesol, de citrouille, de sésame). Le soya, qui est à la base du tofu et de la plupart des produits de remplacement, est une très bonne source de protéines. D'ailleurs, l'association des Diététistes du Canada précise que la protéine de soya peut couvrir nos besoins en protéines aussi efficacement que la viande.

Les légumineuses, les légumes vert foncé (brocoli, épinards), les céréales à grains entiers, les graines et les fruits secs sont d'excellentes sources de fer. Le calcium, quant à lui, se retrouve dans les amandes, les graines de sésame, les légumes de la famille des choux (chou vert, brocoli), certaines marques de tofu et les boissons enrichies (lait de soya, jus d'orange). Enfin, les graines de lin, les noix, les algues et l'huile de Canola constituent d'excellentes sources d'acides gras oméga-3. Il faut cependant porter une attention particulière à la vitamine B12, qui est plutôt rare chez les végétaux, mais qui peut être puisée dans des boissons enrichies ou dans des suppléments.

RESSOURCES UTILES

Informations générales sur le végétarisme/végétalisme :

www.goveg.com (anglais)

www.vegetarisme.info (France)

www.vegetarisme.fr (France)

www.petafrance.com/vegkit/ default.asp (France)

www.vegemontreal.org

(Association végétarienne de Montréal)

www.veganquebec.net

*(site québécois consacré au
végétalisme)*

www.ass-ahimsa.net/vegetarisme.
html *(Québec)*

www.eco-bio.info/main3.html

*(sélectionnez « Guide végétarien
et végétalien » pour télécharger
gratuitement un livre sur le
végétarisme et le végétalisme)*

www.gan.ca/accueil.fr.html

*(site internet de Réseau action
globale, association pour le droit
des animaux basée à Montréal)*

www.abolitionistapproach.com/fr
*(site d'un professeur américain
sur les arguments éthiques liés au
véganisme, traduit en français)*

Violence

ON LA RETROUVE PARTOUT, SOUS DIVERSES FORMES

Il existe diverses formes de violence : la violence physique, verbale, psychologique. De plus, on la retrouve partout : à l'école, à la télé, au centre des conflits et des guerres, dans les disputes entre amis ou entre conjoints, etc. La violence frappe parfois sans prévenir, et il est parfois fort difficile de la dominer.

C'est notamment le cas lorsque des catastrophes naturelles s'abattent sur une région donnée, comme les tremblements de terre, les ouragans et les tsunamis, lorsqu'une maladie se propage dans un pays et fait de nombreuses victimes, lorsqu'une région est accablée par la famine, lorsqu'une société entière est menacée par le cancer. Bref, la violence fait partie de notre vie quotidienne, et le moins qu'on puisse faire, c'est d'essayer de l'éviter lorsqu'on en a la possibilité. Cela requiert beaucoup d'efforts et de maîtrise de soi, mais il va sans dire que cela peut avoir un impact très positif sur notre quotidien et sur la société dans laquelle nous vivons.

Depuis plusieurs années déjà, nombreux sont ceux qui déplorent la violence à la télé, dans les jeux vidéo ainsi que dans les sports professionnels. Cette omniprésence de la violence en vient à la rendre banale et incite parfois les jeunes à y avoir recours inutilement. Je sais qu'il peut être troublant, voire choquant de constater toute la place qu'occupe la violence autour de nous, et il n'est pas mauvais de s'insurger contre l'injustice, contre les conflits armés, contre les guerres et contre les mauvais traitements infligés aux femmes et aux enfants. Mais il existe aussi de petits gestes concrets que vous pouvez faire et qui peuvent aider à désamorcer la violence, du moins autour de vous.

D'abord, sachez que, même si vous êtes en colère, le fait de crier des bêtises, de frapper les gens ou de proférer des menaces ne vous avancera à rien. Au contraire, vous risquez alors de vous sentir encore plus impuissante. Par la suite, vous devrez probablement faire face aux conséquences de vos actes de violence et vous n'aurez même pas réglé votre problème.

Optez pour la communication et les compromis plutôt que pour la violence physique et verbale. Lorsqu'une situation vous semble injuste ou révoltante, il faut la dénoncer avec des mots choisis ou avec des actions raisonnables, mais pas avec les cris et les poings. Même si vous sentez que vous n'avez pas été respectée ou que quelqu'un a abusé de votre confiance, il faut agir avec maturité et tenter de régler la situation de façon responsable sans vous laisser prendre au jeu de la violence. Vous ne vous en sentirez que mieux par la suite. Il faut prôner la maîtrise de soi, les entretiens pacifiques et la communication pour régler les problèmes. Avoir recours à l'abus, au chantage, à la corruption et à la violence ne fait que nous plonger davantage dans de sombres sentiments et nous entraîne inévitablement dans un cercle vicieux extrêmement malsain.

Facile à dire...

Bien que la violence soit parfois ancrée en nous et qu'elle surgisse sans qu'on puisse la gouverner, il en revient tout de même à chacune de nous de faire un effort pour surmonter ses instincts violents afin de parvenir à discuter de ce qui nous bouleverse et nous ébranle. Quand vous êtes en colère et que vous avez envie de défoncer les murs, profitez-en plutôt pour décharger votre fiel sur papier et pour exprimer tout ce qui vous passe par la tête. Prenez également le temps de vous calmer et de réfléchir avant d'agir sous le coup de l'émotion. Si vous devenez violente, non seulement vous en subirez les désagréables conséquences, mais vous risquez aussi de provoquer la même réaction chez les gens qui vous entourent. Ce comportement vous entraîne inévitablement dans un cul-de-sac puisque, dans une telle situation, personne n'est prêt à agir posément et à discuter du problème. Bref, mieux vaut avoir recours aux discussions et aux compromis et, surtout, apprendre à dompter la violence qui sommeille au fond de nous.

Même s'il est parfois difficile de ne pas réagir spontanément de façon violente, rappelez-vous à quel point cela vous révolte de voir ce type d'agissements autour de vous. Vous ne souhaitez probablement pas suivre la vague et agir aussi bêtement à votre tour.

Par ailleurs, si vous êtes témoin d'actes de violence verbale ou physique à l'école, à la maison ou dans la rue, n'hésitez pas à contacter les autorités ou à en parler à un adulte pour qu'il intervienne. Personne ne mérite de se faire maltraiter, et il faut absolument dénoncer les actes de violence qui se produisent autour de nous. Prônons les ententes et les compromis pour que notre société évolue dans le respect et l'égalité de tous.

Sujets
tabous

Alcool, anorexie,
avortement,
contraception, deuil,
divorce, drogue, échecs
scolaires, exclusion
sociale, fugue, grossesse,
harcèlement sexuel,
homosexualité, infections
transmises sexuellement,
intimidation, marijuana,
masturbation, mort,
piercing, pornographie,
rave, suicide, tabac,
tatouage.

Sujets

tabous

Sujets tabous

En l'espace d'une journée, un tas de questions se bousculent dans votre tête, et je sais que ce n'est pas toujours facile d'en parler avec les autres. Quand on entre dans l'adolescence et dans la puberté, on est confrontées à de nouvelles expériences et à des situations qui nous sont encore inconnues, alors ce n'est pas facile d'aborder ces sujets délicats, d'autant plus quand on a peur du jugement des autres.

Par exemple, vous commencez peut-être à vous questionner à propos de votre sexualité, de votre orientation sexuelle, de votre corps qui se transforme et des pulsions que vous ressentez de temps à autre quand vous êtes en présence de quelqu'un qui vous plaît bien.

Lorsque vous êtes confrontées à ces nouvelles situations et que vous n'osez pas trop en parler à vos proches, il peut être utile et rassurant de vous référer à cette section. Vous y trouverez des articles portant sur votre corps, sur vos relations d'amitié et d'amour ainsi que sur la vie à l'école ou la maison.

Je crois que c'est aussi rassurant de savoir que vous n'êtes pas seules à vous interroger sur ces thématiques ni à chercher des réponses à vos questions. En fait, c'est très sain de chercher à comprendre ce qui vous arrive et de vouloir en apprendre davantage sur les thèmes qui vous perturbent.

Dans cette section, vous trouverez donc des articles portant sur l'homosexualité, l'alcool, la drogue, les raves, le tabac et le suicide, et vous aurez aussi des informations qui vous aideront à démystifier la masturbation, la contraception et les ITS. J'ai cherché à y rassembler les thèmes qui sont moins souvent abordés dans la vie de tous les jours, mais qu'on se doit tout de même de connaître.

En résumé, vous pourrez y lire une tonne d'informations dont vous avez besoin pour mieux comprendre les thématiques plus complexes qui vous bouleversent ainsi que les réponses aux questions qui vous tracassent et que vous n'osez pas poser aux gens qui vous entourent.

Bonne lecture!

Alcool

BOIRE AVEC MODÉRATION

C'est souvent à l'adolescence qu'on commence à consommer de l'alcool.

Bien qu'il soit interdit, au Québec, de vendre de l'alcool aux personnes âgées de moins de 18 ans, vous pouvez vous retrouver en présence de boissons alcoolisées durant les repas en famille, les fêtes entre amis ou même dans les discothèques. Il est normal d'être curieuse et de vouloir partager vos premières expériences avec vos amis, mais je dois tout de même vous informer des effets néfastes de l'alcool et vous dire à quel point il est important de boire avec modération.

Au Québec, plus de 8 personnes sur 10 consomment de l'alcool de façon régulière (source : educalcool.qc.ca). L'alcool contient de l'éthanol, une substance active qui a un effet dépresseur sur le cerveau. Lorsque vous buvez de l'alcool, il va tout droit dans votre sang. C'est la raison pour laquelle l'effet est très rapide : il entraîne une réduction du stress et des inhibitions. On se sent alors amortie, détendue et « prête à tout », et on peut enfin dire tout haut ce qu'on pense sans se censurer. En fait, l'alcool décuple l'état dans lequel vous êtes au moment où vous en consommez. Si vous êtes triste ou bouleversée, il est fort probable que vous vous sentiez encore plus vulnérable après avoir bu de l'alcool et que vous perdiez un peu les pédales. Tout dépend évidemment de la quantité d'alcool que vous ingérez. Ce que vous devez savoir, c'est que bien qu'il puisse vous calmer et vous détendre, l'alcool a aussi un effet dépresseur sur le système nerveux, et il ralentit les fonctions cérébrales et modifie le jugement, les émotions et le comportement. Plus vous buvez, plus les effets se font sentir. *(Source : Gouvernement du Canada)*

Apprendre à boire

Je ne vous dis pas qu'il ne faut jamais consommer d'alcool ; je dis simplement que vous devez apprendre à boire de façon responsable et à être à l'écoute de votre corps pour savoir quand vous arrêter. Soyez aussi très prudente avec les boissons fortes, soit celles qui ont un taux d'alcool supérieur à 20 %, car les effets sont très puissants et font vite tourner la tête. Par ailleurs, il existe quelques règles d'or à suivre pour éviter d'avoir de mauvaises surprises :

Évitez de mélanger les types d'alcool lorsque vous buvez. Par exemple, ne faites pas alterner bière, vin et téquila, car je vous assure que vous le regretterez amèrement dans quelques heures.

Si vous commencez à avoir la nausée ou si vous avez la tête qui tourne, arrêtez immédiatement de boire de l'alcool et optez plutôt pour un grand verre d'eau.

Même si vous ne vous sentez pas si mal, buvez toujours de l'eau avant de vous coucher lorsque vous consommez de l'alcool. Ainsi, vous hydraterez votre corps, et la gueule de bois sera beaucoup moins pénible le lendemain.

Prenez l'habitude de boire un verre d'eau entre chaque consommation alcoolisée. Non seulement ça permet de s'hydrater, mais ça évite aussi de laisser l'alcool nous monter trop vite à la tête !

Si on vous dit que vous supportez mal l'alcool, c'est-à-dire que vous réagissez mal lorsque vous en consommez, évitez de boire ou faites-le avec modération. Tenez compte de ce que vous disent vos amis.

> ❝ *Ne buvez pas l'estomac vide.*
> *Ne buvez pas trop vite.*
> *Apprenez de vos erreurs !* ❞

Les premières expériences

Les premières expériences avec l'alcool sont parfois les plus pénibles. Comme on ne connaît pas encore ses limites et qu'on n'est pas habituée à en consommer, on boit parfois plus qu'on ne le devrait et on le regrette plus tard. Ainsi que je l'ai déjà mentionné, l'alcool diminue les inhibitions, ce qui fait qu'on se sent plus « forte » et plus disposée à faire ce dont on a envie. C'est souvent dans ces moments qu'on dit aux gens qu'on les aime, qu'on révèle des choses qu'on devrait taire et qu'on pleure sans raison. Bref, quand on dégrise, on a terriblement honte de ce qui s'est produit. Sachez d'abord que ça arrive à tout le monde de s'en vouloir d'avoir trop bu et d'avoir agi sous l'influence de l'alcool, alors si c'est votre cas, tâchez d'apprendre de votre erreur et de ne pas répéter l'expérience ! Si l'une de vos amies se met à déraper durant une fête, je vous conseille par ailleurs de vous montrer responsable et de l'encourager à arrêter de boire. Elle vous en sera reconnaissante par la suite.

La gueule de bois et les conséquences de l'alcool

Qui dit abus d'alcool dit gueule de bois. Si vous dépassez les limites et que vous avez trop bu, vous en subirez les conséquences le lendemain matin (ou même au cours de la nuit). Non seulement il est normal d'avoir la nausée, d'être étourdie, d'avoir mal au ventre et à la tête le lendemain d'une fête, mais il est fort probable que vous ressentiez les effets dépresseurs de l'alcool, c'est-à-dire que vous vous sentirez peut-être mal dans votre peau ou un peu déprimée. C'est pour cette raison qu'il faut boire de façon raisonnable; mieux vaut s'amuser et passer un bon moment en buvant modérément que de perdre le contrôle et de vivre une mauvaise expérience après avoir trop bu. Sachez aussi que l'alcool peut vous pousser à faire des choses que vous ne feriez pas normalement et qui vont à l'encontre de vos valeurs et même de votre volonté. Vous devez donc rester très prudente lorsque vous consommez de l'alcool. N'allez pas trop loin avec un garçon si vous savez que vous n'êtes pas prête ; ne vous laissez pas convaincre de le suivre dans une chambre pour avoir plus d'intimité lorsque vous savez que vous n'êtes pas en pleine possession de vos moyens. Ne prenez jamais le volant lorsque vous avez bu, et ne montez pas dans un véhicule si le conducteur a consommé de l'alcool. Encouragez-le plutôt à prendre un taxi et à attendre d'avoir dégrisé pour venir récupérer sa voiture.

Les excès d'alcool ont toutes sortes d'effets néfastes sur la santé à long terme, tels que certaines maladies du foie et du cœur, le cancer, et peuvent créer une dépendance. S'il y a des cas d'alcoolisme dans votre famille, sachez par ailleurs que cette dépendance peut être héréditaire et que vous devez vous montrer doublement prudente dans votre consommation. Si vous jugez que vous buvez trop, ou que vous avez sans cesse envie de boire, je vous conseille de consulter un professionnel de la santé.

En conclusion, lorsque consommé avec modération et de façon responsable, l'alcool peut rendre agréable une soirée en famille ou entre amis, mais vous devez être consciente des dangers et des risques inhérents à une consommation abusive et rester à l'écoute de votre corps. Ne soyez pas trop dure envers vous-même si vous vivez une mauvaise expérience avec l'alcool. C'est souvent cette cuite de trop qui nous donne une leçon et qui nous fait boire de façon plus responsable par la suite. Dites-vous qu'avec le temps, vous apprendrez à mieux connaître vos limites et à contrôler votre consommation pour passer de bons moments entre amis sans lendemains trop pénibles !

SUJETS CONNEXES :
○ *DROGUE*
○ *MATURITÉ*
○ *MAJORITÉ*

Anorexie

Définition : « L'anorexie est un trouble alimentaire qui se caractérise surtout par des habitudes alimentaires anormales, par une peur incontrôlable de prendre du poids et par une immense préoccupation pour son image corporelle. »
(Source : http://www.anebquebec.com/html/fr_troublesalimentaire.html)

Chère Catherine,
Je me sens grosse et mal dans ma peau. J'essaie de limiter ce que je mange, et mes parents sont très inquiets parce qu'ils ne me reconnaissent plus et se préoccupent pour ma santé. Je suis obsédée par mon poids. Quoi faire?
Anonyme

L'anorexie est causée par des facteurs mentaux, émotionnels, psychologiques et sociaux. Par exemple, les canons de beauté et l'idéal de minceur imposés par les vedettes d'Hollywood, dont les photos envahissent toutes les pages des magazines, influencent beaucoup de jeunes filles qui veulent à tout prix leur ressembler. De plus, une adolescente voit son corps se transformer et accepte plus au moins bien ces changements. C'est alors qu'apparaissent les complexes, la pudeur et une hantise de voir son corps prendre trop de formes et de devenir « grosse ». L'image corporelle devient dès lors une obsession. Les filles qui manquent de confiance en elles sont plus prédisposées à l'anorexie. Elles ont tendance à se comparer aux autres, à se trouver moches et à cesser de manger dans l'espoir de maigrir et même d'essayer de disparaître. Quoi qu'il en soit, l'anorexie est une maladie mentale qui touche plus de 8 % des filles âgées entre 15 et 25 ans au Québec. Cela signifie que, chaque année, plus de 65 000 femmes âgées entre 15 et 25 ans souffrent de troubles alimentaires.

Au Canada, 90 % des anorexiques sont des filles, tandis que 10 % sont des garçons, et plus de 80 % des filles admettent avoir suivi un régime amaigrissant avant l'âge de 18 ans. Il est à noter que ces chiffres ne cessent d'augmenter au fil des années. *(Source : http://www.amabilia.com/contenu/societes/sec08_260e.html)*

> *Dans les faits, l'anorexie résulte d'une obsession de la minceur et elle est caractérisée par un jeûne volontaire ou une baisse d'appétit qui peuvent entraîner de graves problèmes de santé, comme la sous-alimentation, et parfois même la mort.*

Les anorexiques ont une image déformée de leur propre corps et sont hantées par la peur de grossir. Le jeûne volontaire, les vomissements et l'exercice physique pratiqué de façon excessive peuvent alors, entre autres, causer une importante perte de poids, des irrégularités dans le cycle menstruel, une sensation de fatigue générale et de l'insomnie. Au point de vue du comportement, une adolescente souffrant d'anorexie aura souvent tendance à s'isoler, à se renfermer sur elle-même, à se comparer sans cesse aux autres et à être obsédée par son image.

Si vous vous reconnaissez dans cette description, c'est que vous souffrez probablement de troubles alimentaires. Vous devez absolument en parler à quelqu'un en qui vous avez confiance. L'anorexie est avant tout une maladie mentale qui déforme la perception que vous avez de votre corps et qui nuit sensiblement à votre estime de vous-même ainsi qu'à votre santé psychologique et physique. Cela indique clairement que vous avez besoin d'aide, et vous ne devez pas avoir honte d'aller en chercher auprès de professionnels et de gens de votre entourage. Si vous remarquez que vos proches semblent inquiets à votre sujet, mais qu'ils ne savent pas trop comment se comporter, ne leur fermez pas la porte au nez. Même si vous n'en êtes pas consciente actuellement, ils agissent ainsi parce qu'ils vous aiment et qu'ils veulent votre bien. Si vous ne voulez pas parler de votre problème aux gens de votre entourage, allez consulter des professionnels de la santé, un médecin ou le psychologue de votre école par exemple. Croyez-moi, ils en ont vu d'autres ! Même si vous croyez avoir la maîtrise de votre malaise et de votre condition physique, rappelez-vous que vous ne vous percevez pas telle que vous êtes réellement et que votre jugement est faussé par un grand manque de confiance en vous. S'il s'agit d'un appel à l'aide, essayez de le faire comprendre aux autres et confiez-vous à une amie. Vous pouvez également lire pour mieux connaître ce problème, car l'anorexie est de plus en plus fréquente dans notre société, et il est aujourd'hui beaucoup plus facile d'obtenir de l'information à ce sujet et de tenter de trouver des solutions. Sachez toutefois que le problème est principalement dans votre tête, et qu'il est d'abord et avant tout essentiel de reprendre confiance en vous et d'apprendre à vous accepter et à vous aimer telle que vous êtes.

Si vous remarquez qu'une de vos amies souffre d'anorexie, ou du moins qu'elle en présente tous les symptômes, tentez de lui en parler calmement. Il se peut très bien qu'elle nie le problème et qu'elle refuse de vous écouter. Faites-lui alors remarquer qu'elle a perdu énormément de poids et que son comportement a vraiment changé récemment. Si elle refuse toujours d'affronter la réalité,

allez voir un médecin ou un psychologue qui saura vous donner des trucs pour intervenir auprès de votre amie. Vous aurez peut-être besoin du soutien de sa famille et de ses proches pour lui faire prendre conscience de son problème, mais surtout, n'abandonnez pas, car tant et aussi longtemps qu'elle ne reconnaîtra pas qu'elle a un problème, elle ne pourra reprendre confiance en elle et se sentir mieux. Vous pouvez aussi essayer de la pousser à manger, ou alors la persuader de se confier à vous. Quels sont ses complexes, ses inquiétudes et son malaise ? L'anorexie est un appel à l'aide. Gardez en tête que votre amie n'est pas bien dans son corps, alors essayez de la mettre bien à l'aise et de la réconforter.

La boulimie

La boulimie est un autre trouble alimentaire se caractérisant par des fringales incontrôlables qui obligent le sujet à ingurgiter une grande quantité de nourriture sans pouvoir s'arrêter,

SUJETS CONNEXES :
- *CONFIANCE*
- *SECRET*
- *RÉGIME*

et qui sont suivies par des comportements inappropriés visant à « remédier à la situation », tels que des vomissements répétés, des exercices physiques excessifs, la prise de laxatifs, etc. Il s'agit encore une fois d'un trouble causé par un manque d'estime de soi et par un rejet de son propre corps, et qui survient bien souvent en réaction à la forte pression sociale dont le corps féminin est l'objet, à la promotion de la minceur ou à un échec personnel.

Statistiques

De façon générale, les anorexiques peuvent perdre entre 25 et 40% de leur poids.

- L'anorexie touche de 0,3 % à 1 % des femmes et débute habituellement pendant l'adolescence.

- Lorsque l'anorexie devient chronique, l'hospitalisation est nécessaire et la personne atteinte par la maladie doit être nourrie par voie intraveineuse.

- Dans les cas graves, l'anorexie peut causer de l'épuisement, des troubles cardiaques et des troubles psychologiques graves comme l'anxiété et la dépression.

- Au Canada, 20% des personnes souffrant d'anorexie meurent de complications reliées à leur maladie ou commentent un suicide.

- Au Canada, 5 % à 20 % des personnes souffrant d'anorexie meurent de complications reliées à leur maladie, ou en commettant un suicide.

Source : Statistique Canada & Les troubles de l'alimentation par Santé Canada.

CONSEILS

◎ *Apprenez à aimer votre corps tel qu'il est et à accepter les changements qu'il subit. C'est tout à fait normal de devenir une femme et de se développer.*

◎ *Ne vous comparez pas aux autres filles ni aux mannequins des magazines de mode. À chacune son corps et ses atouts. L'important, c'est d'avoir confiance en vous.*

◎ *Si vous vous sentez mal dans votre peau et que vous avez des complexes, parlez-en à des gens de votre entourage et écrivez dans votre journal intime, mais ne gardez pas tout ce que vous ressentez à l'intérieur ; ça ne ferait qu'empirer les choses.*

Avortement

INTERRUPTION VOLONTAIRE DE GROSSESSE (IVG)

Définition : « Expulsion spontanée ou provoquée de l'embryon ou du fœtus avant la date de sa viabilité. » (Source : Office québécois de la langue française – www.granddictionnaire.com). L'avortement est une interruption de la gestation, soit du procédé commençant avec la fécondation de l'ovule par le spermatozoïde et se poursuivant par la croissance du fœtus jusqu'à la naissance du bébé.

Il existe l'avortement médical, qui s'effectue par la prise de médicaments et qu'on peut envisager si la grossesse n'a pas dépassé neuf semaines. En général, on ne peut effectivement y avoir recours que durant les sept à neuf premières semaines d'une grossesse. Deux médicaments sont alors ingérés pour interrompre la grossesse : le mifépristone ou le méthotrexate, qui affaiblissent le lien entre le contenu de l'utérus et la paroi, et le misoprostol, qui fait contracter et saigner l'utérus et provoque l'expulsion du fœtus.

Au Québec, l'avortement chirurgical peut être effectué durant les 23 premières semaines de grossesse. On utilise généralement une technique appelée « aspiration à vide ». Cette technique consiste à introduire une pompe dans le col de l'utérus pour aspirer le contenu de ce dernier. L'intervention ne dure habituellement que de 15 à 20 minutes. Les réactions sont nombreuses face à la douleur ressentie au cours d'un tel avortement. Cependant, la plupart des femmes considèrent qu'il s'agit d'une sensation désagréable mais tolérable. Par ailleurs, lorsqu'on subit un avortement chirurgical, on peut en général reprendre ses activités dès le lendemain, en autant que les séquelles émotives et psychologiques laissées par cette interruption de grossesse le permettent. En effet, celles-ci s'avèrent souvent plus graves que les séquelles physiques.

L'avortement est devenu légal en 1969 dans les hôpitaux du Québec, et la Cour suprême du Canada a confirmé sa légalité en 1988. Bien qu'il s'agisse aujourd'hui d'une intervention médicale fortement pratiquée dans la province (voir tableau), l'avortement demeure un sujet très controversé au sein de la société. Certaines personnes considèrent qu'il s'agit d'un geste égoïste et d'un crime contre la nature humaine, tandis que d'autres voient dans cet acte une façon d'exercer une liberté, une égalité et un droit longtemps recherchés par les femmes. Quoi qu'il en soit, la légalité de l'avortement au Québec et au Canada permet à chaque femme de prendre sa propre décision en tenant compte de ses valeurs, de ses options et de ses sentiments. Bien que l'avortement ne soit pas une situation désirable, il s'agit parfois d'une intervention nécessaire. Par conséquent, il revient à chacune de peser le pour et le contre et de prendre une décision qu'elle puisse entièrement assumer.

Source : Institut national de santé publique, 2008

Nombre d'avortements et de naissances vivantes au Québec

Année	2001	2011
Naissances vivantes	73 699	88 500
Avortements	26 131	29 460
Taux d'avortement pour 100 naissances vivantes	28,9	39,8

Source : Institut de la statistique du Québec, 2006.

Source : Institut national de santé publique, 2008

Si vous décidez de vous faire avorter, il est avant tout essentiel de consulter un médecin qui puisse vous examiner pour déterminer combien de semaines de grossesse se sont déjà écoulées et ainsi décider quelle intervention est la plus appropriée dans votre cas. Au Québec, l'âge légal pour la confidentialité du dossier médical est de 14 ans : si vous avez atteint ou dépassé cet âge, votre médecin sera tenu de ne pas répéter ce que vous lui confierez, et la décision d'en parler ou non à votre entourage vous reviendra.

Au Québec, même s'il est possible d'avorter jusqu'à 23 semaines de grossesse, la majorité se pratique entre la sixième et la quatorzième semaine. Vous pouvez téléphoner à un CLSC, à un hôpital ou à une clinique privée pour prendre un rendez-vous. Vous devez cependant prévoir que l'attente sera plus longue dans les endroits où les services sont gratuits que dans les cliniques privées, Depuis 2008, les services d'avortement sont entièrement financés par l'État et sont donc accessibles gratuitement partout au Québec, y compris en cliniques à gestion privées et au sein des Centres de santé des femmes (Montréal, Mauricie et Outaouais). Il est important de noter que le processus peut varier d'un établissement à un autre. Dans certains cas, vous devrez consulter le médecin deux fois, dans d'autres, vous n'aurez qu'à vous présenter le jour de l'intervention. N'hésitez pas à appeler l'Association canadienne pour la liberté de choix (ACLC), ou la Fédération du Québec pour le planning des naissances (FQPN) qui sauront vous diriger vers les services disponibles dans votre région. La plupart des médecins vous inviteront également à revenir quelques semaines après l'intervention chirurgicale pour s'assurer que tout se passe bien. Il est fortement recommandé de se présenter à ce dernier rendez-vous.

À l'adolescence, la venue d'un bébé ou l'interruption d'une grossesse peuvent tous deux transformer votre vie. Il est donc important de bien réfléchir à ce que vous voulez faire avant de prendre votre décision finale. Sachez que des conseillers, des infirmiers, des psychologues ou même les gens de votre entourage sont là pour vous écouter et vous conseiller si vous en avez besoin. Cette décision étant extrêmement marquante et importante, il est recommandé de ne pas refouler vos sentiments, mais plutôt d'en parler avec des gens de confiance. Si vous décidez de vous faire avorter, il est tout aussi recommandé de consulter un médecin ou de parler à quelqu'un après l'avortement pour exprimer ce que vous ressentez, et pour bien vous informer au sujet de la contraception afin d'éviter qu'une telle situation se reproduise. L'avortement est parfois la solution qui convient le mieux à une situation, mais il ne doit en aucun cas être considéré comme une méthode de contraception.

Quoi qu'il en soit, ne laissez pas le jugement des autres influencer votre décision. Après tout, c'est vous qui devrez en subir les conséquences par la suite. Il est d'ailleurs préférable de ne vous confier en premier lieu qu'à des gens de votre entourage en qui vous avez confiance pour éviter les réactions et commentaires mesquins des autres. L'avortement est un choix basé sur des principes, des valeurs, des responsabilités et des sentiments très personnels, et la prise de décision ainsi que la convalescence psychologique et émotive peuvent parfois être longues. N'hésitez donc surtout pas à consulter un professionnel en toute confidentialité si cela peut vous aider.

CONSEILS :

L'avortement est un sujet délicat et controversé. Soyez donc diplomate lorsqu'une discussion est lancée sur le sujet. Certaines filles peuvent être très sensibles, tandis que d'autres qui ont vécu une telle expérience ne désirent en aucun cas se sentir jugées par les autres.

Si vous choisissez de vous faire avorter et que vous assumez votre décision, il pourrait être bon de partager votre expérience avec d'autres filles qui vivent ou ont déjà vécu la même expérience. Le réconfort est souvent le meilleur remède dans une telle situation.

Après un avortement, tentez d'éviter de vous refermer sur vous-même et d'assumer seule le sentiment de perte. Il est normal de se sentir vide, abandonnée et coupable. Parlez-en à des gens de confiance ou alors écrivez dans un journal intime pour ne pas vous laisser submerger par la douleur. C'est un moment difficile à passer, mais sachez que vous n'êtes pas seule dans votre situation, et que plusieurs personnes ne demandent pas mieux que de vous aider si vous leur faites signe.

SUJETS CONNEXES :
- *CONTRACEPTION*
- *PREMIÈRE FOIS*
- *GROSSESSE*

*Source : L'Association canadienne pour la liberté de choix (ACLC) offre une variété de services incluant une ligne d'écoute, la référence vers des points de service offrant l'avortement et un service d'accompagnement lors des rendez-vous. Numéro sans frais : **1-888-642-2725**.*

La Fédération du Québec pour le planning des naissances (FQPN) a conçu un répertoire vous permettant de localiser les cliniques d'avortement dans votre région.

Contraception

LES MÉTHODES CONTRACEPTIVES

Quand vous vous sentez prête à avoir vos premières relations sexuelles, il est essentiel de songer à la contraception.

Les méthodes contraceptives sont indispensables pour empêcher la grossesse et pour prévenir les maladies transmises sexuellement (MTS – aussi appelées infections transmissibles sexuellement, ou ITS).

LA PILULE NE PROTÈGE PAS CONTRE LES MST

La pilule

La pilule anticonceptionnelle est la méthode contraceptive la plus efficace et la plus répandue chez les adolescentes. Les hormones qu'elle contient empêchent l'ovulation. Il existe divers types de pilules. Les effets secondaires varient selon les filles, mais la plupart des pilules possèdent une concentration d'hormones si faible que ces effets sont très minimes. Le corps a besoin d'environ trois mois pour s'habituer à la pilule, mais cette dernière contribue notamment à rendre les règles plus régulières, celles-ci devenant souvent plus courtes et moins abondantes. Certaines pilules règlent également les légers problèmes d'acné. Il est important de souligner que la pilule ne protège PAS contre les MTS. Aussi, l'utilisation du condom demeure tout de même fortement recommandée.

Le Depo-Provera

Le Depo-Provera est une injection d'hormone progestative qu'on effectue tous les trois mois pour prévenir la grossesse. Ce produit bloque la libération d'ovules par les ovaires et épaissit la muqueuse utérine, ce qui empêche les spermatozoïdes de pénétrer dans l'utérus et d'y survivre. L'efficacité du Depo-Provera est supérieure à 99 %, et il ne faut que 24 heures, après l'injection, pour qu'il fasse effet. Lorsque vous allez chez le médecin pour recevoir l'injection, il est important de prendre rendez-vous pour la suivante, puisque son efficacité dure 13 semaines. Cette méthode contraceptive est relativement nouvelle, et plusieurs effets secondaires mineurs (nausées, étourdissements, prise de poids) ont été signalés.

Le condom

Le condom est la seule méthode contraceptive qui protège contre les MTS et le sida ; il est donc important de toujours en utiliser un lorsque vous avez des relations sexuelles, et ce, même si vous employez une autre méthode de contraception. Le condom se trouve dans un petit sachet individuel que vous devez ouvrir délicatement pour être bien certaine de ne pas l'abîmer. Quand le garçon éjacule, le sperme demeure à l'intérieur du préservatif plutôt que de se répandre à l'intérieur du vagin. Par conséquent, au moment d'enfiler le condom, il est important de laisser un petit espace au bout pour recueillir le sperme. La plupart des préservatifs sont pourvus d'un petit réservoir qui simplifie les choses. Vous devez ensuite pincer légèrement le haut du condom pour chasser l'air, mais faites-le avec vos doigts plutôt qu'avec vos ongles pour éviter de le déchirer. Vous devez ensuite bien le dérouler, avant la pénétration, jusqu'à la base du pénis en vous assurant qu'il est dans le bon sens (le petit anneau que vous déroulez doit être tourné vers l'extérieur). Après l'éjaculation, il est important de retirer le condom alors que le pénis est encore en érection. Pour ce faire, il faut bien tenir la base du condom. Jetez-le immédiatement. Lorsque le condom est bien utilisé, son efficacité est de 97 % ou 98 % (source : Gouvernement du Canada).

Le stérilet

Le stérilet est un dispositif qu'on place à l'intérieur de l'utérus. Il existe des stérilets hormonaux et des stérilets en cuivre qui empêchent la nidation de l'ovule fécondé (l'œuf ne peut s'accrocher aux parois) et ralentissent l'épaississement de la muqueuse utérine. Le stérilet doit être inséré par un médecin au fond de l'utérus et peut causer d'importants saignements. Il n'est donc pas recommandé aux jeunes adolescentes qui n'ont pas encore eu d'enfant, car il comporte un risque de causer la stérilité. De plus, bien qu'il s'agisse d'une méthode efficace contre la grossesse, il peut provoquer des menstruations plus douloureuses et plus abondantes.

Le diaphragme

Le diaphragme est aussi efficace que le condom pour prévenir la grossesse, mais il ne protège pas contre les MTS. Il s'agit d'une membrane en latex qu'on place au fond du vagin juste avant le rapport sexuel, de façon à recouvrir le col de l'utérus et à éviter que les spermatozoïdes ne rencontrent l'ovule. C'est votre médecin qui déterminera d'abord la taille du diaphragme dont vous avez besoin et qui vous montrera comment l'installer adéquatement. Le diaphragme peut être accompagné d'une crème spermicide (qui détruit les spermatozoïdes), que l'on doit appliquer avant la pénétration.

Les méthodes naturelles

Les méthodes naturelles sont très peu efficaces. Non seulement elles ne protègent pas contre les MTS, mais elles entraînent un risque important de grossesse à cause du liquide pré-éjaculatoire qui est émis par le garçon au cours de la relation sexuelle et qui contient des spermatozoïdes. Les deux principales méthodes naturelles sont le coït interrompu, où le garçon se retire avant l'éjaculation, et l'abstinence durant les périodes d'ovulation (souvent difficiles à déterminer avec précision). Ces méthodes naturelles ne sont pas recommandées.

Le condom à tout prix !

Bien que vous ayez une confiance aveugle en votre amoureux, il peut être atteint d'une MTS sans même le savoir, alors plutôt que de courir le risque de contracter une maladie, utilisez le condom. Si vous êtes ensemble depuis très longtemps et que vous ne voulez plus utiliser le condom, ou encore que son usage cause un désagrément important pour l'un d'entre vous, allez voir le médecin pour passer un test de dépistage du sida et des autres MTS. Ce test se fait de façon anonyme et confidentielle. Lorsque vous aurez obtenu les résultats et que vous aurez tous les deux la certitude que vous êtes en bonne santé et que vous ne courez aucun risque, vous pourrez songer à arrêter d'avoir recours au préservatif, mais continuez d'utiliser une méthode contraceptive complémentaire pour prévenir la grossesse. Je vous suggère toutefois de prendre votre temps avant de laisser tomber le condom. Bien que vous soyez certaine que votre partenaire vous aime et vous est fidèle, il suffit d'une petite malchance pour que vous ayez de sérieux ennuis. Si vous faites preuve de jugement et que vous êtes très responsable, tout devrait bien se dérouler !

	Quelques avantages	Quelques inconvénients	Accessibilité
LES MÉTHODES HORMONALES			
La pillule anticonception-nelle	• Très efficace si utilisée comme il faut (97 - 99,9 %) • Facile à utiliser • N'affecte pas la fécondité • Régularise les menstruations : moins de crampes menstruelles	• Ne protège pas contre les ITS • Effets secondaires possibles (gain pondéral, nausées, maux de tête) • Doit se prendre au même moment de la journée tous les jours • Autres méthodes contraceptives requises lors du premier mois ou en cas d'oubli • Le coût peut être un facteur limitant pour certaines femmes	• Centres médicaux • Cliniques • Médecin de famille
Depo-Provera	• Très efficace (99,7 %) • Pratique • Ne s'injecte que tous les 3 mois	• Ne protège pas contre les ITS • Irrégularités menstruelles • Gain pondéral possible • Les effets secondaires ne sont réversibles qu'une fois le dépôt injecté épuisé • Risque de diminution de la densité osseuse en cas d'usage prolongé. Cela est d'autant plus préoccupant pour les adoles centes et les femmes dans la vingtaine.	• Centre médicaux • Cliniques • Médecin de famille

Source : Agence de la santé publique du Canada - Les méthodes contraceptives

	Quelques avantages	Quelques inconvénients	Accessibilité
LES MÉTHODES BARRIÈRES			
Le condom	• Protège contre la grossesse et la plupart des ITS • Efficace à 88 % pour la prévention des grossesses s'il est utilisé constamment et correctement • Accessible et peu coûteux • Implique la participation directe du partenaire • Aucune visite chez le médecin ni ordonnance ne sont requises	• Les deux partenaires doivent être consentants et en mesure de l'utiliser pour chaque rapport sexuel • Peut se déchirer s'il n'est pas utilisé comme il faut (date de péremption passée, lubrification insuffisante) • Nécessite une planification/ manque de spontanéité	• Pharmacies • Cliniques jeunesse • Infirmière scolaire
Le diaphragme et la cape cervicale (utilisés avec un gel ou une crème spermicide)	• Peuvent s'insérer quelques heures avant les rapports sexuels • Efficacité de 92 % à 96 % dans la prévention des grossesses s'ils sont utilisés constamment et correctement • Peu d'effets secondaires	• Ne protègent pas contre les ITS • Leur insertion demande une certaine expérience et une bonne motivation de la part de l'utilisatrice • Une perte ou un gain pondéral d'environ 10 livres peut compliquer leur ajustement • Rendez-vous chez un médecin requis pour ajuster le diaphragme	• Centre médicaux • Cliniques • Médecin de famille
Les spermicides	• Offerts sans ordonnance • Efficacité de 79 % à 94 % s'ils sont employés seuls (79 % pour un usage habituel, 94 % pour un usage parfait) • Efficacité maximale en association avec une méthode barrière comme le condom, le diaphragme ou la cape cervicale	• Ne protègent pas contre certaines ITS • Comportent un risque de réaction allergique pouvant causer des fissures microscopiques du vagin • La recherche indique que le principe actif dans les spermicides, le nonoxynol-9, peut en fait augmenter le risque de transmission du VIH, car il peut fissurer la paroi génitale	• Pharmacies
Le stérilet	• Son introduction ne dépend pas des rapports sexuels • Efficacité à 98 % • Contraception à long terme pouvant durer jusqu'à 8 ans • Sans danger et efficace pour les femmes non exposées au risque d'ITS (partenaire stable et fidèle) • Généralement utilisé par les femmes ayant déjà eu un enfant	• Ne protège pas contre les ITS • Peut causer des douleurs et un saignement après son insertion • Risque de saignements menstruels plus abondants • Risque de pelvipéritonite 3 mois après l'insertion • Son coût varie de 50 $ à 150 $	• Centres médicaux • Cliniques • Médecin de famille

Source : Agence de la santé publique du Canada - Les méthodes contraceptives

	Quelques avantages	Quelques inconvénients	Accessibilité
LES MÉTHODES NATURELLES			
Abstinence (pas de rapports sexuels ; aucune pratique sexuelle pouvant causer un échange de liquides organiques ; pas de contact cutané dans la région génitale ; aucun contact buccal avec les organes génitaux)	• Méthode la plus efficace pour la prévention des grossesses et des ITS • Aucun effet secondaire • Aucun coût	• Chaque partenaire peut avoir une conception différente de l'abstinence • Elle n'est pas un bon choix si l'un des partenaires n'est pas consentant ou si l'un d'eux exerce des pressions ou subit des pressions de son entourage pour avoir des rapports sexuels • Les partenaires peuvent changer d'avis pendant les jeux sexuels ; ils doivent donc toujours avoir un condom à leur disposition	
Le retrait	• Aucun effet secondaire • Aucun coût • Convient lorsque aucune autre méthode n'est accessible (c'est toujours mieux que rien...)	• Du sperme provenant d'un pré-éjaculat du pénis en érection peut entrer dans le vagin avant le retrait du pénis • Ne protège pas contre les ITS • Pas hautement efficace. Des études ont démontré des taux d'échec de 19 % chez les utilisateurs typiques et de 4 % chez les utilisateurs expérimentés • Requiert une grande maîtrise de soi-même et de la pratique	
La contraception d'urgence (pilule du lendemain)	• Peut prévenir une grossesse après des rapports sexuels non protégés ou lorsque la méthode contraceptive a échoué ou n'a pas été utilisée correctement • Efficacité maximale dans un délai moindre. jusqu'à 72 heures après les rapports sexuels non protégés	• Ne protège pas contre les ITS • Il faut suivre les directives à la lettre • Peut causer des nausées et vomissements • Coût relativement élevé	• Centres médicaux • Hôpitaux • Cliniques • Pharmacies (dans certaines provinces) • Médecin de famille

Source : Agence de la santé publique du Canada - Les méthodes contraceptives

Deuil

AFFRONTER LA MORT D'UNE PERSONNE QU'ON AIME

✔ *Collaboration spéciale de Marie-Charles Boivin*

Si vous avez déjà dû affronter la mort d'une personne que vous aimiez, vous savez que le moment qui suit est extrêmement étrange, déchirant et difficile à traverser. Vous vous réveillez un jour, et une personne de votre entourage n'est plus là.

Vous ne pouvez plus l'appeler, vous ne pouvez plus la voir, vous ne pourrez plus jamais partager des instants de votre vie avec elle… et vous ne pouvez rien y changer. Vous devez alors commencer votre deuil.

Pourtant, tous les jours, à la télévision, vous entendez parler de la mort : bombardement en Irak, inondation en Inde, tuerie aux États-Unis… Les morts se comptent par centaines sur votre écran et, malgré votre sensibilité, tout cela vous bouleverse à peine… Par contre, lorsque la mort s'abat sur une personne que vous connaissez, une seule, cela vous apparaît comme le pire drame au monde. Le deuil, c'est lorsque quelqu'un meurt et qu'une immense vague de tristesse vient nous happer.

Au cours de notre existence, nous devrons plusieurs fois affronter la mort. Celle de nos grands-parents assurément, celle de nos parents probablement, celle de certains de nos amis peut-être et, un jour, nous devrons faire face à notre propre mort. Le deuil est un moment très intense et douloureux à vivre, mais dites-vous que ce passage peut également vous faire grandir et vous aider à réaliser l'importance d'apprécier la vie et de jouir du moment présent.

LES ÉTAPES DU DEUIL

Selon l'Association canadienne pour la santé mentale, on peut diviser le processus du deuil en trois grandes étapes. Cette division permet de mieux comprendre ce qu'est le deuil. Cependant, rappelez-vous que chaque personne réagit différemment à la mort d'un proche et que tous ne traversent pas ces trois phases de la même façon.

ÉTAPE 1

L'état de choc

Après avoir appris la nouvelle, on est sous le choc, on est troublée. Cependant, par une sorte de mécanisme de survie, certaines personnes ne verseront pas de larmes pendant plusieurs jours. On éprouve également une impression d'irréalité durant cette phase; on peut avoir le sentiment d'être comme un zombie.

ÉTAPE 2

La désorganisation

Ça y est, la peine nous envahit et les émotions font surface : la gorge se serre, on pleure, on est fatiguée, on peut même ressentir de la colère. On repense aux moments passés avec la personne qui vient de nous quitter. On est triste.

ÉTAPE 3

La réorganisation

On n'oublie pas le disparu, mais on se remet à vivre plus normalement. On retrouve tranquillement l'envie de faire des activités. On accepte peu à peu la perte de l'être aimé.

Comment passer au travers ?

Il est normal et même sain d'éprouver des émotions intenses et d'avoir des sautes d'humeur lorsqu'on perd une personne qui nous est chère. Le deuil est une sorte de peine d'amour.

Lorsque vous vivez un deuil, surtout, ne gardez pas vos émotions à l'intérieur. C'est éprouvant de vivre une telle perte et c'est tout à fait normal de pleurer. Ne niez pas votre douleur. Au fond, c'est une partie de vous-même, une partie de votre vie qui s'arrache à vous. Si vous n'évacuez pas la tristesse que vous ressentez, vous risquez simplement de repousser votre deuil à plus tard.

Pour parvenir à guérir, il est important d'en parler : avec des amis, avec sa famille et aussi avec les gens qui connaissaient la personne décédée. Exprimez vos sentiments et partagez vos souvenirs. Parlez des qualités du disparu et des agréables moments que vous avez passés avec lui : cela vous réconfortera de vous rappeler les bons souvenirs. Confiez-vous au travailleur social de votre école ou à votre professeur préféré. Non seulement ces derniers peuvent vous aider à passer au travers, mais, dans les circonstances, ils peuvent également faire preuve d'indulgence en ce qui concerne la remise de vos devoirs, par exemple. De plus, assurez-vous de faire des activités de temps en temps pour vous sortir de votre chagrin. Entourez-vous des personnes qui prennent soin de vous ou qui ont déjà vécu le même genre d'expérience. Prenez le réconfort qu'on vous offre. Acceptez les mots doux

qui vous sont adressés; vous y avez droit en cette période difficile. Écrivez dans votre journal intime : défoulez-vous, racontez tout ce que vous ressentez et ce que vous pensez de la situation. Vous serez par la suite mieux en mesure d'exprimer vos sentiments, ce qui pourra vous aider à passer peu à peu à travers cette période.

C'est peut-être difficile à concevoir, mais les funérailles peuvent également vous aider à cheminer dans votre processus de deuil. C'est un dernier au revoir, un dernier hommage à la personne perdue. La cérémonie permet de réaliser ce qu'elle représentait pour vous. Vous pouvez également écrire un petit mot pour l'occasion. Pas besoin d'être complètement dramatique. Vous pouvez simplement raconter des anecdotes liées à la personne décédée, ce qui vous aidera et aidera l'assistance à mieux comprendre qui elle était. Et si vous ne vous sentez pas la force de le lire, demandez à un membre de votre famille de le faire à votre place.

Mon amie est en deuil

Doit-on lui en parler ou éviter le sujet ? Tout dépend de votre personnalité et du lien que vous entretenez avec cette personne, mais voici quelques trucs.

Tout d'abord, il est normal d'être mal à l'aise avec le sujet. Ce n'est pas facile de choisir les bons mots dans une telle situation. On est tentée de rassurer son amie, de lui dire qu'on comprend ce qu'elle traverse, mais ce n'est pas toujours vrai. Il est impossible de savoir réellement comment la personne peut se sentir.

Le plus simple, c'est de faire comprendre à votre amie que vous êtes là pour elle. Ne l'excluez pas de votre vie parce qu'elle n'est plus aussi joyeuse qu'auparavant. Au contraire, c'est le moment de lui dire que vous tenez à elle et de lui démontrer à quel point vous pouvez être une bonne amie. Vous pouvez acheter une fleur, fabriquer une carte ou encore demander aux autres élèves de la classe de préparer un petit quelque chose pour elle : un dessin, une belle lettre, une carte signée par tous. Vous pouvez aussi essayer d'aider votre amie grâce à des gestes plus concrets. Par exemple, rapportez-lui ses devoirs à la maison ou prenez des notes pour elle dans les cours qu'elle doit manquer. De plus, essayez de lui changer les idées : parlez-lui au téléphone, organisez une activité avec elle. Cela peut paraître anodin, mais cela lui fera extrêmement plaisir. Elle a besoin de sentir que vous êtes présente pour elle.

Le deuil est pénible. Lorsqu'on perd quelqu'un, notre cœur se déchire et on doit se résoudre à accepter le fait que cette personne ne reviendra jamais. Par contre, cela ne signifie pas qu'on oublie cette personne. On trouve simplement une nouvelle façon de vivre sans elle. Il le faut bien. Qu'aurait-elle préféré ? Que vous viviez dans la douleur et dans la peine... ou que vous arriviez à être heureuse malgré son absence ? Bien sûr, vous continuerez de penser à elle. Certains événements, certaines choses vous la ramèneront parfois en mémoire (une fête, un objet, une chanson, une odeur...), mais apprenez à ne pas laisser la tristesse vous envahir. Dites-vous que cette personne serait fière de vous voir heureuse, de vous voir forte, de vous voir continuer à vivre et à rire.

Et c'est ce qui arrivera après le deuil. Vous aurez vécu de grandes émotions, mais vous serez sans doute plus mature, plus sensible à l'égard des autres. Vous serez peut-être même portée à faire vos choix différemment, car vous serez plus consciente du fait que la vie est précieuse et bien éphémère...

Livre recommandé :

Passages obligés, de Josélito Michaud, Libre Expression, 2006

Référence : Association canadienne pour la santé mentale : *http://www.cmha.ca.*

SUJET CONNEXE :
o *MORT*

Divorce

2 CHAMBRES,2 MESURES...

Au Québec, plus de la moitié des mariages se terminent par un divorce. En 2008, le taux de divorce s'élevait à 49,9 % (Source : Statistique Canada, Institut de la statistique du Québec).

Bien que le divorce soit devenu un phénomène commun dans notre société, il n'en demeure pas moins une étape difficile à franchir pour les couples qui vivent une telle rupture, ainsi que pour leurs enfants. Qui dit divorce dit fin du mariage et annulation du contrat unissant deux personnes. Une simple séparation, par ailleurs, n'implique pas toute la procédure légale et officielle.

Lors d'un divorce, le couple peut décider de se séparer légalement ou sans recourir aux services d'un avocat. Dans ce dernier cas, les deux partenaires doivent faire une demande conjointe et en arriver à une entente « à l'amiable » concernant tous les aspects de leur vie commune (la garde des enfants, le partage des biens, la pension alimentaire, etc.). En ce qui concerne la garde des enfants, les parents doivent décider de quelle façon ils procéderont en tenant compte du bien-être de leur famille. Il peut s'agir d'une garde exclusive d'un seul parent, d'une garde partagée (moitié du temps chez la mère, moitié du temps chez le père, ou alors la semaine chez l'un et la fin de semaine chez l'autre). Quoi qu'il en soit, les jeunes adolescents ont leur mot à dire dans cette histoire. Légalement, le tribunal tient compte de l'avis des jeunes âgés entre 12 et 17 ans. Pour ce qui est des enfants de moins de 12 ans, le tribunal aura moins tendance à tenir compte de leur opinion, mais cela dépendra généralement de leur maturité et des motifs qui justifient leur demande. (Source : Gouvernement du Québec, Services aux citoyens, séparation et divorce au Québec) Il n'en demeure pas moins que les jeunes

ont la possibilité de s'exprimer, et du moins de donner leur opinion devant le tribunal ou directement à leurs parents, mais c'est à ces derniers qu'il revient de faire preuve de tact et de prendre une décision responsable et réfléchie qui convienne le mieux aux enfants.

Bien que le divorce soit devenu monnaie courante, il s'agit tout de même d'une situation extrêmement difficile pour les jeunes qui vivent cette rupture. Ce n'est pas facile de voir ses parents se séparer et de perdre l'image de famille unie qu'on s'était bâtie dans sa tête, au même titre qu'il n'est pas facile pour les parents d'admettre l'échec de leur couple et de traverser cette période de deuil. C'est pour cette raison qu'il est important d'essayer de rendre la situation le moins pénible possible. Pour ce faire, les parents doivent à tout prix éviter de placer les enfants dans une position délicate ou de se disputer devant eux, ce qui a souvent pour effet de bouleverser les jeunes et de leur causer des blessures qui peuvent prendre un temps fou à cicatriser.

Prise entre les deux

Lors d'un divorce, il peut arriver qu'on se retrouve prise entre les deux parents, que ce soit à cause de leurs disputes, ou simplement parce qu'on doit choisir avec qui on désire habiter. Si vous vous sentez mal à l'aise et que vous jugez que vos parents ne tiennent pas compte de vos sentiments et vous mêlent trop à leurs disputes, vous devez essayer de leur en parler pour qu'ils prennent conscience de la situation. Dans la plupart des cas, ils n'agissent pas ainsi pour mal faire, mais plutôt parce que la rupture est si douloureuse qu'ils ne mesurent pas la portée de leurs actes et qu'ils ne se rendent pas compte de la tristesse que vous ressentez. Vous pouvez aussi vous confier à des proches ou à des professionnels pour exprimer vos émotions et, ainsi, mieux comprendre ce qui se passe. Évitez de tout garder à l'intérieur, car cela risquerait de vous suivre longtemps, et même de vous faire perdre confiance en l'amour.

De plus, certains jeunes éprouvent de la culpabilité lorsque survient le divorce de leurs parents. Ils croient que s'ils avaient agi différemment, la rupture n'aurait pas eu lieu. Si c'est votre cas, détrompez-vous. Un divorce représente la fin d'un mariage, soit de la relation amoureuse entre deux personnes. Vos parents décident de divorcer pour des raisons qui les concernent, et c'est le couple qui prend fin, non la famille, et tout l'amour qu'ils ont pour vous n'a pas changé. Si leur couple ne fonctionne plus, ce n'est pas à cause de vous, alors ne culpabilisez pas pour ce qui leur arrive.

Courage !

Je sais que c'est décourageant de voir ses parents divorcer, et qu'il peut être plus difficile par la suite de croire à l'amour ou au mariage, mais je vous invite fortement à ne pas vous décourager et à ne pas devenir pessimiste. L'amour existe, et si vos parents divorcent, cela ne veut pas dire qu'ils n'ont pas passé, l'un à côté de l'autre, des années de bonheur et d'amour. Outre le fait qu'ils vous ont conçue, tous ces moments d'intimité et de bonheur qu'ils ont vécus ensemble ne seront jamais considérés comme un échec. Au contraire, vous devez essayer de voir les choses d'un œil positif et vous rappeler que ce ne sont pas tous les mariages qui se terminent par un divorce. Vous êtes jeune et il est important que vous croyiez à l'amour et aux relations. On ne sait jamais si une histoire d'amour durera pour l'éternité, ni de quelle façon elle se terminera ; l'important, c'est de la vivre au maximum et de ne jamais regretter d'avoir aimé. Même si vos parents divorcent, je suis convaincue qu'ils vous diront la même chose, alors ne perdez surtout pas confiance en l'amour !

SUJETS CONNEXES :
o *PARENTS*
o *PÈRE*
o *MÈRE*

Drogue

ATTENTION DANGER !

Plus on vieillit, plus on est confrontée aux différentes drogues. Les drogues sont des substances chimiques ou naturelles qu'on consomme et qui ont un impact sur notre cerveau et sur notre corps.

Tout le monde vous dit d'éviter les drogues et s'acharne à vous mettre en garde contre leurs effets nocifs. Vous ne devez pas prendre ces avertissements à la légère. Non seulement la drogue peut avoir de lourdes conséquences sur votre santé physique, mais elle risque également de détruire votre vie.

Certains jeunes consomment de la drogue sous l'influence de leurs amis et des gens qu'ils fréquentent, d'autres le font pour fuir la réalité, pour vaincre l'ennui ou pour se rebeller, tandis que d'autres encore consomment pour rechercher un bonheur et un plaisir artificiels, pour se sentir plus en confiance ou pour gérer le stress qu'ils vivent. Peu importe les raisons qui poussent les gens à la consommation de drogues, celles-ci représentent un véritable danger.

On fait souvent une distinction entre les drogues dures et les drogues douces. Ces termes sont apparus lors de l'entrée en vigueur de la réglementation internationale sur les drogues. Par le terme « drogues douces », on désigne presque exclusivement le cannabis, puisque les risques de dépendance psychique et physique que présente sa consommation sont moins élevés et que les risques de décès sont pratiquement nuls. Les drogues dures sont quant à elles celles qui entraînent des risques élevés de dépendance physique et psychologique, comme la cocaïne, l'héroïne et leurs dérivés. On entend aussi souvent parler des drogues naturelles, comme le cannabis ou les champignons hallucinogènes, qui proviennent d'une substance naturelle n'ayant presque pas subide transformations. Les drogues chimiques synthétiques, telles que l'ecstasy et le LSD, sont quant à elles fabriquées en laboratoire et leur consommation comporte des risques extrêmement élevés puisqu'on ne sait jamais avec exactitude ce qu'elles contiennent.

UN BREF APERÇU
La cocaïne et le crack

La cocaïne est un stimulant issu des feuilles de cocaïer d'Amérique du Sud. Elle se présente sous forme de poudre cristalline blanche. La cocaïne peut être reniflée sous cette forme ou alors dissoute dans de l'eau pour être injectée. Elle est parfois mélangée à d'autres ingrédients d'aspect similaire, comme le sucre, pour la revente. Les sous-produits de la cocaïne, tels que le crack, sont destinés à être fumés. Ils apparaissent sous forme de petits cristaux ou de petites pierres et sont le produit d'une transformation chimique de la poudre de cocaïne (source : Stratégie nationale antidrogue, Gouvernement du Canada). La cocaïne est dangereuse, car elle crée une dépendance de façon sournoise et rapide. Elle augmente la quantité de dopamine dans le cerveau, ce qui fait augmenter la sensation de plaisir. Quand les effets s'atténuent, on a souvent envie de retomber dans le paradis artificiel puisque la vie normale ne nous semble pas aussi rose que sous l'effet de cette drogue. Les consommateurs de cocaïne auront parfois tendance à se sentir nerveux et agités ou alors très enthousiastes et remplis d'énergie.

C'est ce qui rend la descente du high aussi pénible, et c'est ce qui les encourage à consommer toujours davantage.

L'ecstasy

Meilleure amie de plusieurs amateurs de rave, l'ecstasy est également appelée MDMA, qui est son nom chimique lorsqu'elle se trouve à l'état pur. Chimiquement, elle s'apparente à la mescaline (un hallucinogène) et à l'amphétamine (un stimulant). Comme elle est fabriquée dans des laboratoires clandestins et qu'il s'agit d'une drogue mise au point chimiquement, elle est extrêmement dangereuse, car il n'existe aucun moyen pour le consommateur de savoir précisément ce qu'elle contient. Elle peut avoir des effets très graves sur le cerveau et sur la santé en général. Elle peut même entraîner la mort. Lorsqu'elle est consommée, elle se dirige vers le cerveau, où elle libère entre autres de la sérotonine qui influence le sommeil et l'appétit. Cette amphétamine a également pour effet de causer l'euphorie, une sensation de bien-être et de confiance en soi. Certains consommateurs peuvent aussi traverser des crises d'angoisse et d'anxiété. Lorsque le high se termine, la plupart des sujets éprouvent un sentiment de déprime, des maux de ventre et de la difficulté à dormir.

LSD

Le LSD est un hallucinogène qu'on appelle souvent acide ou buvard. Il se consomme surtout par voie orale et est diffusé dans toutes les régions du corps, y compris le cerveau. Les effets durent parfois jusqu'à douze heures et créent des hallucinations, un mélange d'émotions et une distorsion des sens. Le LSD est une substance très concentrée : un petit comprimé représente près de 3000 doses (source : Stratégie nationale antidrogue, Gouvernement du Canada). Il est vendu sous forme de poudre contenue dans des petites capsules ou dans des comprimés. Les cristaux peuvent être

consommés de toutes sortes de façons (timbre, carré de sucre, etc.), mais la forme la plus commune est le petit carré de papier buvard imbibé de LSD. On peut facilement reconnaître ces buvards, car ils sont souvent ornés de dessins représentant, la plupart du temps, des personnages de bandes dessinées.

L'héroïne

« L'héro » est fabriquée avec de la morphine. À l'état pur, elle apparaît comme une poudre cristalline blanche au goût amer. La couleur et la consistance de l'héroïne vendue dans la rue varient selon le mode de fabrication et les substances qui y ont été ajoutées. Elle peut ressembler soit à une poudre blanche (comme la cocaïne), soit à une substance granuleuse brune, soit à une gomme collante brun foncé (source : Stratégie

nationale antidrogue, Gouvernement du Canada). Elle peut être reniflée, fumée ou dissoute dans l'eau pour être injectée dans le sang. L'effet est alors instantané. La drogue agit comme de la morphine, c'est-à-dire qu'elle modifie la perception de la douleur et fait temporairement disparaître l'anxiété et l'angoisse. Il s'agit d'une drogue extrêmement dangereuse qui entraîne une forte dépendance. Les effets varient selon la pureté de la drogue consommée, mais, de façon générale, elle crée une sorte d'apathie et de tranquillité qui durent une heure. Les héroïnomanes ont souvent énormément de difficulté à vaincre leur dépendance et deviennent rapidement résistants aux effets ; ils doivent donc consommer de plus fortes doses dans des délais plus rapprochés pour éviter de connaître un sevrage. L'héroïne entraîne aussi beaucoup de risques de maladies, comme le sida par exemple, lorsqu'elle est consommée par injection.

La kétamine

La kétamine est une drogue anesthésique qui agit très rapidement et qui est surtout utilisée par des vétérinaires ou par des chirurgiens. Elle provoque une impression de détachement, comme si l'esprit se séparait du corps. Elle peut causer des évanouissements, des étourdissements et une perte complète de l'orientation. Elle est souvent vendue sous forme de poudre, dont certains se servent pour mettre dans des boissons à l'insu des gens. C'est d'ailleurs pour cette raison qu'on l'appelle la drogue du viol; ses effets sédatifs peuvent faire perdre connaissance aux victimes ou leur faire perdre la notion du lieu où elles se trouvent et de ce qu'elles y font. Ainsi, elles ne peuvent pas résister à l'agresseur et, bien souvent, elles n'arrivent pas à se rappeler de ce qui s'est produit. Si vous vous êtes déjà fait opérer et qu'on a dû vous endormir, sachez que les effets de la kétamine ressemblent un peu l'anesthésie. Ce n'est pas pour rien que les gens vous répètent de ne pas laisser votre verre sans surveillance lorsque vous êtes dans un endroit public.

Attention, danger !

Les drogues ont des effets nocifs sur le corps. Ils ont un impact direct sur le cerveau et peuvent entraîner des séquelles à long terme (problèmes de santé sévères, difficulté à se concentrer, pertes de mémoire, etc.). La dépendance entraîne quant à elle une difficulté à se prendre en main et à poursuivre sa vie de façon à ne pas tout détruire pour se procurer de la drogue. Quand on est en sevrage, le corps s'agite de telle façon qu'il devient difficile de maîtriser son comportement. On est prête à tout pour se procurer de la drogue et pour cesser de souffrir. Plusieurs consommateurs vont même jusqu'à voler et jusqu'à proférer des menaces aux membres de leur famille pour se procurer l'argent nécessaire à l'achat de leur drogue. Ils deviennent violents, imprévisibles et incohérents. Leur entourage ne les reconnaît plus et éprouve de la pitié à les voir dans cet état. Non seulement les drogues ont un effet sur votre corps, sur votre cerveau et sur votre entourage, mais elles peuvent carrément détruire vos relations et votre vie en général. Elles peuvent aussi entraîner la mort.

Aider une amie

Si l'une de vos amies a des problèmes de consommation de drogue et souffre de dépendance, sachez que vous pouvez l'aider. Bien que les consommateurs de drogue aient parfois tendance à se montrer manipulateurs et à faire vibrer la corde de la pitié pour vous soutirer de l'argent, sachez qu'en offrant à votre amie les moyens de se procurer de la drogue, vous ne l'aidez pas à s'en sortir. Refusez de l'aider à s'enfoncer davantage et encouragez-la à visiter un centre de désintoxication et à faire un sevrage. Parlez-en à un adulte ou à un intervenant social si la situation devient trop éprouvante. Je sais que c'est difficile de voir quelqu'un qu'on aime souffrir ainsi, mais dites-vous que vous le faites pour son bien. Lorsqu'elle ira mieux, votre amie vous en sera extrêmement reconnaissante. N'assumez pas la responsabilité d'une personne dépendante à la drogue. C'est un fardeau beaucoup trop lourd à porter pour quelqu'un de votre âge qui a peu d'expérience et qui risque de se laisser embobiner par la personne dépendante. En d'autres mots, allez chercher de l'aide auprès des centres antidrogues, des CLSC, de vos parents, d'un professeur ou d'un adulte responsable. Il est essentiel d'agir au plus vite pour le bien-être et la survie de votre amie.

En ce qui vous concerne, efforcez-vous de dire non lorsqu'on vous offre de la drogue et ne vous laissez pas prendre au piège. La vie est trop courte pour la gâcher en consommant des substances chimiques dispendieuses et extrêmement nocives pour votre santé. Même si vous êtes enthousiaste à l'idée de vivre de nouvelles expériences et d'essayer de nouvelles choses, les drogues ne vous apporteront rien de bon, à part un risque de dépendance, des effets nocifs sur votre santé et un sentiment d'angoisse extrême, alors dites non et optez plutôt pour les nouvelles expériences qui seront bonnes pour vous et pour votre épanouissement personnel.

SUJETS CONNEXES :
o MARIJUANA
o ALCOOL

Échecs scolaires

OBSTACLES SURMONTABLES

Les échecs scolaires sont souvent difficiles à accepter. On se sent nulle, retardée et pas à la hauteur. Ne sois pas trop dure avec toi.

À l'adolescence, on vit toutes sortes de choses et, entre les amis, les cours, les activités parascolaires, la famille, le développement de notre corps, les hormones et le premier amour, on est souvent dépassée par les événements, et ce sont les résultats scolaires qui en subissent les conséquences.

Lorsque tu as un échec scolaire, la première chose à faire est d'en déterminer la cause. As-tu plus de difficulté dans cette matière ? As-tu fait tes devoirs ? As-tu étudié suffisamment pour l'examen ? Il est important d'être honnête. Si tu sais que tu n'as pas fait les efforts nécessaires pour réussir un examen, alors tu dois travailler davantage et consacrer plus de temps à tes études, et un peu moins à la télé. Si tu crois que tu as vraiment des difficultés en mathématiques, il ne faut pas avoir honte de l'admettre et de demander de l'aide.

Les écoles offrent souvent des services de tutorat conçus pour les élèves qui ont besoin d'un coup de main dans certaines matières. De plus, les professeurs sont là pour t'expliquer les choses que tu ne comprends pas. Même si cela t'embête, ça vaut sûrement la peine d'assister au cours de rattrapage ou à la séance de révision avant l'examen. Tu peux aussi demander de l'aide à tes camarades de classe. Certains sont plus doués en arts, d'autres en sciences. À chacun ses forces et ses faiblesses, alors pourquoi ne pas s'entraider entre amis ? Ton père, ta mère, ton frère ou ta sœur peuvent aussi t'aider si tu penses qu'ils connaissent bien la matière. Si ton problème est plus grave, tu peux prendre des cours privés et en discuter avec ton professeur. Il te donnera certainement de bons conseils pour que tu réussisses ton cours. L'objectif d'un prof n'est pas de te faire couler, mais plutôt de te faire réussir.

Si tu éprouves de grandes difficultés à l'école et que tu as des mauvaises notes dans plusieurs matières, il se peut que la direction décide que tu n'es pas prête à passer à un autre niveau, et que tu doives par conséquent doubler ton année. Même si cette solution peut te sembler extrême, et même te donner envie de tout abandonner, tu dois persévérer et trouver la source du problème pour t'améliorer. Cela ne veut pas dire que tu es moins intelligente que la moyenne ou que le monde entier est contre toi ; les résultats scolaires ne déterminent en rien ton intelligence, et les gens qui t'entourent cherchent seulement à te faire avancer à ton propre rythme en étant conscients de tes difficultés. Courage !

Trouver la raison

Si tu éprouves des problèmes liés par exemple au divorce de tes parents, à une peine d'amour ou à une crise personnelle, tu auras peut-être de la difficulté à te concentrer sur tes travaux scolaires. Tu dois donc t'efforcer d'affronter ton problème, ou de parler aux personnes concernées pour tenter de trouver une solution. Je sais que lorsqu'on a la tête ailleurs, il est difficile de se concentrer sur son travail et de se motiver, mais il faut faire un effort pour se secouer et pour chercher de l'aide en cas de besoin. Certaines filles éprouvent des difficultés à l'école pour des raisons physiques : stress, dyslexie, troubles d'attention ou de concentration, etc. Il faut alors en parler franchement avec le professeur ou le directeur pour qu'ils soient au courant de ton problème.

Les échecs, ça arrive à tout le monde

Si tu échoues à un examen, ne panique pas tout de suite. Sache d'abord que même les plus doués ont parfois des mauvaises notes à l'école, et que cela ne fait pas de toi une personne stupide et nulle. Les échecs scolaires tendent souvent à influer sur l'estime de soi et à nous dévaloriser. L'important, c'est d'en déterminer la cause et de se dire qu'on fera mieux la prochaine fois. Si tu te mets trop de pression, tu risques d'échouer encore en raison du stress. Reste calme et sois consciente de tes forces et de tes faiblesses. Tu auras peut-être besoin de travailler un peu plus fort au secondaire pour réussir tes cours d'arts, mais tu sais que tu es bonne en informatique et que c'est vers ce domaine que tu veux te diriger, alors prends ton mal en patience ! Si tes échecs scolaires sont principalement liés à ton manque de motivation et à ta paresse, tu dois faire un effort supplémentaire et chercher une solution à ton problème. Demande de l'aide à quelqu'un de ton entourage, consulte un professionnel ou participe aux séances d'étude en groupe ; plus on est de fous, plus on étudie !

L'annoncer aux parents

Si tu as un échec scolaire, il se peut très bien que le professeur désire contacter tes parents pour les en informer. Si cela t'angoisse et que tu redoutes leur réaction, tente de leur en parler calmement et sois honnête avec eux. Dis-leur que tu travailleras d'arrache-pied pour t'améliorer, ou alors avoue-leur que tu as besoin d'aide dans une matière. Ils seront sans doute inquiets parce qu'ils savent à quel point l'école est importante pour ton avenir. Quoi qu'il en soit, fais de ton mieux pour garder ton calme et trouver une solution. Tes parents t'aiment et sont toujours prêts à t'aider, alors ne sous-estime pas leur rôle dans le processus, et ne perds pas confiance en toi à cause d'un échec scolaire ; songe plutôt à tes forces et à tes talents, et dis-toi bien que tu feras mieux lors du prochain examen.

Quelques données

Le taux d'obtention d'un diplôme du secondaire était de 85,1% en 2006-2007. Source : Ministère de l'Éducation, du Loisir et du Sport, Indicateurs de l'éducation, édition 2008.

Le taux d'obtention d'un diplôme du secondaire chez les jeunes de moins de 20 ans était estimé en 2007 à 69 %. Il était de 63,5 % chez les garçons et de 74,7 % chez les filles. Source : Ministère de l'Éducation, du Loisir et du Sport, Indicateurs de l'éducation, édition 2008.

Le taux des sans diplôme au Québec, en 2006, s'élevait à 12 %. Source : Statistique Canada (EPA 2006).

SUJETS CONNEXES :
o *CÉGEP*
o *SECONDAIRE*

Exclusion sociale

UN FLÉAU À COMBATTRE !

L'exclusion sociale est une « action exercée par une société qui rejette hors d'elle-même un ou plusieurs de ses membres ou effet de cette action sur la ou les personnes à l'encontre desquelles elle s'exerce[1]. » En d'autres mots, l'exclusion sociale est un phénomène de marginalisation où l'on exerce une rupture avec le reste de la société dans laquelle on évolue et où l'on rejette un ou plusieurs individus d'un groupe social.

L'exclusion sociale peut être exercée pour des raisons culturelles, sociales ou personnelles. Par exemple, il se peut qu'une fille subisse l'exclusion sociale d'un groupe parce qu'elle est différente. En effet, nombreux sont les jeunes qui se font rejeter simplement parce qu'ils ont une apparence différente ou parce qu'ils ne correspondent pas au moule ou à l'attitude requise pour faire partie d'un groupe ou pour être acceptés socialement. Plusieurs filles m'écrivent parce qu'elles se sentent rejetées simplement parce qu'elles ont des lunettes, qu'elles sont considérées comme des « bolées » ou parce qu'elles n'ont pas de succès avec les garçons.

Ce qu'on doit savoir, c'est que l'exclusion sociale a un impact majeur sur le développement d'un individu. Une fille qui se fait rejeter sans raison valable et qui fait rire d'elle à tout bout de champ sent qu'elle n'appartient à aucun réseau social et qu'elle est seule au monde. De là, elle a tendance à se dénigrer, à se sentir mal, seule et à perdre confiance en elle. En effet, elle doute de ses capacités, de son apparence, de ses qualités et de sa personnalité en général. Le rejet et l'exclusion sociale sont des fléaux difficiles à vivre pour ceux qui les subissent, et certains se rendent même jusqu'au suicide.

1. http://www.granddictionnaire.com/BTML/FRA/r_Motclef/index800_1.asp

Il arrive également qu'un jeune se rejette lui-même de la société ou du groupe social auquel il appartient (par exemple à l'école) en raison de traumatismes vécus dans son enfance ou au domicile familial. Les jeunes qui ont été abusés, violentés ou rejetés dans leur enfance ont tendance à se méfier des autres et à se tenir à l'écart, car ils ont peur d'avoir mal. Si tu as été victime d'un abus, il est donc important d'en parler et de te confier pour t'aider à passer au travers et à évoluer le plus sainement possible. Si tu constates qu'une fille ou un gars s'exclut du reste du groupe, ne l'humilie pas. Reste à l'écoute et offre-lui ton soutien, car tu ne connais pas les raisons qui le poussent à agir ainsi et qu'il ne faut pas simplement se fier aux apparences. Si tu fais partie de celles qui se font exclure et que tu te sens mal dans ta peau, il n'est pas trop tard pour agir.

Confie-toi, sors de ta coquille et ne perds pas confiance en toi. Je sais que ce n'est pas facile de ne pas se laisser abattre par les commentaires mesquins ou le rejet d'autrui, mais il faut apprendre à t'entourer de gens qui t'aiment comme tu es, qui te respectent et avec qui tu te sens à l'aise. Il faut éviter de te terrer dans ton trou et de fuir les autres de peur du ridicule. Tout le monde est différent, et tout le monde vit du rejet à un moment ou à un autre, alors mieux vaut t'armer de patience et tirer profit des moments difficiles. Même si c'est difficile à croire pour l'instant, je t'assure que ces expériences te feront grandir et que tu apprendras à gérer ces moments d'angoisse. L'important, c'est d'en parler à des gens de confiance, d'apprendre peu à peu à faire confiance aux autres et à te faire confiance, et surtout, de ne pas faire subir aux autres ce que tu ne voudrais jamais subir toi-même.

SUJETS CONNEXES :
○ DROITS HUMAIN
○ AMITIÉ
○ GANG DE FILLES

Fugue

ENVIE DE DISPARAÎTRE

Faire une fugue, c'est quitter temporairement l'endroit où on habite. Il y a les petites fugues, qui sont généralement de courte durée et qui s'expliquent par un désir de flirter avec l'interdit ou d'attirer l'attention, et les grandes fugues, motivées par une envie de disparaître pour un temps illimité.

Il existe plusieurs raisons pour expliquer une fugue. Certains jeunes décident de plier bagage parce qu'ils se sont disputés avec un membre de leur famille ou un ami, ou encore parce qu'ils ressentent un besoin d'aventure, tandis que d'autres sont aux prises avec des problèmes plus sérieux, tels que le viol, l'inceste ou la violence verbale ou physique. La fugue représente une sorte d'échappatoire qui est souvent liée à une situation conflictuelle. Par ailleurs, l'adolescence est une période de l'existence où on est à la recherche de liberté et d'indépendance, et une fugue peut sembler être la solution. Sachez toutefois que la fugue n'est jamais une bonne façon de faire face à un problème.

Tout d'abord, on peut éprouver de la difficulté à se procurer l'argent dont on a besoin pour se nourrir et à trouver un endroit où dormir et se laver. Les fugues peuvent également être très dangereuses. On fait face à l'inconnu sans trop savoir où aller et on rencontre souvent des gens douteux qui peuvent profiter de notre naïveté et de notre situation précaire.

La plupart du temps, une fugue constitue une sorte d'appel à l'aide. L'adolescent disparaît pour exprimer son besoin de liberté ou, au contraire, pour indiquer qu'il n'est pas suffisamment encadré et qu'il manque d'attention. Certains jeunes décident de fuguer à cause de la pression exercée par leurs pairs ou parce qu'ils éprouvent de graves problèmes scolaires ou de

toxicomanie, par exemple, et qu'ils ont peur de faire face à la réalité.

L'angoisse des parents

Les fugues sont extrêmement éprouvantes pour les parents et les proches du fugueur, qui demeurent sans nouvelles. Ceux-ci ont tendance à s'imaginer et à craindre le pire, et ils ne demandent pas mieux que d'être rassurés. C'est pour cette raison que, quelle que soit la nature du problème, la fugue n'est jamais une solution souhaitable pour le résoudre.

Si vous songez à faire une fugue pour lancer un appel à l'aide ou parce que vous souffrez d'un manque d'attention, il est préférable d'en parler à des gens de votre entourage ou de vous confier à des professionnels qui sauront vous aider durant vos moments de panique. Si l'idée de faire une fugue répond à un désir de liberté, mieux vaut en parler à vos parents et tenter de trouver un terrain d'entente, ou alors planifier un voyage, ce qui vous permettra de voler de vos propres ailes en toute sécurité.

Si vous faites face à des problèmes plus graves, tels que le divorce de vos parents, un échec scolaire, une peine d'amour, de la violence physique ou verbale, un viol ou de l'inceste, il est essentiel d'en parler à des gens en qui vous avez confiance ou de demander l'aide de professionnels. Il existe également plusieurs services d'aide téléphonique

d'urgence, auxquels vous pouvez vous
adresser en tout temps pour vous confier et
pour demander l'avis d'intervenants qualifiés.

QUELQUES NUMÉROS UTILES EN CAS D'URGENCE

- Jeunesse J'écoute :
  1-800-668-6868

- Tel-jeunes :
  1-800-263-2266

- À Tire-d'aile (centre d'aide et
  de lutte contre les agressions à
  caractère sexuel) :
  1-866-835- 8342

- Drogue : Aide et référence :
  1-800-265-2626

- Gai Écoute :
  1-888-505-1010

STATISTIQUES

*Année après année, plus de
4000 jeunes de moins de 18 ans
sont portés disparus sur l'île
de Montréal.* (Source : http://www.
montrealexpress.ca/article-137763-
Reconnaissezvous-ces-enfants-portes-
disparus.html, 11 septembre 2007

*53 459 cas de fugues ont été
recensés au Canada en 2003.*
(Source : http://www.
centrejeunessedequebec.qc.ca/
instituttexteSaviezVousQue.aspx?id=saviez6)

*Près de 8000 enfants ont fait des
fugues au Québec en 2003, et 86 %
d'entre eux ont été retracés en
moins d'une semaine.*
(Source : http://www.canoe.com/archives/
lcn/infos/regional/2004/10/20041022-
170447-tv.html)

SUJETS CONNEXES :
○ SOLITUDE
○ ADOLESCENCE

Grossesse

UN PHÉNOMÈNE FRÉQUENT CHEZ LES ADOLESCENTES

Le taux de grossesse des adolescentes a connu une hausse de 57 % entre 1980 et 1992, soit une hausse moyenne de 4 % par année. De 1992 à 1998, le taux de grossesse chez les jeunes filles âgées de 14 à 17 ans est resté stable – entre 19 et 20 grossesses pour 1000 adolescentes –, avant de diminuer pendant les 5 années suivantes et de s'établir à 16,6 grossesses pour 1000 adolescentes en 2003 (source : Gouvernement du Québec). Il n'en demeure pas moins que la grossesse chez les adolescentes est un phénomène qui est présent très souvent dans notre société. *Source : http://www.inspq.qc.ca/ Santescope/element.asp?NoEle=147*

plus, il est important de mentionner qu'une adolescente dont la puberté n'est pas achevée et dont le corps n'a pas fini de se former court plus de risques lors de la grossesse et de l'accouchement qu'une adulte. On observe plus de complications obstétricales, un risque plus élevé de donner naissance à un bébé prématuré ou de petit poids, et un taux de mortalité périnatale plus élevé que chez les bébés des femmes adultes. Aussi, on remarque chez ces enfants plus de cas d'hospitalisation, plus de consultations médicales, plus de maladies psychosomatiques et de troubles liés au langage (Charbonneau et coll., 1987). Les jeunes mamans courent par ailleurs davantage de risques de souffrir d'isolement social, de dépression, de sentiment d'échec, de solitude, de sous-scolarisation, de mauvais traitements et de stress, et d'entretenir des habitudes de vie malsaines. (Source : Gouvernement du Québec) Certaines des adolescentes qui décident de garder leur bébé parviennent toutefois à subvenir à leurs besoins et à réussir scolairement ou professionnellement, mais, dans la plupart des cas, la situation n'est pas très rose.

Si tu te retrouvais dans une telle situation, tu serais probablement la première à être surprise, car on croit toujours que ce genre de malchance n'arrive qu'aux autres. Détrompe-toi !

Certains symptômes te mettront d'abord la puce à l'oreille : retard dans les règles, envie constante d'uriner, sensibilité des seins et du ventre, hypersensibilité émotionnelle, etc. Si tu crois être enceinte, il faut alors passer un test. Tu peux t'en procurer un à la

Beaucoup de jeunes prennent des risques inutiles en n'utilisant pas de préservatif ni de méthode contraceptive complémentaire. Sur le coup du désir, il est parfois difficile de reprendre la maîtrise de soi et de s'arrêter avant qu'il ne soit trop tard, mais il est préférable de vivre un peu de frustration que d'assumer des conséquences navrantes comme une grossesse non désirée. De pharmacie. Normalement, tu dois uriner dans un petit contenant, puis y plonger un bâtonnet qui t'indiquera le résultat après quelques minutes. L'important, c'est de bien suivre les instructions indiquées sur le feuillet qui accompagne le test et d'attendre patiemment le résultat. Sache qu'il arrive qu'un résultat soit négatif, mais que tu sois tout de même enceinte. Si le résultat est positif, il y a toutefois très peu de chances pour que tu ne le sois pas. Si le résultat est négatif mais que tes règles tardent encore à se manifester et que tu ressens tous les symptômes de la grossesse, consulte un médecin qui pourra déterminer avec certitude si tu es enceinte ou non.

Si ton résultat est positif, il se peut que tu sois prise de panique. Pourquoi moi ? Qu'ai-je fait ? Que vais-je faire ? Dois-je me faire avorter ? Puis-je garder le bébé ? Dois-je en parler aux autres ? Dois-je le dire à mon partenaire sexuel ? Malheureusement, il n'existe pas de réponses toutes faites à ces questions, car chacune vit sa grossesse à sa façon. Comme il s'agit d'une décision extrêmement importante, je te conseille toutefois d'en parler à quelqu'un de confiance qui pourrait t'aider à prendre une décision éclairée ou simplement t'écouter si tu as envie de te confier. Dans tous les cas, ne traverse pas cette épreuve toute seule, même si tu as honte d'en parler aux autres. Il s'agit de ton corps et de ta décision. Tu n'as pas à crier la nouvelle sur tous les toits, mais il existe certainement des gens qui peuvent t'écouter et t'aider, qu'il s'agisse d'un parent, d'une amie, de l'infirmière de l'école, d'un CLSC ou d'un conseiller.

Les parents

Ne sous-estime surtout pas tes parents. Bien que tu aies peur de leur réaction et qu'il soit fort possible qu'ils se montrent surpris ou bouleversés sur le coup, ils savent à quel point c'est une situation difficile à traverser et à vivre, et ils peuvent t'aider puisque, avant tout, ils veulent ton bonheur. Peux-tu vraiment t'imaginer traverser cette épreuve sans l'appui de ta mère ? Si tu as peur que tes parents te fassent la morale ou qu'ils jugent ta décision en te rendant la tâche encore plus difficile, parles-en au moins à une amie de confiance, à une confidente, à une cousine ou à ta sœur, pour qu'elle t'accompagne à travers cette épreuve.

Le temps de la décision

Lorsque tu apprends que tu es enceinte, tu dois ensuite prendre une décision extrêmement importante qui pourrait avoir un impact sur le reste de ta vie. Tout d'abord, tu peux décider de garder ton bébé et de l'élever. Comme tu n'es encore qu'une adolescente, que tu n'as pas terminé ta scolarité et que tu n'as certainement pas les moyens de subvenir seule à tes propres besoins et à ceux d'un jeune enfant, tu dois tenir compte de tous les aspects financiers et personnels avant de prendre une telle décision. Tes parents sont-ils prêts à t'aider ? Le père du bébé t'appuie-t-il dans ta décision ? Es-tu prête à assumer une telle responsabilité pour le reste de ta vie ? Rappelle-toi que ce n'est pas une décision à prendre à la légère. Lorsqu'on décide d'avoir un bébé, on prend un engagement pour la vie. Tu dois donc aussi penser à son avenir et à son bonheur. Bref, prends le temps d'y réfléchir.

Tu peux aussi opter pour l'avortement, bien que cette solution ne s'avère pas plus facile physiquement ni émotionnellement. Si tu décides de te faire avorter, je te conseille fortement de bien t'informer a priori sur le déroulement de la chirurgie et de te faire accompagner par quelqu'un de confiance. Il se peut que tu te sentes complètement anéantie et que tu ressentes un grand vide après l'opération. Je te recommande de ne pas traverser cette étape seule. Demande à quelqu'un de te soutenir dans cette épreuve. (Pour plus d'informations, voir le texte sur l'avortement.)

SUJETS CONNEXES :

o *CONTRACEPTION*
o *SEXUALITÉ*
o *PARENTS*

Sinon, tu peux décider d'avoir ton bébé et de le donner en adoption. Ne va surtout pas croire que cette option soit plus facile, car après avoir porté ton bébé pendant neuf mois, tu auras sans doute énormément de difficulté à t'en séparer. Tu dois donc y songer intensément avant de prendre une telle décision. De plus, la grossesse n'est pas toujours une étape facile; ton corps se transforme, tu es fatiguée, tu ne peux plus vaquer à tes activités, tu as la nausée et tu ressens toutes sortes d'inconforts émotionnels et physiques dont tu dois tenir compte avant d'entreprendre une telle aventure.

Un choix personnel

Quoi qu'il en soit, tu dois bien y réfléchir avant de prendre une décision. Il s'agit d'un secret extrêmement lourd à porter, alors je te conseille fortement d'en parler à quelqu'un de confiance pour exprimer ce que tu ressens et pour avoir une autre perspective.

La grossesse n'est pas quelque chose qu'on peut prendre à la légère, alors mieux vaut prendre toutes les précautions pour éviter de se retrouver dans une telle situation. Ne songe pas à tomber enceinte pour ne pas perdre ton amoureux ou pour combler un vide affectif, car c'est la vie et le bonheur de ton futur bébé dont il est question, et il serait injuste d'utiliser sa vie pour répondre à tes propres désirs du moment. Avoir un bébé est une lourde responsabilité, mais il s'agit de ton corps, et c'est tout de même à toi que revient de prendre la décision qui te semble la plus adéquate. Songe à toutes les possibilités et pense aussi à l'avenir de ton bébé ainsi qu'à son bonheur et au tien. N'hésite pas à parler à des gens en qui tu as confiance et à demander de l'aide si tu en ressens le besoin.

Harcèlement sexuel

CONTRÔLE DE QUELQU'UN EN AYANT RECOURS À DES MOYENS HUMILIANTS

« Attitudes, gestes, paroles exprimant d'une façon plus ou moins ouverte des avances sexuelles ou qui visent à blesser la pudeur de quelqu'un. » (Source : www. granddictionnaire.com)

En d'autres mots, on parle de harcèlement sexuel dans des situations où un individu est la cible de paroles ou d'actes visant à le réduire à son identité sexuelle. C'est une façon de rabaisser, d'humilier, d'embarrasser ou de contrôler quelqu'un en ayant recours à des propos humiliants et déplacés à caractère sexuel, ou à propos de son orientation sexuelle. Cette attitude peut porter gravement atteinte à l'intégrité et à la dignité d'une jeune fille, et il est extrêmement important de dénoncer le harcèlement sexuel lorsqu'il survient.

À l'adolescence, le harcèlement sexuel se produit parfois à l'école, dans un contexte d'abus de pouvoir. Par exemple, un professeur ou une personne d'autorité qui fait du chantage, qui promet de meilleures notes à un ou une élève en échange d'une faveur sexuelle, ou qui adresse des compliments d'ordre sexuel. Le harcèlement peut également survenir avec des camarades de classe, qui vous manquent de respect et vous font des avances déplacées. Sachez que le harcèlement sexuel auprès d'une mineure est un délit grave. Cependant, bien qu'il soit important de dénoncer tout manque de respect à votre égard, vous ne devez pas considérer une mauvaise blague comme du harcèlement sexuel. Les garçons de votre âge découvrent leur sexualité et font souvent preuve d'immaturité quand vient le temps d'aborder le sujet avec les filles. Par conséquent, si un garçon fait une

remarque déplacée au sujet de votre poitrine, dites-lui ce que vous pensez avant de courir au poste de police ! Il ne mesure peut-être pas la portée de ses paroles et la gravité de son impolitesse, alors je vous conseille tout d'abord de le lui dire, ou d'en parler à un professeur ou à un surveillant. S'il s'acharne sur vous, qu'il profère des menaces ou qu'il vous fait des avances sexuelles qui vous semblent franchement déplacées, n'hésitez pas à dénoncer son comportement. Aucune fille ne mérite d'être traitée de façon irrespectueuse.

Dans le cas d'un professeur, faites aussi preuve de jugement. Si votre prof de FPS vous parle de sexualité et vous fait une description des organes génitaux, ce n'est pas du harcèlement sexuel. S'il vous fait des avances en vous promettant une meilleure note, il faut absolument le dénoncer aux autorités. Si vous n'êtes pas certaine de ses intentions, mais que vous ne vous sentez pas à l'aise en sa compagnie, parlez-en à vos parents ou au directeur pour qu'il soit averti et pour vous assurer que la situation ne dégénère pas.

Quoi qu'il en soit, sachez qu'il faut absolument dénoncer tout geste ou toute parole à caractère sexuel qui vise à exercer une pression sur vous ou à vous manquer de respect. Il ne faut jamais avoir honte de dénoncer quelqu'un qui veut vous réduire à votre identité sexuelle ou qui vous fait des propositions indécentes ou déplacées en abusant de sa position de pouvoir ou en vous promettant quelque chose en retour. Si vous jugez qu'on vous fait des menaces ou qu'on exerce une pression sur vous, ne vous laissez pas faire. Personne ne mérite un tel traitement, et c'est à vous qu'il revient de réagir et de condamner ce comportement pervers. Parlez-en immédiatement au directeur de l'école, à des professeurs, aux surveillants, à vos parents ou même à la police.

Homosexualité

ORIENTATION SEXUELLE

✓ *Collaboration spéciale de Mica*

Un jour ou l'autre dans sa vie, presque tout le monde se questionnera à propos de son orientation sexuelle. Pour certains, la réponse viendra très rapidement; pour d'autres, elle exigera un examen de conscience plus profond.

Après ce questionnement, il est possible qu'on découvre qu'on est plus attiré par les gens du même sexe que par ceux du sexe opposé.

Est-ce que je suis homosexuelle ?

Chose certaine, s'avouer qu'on est homosexuelle est difficile. On se dit que ça serait tellement plus simple d'être comme la majorité des gens. On a peur de ce que les autres vont penser. On craint l'homophobie qui existe autour de nous. On a peur de décevoir notre entourage. De plus, on a souvent beaucoup d'idées préconçues sur le sujet. Bien que l'homosexualité existe dans toutes les sociétés depuis le début des temps, il reste que certains tabous perdurent encore.

ESSAYONS DE DÉMYSTIFIER UN PEU LES CHOSES.

Comprendre l'homosexualité

Plusieurs études sérieuses tendent à démontrer que nous avons notre propre orientation sexuelle dès la naissance et que cette orientation n'a rien à voir avec l'éducation que nous avons reçue ou l'environnement dans lequel nous avons grandi. Ce n'est donc pas un choix. Ce qui constitue un choix, c'est de l'accepter et de la vivre. L'homosexualité ne se résume pas seulement à des rapports sexuels entre deux personnes du même sexe. C'est beaucoup plus. Ça implique des sentiments de même que des préférences affectives et sexuelles. Ce n'est pas une maladie, un caprice, un vice ou une perversion ; c'est une orientation sexuelle. D'ailleurs, l'homosexualité est également présente chez plusieurs centaines d'espèces animales et particulièrement chez les mammifères, dont nous faisons partie.

Hétéro, homo ou bi ?

Tout n'est pas blanc, tout n'est pas noir; il y a des zones grises. Dans les trois cas, il se peut qu'on sache très bien où l'on se situe sans même avoir eu d'expériences. Dans d'autres cas, nous aurons besoin de faire des essais pour savoir ce qu'il en est. D'ailleurs, à l'adolescence, il arrive fréquemment que l'on se sente attiré par quelqu'un du même sexe que soi; ça ne veut pas dire qu'on est homosexuel. Il n'y a qu'un petit nombre d'adolescents qui se révéleront vraiment gais ou lesbiennes. Le plus important restera d'essayer d'être le plus franc possible envers soi-même. Il n'y a pas de honte à découvrir qu'on est attiré par quelqu'un du même sexe que soi. Il est possible que vous soyez attirée autant par des gars que par des filles ; c'est ce qu'on appelle la bisexualité. Ce qui est le plus difficile dans ce cas, c'est de trouver son équilibre intérieur. La bisexualité est parfois une transition entre l'hétérosexualité et l'homosexualité, mais, chez certaines personnes, il s'agit bel et bien d'une façon d'être. Cela dit, ce n'est pas parce qu'on a une relation sexuelle avec quelqu'un du même sexe qu'on est automatiquement homosexuel ou bisexuel; c'est la répétition des rapports qui confirmera notre orientation.

Pourquoi moi ?

Découvrir son homosexualité, l'accepter et l'assumer est loin d'être facile; il faut le voir comme une démarche progressive. On note six étapes importantes : la confusion, la comparaison, la tolérance envers son orientation, l'acceptation, la fierté et, finalement, la synthèse de sa personnalité. Gros travail ! Mais franchir ces étapes nous procure un sentiment de libération incroyable et nous permet enfin de se sentir bien dans notre peau.

Allô ? Il y a quelqu'un ?

L'isolement est le problème numéro un des jeunes qui se découvrent homosexuels. On a l'impression que personne ne peut comprendre, que tout le monde va nous juger et que plus personne ne va nous aimer. Cet isolement peut mener à des problèmes graves si on ne se sent pas entouré et appuyé. Le suicide est la première cause de mortalité chez les jeunes homosexuels. Il ne faut pas en arriver là ! C'est certain qu'il y a au moins une personne à qui on peut se confier. C'est important de le faire. Si ce n'est pas à un ou une amie, il faut consulter des intervenants ou des professionnels, mais il ne faut pas vivre seul avec ce lourd secret.

Oui, je suis là !

Si un ou une de vos amis vient se confier à vous, soyez à l'écoute. C'est vraiment difficile de révéler ce genre de chose; on a l'impression qu'une bombe va exploser. Si cette personne vous a choisie, c'est que vous comptez beaucoup à ses yeux, alors

considérez cette confidence comme une marque d'affection. Il faut l'aider à s'exprimer et lui expliquer que ce n'est pas la fin du monde; bien au contraire, c'est le début de la libération. C'est le meilleur moment pour jouer votre rôle d'amie à 100 %.

Le coming-out

Personne ne peut nous obliger à parler de notre orientation sexuelle. Peu importe notre situation, on est libre de dévoiler ou non son homosexualité. Par contre, même si en parler est une chose difficile à faire, c'est aussi un des gestes les plus libérateurs qui soient. Dans le cas où l'on décide de le faire pour notre intégrité et pour notre bonheur, il faut agir avec jugement et prudence. Puisqu'on ne sait pas comment les autres vont réagir à la nouvelle, il est important d'être prêt à le faire et de choisir la bonne personne à qui se confier. Il faut essayer de le faire calmement. S'ensuivra un grand sentiment de légèreté !

VOICI QUELQUES TRUCS POUR S'ASSURER DU MEILLEUR DÉROULEMENT POSSIBLE POUR NOTRE COMING-OUT.

Réfléchir à ce que l'on aimerait dire et à comment on aimerait le dire.

Il est plus facile d'en parler d'abord à un ou une amie qu'avec un membre de sa famille.

Prendre le temps de choisir le bon moment pour l'annoncer. Il est important que le climat soit le plus détendu possible et qu'on sente que la ou les personnes écoutent vraiment.

Si on a une sœur ou un frère compréhensif, on peut lui en parler et lui demander son aide pour l'annoncer aux parents.

Écrire une lettre est une autre façon de procéder. Cela permet de s'exprimer plus facilement, avec plus de précision et sans être interrompu.

Finalement, il faut se rappeler qu'une orientation sexuelle ne se change pas. L'acceptation de celle-ci est aussi l'acceptation de qui on est. S'accepter, c'est s'estimer à sa juste valeur ! D'ailleurs, l'estime de soi représente une des clés importantes pour accéder au bonheur et à l'épanouissement. On n'a qu'une vie à vivre, aussi bien la vivre heureux !

LES MYTHES DE L'HOMOSEXUALITÉ

par Sarah-Jeanne Desrochers

« J'ai entendu dire que… », « Est-ce que c'est vrai que ? » C'est inimaginable le nombre de fois où j'entends une phrase concernant l'homosexualité qui commence par ces mots. Bien sûr, ils sont souvent suivis de propos loufoques et totalement erronés. D'accord, nous sommes en 2013-2014. Si l'on se compare à la génération précédente, on constate qu'un grand pas a été fait en ce qui concerne l'acceptation des différences. Malheureusement, je réalise qu'on parle encore beaucoup plus souvent de tolérance que de compréhension. On apprend aux autres à tolérer nos différences, mais il est rare qu'on prenne le temps de les leur expliquer. J'ai donc décidé de vous inviter dans mon salon pour que l'on se raconte les vraies choses. Ce que vous avez toujours voulu savoir, mais que vous n'avez jamais osé demander…

Qui fait l'homme, qui fait la femme ?

Mettons tout de suite quelque chose au clair : Pour former un couple, les lesbiennes cherchent habituellement à rencontrer… une autre femme. J'aime les femmes, je veux donc partager ma vie avec une personne de sexe féminin, et non avec une femme qui agit comme un homme ! Bien sûr, il y a toujours dans un couple une partenaire plus féminine et une autre plus masculine, même si la ligne est parfois très mince. J'ai pour mon dire qu'il y a toujours plus féminine et plus masculine que soi. Et comme dans tous les couples, nous travaillons avec les forces et les faiblesses de chacune pour attribuer les tâches ménagères.

Est-ce que c'est vrai qu'on peut se reconnaître entre nous ?

Beaucoup de gens spéculent au sujet de l'existence d'un gaydar, d'une espèce de radar interne qui permettrait aux gais de se reconnaître entre eux. Existe-t-il ? Pour être honnête, je ne pense pas. Je me suis trompée trop de fois ! J'ai réalisé que ce que je pensais être un sixième sens était plutôt un ensemble de stéréotypes peu fondés. Beaucoup de clichés existent, notamment en ce qui a trait à l'habillement ou à l'apparence physique. Malheureusement, personne n'a la mention « homosexuel » écrite sur le front. Ce serait plus simple, non ? Mais la vie n'est pas un site de rencontre, et la seule façon de réellement savoir si une personne est homosexuelle est de lui poser la question. À condition d'y aller avec tact !

Comment sait-on qu'on est attiré par quelqu'un du même sexe ?

Au risque d'avoir l'air un peu vieux jeu, je dirais que c'est une histoire de papillons. Quand on est en amour, on est toute retournée, on a la tête dans les nuages, on voit l'autre dans sa soupe... Dans les cinq dernières années, je n'ai ressenti cela que pour des filles. À 23 ans, je m'identifie donc comme homosexuelle. Par contre, lorsque j'avais 18 ans et que j'ai commencé à avoir des sentiments pour des filles, j'étais un peu mélangée, et c'est quelque chose de tout à fait normal. J'ai suivi mon cœur et me suis dirigée vers la personne qui me faisait perdre tous mes moyens lorsque j'étais en sa présence, et il s'agissait d'une fille.

Infections transmises sexuellement

MALADIES INFECTUEUSES

Les infections transmises sexuellement (ITS) – ou infections sexuellement transmissibles – sont des maladies infectieuses qui peuvent être contractées lors des rapports sexuels oraux, vaginaux ou anaux, que ce soit par le contact des muqueuses, de la peau, du sang ou d'autres fluides corporels.

En fait, vous pouvez attraper une ITS sans même qu'il y ait de pénétration. Un simple contact entre les muqueuses et fluides corporels peut transmettre les germes d'une infection. Par exemple, le garçon sécrète du liquide avant d'éjaculer, au même titre qu'une fille produit des sécrétions vaginales qui peuvent infecter le garçon. D'autres infections se transmettent quant à elles par le sang, comme l'hépatite B et le sida.

Les principales ITS

On entend souvent parler du sida et du VIH à cause des conséquences désolantes qu'ils entraînent, mais sachez qu'il existe beaucoup d'autres types de ITS très communes chez les jeunes filles de votre âge. L'herpès génital, les condylomes, la chlamydia, la gonorrhée et la syphilis sont des infections assez répandues. La plupart de ces maladies peuvent être soignées rapidement par la prise de médicaments. Cependant, l'herpès génital (tout comme l'herpès buccal, autrement dit, les « feux sauvages ») est incurable et se manifeste sous forme d'éruptions cutanées tout au long de la vie. Pour ce qui est du sida, il n'existe à l'heure actuelle aucune façon de guérir l'infection, mais les chercheurs ont développé des façons de limiter ses effets sur le système immunitaire.

Le condom à tout prix !

Il n'existe pas des milliers de façons de prévenir les ITS. Le port du condom est dans la plupart des cas la solution pour éviter les mauvaises surprises. Vous devez toutefois être très prudente durant les préliminaires; évitez les contacts entre les muqueuses des organes génitaux si votre partenaire n'a pas encore enfilé le condom. Comme je vous le disais plus tôt, bien que les risques soient moins élevés, un simple contact peut suffire pour transmettre une infection. Ne vous laissez surtout pas convaincre par un garçon qui insiste pour ne pas mettre de préservatif sous prétexte qu'il n'aime pas cela, que ça l'empêche d'éprouver des sensations ou qu'il est persuadé de n'avoir aucune infection. Avant de laisser tomber le préservatif et de faire confiance à l'autre, vous devez d'abord passer tous les deux un test de dépistage pour vous assurer d'être bien en santé. Et puis, pensez-y : si ce garçon vous sert ces prétextes, c'est certainement qu'il les a servis à d'autres filles, alors ça ne vaut pas la peine de prendre des risques inutiles et de jouer avec votre santé pour un garçon en qui vous n'avez pas totalement confiance. Sachez par ailleurs que plusieurs garçons ne ressentent aucun symptôme lorsqu'ils contractent une ITS, mais peuvent tout de même la transmettre à leurs partenaires. Il est donc conseillé de passer un test de dépistage de temps à autre pour vous assurer que tout va bien et que vous êtes bel et bien en santé.

SUJETS CONNEXES :
- o *SEXUALITÉ*
- o *CONTRACEPTION*

Les symptômes

Dans la plupart des cas, les filles atteintes d'une ITS ont des pertes vaginales plus abondantes que d'habitude. Ces pertes sentent souvent très mauvais et peuvent être jaunâtres ou même verdâtres. Si vous ressentez des brûlures en urinant, une sensation de brûlure ou de picotement au vagin, des douleurs dans le bas-ventre (qui ne sont pas dues à vos règles !) ou si vous constatez des lésions sur vos organes génitaux (petits boutons, plaies, irritation), consultez immédiatement votre médecin. Il est important d'agir rapidement lorsque vous contractez une ITS, car bien que les conséquences à court terme ne soient pas dramatiques, une infection non traitée peut avoir des conséquences très graves à long terme (elle peut entraîner la stérilité, par exemple).

Si vous contractez une ITS, n'en ayez surtout pas honte. Je sais que c'est un peu tabou et que ça peut même vous dégoûter d'entendre toutes ces histoires de maladies, mais sachez que c'est assez commun chez les jeunes. Il ne suffit parfois que d'une simple malchance pour attraper une ITS, d'où l'importance de vous montrer extrêmement prudente lors de vos rapports sexuels. Attendez avant de faire aveuglément confiance à votre partenaire et soyez responsable. Je vous assure que vous ne le regretterez pas.

Avoir une ITS ne signifie pas qu'on soit malpropre. Si vous apprenez qu'une amie souffre ou a souffert d'une ITS, ne la jugez pas trop vite. Ce sont des choses qui peuvent arriver à n'importe qui. Il est important d'être là pour elle et de lui faire comprendre qu'il n'y a pas de honte à cela. Ne devenez pas parano : vous ne contracterez pas son infection en la touchant ou en lui faisant un câlin ! Vous pouvez par ailleurs l'encourager à faire plus attention la prochaine fois et à utiliser le condom lors de ses rapports sexuels. Quant à vous, servez-vous de cette mauvaise expérience comme d'une leçon :

les ITS peuvent frapper n'importe qui et elles n'arrivent pas qu'aux autres. Utilisez un condom, et ce, même avant la pénétration. Il ne faut pas non plus devenir psychotique en ce qui concerne les lieux publics. On n'attrape pas une ITS en frôlant les gens ou en essayant une chemise dans un magasin. Évitez toutefois de vous asseoir directement sur le siège des toilettes publiques et d'essayer des sous-vêtements sans garder les vôtres; bref, évitez les contacts entre les germes et vos organes génitaux, mais, pour le reste, ne vous inquiétez pas : les ITS ne sont pas transmissibles par la voie des airs et ne vous attaqueront pas comme des moustiques ! En d'autres mots, soyez prudente et responsable, et n'hésitez pas à vous informer auprès de l'infirmière de l'école, d'un CLSC, de votre médecin ou sur Internet si vous avez des doutes ou des questions concernant les ITS. Pour de plus amples renseignements, consultez le tableau qui suit pour connaître les symptômes particuliers, les conséquences et les traitements adéquats de chacune des principales ITS.

	SYMPTÔMES	MODE(S) DE TRANSMISSION	PRINCIPALES COMPLICATIONS	DIAGNOSTIC	TRAITEMENT	COMMENT DIMINUER LES RISQUES DE CONTAMINATION
HERPÈS GÉNITAL	Inexistants ou démangeaisons, brûlures, petits boutons, plaies au niveau des organes génitaux et gonflement des ganglions de l'aine.	- Par voie sexuelle, mais de simples contacts entre les muqueuses, sans pénétration, suffisent. - De la mère à l'enfant pendant l'accouchement. - Par le baiser (on parle ici d'herpès buccal).	- Impact psychologique important en raison de la chronicité de la maladie (anxiété, dépression, perte de confiance en soi...). - Conséquences graves pour le nouveau-né.	- Culture après prélèvement local. - Prise de sang dans certains cas.	Antiviraux pour diminuer la contagiosité, pour réduire la douleur, la durée et la fréquence des crises.	- Pendant les éruptions : préservatif et traitement antiviral. - En dehors des éruptions : préservatif et traitement antiviral (si éruptions fréquentes).
GONORRHÉE	Parfois inexistants ou : - chez la femme, pertes blanches, inflammation du col ou du vagin, douleurs au bas-ventre; - chez l'homme, brûlures importantes lors de la miction, écoulement de pus à l'extrémité du pénis.	- Par voie sexuelle, transmissible même sans manifestations physiques. - De la mère à l'enfant.	- Risques de stérilité chez la femme comme chez l'homme. - Complications oculaires chez le nouveau-né. - Salpingite. - Infection des trompes.	Prélèvement local.	Antibiotiques.	Préservatif.
SYPHILIS	Petite lésion (chancre) non douloureuse sur le vagin, le gland, la marge anale, le rectum, la bouche ou dans la gorge.	- Par voie sexuelle. - De la mère à l'enfant.	- Syphilis secondaire en cas d'absence de traitement du chancre. - Apparition de petites taches roses sur le torse et les bras. - Évolution grave vers la syphilis tertiaire si non traitée.	Examen sanguin possible, car passage du microbe dans le sang.	Antibiotiques.	Préservatif.
CONDYLOMES	Excroissances ressemblant à des verrues sur les organes génitaux et sur l'anus. Parfois non visibles à l'œil nu et non douloureuses, isolées ou groupées.	- Par voie sexuelle. - De la mère à l'enfant.	- Chez la femme : cancer du col de l'utérus.	- Observation des excroissances. - Test à l'acide acétique. - Frottis du col. - Biopsie cutanée.	Traitement local par un spécialiste : suppression par azote liquide, par laser au CO2 ou par électro-coagulation.	- Préservatif tant que la contagion persiste. Surveillance prolongée afin de dépister une récidive.

	SYMPTÔMES	MODE(S) DE TRANSMISSION	PRINCIPALES COMPLICATIONS	DIAGNOSTIC	TRAITEMENT	COMMENT DIMINUER LES RISQUES DE CONTAMINATION
TRICHOMONASE	Démangeaisons, brûlures au niveau de la vulve et du vagin, pertes jaunâtres malodorantes.	Par voie sexuelle.	Infection sans gravité.	Prélèvement local.	Traitement antibiotique.	Préservatif.
CHLAMYDIA	- Inexistants ou limités à des picotements urinaires, douleurs au bas-ventre ou pendant les rapports. - Pertes vaginales. - Sécrétions à l'extrémité de la verge.	- Par voie sexuelle. - De la mère à l'enfant.	- Chez la femme : infection des trompes pouvant entraîner la stérilité ou des grossesses extra-utérines. - Chez l'homme : diminution de la fertilité. - Atteinte pulmonaire et oculaire chez le nouveau-né.	- Prélèvement cervical. - Prélèvement d'urine. - Prise de sang dans certains cas.	Antibiotiques.	Pendant le traitement, rapports protégés ou abstinence sexuelle.
VIH / SIDA	Syndrome pseudogrippal au moment du premier contact avec le virus.	- Par voie sexuelle. - Par le sang. - De la mère à l'enfant.	Stade de sida déclaré : affaiblissement des défenses immunitaires, développement de maladies infectieuses, de cancers et de tumeurs malignes touchant différents organes (cerveau, peau, poumons...).	Prise de sang.	Antirétroviraux pour diminuer la multiplication du virus et ralentir la progression de l'infection.	Préservatif.
HÉPATITE B	- Inexistants au niveau génital. - Fièvre, fatigue, jaunisse dans % des cas.	- Par voie sexuelle. - Par le sang. - De la mère à l'enfant.	Maladies graves du foie (cirrhose et/ou cancer).	Prise de sang.	- Par la phase aiguë : traitement des symptômes (fièvre, jaunisse...). - Pendant la phase chronique : bithérapie.	- Vaccination du ou des partenaires sexuels. - Préservatif.

Source. – Association Paramour : http://www.paramour-asso.com/accueil.htm.

Intimidation

J'ai déjà été victime d'intimidation à l'école. J'étais en 5e année du primaire. Un jour, à la fin des classes, quatre filles m'ont encerclée pour me pousser. J'étais comme un ballon qui rebondissait au contact de leurs mains. Je me sentais humiliée, mais surtout, je ne comprenais pas pourquoi je subissais ça. Qu'est-ce que je leur avais fait ? Je ne les connaissais même pas. Elles ne connaissaient même pas mon nom !

Le lendemain, j'ai avisé la direction de l'école de ce qui s'était produit. Les jeunes filles furent avisées et les « attaques » n'ont jamais recommencé. Par contre, elles me lançaient des regards qui me donnaient envie de rentrer sous terre. Lorsque le soleil d'été est arrivé pour annoncer la fin des classes, j'étais si heureuse ! Elles changeraient d'école. Je ne les ai jamais revues.

L'intimidation est un phénomène qui a toujours existé, mais les cris d'alarme des jeunes forcent actuellement les écoles et le gouvernement à se mobiliser pour contrer ce phénomène endémique.

L'intimidation a plusieurs visages. Elle s'exprime autant par la violence physique que par la violence verbale, par exemple, lorsqu'on voit un jeune se moquer d'un autre, lui donner des surnoms méprisants, l'humilier ou le menacer.

L'apparition des réseaux sociaux a donné un nouveau visage à l'intimidation. Certains jeunes se cachent derrière leurs ordinateurs pour en menacer ou en humilier d'autres. C'est maintenant l'heure de la cyberintimidation. Lorsque j'étais au secondaire, quand ma porte de chambre était close, j'étais seule. En sécurité. Aujourd'hui, les jeunes sont persécutés même dans leurs zones de confort. La maison n'est plus un lieu de paix et de ressourcement, car désormais, l'intimidation ne reste plus aux portes de l'école.

Dans notre société, ce sont souvent les plus marginaux qui sont ciblés et pris en grippe. Des jeunes imposent la terreur et la violence et rendent insupportable la vie de leurs camarades. La victime peut en subir des conséquences dévastatrices; son estime de soi est affectée, sans compter que son bien-être physique, social et affectif peut en porter les cicatrices longtemps.

J'ai posé la question autour de moi. Chaque personne à qui j'ai demandé si elle avait vécu de l'intimidation répondait systématiquement par oui. J'ai fait des recherches afin de démystifier le sujet; les statistiques sur le nombre de jeunes qui se disent victime d'une forme d'intimidation m'ont fait frissonner !

L'an dernier, une jeune fille s'est enlevé la vie. Je l'appellerai M. Elle ne pouvait plus supporter les moqueries et les railleries de ses camarades. J'ai donc fouillé Facebook et les journaux pour en apprendre plus sur ce drame. Les amis de M., secoués par le drame, se sont lancés dans une conversation de sourd sur la page de J., « l'intimidatrice ». Ils l'accusaient de la mort de M. et l'insultaient. J'ai lu des propos désobligeants et déplacés. J'avais peine à réaliser le triste spectacle que les internautes étaient en train de donner.

Ces jeunes, en réponse à la disparition de M., répondaient avec violence. Je me suis posé une question : est-ce donc un cercle vicieux ? Un cycle sans fin où tous deviennent intimidateur et victime les uns après les autres ? Victime et bourreau à la fois. J'en déduis donc que tour à tour nous serons tyran et tyrannisé. Dans notre vie d'enfant, d'adolescent et d'adulte...

En somme, l'intimidation est un jeu qui peut se jouer à deux. Un bourreau a besoin d'une victime. C'est à la victime de choisir d'être soi-même et de vivre sa vie. De dire ça suffit ! D'agir ! De s'affirmer telle qu'elle est, sans jugement. Sans violence. La victime est plus forte que le bourreau. C'est pour cacher un manque de confiance et une image biaisée de soi-même que l'on devient tortionnaire. Un bourreau n'a pas de fierté, il a peur d'exister. J'ai l'image de quelqu'un qui appuie sur la tête d'un autre pour se remonter de peur que celui-ci ne lui fasse de l'ombre.

Je suis compréhensive envers les victimes, mais j'ai aussi un élan d'empathie envers les bourreaux. Je suis triste pour eux. Le tragique événement de la mort de M., pour ne faire référence qu'à elle, a créé un émoi partout dans la province. J'ai voulu comprendre l'intimidation et je n'ai trouvé qu'un cycle de lynchage. Je n'ai pas trouvé de solution concrète autre que de parler. Une victime ne doit pas se cacher. Il faut dénoncer les intimidateurs, mais je pense que c'est par le dialogue et l'ouverture que nous arriverons réellement à contrer ce problème.

Je reprends la phrase trouvée sur le blogue de Nadia Seraiocco : « Quand on voit le bourreau en soi, la cruauté dont on serait parfois capable, on comprend encore mieux le drame et la violence. »

Pour plus d'information ou pour du soutien, la fondation Jasmin Roy vient en aide aux victimes d'intimidation et à leurs familles.

Marijuana

PAS JUSTE DE L'HERBE...

Le cannabis est la drogue la plus consommée au Canada. Provenant du chanvre indien, il peut se présenter sous différentes formes : Les fleurs et les feuilles séchées appelées « marijuana », « herbe » ou « pot ».

La résine, ou haschisch, dont on fait une pâte qu'on compresse pour en faire des blocs. L'huile qui est plus concentrée et beaucoup moins répandue.

Le pollen

L'herbe et la résine sont généralement consommées avec ou sans tabac dans une cigarette, communément appelée « joint » et qu'on roule soi-même, ou dans une pipe.

Effets et dépendance

Les effets de la marijuana sont multiples mais, dans la plupart des cas, on se sent euphorique, heureux et détendu. On éprouve une sensation de flottement et on perd ses inhibitions. Plusieurs fument du pot pour essayer de se détendre, pour dormir plus facilement, pour aiguiser leurs sens, pour rire ou pour s'ouvrir l'appétit. Bien que certains prétendent avoir plus d'inspiration sous l'effet de la marijuana, il est à noter que cette drogue procure des pertes de concentration et de mémoire importantes, de l'anxiété et une lenteur accrue dans les actions. Il est également fréquent d'avoir la bouche sèche et les yeux rouges, ainsi que de ressentir de la panique, voire même de la paranoïa. Bref, bien que le pot puisse sembler génial et si commun, sachez qu'il peut avoir des effets secondaires très nocifs et extrêmement désagréables.

La plupart des spécialistes s'entendent pour dire que la marijuana ne cause pas de véritable dépendance physique, mais qu'elle entraîne une dépendance psychologique.

Plus on s'habitue au cannabis, moins les effets nous semblent apparents et plus on désire fumer pour s'évader de la réalité et entrer en mode d'introspection.

C'est ici que réside le danger le plus important de la marijuana. Non seulement les effets peuvent être désagréables, mais plusieurs personnes y deviennent accros pour éviter de devoir faire face à leurs responsabilités et pour retrouver l'apaisement et l'euphorie qu'ils ressentent lorsqu'ils en consomment. Même si la plupart des gens essaient la marijuana au moins une fois au cours de leur vie, et que personne ne vous considérera comme une junkie si vous prenez une bouffée de joint, sachez que le pot risque de vous rendre amorphe et de vous inciter à rester avachie dans le divan. Cette drogue tend également à déformer la réalité et peut vous faire dire des choses qui n'ont ni queue ni tête, même si vous croyez sur le coup être la personne la plus profonde et la plus ingénieuse du monde.

Fumer entre amis, en couple ou en groupe est commun au Québec et au Canada. À l'adolescence, il faut s'efforcer de ne pas le faire sous la pression ou pour avoir l'air cool. Si ce n'est pas votre genre ou que ça ne vous dit rien, ne vous gênez pas pour le faire savoir et pour faire respecter votre choix. Si, par contre, vous crevez d'envie d'essayer, je vous conseille de le faire avec des amies et des gens de confiance qui pourront vous rassurer si vous vous sentez mal et éprouvez de l'anxiété ou de la paranoïa.

Une loi controversée

Depuis 1997, la marijuana est régie au Canada par la Loi réglementant certaines drogues et autres substances. Selon cette loi, la possession non autorisée, le trafic et la production sont considérés comme illégaux. Les sanctions varient selon la gravité du délit. « Le gouvernement du Canada estime que même si la consommation de cannabis doit être découragée, elle ne devrait pas entraîner de casier judiciaire pour la possession de petites quantités de cannabis. En conséquence, quatre nouvelles infractions de possession de cannabis sur déclaration de culpabilité par procédure sommaire sont proposées, chacune assortie de peines distinctes. » (Source : http://www.justice.gc.ca/fr/news/nr/2004/doc_31276.html)

Par exemple, la possession d'un gramme ou moins de haschisch entraîne une amende de 300 $ pour un adulte et de 200 $ pour un adolescent, tandis que la possession de 15 grammes ou moins de marijuana entraîne une amende de 150 $ pour un adulte et de 100 $ pour un adolescent. (Pour plus d'informations à ce sujet, consultez le site du gouvernement du Canada.)

Plusieurs groupes militent toutefois, au Québec et dans le reste du Canada, en faveur de la légalisation de la marijuana. Certains partis politiques en font même le point central de leur programme, comme le Bloc pot au Québec et le Parti marijuana au Canada. Cette question suscite de nombreux débats au sein de la population. Certains croient que la légalisation rendrait l'accès à cette drogue beaucoup trop facile et inciterait les gens (surtout les jeunes) à en consommer davantage, alors que d'autres pensent qu'elle permettrait un meilleur contrôle de sa distribution et éliminerait l'aspect d'« interdit », souvent très attirant pour les adolescents. Le débat est toujours en cours à l'heure actuelle.

Quoi qu'il en soit, à l'adolescence et tout au long de votre vie, vous serez très souvent en présence de marijuana, que ce soit durant des fêtes, chez des amis ou dans la rue. C'est à vous et à vous seule de mettre vos limites et de faire preuve de jugement. Rappelez-vous que bien que la consommation de pot soit considérée comme presque normale dans notre société, il s'agit néanmoins d'une drogue dont les effets à long terme peuvent être extrêmement nuisibles (sans parler de la fumée et des dommages que cela peut causer aux poumons). Si vous jugez que quelqu'un de votre entourage fume trop et que cela a une influence négative sur son attitude générale, tentez de lui en parler gentiment et de lui proposer des activités différentes pour le sortir du cercle vicieux de la consommation. Quant à vous, essayez de faire preuve de bon sens et n'oubliez pas qu'il s'agit bel et bien d'une drogue.

Masturbation

UN SUJET TABOU

La masturbation crée tout un émoi au cours de l'adolescence. La plupart des jeunes (et particulièrement les filles) ont très honte d'admettre qu'ils se masturbent, car cette pratique est souvent un sujet tabou.

Sachez toutefois que la plupart des jeunes le font, et qu'il n'y a absolument rien de mal à se masturber, bien au contraire. De façon générale, les garçons commencent à se masturber plus tôt que les filles. L'âge moyen est en effet d'environ 12 ans chez les garçons et 13 ans chez les filles. Plus de 95 % des garçons reconnaissent qu'ils se masturbent avant l'âge de 18 ans, et plus de 50 % des filles avouent qu'elles se masturbent au cours de l'adolescence (source : Rapport Kinsey). Ces chiffres demeurent toutefois très vagues, car on ne s'informe qu'auprès d'une mince proportion de la population, et que plusieurs filles n'osent pas révéler qu'elles se masturbent. Cette gêne est certainement due au fait que la masturbation a souvent été vue comme quelque chose de « mal » au sein de la société.

Laissons tomber les tabous et faisons face au phénomène : la masturbation est normale à l'adolescence. Votre sexualité se développe, votre caractère sexuel est en plein épanouissement et vous explorez votre corps. La masturbation vous permet non seulement de découvrir votre corps et ce qui vous plaît, mais aussi de développer une sexualité saine et active et de vous sentir bien dans votre peau. La plupart des filles se masturbent en se caressant le clitoris, alors que certaines préfèrent s'enfoncer un doigt dans le vagin. Quoi qu'il en soit, sachez que si vous pratiquez la masturbation, vous n'êtes ni anormale ni obsédée. Lorsque vous vieillirez, vous verrez que la plupart des filles de votre entourage finissent par admettre qu'elles se masturbent. Vous constaterez également que cela a eu une bonne influence sur l'épanouissement de votre sexualité, puisque vous connaissez mieux votre corps et que vous pouvez davantage contrôler votre désir. Sachez qu'il est tout aussi normal d'avoir des pensées et des rêves érotiques qui vous excitent et vous donnent envie de vous masturber. Ces images ou ces « scénarios » sont parfois gênants et ne révèlent pas nécessairement des orientations ou des goûts sexuels enfouis en vous ; vous êtes simplement à l'âge où vous découvrez intensément la sexualité et où votre imagination fertile vous entraîne dans des endroits parfois cocasses et inattendus. Les scénarios que vous vous jouez dans votre tête sont personnels et vous appartiennent, alors ne cherchez pas à les justifier dans votre for intérieur ; ils font partie de votre curiosité sexuelle et de votre jardin secret.

En conclusion, si vous vous masturbez, et ce, même de façon quotidienne, n'allez pas croire que vous êtes folle ou anormale parce que les autres filles prétendent qu'elles ne le font pas. Si vous ne désirez pas en parler aux autres, c'est tout à fait compréhensible, puisqu'il s'agit d'un acte personnel que vous pratiquez en toute intimité, mais ne vous sentez pas anormale pour autant ; dites-vous que la plupart des filles, en secret, font la même chose que vous !

Mort

UNE RÉALITÉ DURE À ACCEPTER

La mort est une question qui soulève des inquiétudes et des doutes auprès de tout le monde. C'est une réalité dure à accepter, et une fatalité à laquelle on ne veut pas penser.

En effet, tous les êtres vivants finissent un jour par mourir. Certes, lorsqu'on est jeune, on ne veut pas penser à cela. On sent qu'on a la vie devant soi, que rien ne peut nous arriver, que nous sommes en quelque sorte invincibles. Il est vrai qu'il vaut mieux adopter une attitude positive et mordre dans la vie à pleines dents plutôt que d'appréhender le pire et de craindre tous les dangers de peur que la mort ne survienne, mais il est important de prendre conscience du concept de la mort pour pouvoir profiter pleinement de la vie et apprendre à la protéger.

Vivre avec la mort

La mort frappe parfois de façon fulgurante, sans crier gare, et peut apparaître dans notre vie et nous bouleverser au plus haut point. Bien qu'on soit jeune et en bonne santé, des gens peuvent décéder autour de nous, que ce soit un oncle, un grand-père, un voisin, ou parfois même un camarade de classe. C'est alors qu'on commence à se poser toutes sortes de questions : Pourquoi est-il mort ? Que lui est-il arrivé ? Pourquoi lui ? Où est-il allé ? Pourquoi est-ce que je ressens soudain un si grand vide et une si grande insécurité ? Je peux facilement répondre à cette dernière question : la mort demeure un mystère aux yeux de tous. Nous savons que c'est le terme de la vie, mais nul ne sait ce qui arrive ensuite. Certains croient à la réincarnation, d'autres à la résurrection et au bonheur éternel. Cela dépend souvent des croyances religieuses ou personnelles. Les athées, par exemple, croient qu'il n'y a rien après la mort ; d'autres espèrent simplement qu'il y ait quelque chose sans toutefois s'attendre à rien. Bref, non seulement cette incertitude est angoissante, mais, en plus, personne ne sait à quel moment la mort surviendra. C'est ce qu'il y a de plus révoltant à ce sujet. Quand, par exemple, un proche décède dans un accident, on n'arrive pas à y croire. C'est si inattendu, si soudain. On n'a pas eu le temps de lui dire ce qu'on ressentait, ou de passer autant de temps qu'on aurait voulu en sa compagnie. Quoi qu'il en soit, ça ne sert à rien de se casser la tête et d'angoisser sans cesse au sujet de la mort. On ne sait pas ce qui arrivera, alors mieux vaut profiter pleinement du moment présent et jouir de la vie pendant que nous en avons encore la chance !

Des risques inutiles

Bien que vous soyez jeune et que vous vous sentiez invincible, sachez que vous devez tout de même vous protéger contre les dangers et éviter de prendre des risques qui mettraient inutilement votre vie en péril. Par exemple, portez un casque lorsque vous faites du vélo. Ce n'est peut-être pas très joli, mais c'est un sacrifice qui en vaut la peine, puisque cela peut vous sauver la vie. Ne conduisez JAMAIS en état d'ébriété et ne montez pas à bord d'une voiture dont le conducteur a bu. Ne plongez pas dans un lac si vous ne savez pas nager et ne consommez pas de substances qui risquent de mettre votre vie en danger. Bref, soyez responsable et prudente. La vie est un cadeau unique, et il faut la chérir et en profiter pleinement tout en prenant bien soin de soi !

Profitez de la vie !

Même si vous traversez parfois des moments difficiles ou que vous faites face au décès d'un proche, ce qui vous plonge inévitablement dans la dure réalité de la mort, rappelez-vous qu'il ne sert à rien de vivre en craignant sans cesse de mourir. Vous devez apprendre à profiter de la vie et adopter une philosophie où vous vivez chaque journée comme si c'était la dernière. On ne peut pas prévoir le futur, et on ne peut pas expliquer ce qui se passe après la mort, alors profitez de votre jeunesse et ne vous en faites pas trop avec ces histoires morbides. Songez plutôt à vos rêves, à vos espoirs et à vos ambitions. Apprenez à vous sentir vivante et à jouir des petits plaisirs de la vie, comme les dimanches en famille, les vendredis soir entre copines et les premiers amours qui nous font battre le cœur. N'ayez pas peur de ce qui vient ou de l'inconnu. Ça ne sert à rien de vous en faire pour l'instant, alors chassez les idées noires et estimez-vous chanceuse d'être en vie. Le temps file et on ne peut pas revenir en arrière, donc aussi bien profiter du moment présent, être passionnée de la vie et nous démarquer grâce à notre joie de vivre !

Piercing

HYGIÈNE ET PROPRETÉ SONT LES RÈGLES D'OR

Les piercings sont souvent à la mode au cours de l'adolescence. On désire parfois se faire percer une partie du corps pour suivre la tendance, pour faire comme ses amies, par pur esthétisme, pour marquer un moment de sa vie ou simplement pour provoquer les gens de son entourage.

On peut se faire faire un piercing à plusieurs endroits du corps : les sourcils, le nez, les lèvres, le nombril, la langue, les oreilles et même le dos, les seins et les organes génitaux. Certains endroits sont évidemment beaucoup plus sensibles à la douleur, et les risques de rejet sont plus élevés. Sachez d'abord que si vous décidez de vous faire percer, l'hygiène et la propreté sont les règles d'or de l'opération. Il faut éviter les boutiques de piercing qui semblent insalubres, et opter plutôt pour les professionnels qui travaillent en suivant à la lettre les règles de propreté et d'hygiène. Il est par exemple essentiel que l'aiguille utilisée pour le piercing soit neuve afin d'éliminer tous les risques de transmission de maladies comme le sida ou l'hépatite. Il est aussi extrêmement important que le professionnel désinfecte bien l'endroit de votre corps que vous voulez faire percer avant d'y planter l'aiguille. Une fois que le piercing est en place, c'est à vous qu'il incombe de suivre les indications et de bien nettoyer la région percée en suivant les recommandations du professionnel.

Sachez aussi que même quand le piercing est effectué de façon professionnelle, et même si vous suivez toutes les étapes recommandées pour le nettoyage, la cicatrisation peut parfois prendre plusieurs semaines, voire plusieurs mois, en fonction de l'endroit où vous vous faites percer. Même lorsqu'on croit que le trou est guéri et que ses bords sont bien cicatrisés, il n'est pas rare de ressentir une

légère douleur durant quelques semaines supplémentaires (par exemple, pour un piercing dans le nombril, il se peut très bien que vous ne puissiez pas dormir sur le ventre pendant près d'un mois).

Pour aider la guérison, il est capital de bien laver la région de votre corps qui a été percée et de la désinfecter tous les jours. Je vous recommande aussi de choisir des bijoux en métal antiallergène pour réduire les risques d'infection. Notez que les réactions allergiques ne sont pas rares. Comme il s'agit d'un corps étranger, il se peut très bien que votre corps réagisse mal et que vous ressentiez des brûlures et des irritations, en plus de voir apparaître des rougeurs, des fibromes bénins, des petits boutons ou des plaies plus graves. Il se peut aussi que votre corps décide de rejeter complètement le piercing, et que vous soyez obligée de renoncer à votre nouveau bijou. Notez également que les trous se referment souvent très vite (parfois même en quelques minutes ou en quelques heures), alors si vous ne tenez pas à perdre votre piercing, évitez de changer le bijou à tout bout de champ, et faites faire le changement par un professionnel qui s'assurera de bien désinfecter le tout.

L'important, c'est que vous soyez consciente des risques que vous prenez et des étapes à suivre avant de vous faire percer. Les professionnels vous remettront dans la

SUJETS CONNEXES :
- *MODE*
- *BEAUTÉ*
- *TATOUAGE*

plupart des cas une feuille, que vous devrez lire avant de vous faire faire le piercing, où figurent les risques inhérents à l'opération, ainsi qu'une autre feuille où sont précisées les indications pour laver et désinfecter votre piercing dans les semaines suivantes. Il est très important de lire ces documents et de suivre les indications de nettoyage et les recommandations à la lettre.

Si vous êtes mineure, il se peut très bien que vos parents ne vous donnent pas la permission de vous faire percer le corps et vous demandent d'attendre vos 18 ans. Je vous conseille évidemment de les écouter et de ne pas leur désobéir. Dites-vous bien que cela vous donnera le temps de réfléchir et d'être bien certaine que vous voulez vraiment un piercing. Si vous y tenez mordicus et que vous pensez avoir de bonnes raisons pour le faire, tentez de leur expliquer calmement votre point de vue et de trouver un compromis. Proposez à votre mère de vous accompagner si elle ne fait pas confiance aux boutiques où on effectue les piercings. Certaines sont extrêmement propres, voire même luxueuses, et elle pourrait être surprise. Cela vous donnera également une autre bonne raison pour vous rendre dans un magasin où on vous offrira des services de qualité.

Rappelez-vous toutefois qu'il est important de prendre soin de votre corps et que la mutilation n'a rien de bien attirant. Prenez le temps de réfléchir. Commencez par les lobes d'oreilles pour voir comment vous vous sentez. Si vous êtes sensible à la douleur, les piercings ne sont probablement pas pour vous. Non seulement la cicatrisation est longue et parfois pénible, mais le perçage en soi est assez douloureux. Si vous êtes curieuse de savoir de quoi vous auriez l'air avec un piercing, que vous n'êtes toujours pas certaine de vouloir passer à l'action ou que vous ne désirez pas marquer votre corps à vie, je vous recommande les bijoux aimantés qui ne nécessitent aucune aiguille, qui ne laissent aucune trace et qui ne font pas mal du tout ! Prenez vraiment le temps de peser le pour et le contre avant de prendre une décision, et ne faites rien que vous pourriez regretter amèrement plus tard.

Pornographie

SEXUALITÉ TRÈS EXPLICITE

La pornographie est un phénomène à la fois banal et extrêmement inquiétant. Vous avez sans doute remarqué qu'elle se trouve partout autour de nous : dans les clubs vidéo, dans les magazines, sur Internet, à la télévision, etc.

De plus, vous savez sans doute que les garçons éprouvent beaucoup de curiosité et d'intérêt à l'égard de la pornographie. Plusieurs d'entre eux louent des vidéos en cachette ou en regardent sur Internet, ou encore dissimulent des magazines sous leur lit. Même les filles sont parfois curieuses de regarder des films pornographiques et d'en savoir un peu plus sur cette sexualité très explicite. Ce n'est pas parce qu'un adolescent regarde un magazine ou un film pornographique qu'on doit le considérer comme un obsédé sexuel. Il est normal d'éprouver de la curiosité à l'adolescence, de découvrir et d'explorer sa sexualité. Ce qui est déplorable avec la pornographie, c'est la facilité avec laquelle les jeunes peuvent y accéder, et l'image tordue qu'elle renvoie de la sexualité.

Sachez d'abord que la pornographie est loin d'être représentative des rapports sexuels normaux que vous désirez avoir à votre âge. Les œuvres pornographiques ont trop souvent tendance à représenter la femme comme un simple objet sexuel soumis aux désirs de l'homme. Les filles y semblent toutes aguicheuses, faciles et extrêmement perverses. Bien que ce genre de scénario troublant et de réalité tordue puisse exciter certaines personnes, sachez qu'il est normal qu'il vous semble difficile de concevoir en quoi cela peut procurer du plaisir. La pornographie a tendance à dépeindre les actes sexuels à l'état brut, comme si les partenaires n'étaient

que des animaux et n'éprouvaient aucune émotion, mais lorsque vous avez des rapports avec votre amoureux ou que vous explorez votre sexualité pour la première fois, il est primordial que cela se fasse dans le respect et dans l'intimité. Si vous êtes avec un garçon qui se laisse apparemment trop influencer par la pornographie, n'ayez surtout pas honte de le lui faire remarquer et de le remettre à sa place ! Son comportement est certainement provoqué par l'image perverse que projette la pornographie et, surtout, par son manque d'expérience.

Il va sans dire que certaines images pornographiques sont tout simplement sordides et extrêmement choquantes, particulièrement pour une fille. Les personnages font parfois preuve de violence et ont recours à des clichés pour attiser le désir des spectateurs. Il est déplorable que les femmes y soient perçues comme des objets sexuels. La sexualité représente bien plus que cela. La pornographie a tendance à évacuer toute la candeur, la pudeur et l'intimité que partagent deux personnes au cours d'une relation sexuelle. Il ne s'agit plus que d'une technique brute et de gestes mécaniques qui font abstraction du sentiment de bonheur, de la complicité, de la douceur, etc. En d'autres mots, sachez que la pornographie ne représente en rien la sexualité complice entre deux partenaires qui s'aiment et se respectent, et qu'il est tout à fait normal que vous soyez révoltée par l'image perverse qu'elle véhicule.

SUJETS CONNEXES :
- *SEXUALITÉ*
- *INTERNET*

Le danger d'Internet

Si vous naviguez sur Internet, vous avez certainement déjà atterri sans le vouloir sur un site pornographique ou sur une publicité à caractère sexuel très explicite. En effet, la pornographie est omniprésente sur Internet, et il est extrêmement difficile d'en limiter la prolifération. Je vous encourage toutefois fortement à ne pas vous exposer à de tels sites et à ne pas encourager la pornographie sur Internet. Pour ce faire, vous pouvez installer un bloqueur de fenêtres intempestives qui vous aidera au moins à réduire le nombre de pages publicitaires à caractère pornographique qui apparaîtront sur votre écran. De plus, naviguez sur les sites que vous connaissez bien et où vous ne courez aucun risque. Je parle ici de risque parce que la pornographie sur Internet attire beaucoup de pédophiles, de prédateurs sexuels et de gens pervers. L'accès rapide et facile à des sites pornographiques incite ces individus à influencer les jeunes pour qu'ils participent à des activités pornographiques et ainsi à profiter de leur naïveté pour les entraîner dans un milieu malsain. Bien que ce soit révoltant, sachez que la pornographie infantile, soit celle qui met en scène des enfants et de jeunes adolescents, est très présente sur le Web. Je vous mets donc en garde contre les sites inconnus et contre les dépravés qui consomment et encouragent ces représentations sexualisées des jeunes. Selon une étude, les sites Internet pour pédophiles représentent 30 000 pages Web sur plus de 4,3 millions de pages recensées *(source : Parry Aflab, « Guide à l'usage des parents pour protéger les enfants dans le cybermonde », Courrier de l'UNESCO).* Soyez donc très vigilante lorsque vous naviguez et ne vous laissez pas convaincre de faire des choses à caractère sexuel par des gens que vous ne connaissez pas. Évitez aussi de consulter les sites pornographies qui contiennent des images et des informations troublantes, déviantes et violentes.

On ne peut pas nier la place qu'occupe la pornographie dans la société. Bien qu'elle soit partout et qu'il s'avère difficile de la gérer sur Internet, je vous conseille de vous tenir loin des sites, des émissions et des magazines à caractère pornographique qui tendent à projeter une mauvaise image de la femme et de la sexualité.

Rave

FÊTE MUSICALE EXTRÊME

Le mot « rave » est un emprunt de la langue anglaise et désigne une sorte de fête musicale (en général techno), où les gens se rassemblent en grand nombre dans un endroit vaste et souvent abandonné, ou alors en plein air, pour danser durant plusieurs heures.

Il existe divers types de raves : les petites fêtes privées organisées dans des locaux désaffectés ou dans des lofts inhabités ; les raves de grande envergure qui ont lieu dans d'immenses entrepôts ou des salles vides, généralement à l'écart du centre-ville ; les raves en plein air qui peuvent durer plusieurs jours et où les gens ont la possibilité de faire du camping ; ainsi que les after, soit les fêtes qui débutent à la fermeture des bars, généralement vers trois heures du matin, et se poursuivent jusqu'à midi.

Attention, danger !

Bien que les raves soient tentants à première vue (après tout, ça semble génial de pouvoir danser pendant des heures avec d'autres adeptes), je dois vous prévenir tout de suite : ces rassemblements ne sont pas aussi roses et pacifiques qu'ils en ont l'air. C'est bien connu, les drogues coulent à flots durant les raves. Nombreux sont ceux qui consomment du pot, du haschisch, de l'ecstasy, du speed et même de la cocaïne. Les gens n'agissent pas de la même façon lorsqu'ils sont sous l'influence d'une drogue et, dans les raves, l'effet de groupe et de rassemblement peut les amener à se comporter de façon bien étrange. De nombreux vols sont commis, les rapprochements physiques et sexuels deviennent plus faciles, et on a rapporté plusieurs cas d'agressions et de viols survenus au cours de raves. En effet, les personnes qui organisent les fêtes raves s'arrangent habituellement pour qu'elles aient lieu dans des endroits isolés, loin des yeux indiscrets... et de la police.

Même si les raves sont bien souvent organisés de façon légale, les participants sont généralement tentés de faire des excès et de flirter avec le danger et les drogues, alors demeurez bien prudente. De plus, bien que la plupart de ces événements soient interdits aux mineurs, il n'y a parfois aucune surveillance durant les raves plus underground, ce qui pousse les gens à consommer encore plus de substances illicites et à profiter de la naïveté des jeunes tels que vous. Les after ont quant à eux souvent lieu dans les discothèques prévues à cet effet. Ils sont plus contrôlés par la loi, et les agents de sécurité en interdisent généralement l'accès aux jeunes âgés de moins de 18 ans.

De la musique dans le tapis

En plus des individus louches, de la drogue, des armes à feu et du comportement irrationnel des gens, je dois vous avertir que la musique qui gronde dans les raves n'est pas de tout repos. Si vous avez l'oreille sensible, évitez ces lieux de rassemblement, car vous risquez d'avoir des acouphènes pendant plusieurs jours. La musique est si forte qu'il est habituellement impossible de discuter avec les autres. Je vous préviens également que la propreté des lieux laisse souvent à désirer et qu'il ne faut pas s'attendre au grand luxe.

SUJETS CONNEXES :
o *MUSIQUE*
o *DROGUE*

En conclusion

Les raves sont devenus un phénomène social de grande importance au Québec. Bien que certains fréquentent vraiment ces fêtes pour le simple plaisir de danser toute la nuit et de faire partie du rassemblement, je ne recommande pas aux mineurs d'y mettre les pieds. Ces fêtes sont souvent dangereuses, puisque tout y semble permis et qu'il est extrêmement facile de s'y perdre (et de perdre ses amis dans la foule, donc de se retrouver seule). Je n'ai pas besoin de vous répéter que les mineurs ne peuvent normalement pas y avoir accès, alors il serait bien étonnant que vos parents vous donnent la permission de participer à un tel événement. Si vous crevez d'envie de tenter l'expérience ou que vous vous retrouvez dans l'une de ces fêtes sans trop savoir pourquoi ni comment, alors soyez prudente et ne faites pas confiance aux inconnus qui vous offrent des substances étranges ou vous tendent des trucs à boire. Ils contiennent souvent de la drogue qui aura pour effet de vous désorienter et de vous faire perdre vos inhibitions. Plusieurs risqueraient alors d'abuser de votre naïveté. Ne perdez pas vos amis de vue et prenez garde à vos effets personnels. Je vous conseille donc d'éviter ce genre de rassemblement, du moins jusqu'à vos 18 ans !

Suicide

PHÉNOMÈNE ALARMANT
AU QUÉBEC

Le suicide chez les jeunes est un
phénomène alarmant au Québec.
La province présente en effet des
statistiques désastreuses et l'un des
taux de suicide les plus élevés parmi les
nations industrialisées
de la planète.

Le suicide est l'une des principales causes
de mortalité chez les personnes âgées de
15 à 29 ans au Québec. Les statistiques
enregistrées dans les dernières années
s'avèrent toutefois encourageantes : « Les
données les plus récentes de l'Institut
national de santé publique du Québec (INSPQ)
indiquent que 1103 personnes se sont enlevé
la vie par suicide au Québec en 2008, soit
environ 3 suicides par jour. Bien qu'élevé,
ce nombre représente une amélioration par
rapport aux années antérieures et reflète
une diminution moyenne de 4 % par année
répertoriée depuis 10 ans. La baisse du taux
de suicide la plus marquée est notée chez les
jeunes, alors que les adultes de 35 à 40 ans
constituent le groupe le plus à risque[1].»

On se doit toutefois de mentionner que le taux
de suicide avait notamment connu une hausse
importante chez les jeunes âgés entre 15 et
19 ans au cours des dernières décennies. Les
adolescents souffrant de troubles mentaux
et affectifs, les jeunes autochtones et les
jeunes homosexuels sont les plus touchés
par le phénomène. Le gouvernement a
instauré toutes sortes de programmes dans
les écoles et les communautés pour venir en
aide aux jeunes en détresse, et pour tenter
de contrer ce fléau. Selon Bruno Marchand,
directeur général de l'Association québécoise

[1]. *Bruno Marchand, directeur général de
l'Association québécoise de prévention du
suicide (AQPS) dans
le journal Le Métro, 1 février 2010.*

de prévention du suicide (AQPS), la légère
baisse du taux de suicide qui a été enregistrée
au cours des dernières années est justement
liée au pouvoir de la conscientisation.

Lorsqu'un jeune se suicide, il décide de
mettre un terme à sa vie, de tout abandonner
pour échapper à sa souffrance intérieure
et à sa détresse. La plupart du temps, il le
fait non pas parce qu'il souhaite mourir,
mais parce qu'il veut arrêter de souffrir. Sa
détresse et son désespoir sont si grands
qu'il n'arrive pas à voir la lumière au bout
du tunnel. Les suicides peuvent être reliés
à un sentiment de solitude extrême, à une
fragilité émotionnelle, à un échec personnel
(amoureux, professionnel, scolaire, etc.), à
des conflits ou à un sentiment de tristesse
très intense. Il faut par ailleurs distinguer
les tentatives de suicide, où les jeunes ne
cherchent pas véritablement à mettre fin à
leur vie, mais plutôt à envoyer un appel à
l'aide à leurs proches. On doit alors intervenir
rapidement et les rassurer. Il existe divers
moyens de venir en aide aux gens en détresse
et, parfois, le simple fait de se sentir aimé et
soutenu peut les aider à reprendre le dessus.

Le suicide demeure souvent inexpliqué, ce
qui rend le deuil encore plus difficile pour
l'entourage. Les parents, amis et camarades
de classe sont plongés dans la tristesse et
l'incompréhension. Certains sont parfois
ravagés par les remords et la culpabilité,
puisqu'ils ne peuvent plus rien faire pour
intervenir et se sentent complètement
impuissants. Ils se reprochent de ne pas

avoir vu de signes avant-coureurs. Le suicide d'un proche est un traumatisme important, et il est essentiel d'en parler aux gens de son entourage ou à des professionnels pour ne pas se laisser emporter par la tristesse et le désespoir.

Les causes du suicide sont multiples, et plusieurs cherchent des moyens de le prévenir afin de contrer le fléau au Québec. Certains pensent qu'il faut encourager la présence d'intervenants sociaux ou de professionnels de la santé dans les écoles, ou tout simplement éviter de parler des jeunes qui se suicident dans les médias. Cela peut en effet avoir un effet boule de neige et encourager d'autres jeunes à se suicider.

Si vous vous sentez désespérée ou au bord du précipice, il faut absolument en parler à quelqu'un en qui vous avez confiance, à un psychologue, un médecin ou un intervenant qui pourrait vous aider. L'adolescence est une période de grande fragilité émotionnelle et il est parfois facile de se laisser submerger par les obstacles ou les difficultés qui se dressent devant vous. Même si votre problème vous semble insurmontable, sachez que vous êtes encore jeune et qu'il existe toujours de meilleures solutions que la mort. Il s'agit seulement d'une étape ou d'un moment difficile à passer, et les choses vont forcément finir par s'arranger. Quel que soit le problème – peine d'amour, conflit familial, blessure personnelle ou échec –, vous devez en parler et chercher une solution qui vous fera grandir et évoluer sans sombrer dans la dépression ni avoir recours au suicide. La vie est belle et elle vaut la peine d'être vécue, et ce, malgré toutes les difficultés et les obstacles qu'on peut rencontrer sur notre route.

Par ailleurs, si vous sentez qu'une amie a des pensées suicidaires ou souffre d'un sentiment de détresse intense, il faut absolument faire quelque chose. Vous pouvez en parler à quelqu'un qui saura vous aider et intervenir avant que la situation ne s'aggrave. Il existe aussi des centres d'appel que vous pouvez joindre en tout temps pour vous confier et demander des conseils.

NUMÉROS UTILES EN CAS DE DÉTRESSE :

Association québécoise de prévention du suicide : **1-866-APPELLE** ou http://www.cpsquebec.ca/ ou http://www.aqps.info/
Jeunesse J'écoute : **1-800-668-6868**

Tel-jeunes : **1-800-263-2266**

Suicide action Montréal : **514-723-4000**

Tabac

LA CIGARETTE, UN FLÉAU DANS NOTRE SOCIÉTÉ

Bien que l'usage du tabac chez les jeunes soit moins populaire qu'il ne l'était il y a quelques années, il n'en demeure pas moins que la cigarette est un fléau dans les écoles secondaires et qu'il faut absolument continuer à sensibiliser les jeunes pour les décourager de fumer ou pour les encourager à arrêter.

Selon l'Enquête québécoise sur le tabac, l'alcool, la drogue et le jeu chez les élèves du secondaire, réalisée en 2008, la consommation du tabac chez les jeunes de 12 à 17 ans se situe autour de 15 %. Entre 2005 et 2008, il y a eu une baisse significative du tabagisme chez les jeunes. Il est passé de 19 % à 15 %, ce qui est une bonne nouvelle en soi.

Il faut toutefois mentionner qu'au cours des dernières années, plusieurs mesures ont été prises dans les écoles et auprès des jeunes pour les encourager à « écraser » ou à ne pas commencer à fumer. De plus, la Loi antitabac, entrée en vigueur le 31 mai 2006, interdit maintenant de fumer dans les endroits publics comme les bars, les restaurants, les discothèques, les centres commerciaux et les salles communautaires. Elle interdit aussi aux gens de fumer dans un rayon de neuf mètres d'un établissement de santé et de services sociaux, d'un établissement d'enseignement de niveau postsecondaire et d'un endroit où se déroulent des activités destinées aux personnes mineures. Il est évidemment interdit de fumer sur les terrains des CPE, des garderies, des écoles primaires et des écoles secondaires durant les heures où des jeunes fréquentent ces établissements. De plus, il est formellement interdit aux commerçants de vendre des cigarettes à une personne mineure, sous peine d'amendes majeures (source : Gouvernement du Québec).

Les méfaits de la cigarette

Vous savez évidemment que la cigarette est mauvaise pour la santé. Elle contient de nombreuses substances toxiques et cancérigènes. Le tabac est responsable de plusieurs maladies pulmonaires, cardiaques, coronariennes et vasculaires, et cause près de 13 000 décès par année seulement au Québec (source : Santé et services sociaux du Québec). La cigarette augmente non seulement les risques de cancer du poumon (85 % des cas, jusqu'à 20 fois plus de risques), mais aussi des cancers de la vessie, du col de l'utérus, de l'œsophage, du rein, du larynx, de la bouche, du pharynx, du sang, du pancréas et de l'estomac. (source : Santé et services sociaux du Québec). De plus, la cigarette peut réduire la fertilité, en plus d'entraîner la mort.Selon l'Organisation mondiale de la santé, environ la moitié des jeunes fumeurs vont mourir d'une maladie causée par la consommation de tabac. La moitié d'entre eux décéderont avant d'avoir atteint 70 ans, perdant ainsi 21 ans de vie en moyenne.

Pourquoi arrêter ?

Si vous êtes une fumeuse, vous devez l'admettre : ce n'est vraiment pas génial de sentir le mégot, de sortir le −30 degrés sous zéro pour fumer, de se détruire les poumons et de dépenser autant d'argent pour des paquets de cigarettes. Ces raisons devraient vous suffire pour décider d'arrêter. Songez qu'en arrêtant, vous respirerez mieux, vous aurez plus de souffle, plus d'énergie et plus d'entrain. Votre peau retrouvera son teint d'antan et vos papilles gustatives vous feront savourer les aliments d'une autre façon. En effet, le tabac nuit beaucoup à l'odorat et au goût et, quand on arrête, on redécouvre l'odeur et la saveur de nos aliments préférés. Songez aussi à ceux qui vous entourent. Bien que la loi vous empêche maintenant de fumer à l'intérieur des endroits publics, la fumée secondaire a tout de même des effets nocifs sur les gens qui vous entourent. Vous avez peut-être décidé de fumer et de prendre des risques avec votre santé, mais ce n'est pas le cas des non-fumeurs autour de vous, alors apprenez à les respecter et à penser à eux lorsque vous allumez votre cigarette.

La meilleure suggestion que je puisse vous faire, c'est de ne pas commencer à fumer. Je sais qu'au secondaire, on commence souvent à cause de la pression des amis, ou simplement de façon « sociale » dans les fêtes ou après l'école. Une bouffée par-ci, une bouffée par-là, et pouf ! on est accro. Dites-vous que les premières fois qu'on fume, c'est loin d'être agréable. On trouve que ça pue, que ça a mauvais goût et on ne comprend pas vraiment le plaisir que les gens éprouvent à fumer des cigarettes. C'est là que vous devez vous prendre en main et décider que le tabac n'est pas pour vous. Songez au goudron et à la nicotine qui auront tôt fait de vous piéger et de vous entraîner dans la dépendance; songez aux centaines de dollars que vous devrez débourser pour fumer; pensez à tous les vêtements et à toutes les gâteries que vous pourriez vous offrir à la place. Bref, ne faites pas l'erreur de commencer, car je vous assure que vous le regretterez amèrement par la suite.

Qui dit cigarette dit dépendance

Ce n'est pas facile d'arrêter de fumer. Tous les anciens fumeurs vous le diront. Lorsque vous fumez, vous consommez de la nicotine qui libère de la dopamine, au même titre que la cocaïne et l'héroïne. La nicotine est par ailleurs une drogue qui stimule le « système de la récompense » et qui procure une sensation de grande satisfaction. C'est pour cette raison que la dopamine est perçue comme l'hormone du plaisir. L'effet antidépresseur de la cigarette renforce également la dépendance qu'elle crée à la base. L'arrêt de la cigarette provoque donc une grande tristesse chez la plupart des individus. La dépendance à la cigarette est comparable à celle qui peut lier un toxicomane aux drogues dures comme l'héroïne ou la cocaïne. La présence d'additifs dans le tabac contribue également à accroître la dépendance.

J'arrête !

Je sais que ce n'est pas facile, mais il faut absolument arrêter de fumer. Lorsque votre sevrage sera terminé (physiquement, cela ne dure que quelques jours) et que vous aurez terminé la phase de « deuil », je vous assure que vous serez fière de vous et que vous n'aurez plus envie de recommencer. Il existe plein de petits trucs pour arrêter de fumer. Lorsque vous avez envie d'une cigarette, prenez un verre d'eau, mangez des graines de tournesol ou des carottes, mais occupez votre bouche et votre cerveau pour qu'ils cessent de réclamer une cigarette. Si vous fumez beaucoup, je vous conseille par ailleurs de parler à votre médecin pour qu'il vous prescrive des timbres de nicotine qui vous permettront de réduire peu à peu votre consommation. Il existe aussi des gommes et des pastilles pour vous aider à arrêter. Certaines personnes essaient même l'hypnose pour cesser de fumer !

Quoi qu'il en soit, sachez que la plus grande dépendance est maintenant dans votre tête. Il y a un plaisir nocif à fumer. Par habitude, vous associez la cigarette à certaines activités ou à certains moments de la journée. Vous devez vous départir de ces habitudes. La cigarette après le repas, celle en buvant un café et celle que vous fumez en discutant avec des amies doivent disparaître. Récompensez-vous de façon saine : allez magasiner, lisez un bon livre, achetez-vous du maquillage ou faites une activité qui vous plaît et grâce à laquelle vous réalisez les bienfaits du sevrage. Si vous pratiquez un sport, vous constaterez par exemple que vous avez plus de souffle; si vous savourez votre gâteau préféré, vous serez étonnée par la nouvelle puissance de vos papilles gustatives ! Aidez-vous en vous tenant loin des endroits fréquentés par les fumeurs. Si certains de vos proches fument encore, demandez-leur de ne pas fumer en votre présence. Vous les encouragerez peut-être ainsi à arrêter à leur tour ! Il existe aussi toutes sortes d'organismes qui aident et encouragent les jeunes à arrêter de fumer; le simple fait de vous y impliquer vous stimulera peut-être davantage et vous convaincra que vous avez pris la bonne décision. Parlez à des gens qui ont déjà arrêté de fumer et qui ont traversé la même épreuve que vous; vous réaliserez non seulement que vous n'êtes pas seule, mais vous pourrez aussi constater tous les bienfaits d'une vie sans fumée.

Quand on décide d'arrêter de fumer, notre arme la plus précieuse est la volonté. Vous êtes maîtresse de vos actions et vous devez tenir bon sans faiblir. N'allez surtout pas croire que le simple fait de prendre une bouffée ne vous fera pas retomber ! Songez à tous les efforts que vous avez faits et à tout le chemin parcouru jusqu'ici. Pourquoi tout recommencer à zéro alors que vous vous êtes enfin débarrassée de votre vice ? Plus vite vous arrêterez, plus ce sera facile de vous habituer à votre nouveau mode de vie sans cigarette et de constater tous les avantages que cela vous apporte. Ayez un peu de volonté, et n'hésitez pas à écraser !

SUJET CONNEXE :
○ *MARIJUANA*

RESSOURCES SUGGÉRÉES :

DÉFI J'ARRÊTE, J'Y GAGNE :

http://www.defitabac.qc.ca/defi/fr/

index.html

INFO-TABAC, BULLETIN POUR UN QUÉBEC SANS TABAC

http://www.info-tabac.ca/

SITE J'ARRÊTE

http://www.jarrete.qc.ca/

LA LIGNE J'ARRÊTE, SERVICE D'ENTRAIDE OFFERT DU LUNDI AU VENDREDI :

1 888 853-6666

Tatouage

MARQUE VOTRE CORPS DE FAÇON PERMANENTE

Presque toutes les filles passent un jour ou l'autre par une phase où elles veulent absolument un tatouage.

Il s'agit parfois d'une façon de se remémorer à tout jamais une période de notre vie, ou alors d'un désir de marquer notre corps d'une image ou d'un sigle particulier qui représente beaucoup à nos yeux. Pour certaines filles, les tatouages constituent une façon de se démarquer et de s'exprimer tandis que, pour d'autres, c'est une œuvre d'art ou une touche d'esthétisme dont elles veulent orner leur corps. Quoi qu'il en soit, il est important de bien réfléchir avant de vous faire tatouer, car, contrairement au maquillage, ou même aux piercings, cet ornement marquera votre corps de façon permanente.

La peur des aiguilles

Les dessins ou les inscriptions apparaissent sous la peau grâce à l'introduction de substances colorantes effectuée au moyen d'une aiguille. Plusieurs (comme moi) ne songeraient donc jamais à se faire tatouer, car elles ont une peur bleue des aiguilles. Si ce n'est pas votre cas, je vous recommande fortement de choisir un salon de tatouage qui soit extrêmement propre et sanitaire, et de vous assurer bien sûr que l'aiguille utilisée soit neuve afin d'éviter les risques de transmission de maladies. Si, par contre, vous êtes terrorisée juste à l'idée de voir une aiguille mais que vous rêvez d'avoir un tatouage, vous pouvez essayer de contrôler votre phobie en vous faisant accompagner par quelqu'un qui puisse vous rassurer, ou alors opter pour un tatouage non permanent au henné.

Choisir son tatouage

Si vous êtes vraiment convaincue de vouloir un tatouage, prenez bien le temps de choisir l'inscription ou l'image que vous désirez, car vous risquez de la voir durant de longues années. Pour ce faire, vous pouvez visiter des salons de tatouage où des cahiers complets d'images vous sont présentés, ou alors faire des recherches sur Internet pour trouver celle qui vous convient le mieux. Pour ce qui est de l'endroit où vous désirez vous faire tatouer, sachez que les parties de votre corps où vous n'avez pas beaucoup de graisse seront évidemment plus sensibles à la douleur. Évitez aussi de choisir une partie du corps qui soit trop visible, car vos futurs employeurs n'apprécieront pas nécessairement l'immense papillon qui orne votre avant-bras. Bien que cela puisse vous sembler superficiel, sachez que les tatouages peuvent être très mal vus dans certaines professions ou dans certains milieux. Par conséquent, tant et aussi longtemps que vous ne savez pas où la vie vous mènera, mieux vaut vous faire tatouer dans un endroit discret qui ne soit pas à la vue de tous. Vous ne devez pas non plus ignorer que les tatouages peuvent parfois avoir l'air un peu vulgaires, alors réfléchissez bien à ce que vous désirez vous mettre sur le corps, et à quel endroit précis vous voulez le faire.

Le consentement des parents

Il se peut fort bien que vos parents refusent de vous donner la permission de vous faire tatouer avant vos 18 ans. Même si la tentation est forte, je vous conseille fortement de ne pas leur désobéir, et plutôt de profiter de ce délai pour bien y penser. Qui sait, vous changerez peut-être d'idée au fil des années, et dites-vous que le motif que vous voudrez vous faire tatouer lorsque vous aurez 18 ans ne sera certainement pas le même que celui que vous vouliez à 14 ans, alors mieux vaut attendre d'être certaine de votre décision.

Ne pas prendre le tatouage à la légère

Je connais personnellement beaucoup de gens qui se sont fait tatouer au cours de l'adolescence et qui le regrettent aujourd'hui. Bien qu'il existe des méthodes pour pâlir ou décolorer les tatouages, sachez que ceux-ci laissent des cicatrices et qu'il s'agit bel et bien d'une inscription permanente que vous imprimez sur votre corps. Je ne dis pas qu'il vaut mieux ne jamais avoir de tatouage si c'est réellement quelque chose dont vous avez envie, mais je vous suggère de bien y réfléchir et de peser le pour et le contre avant de passer à l'action. La mode aura tôt fait de changer, alors il se peut très bien que vous regrettiez de vous être fait tatouer un dessin sur un coup de tête simplement parce que vous l'aviez trouvé joli. Optez plutôt pour une inscription ou pour une image qui a une signification particulière pour vous, et si vous êtes curieuse de savoir de quoi cela aura l'air, commencez par un tatouage non permanent avant de prendre une décision définitive. Notez aussi qu'après un tatouage, vous devrez compter près d'un mois pour la cicatrisation, et vous devrez éviter les contacts avec le soleil et l'eau salée. Bref, réfléchissez bien, mais évitez de prendre une décision que vous risquez de regretter dans quelques années. Mieux vaut attendre un peu et être bien certaine de ce que vous voulez.

De tout
pour te distraire

Animaux de compagnie,
argent de poche,
automne, bal des
finissants, blogue,
cafés, comment animer
une soirée , comment
oublier un gars en 6
etapes, clavardage, été,
facebook, gardiennage,
gym, hockey, musique,
New-york, Paris, party,
poutine, printemps,
scoutisme.

De tout
pour te distraire

De tout pour disparaitre

Le moment est maintenant venu de vous détendre ! Les sections précédentes vous ont poussé à vous poser une foule de questions plutôt sérieuses sur vos habitudes de vie, votre avenir et les changements qui transforment votre corps et votre esprit. Même si ce sont des thématiques très importantes, cela fait parfois du bien de se distraire l'esprit et de s'évader un peu.

On entend souvent les adultes se plaindre de la quantité de travail et de tâches qu'ils doivent accomplir dans une journée, ainsi que de toutes les responsabilités qui reposent sur eux. Mais ce n'est pas non plus de tout repos d'étudier, d'écouter en classe et d'essayer de répondre aux besoins et aux exigences de tous ceux qui nous entourent! On se sent parfois claquée, et tout ce qu'on a envie de faire, c'est de relaxer!

Même s'il vous arrive d'être débordées, il faut savoir prendre du temps pour vous faire plaisir. Je crois que de prendre une petite pause pour vous adonner à une activité qui vous plaît vous permettra de refaire le plein d'énergie. Ainsi, vous serez encore plus efficace lorsque vous aurez à reprendre le travail.

Que ce soit en feuilletant un magazine de filles, en lisant un bon roman, en écoutant votre groupe favori, en regardant vos séries de télé préférées, en magasinant, en faisant du sport, en prenant un bain ou en organisant une activité avec vos amis, c'est important de prendre le temps de faire ce dont vous avez envie!

Je vous invite donc à feuilleter les articles de cette section pour trouver toutes sortes de façons de relaxer et de vous amuser et pour découvrir de nouvelles activités à essayer! Je vous propose aussi des billets sur les sports et sur vos passe-temps favoris, ainsi que des idées pour organiser une fête réussie ou pour trouver des activités selon le temps qu'il fait!

Préparez-vous à décrocher et à vous évader dans un monde de détente et de rire conçu spécialement pour vous!

Animaux
de compagnie

NOS AMIS LES CHATS ET LES CHIENS

✔ *Collaboration spéciale de Sophie Gaillard*

Fidèles compagnons, les chiens et les chats nous aiment sans condition. Ils nous réconfortent lorsqu'on a du chagrin, nous tiennent compagnie quand on se sent seule et nous font sourire avec leur bonne humeur.

QUELQUES QUESTIONS À SE POSER AVANT D'ADOPTER UN ANIMAL

La décision d'adopter un animal de compagnie ne se prend pas sur un coup de tête ! Il faut y réfléchir sérieusement, car s'occuper d'un chien ou d'un chat demande un investissement considérable de temps, d'énergie et d'argent. C'est un engagement à long terme, l'espérance de vie des chats étant de 20 ans et celle des chiens, de 15 ans.

Est-ce qu'on est assez souvent à la maison ?
Les chiens et les chats sont des animaux sociaux, c'est-à-dire qu'ils apprécient la compagnie humaine. S'ils passent trop de temps seuls, ils en souffrent. Ceci est particulièrement vrai pour les chiens, qui peuvent développer des problèmes de comportement (aboiement compulsif, destruction d'objets) quand on les laisse seuls trop souvent ou pendant de trop longues périodes. Il est donc important de déterminer combien d'heures par jour les membres de votre famille sont absents avant de décider d'adopter un chien. Un chien adulte peut

rester seul environ sept heures par jour, tandis qu'un chiot ne peut être seul que durant le nombre d'heures correspondant à son âge en nombre de mois (par exemple, un chiot de deux mois ne peut rester seul que deux heures, un chiot de 6 mois, 6 heures, etc.). Si vous n'avez pas accès à un service de garderie ou de promenade et que vous êtes régulièrement absente pendant plus de sept heures par jour, il vaut mieux s'abstenir d'adopter un chien. Les chats, pour leur part, ont également besoin de compagnie, mais peuvent tolérer des absences plus prolongées, surtout s'ils sont deux. Bien entendu, il faut également songer à qui s'occupera de votre animal lorsque vous partirez en vacances.

Ai-je assez de temps et d'énergie à lui consacrer ?
Les chats et les chiens ont non seulement besoin d'être en notre compagnie, mais ils ont également besoin d'attention, particulièrement les chiens. En effet, un chien doit être promené au minimum trois fois par jour, idéalement quatre (matin, midi, après-midi et soir). Mais attention, amener son chien au coin de la rue pour qu'il fasse ses besoins ou l'envoyer dans la cour quelques fois par jour n'est pas suffisant ! Au moins une des promenades quotidiennes devrait inclure une période d'exercice sans laisse, idéalement en compagnie d'autres chiens (au parc à chiens, par exemple). Ceci permet à l'animal de se défouler, de renifler de nouvelles odeurs et de socialiser avec ses congénères. Le jeu (lancer une balle, tirer une corde, etc.) constitue aussi une excellente façon de faire faire de l'exercice à son chien. Les chiens sont des animaux

sociaux qui souffrent d'être séparés de leur « meute » humaine; il est donc déconseillé de faire vivre son chien à l'extérieur, que ce soit dans la cour ou enchaîné à une niche.

Malheureusement, les chiens ne viennent pas au monde en sachant qu'il ne faut pas faire pipi dans la maison, qu'il ne faut pas tirer sur sa laisse et que les mots « viens ici ! » veulent dire qu'il faut retourner vers sa maîtresse. C'est pourquoi, en plus d'exercice physique, tout chien a besoin d'une éducation de base. Ceci demande beaucoup de temps, d'énergie et, surtout, de patience. Des cours d'éducation canine peuvent vous guider dans le processus. Choisissez une école qui emploie des méthodes mettant l'accent sur le renforcement positif (c'est-à-dire les récompenses sous forme de biscuits, de caresses et de félicitations verbales) plutôt que sur la punition (« corrections » au collier étrangleur ou au collier électrique, par exemple). Il existe également une foule de renseignements dans des livres et sur Internet (voir la section « Ressources utiles » ci-dessous). Si votre famille n'a pas le temps ni l'énergie nécessaires pour éduquer le chien et ainsi prévenir les problèmes que pourrait occasionner ce manque d'éducation, le moment n'est peut-être pas encore venu d'intégrer un chien à votre famille.

Ai-je assez d'argent pour subvenir à ses besoins ?

Avant de décider d'adopter un chien ou un chat, il faut être certaine d'être en mesure d'assumer tous les frais que cela implique. En plus de la nourriture, il ne faut pas oublier les divers accessoires dont vous aurez besoin : bac à litière et litière (à racheter régulièrement), laisse, collier, brosse, jouets, cage, etc. Des visites régulières chez le vétérinaire sont également nécessaires afin de vérifier l'état de santé de l'animal et de lui donner ses rappels annuels de vaccins. À cela s'ajoutent les frais de stérilisation. Il faut également être capable de payer les frais vétérinaires d'urgence s'il arrive un imprévu.

Est-ce que toute la famille souhaite avoir un animal ?

Puisque l'animal de compagnie fera partie du quotidien de tous ceux avec qui vous habitez, il est important d'obtenir l'accord de tous les membres de votre famille avant de décider d'avoir un chien ou un chat. Il est également nécessaire de s'assurer que personne n'est allergique à l'animal. Si vous avez déjà des animaux à la maison, il faut songer à la manière dont ceux-ci réagiront au nouveau venu et vous attendre à ce que l'ajustement prenne un certain temps. Si vous êtes locataire, assurez-vous aussi que l'animal en question soit admis dans votre logement. Décidez à l'avance qui, dans la famille, sera en charge de nourrir le chien, de le promener, de le toiletter, de suivre les cours d'obéissance avec lui, etc. N'oubliez pas que ceci constitue un engagement à long terme et qu'un chien a besoin de se promener même quand il pleut, même quand vous préférez rester au chaud devant la télévision!

OK, c'est décidé, on veut un animal de compagnie !

Où trouver son compagnon à quatre pattes ?

Se procurer un animal de compagnie dans une animalerie n'est pas la meilleure solution. Aussi mignons soient-ils quand on les voit derrière la vitrine, les chiots à vendre dans les animaleries proviennent souvent d'« usines à chiots », c'est-à-dire d'élevages se spécialisant dans la production massive de chiens. Les chiens adultes servant à la reproduction y passent leur vie enfermés dans des cages insalubres ou attachés à des chaînes. Acheter un chiot dans une animalerie peut encourager ces pratiques cruelles, car, même si ça nous donne l'impression de « sauver » un chiot, il sera aussitôt remplacé par un autre. Nés dans des conditions misérables, issus de parents négligés, les chiots d'animalerie ont plus de chance de développer des problèmes de santé et de comportement. De plus, les employés des animaleries sont rarement en mesure de vous fournir les informations (tempérament du chiot, niveau d'énergie, etc.) qui vous permettront de prendre une décision éclairée. Sachez que les éleveurs sérieux ne vendent pas leurs animaux par le biais d'animaleries. Il est donc conseillé de bien s'informer au sujet de la provenance des animaux, et même de visiter les chenils où ils sont nés.

Songez plutôt à adopter un animal abandonné. Des centaines de chats et de chiens sympathiques et en santé sont euthanasiés chaque année au Québec, faute de personnes prêtes à les accueillir. Rendez visite aux refuges près de chez vous pour voir les animaux qui y sont disponibles. Il existe également de plus en plus de petits groupes de secours animal qui, au lieu de garder les chiens abandonnés dans un refuge, les placent dans des familles d'accueil qui s'en occupent temporairement en attendant qu'ils soient adoptés. Ces familles d'accueil connaissent très bien le caractère et les habitudes des animaux qui leur sont confiés, ce qui permet aux groupes de secours de créer un « match parfait » entre vous et votre futur compagnon à quatre pattes. Ce type de service est particulièrement utile quand il s'agit de choisir son premier animal de compagnie.

Si vous tenez absolument à acheter un animal chez un éleveur, assurez-vous qu'il s'agisse d'un éleveur sérieux qui se préoccupe de l'état de santé et du bien-être de ses animaux. L'éleveur sérieux ne se spécialise que dans une ou deux races, et ses animaux reproducteurs ne donnent naissance qu'à quelques portées par année. Il ou elle devrait accepter avec plaisir de vous faire visiter les lieux, qui doivent être propres et bien entretenus. Ses animaux devraient être en bonne santé, avoir un pelage, une peau, des dents et des yeux sains et avoir bon caractère. Afin de s'assurer que vous êtes en mesure de répondre aux besoins

de l'animal qu'il s'apprête à vous vendre, l'éleveur sérieux vous posera une foule de questions. Lors de la vente, il ou elle devrait vous fournir – sans frais supplémentaires – un certificat d'enregistrement officiel du Club canin canadien (pour les chiens) ou du Club félin canadien (pour les chats) ; ce document certifie la race et l'identité des parents de l'animal. L'éleveur devrait également vous remettre un certificat de bonne santé et être en mesure de vous prouver qu'un dépistage de maladies génétiques a été effectué sur les parents de l'animal.

Comment le choisir ?

Une fois la décision prise d'avoir un animal de compagnie, prenez le temps de discuter avec tous les membres de votre famille pour identifier le type de chien ou de chat qui vous conviendrait le mieux. Pensez aux aspects physiques (taille, longueur et type de poil), mais surtout au tempérament que vous souhaitez (niveau d'énergie, type de caractère, etc.). Si vous songez à un animal de race, renseignez-vous sur les besoins (en termes d'exercice physique, de toilettage, etc.) et sur les traits de caractère spécifiques à cette race. Pour ce qui est de l'âge de l'animal, la décision d'adopter un adulte ou un jeune dépend de votre disponibilité et de votre expérience, surtout en ce qui concerne les chiens. En effet, puisque les chiots ne peuvent pas être laissés seuls très longtemps et qu'ils ont tout à apprendre, ils exigent énormément de temps et d'énergie. S'il s'agit de votre premier chien, il est probablement plus sage d'opter pour un chien adulte avec un tempérament calme qui possède déjà une éducation de base. Vous seriez étonnée du nombre de chiens correspondant à ce profil qui sont présentement en attente d'une famille dans les refuges et groupes de secours du Québec !

Et si mes parents ne sont pas d'accord ?

Prouvez-leur que vous êtes sérieuse

Nos parents refusent parfois de nous laisser avoir des animaux de compagnie parce qu'ils pensent que ce sont eux qui finiront par devoir s'en occuper, ce qui, soyons francs, est bien souvent le cas, car certains jeunes à qui on permet d'avoir un chien ou un chat finissent par s'en désintéresser après quelque temps. Si vous êtes certaine de vouloir vous occuper de l'animal à long terme, prouvez à vos parents que vous êtes sérieuse et responsable. Engagez-vous à promener le chien du voisin tous les jours – par pluie ou par beau temps – pendant plusieurs mois. Économisez votre argent de poche afin d'être en mesure de payer les frais vétérinaires liés aux premiers vaccins et à la stérilisation de votre futur compagnon à quatre pattes. Proposez à vos parents de signer avec eux un contrat qui stipule que c'est bien vous qui êtes responsable de promener, de nourrir et de toiletter l'animal.

Faites du bénévolat

Il y a quantité d'animaux abandonnés dans les refuges à qui prodiguer votre affection en attendant de convaincre vos parents. Demandez au refuge du coin s'ils ont besoin de bénévoles pour promener les chiens, nettoyer les cages ou simplement donner de l'attention et des caresses aux animaux. Si quelqu'un de votre entourage a un animal de compagnie mais dispose de peu de temps pour s'en occuper, offrez-lui de promener son chien ou de tenir compagnie à son chat après l'école.

L'option famille d'accueil

Parfois, quand nos parents refusent que l'on ait un animal de compagnie, c'est parce qu'ils s'inquiètent avec raison de l'engagement à long terme que cela implique. Il est toutefois possible d'héberger et de soigner à court terme des chats et des chiens abandonnés. En effet, la plupart des refuges et des groupes de secours cherchent désespérément des familles d'accueil chez qui placer les animaux nécessiteux. Cette solution constitue une excellente manière pour les membres de votre famille de satisfaire leur désir d'avoir chien ou un chat tout en rendant service à un animal qui en a besoin.

RESSOURCES UTILES

www.petfinder.com

Moteur de recherche qui vous permet de localiser des chiens et des chats prêts à être adoptés, ainsi que les refuges et groupes de secours de votre région.

Note : le site est en anglais, mais les descriptions des animaux sont souvent disponibles en français.

www.ckc.ca/fr

Site du Club canin canadien.

www.clubfelincanadien.com

Site du Club félin canadien.

www.santeanimale.ca

Renseignements et conseils sur la santé animale offerts par les vétérinaires canadiens.

www.clickertraining.com

Site anglophone sur le clicker training, méthode d'éducation canine basée sur le renforcement positif.

http://pages.infinit.net/clicker

Site québécois sur le clicker training.

SUJETS CONNEXES :
o AMITIÉ
o MATURITÉ

Argent
de poche

DES DOLLARDS DIFFICILES À ÉCONOMISER !

Si vous décidez de travailler ou d'accomplir des tâches ménagères à la maison, il s'agit d'une bonne façon de commencer à amasser un peu d'argent de poche.

Je sais que les premiers dollars qu'on gagne sont ceux qui nous impressionnent le plus, et qu'ils sont difficiles à économiser ! C'est à vous de déterminer ce que vous voulez faire de votre argent de poche et quelles sont vos priorités.

Si, par exemple, vous rêvez de vous acheter une guitare, vous devrez faire un effort pour ne pas dépenser tous vos sous au fur et à mesure que vous les gagnez. C'est à cela que servent les comptes d'épargne. Si vous voulez économiser votre argent de poche, je vous recommande fortement de le déposer dans un compte en banque ; ainsi, vous ne serez pas tentée de le dépenser à tout instant. Il existe même des comptes d'épargne pour étudiants où vous ne pouvez pas avoir accès à votre argent depuis un guichet automatique. Je vous suggère d'appeler votre banque ou votre Caisse populaire pour prendre rendez-vous avec un conseiller qui pourra vous expliquer toutes les options disponibles. C'est à vous de déterminer si vous êtes de nature dépensière ou non. Si vous êtes certaine que vous ne pourrez résister à la tentation de dépenser votre argent de poche, soyez honnête et prenez les mesures nécessaires pour économiser vos sous et atteindre votre objectif. Lorsque vous pourrez enfin acheter l'article de vos rêves, vous serez doublement fière de vous. Je vous assure par ailleurs que les premiers objets et les premiers vêtements qu'on paie avec notre propre argent sont souvent les plus précieux,

puisqu'on a travaillé très fort pour les obtenir. Vous pouvez aussi demander à vos parents de vous aider à faire un budget raisonnable qui vous permette de dépenser un peu de votre argent de poche tout en en économisant une partie pour parvenir à acheter ce à quoi vous rêvez.

Apprenez aussi à vous faire plaisir. Le fait de travailler et de gagner de l'argent de poche vous permettra justement de vous acheter une camisole ou une poutine sans demander constamment de l'argent à vos parents. Ces derniers seront par conséquent heureux de vous voir devenir plus autonome et apprendront à vous donner de plus en plus de liberté. S'ils voient que vous êtes sérieuse et que vous faites tout ce qui est en votre pouvoir pour amasser assez d'argent pour participer à une activité ou à un voyage étudiant qui vous intéresse, ils auront peut-être moins tendance à vous mettre des bâtons dans les roues et à vous refuser des permissions. Sachez que s'ils vous empêchent de participer à une activité, ce n'est pas simplement pour vous rendre la vie difficile, mais peut-être parce qu'ils jugent qu'il s'agit d'un projet trop dangereux et qu'ils veulent vous protéger. Je vous encourage à en discuter calmement avec eux afin de trouver un terrain d'entente et de leur prouver que vous êtes assez mature pour assumer les responsabilités qui en découlent. Amasser de l'argent de poche et gagner un petit salaire est un premier pas vers le monde adulte et vers l'indépendance. Par conséquent, si vous êtes vraiment sérieuse, il est important de montrer à vos parents votre motivation et d'apprendre à atteindre vos objectifs.

Un sentiment d'accomplissement

Par ailleurs, le fait de gagner votre propre argent de poche vous fera sentir autonome, mature et responsable. Bien que la tâche soit ardue et que la paresse nuise parfois à votre motivation, je vous assure que cette nouvelle autonomie aura une grande influence sur votre estime personnelle et sur votre confiance en vous. Vous devez apprendre à vous responsabiliser et à trouver un équilibre qui vous permette de profiter de cette nouvelle flexibilité financière sans dépasser les bornes et vos propres moyens ! Même si vous dépensez toute votre première paye et que vous le regrettez amèrement, ne soyez pas trop dure envers vous-même. Il n'est pas facile d'apprendre à gérer son argent et à respecter son budget pour la première fois. Apprenez plutôt de vos erreurs et dites-vous que vous ferez mieux la prochaine fois. N'ayez pas honte de demander de l'aide à des gens qui s'y connaissent ni d'admettre que vous avez de la difficulté à vous discipliner. Même les adultes

ont parfois de la misère à économiser et doivent demander de l'aide à leur comptable. Soyez raisonnable, responsable et, surtout, profitez un peu de ces sous pour vous gâter et vous faire plaisir !

SUJETS CONNEXES :
○ *EMPLOI À TEMPS PARTIEL*
○ *MATURITÉ*

Automne

L'automne au Québec est une saison très particulière, à la fois romantique, mélancolique et d'une beauté extraordinaire.

Les paysages multicolores font après tout partie de notre patrimoine. La plupart du temps, les Québécois ont droit à un redoux de quelques jours qui survient au cours de l'automne. La température redevient très douce et nous rappelle les journées d'été. C'est ce qu'on appelle l'été indien. Plusieurs profitent d'ailleurs de ces dernières journées de chaleur pour faire des activités extérieures, de la randonnée pédestre, un dernier pique-nique au parc ou même une excursion en camping !

L'automne est la saison parfaite pour faire des balades dans la nature. Les soirées peuvent parfois être un peu fraîches, mais il ne suffit que d'enfiler un gros chandail de laine et de sortir son foulard pour être vraiment confortable et pour profiter du paysage. Même si on se croit parfois un peu vieille pour cela, il n'y a pas d'âge pour jouer dans les feuilles mortes ! L'odeur vous rappellera votre enfance... Une autre activité propre à l'automne est la cueillette des pommes. On peut alors se rendre dans un verger et remplir des caisses de pommes pour en faire de la compote, des tartes ou de la confiture.

La fête de l'Halloween est également un événement marquant de l'automne. Les arbres ont souvent perdu la plupart de leurs feuilles, ce qui rend le décor encore plus terrifiant. Raison de plus pour enfiler votre plus beau costume et vous joindre à la fête ! Mieux vaut en profiter pendant que la température est assez chaude pour vous permettre de passer la soirée à l'extérieur en famille ou entre amis, à manger des bonbons !

Pour la plupart des adolescents, l'automne est aussi synonyme de rentrée scolaire. Je sais que ça peut vous donner le cafard, et que vous souhaiteriez que l'été ne se termine jamais, mais comme on ne peut pas arrêter le temps, mieux vaut voir les choses d'un œil positif. L'automne et la rentrée veulent aussi dire nouvelle année scolaire, nouveaux élèves, nouveaux profs et nouvelle garde-robe, alors pourquoi ne pas en profiter pour vous faire plaisir et vous gâter un peu ? Si vous avez travaillé au cours de l'été, vous avez sûrement économisé un peu d'argent qui vous permettra de faire quelques achats. Même les fournitures scolaires peuvent parfois être amusantes à acheter, alors soyez originale et tentez d'entamer l'automne avec une attitude positive !

SUJETS CONNEXES :
o ÉTÉ
o PRINTEMPS
o HIVER

Bal des finissants

Une soirée inoubliable !
Que vous soyez en 6e année du primaire ou en secondaire 5, il se peut très bien que vous ayez à vous préparer pour votre bal des finissants cette année.

Même si vous faites semblant que ça ne vous affecte pas et que vous jouez la nonchalante, la plupart des filles stressent quand même en vue de leur bal ! Certaines ont aussi la possibilité d'assister tous les ans à un bal de fin d'année, ou alors d'être invitées à un bal par quelqu'un d'autre. Quoi qu'il en soit, on veut souvent être à son meilleur lorsqu'arrive le grand soir, et je suis là pour vous aider à y arriver !

Le gars

si votre bal approche et que vous n'avez toujours pas de partenaire avec qui partager cette importante soirée, qu'à cela ne tienne ! Rien ne vous empêche de demander au gars qui vous intéresse ou à votre meilleur ami de vous accompagner ! Qu'avez-vous à perdre ? Dans le pire des cas, vos prospects sont déjà « pris » pour la soirée, et vous irez au bal en compagnie de vos amies ! Vous aurez autant de plaisir, et encore moins de pression qui pèse sur vous ! Pensez que c'est VOTRE soirée, alors mieux vaut être en agréable compagnie !

La robe

certaines filles optent pour une robe faite sur mesure, puisqu'elles ont une idée précise de ce qu'elles veulent et sont capables de l'expliquer clairement à la couturière, tandis que d'autres préfèrent magasiner et attendre le coup de foudre ! C'est un peu comme une robe de mariage : quand on trouve la bonne, on le sait ! L'important, c'est de choisir une robe dans laquelle vous vous sentez confortable et jolie. Choisissez une couleur qui vous va bien et un modèle qui met en valeur vos attributs. Même si ça sonne un peu quétaine, vous avez le droit de vous sentir comme une princesse... le bal des finissants, ça n'arrive qu'une fois dans une vie !

Le maquillage

encore une fois, ça dépend vraiment des filles. Certaines optent pour un look plus naturel, tandis que d'autres préfèrent y aller à fond ! Choisissez des tons qui complémentent votre visage et votre tenue vestimentaire. Si vous êtes, comme moi, un peu étrangère au maquillage, n'hésitez pas à demander à vos amies de vous aider : après tout, c'est vraiment génial de se préparer ensemble pendant la journée et de se donner des conseils de beauté. Une vraie journée de filles ! Sachez aussi qu'il est possible de prendre rendez-vous avec un maquilleur ou une maquilleuse professionnelle qui pourra vous pomponner à votre goût pour le grand jour.

La coiffure

nombreuses sont les filles qui prennent rendez-vous chez le coiffeur en vue du jour J. Le mieux est parfois d'avoir une idée précise de ce que vous voulez comme coiffure et de l'expliquer clairement au coiffeur pour éviter les mauvaises surprises. Songez à l'agencement que vous préférez avec votre robe en l'essayant préalablement devant le miroir. Si vous voulez être bien certaine d'obtenir le résultat désiré, vous pouvez montrer une photographie de ce que vous voulez à votre coiffeur pour qu'il ait une meilleure idée de votre coiffure et lui dire très clairement si vous n'êtes pas complètement satisfaite du résultat obtenu. Si vous lui expliquez gentiment, il se fera un plaisir de faire les retouches nécessaires pour compléter votre look !

Les accessoires

je crois qu'il est préférable de choisir votre robe en premier, puis de sélectionner des accessoires (bijoux, sac à main, chaussures) qui s'agencent bien avec elle. Ce n'est pas nécessaire de dépenser une fortune ! Plusieurs boutiques vous offriront de véritables aubaines (pensez à Ardène, Le Garage, Forever XXI) !

Prenez votre temps :
vous pouvez vous y mettre plusieurs semaines ou mois à l'avance pour vous préparer en vue de votre bal. Il ne suffit parfois que de feuilleter des magazines, de naviguer sur Internet ou de faire un peu de lèche-vitrine pour dénicher la perle rare ! On s'entend que ce n'est pas mortel de passer des heures à magasiner ! Si vous vous y prenez à l'avance, vous serez moins stressée lors du grand jour et vous pourrez davantage profiter de cette occasion spéciale.

Amusez-vous, mais soyez responsable : ça y est, le grand jour est arrivé ! Vous avez toutes les raisons de rire, de vous amuser et de célébrer vos accomplissements, mais ça ne veut pas dire qu'il faut boire de façon démesurée et dépasser vos limites personnelles pour avoir du plaisir. L'important, c'est d'être avec vos meilleurs amis, de passer une agréable soirée et de ne rien faire que vous risquez de regretter le lendemain matin. ;) Bon bal !

Blogue

EXPRIMEZ-VOUS !

Un blogue est un « site Web personnel tenu par un ou plusieurs blogueurs qui s'expriment librement et selon une certaine périodicité, sous forme de billets ou d'articles, informatifs ou intimistes, datés, à la manière d'un journal de bord, signés et classés par ordre antichronologique, parfois enrichis d'hyperliens, d'images ou de sons, et pouvant faire l'objet de commentaires laissés par les lecteurs[1].»

En d'autres mots, le blogue est un petit site Web monté par une ou plusieurs personnes sur un ou des sujets de leur choix. Par exemple, quelqu'un peut décider de faire un blogue pour décrire ses vacances dans le Sud et publier ses photos, tandis qu'un autre s'en servira comme carnet de voyage pour rester en contact avec ses amis et sa famille pendant la durée de son séjour à l'étranger.

D'autres se servent des blogues pour entretenir des discussions sur des thèmes d'actualité comme la politique, l'économie, le tourisme, les jeux vidéo, etc. Plusieurs sont ceux qui créent un blogue pour parler de leurs passions (que ce soit les voitures, les chiens, les films ou la musique) avec les gens de leur entourage ou alors avec ceux qui partagent la même ferveur. Le blogue encourage la libre expression et est généralement ouvert au grand public. Certains vont parfois le rendre privé et les utilisateurs auront alors besoin d'un nom et d'un mot de passe pour y accéder, mais dans la plupart des cas, la majorité des internautes peuvent intervenir et interagir avec le blogueur en publiant une opinion, un article, des photographies, des vidéos, etc.

Ainsi, que le blogue soit à caractère social, musical ou personnel, les visiteurs sont invités à réagir et à publier des liens, des billets, des notes ou des commentaires sur le sujet. Il y a également ceux qui publient d'autres liens pour faire suite à un article ou à une idée. Ainsi, le blogueur peut accéder à d'autres sites ayant trait à la thématique de son blogue ou commenter lui-même les interactions des autres. Les liens, interventions et billets sont publiés du plus récent au plus ancien. En résumé, un blogue, c'est une sorte de site web qui permet de clavarder et de publier toutes sortes de liens sur une thématique ou sur plusieurs sujets. Par exemple, le célèbre blogueur américain Perez Hilton[2] attire des millions de visiteurs chaque mois sur son site qui traite des célébrités mondiales et des potins de vedettes. Sur une note plus sérieuse, certaines personnes vivant un deuil créeront un blogue en l'honneur de l'être disparu afin que ses proches puissent lui rendre hommage.

---

1 *Office québécois de la langue française, http://www.olf.gouv.qc.ca/ressources/bibliotheque/dictionnaires/Internet/fiches/8370242.html*

2 *http://perezhilton.com/*

En conclusion, il existe des centaines de types différents de blogues. C'est une excellente façon pour les gens de partager leurs états d'âme, leurs opinions, leurs goûts, leurs préférences et leurs passions avec les autres, mais tu dois tout de même rester vigilante lorsque tu navigues sur Internet. Bien que tout le monde te casse les oreilles avec cela, sache que nombreux sont ceux qui ont de mauvaises intentions et qui ne publient pas du matériel convenant à de jeunes filles, alors contente-toi de visiter les blogues célèbres ou ceux des gens de ton entourage, et si tu crées toi-même un blogue, évite d'accepter les gens que tu ne connais pas. Mieux vaut être prudente lorsqu'on publie des liens en ligne, même si ça te paraît super inoffensif !

Cafés

LIEU DE RENCONTRE

Endroit qui permet de changer d'air, de fuir la maison et la routine, ainsi que de rencontrer ses amis.

Lorsqu'on est adolescent, on a souvent besoin d'un endroit qui nous permette de changer d'air, de fuir la maison et la routine, ainsi que de rencontrer ses amis. C'est alors qu'on découvre les cafés, ces petits établissements qui envahissent toutes les rues de notre ville. Un café est plus qu'une boisson chaude qui nous aide à nous réveiller les lundis matin ; c'est aussi un lieu de rencontre, un endroit pour changer d'air, pour étudier, pour réfléchir, pour méditer, pour se confier ou tout simplement pour voir de nouvelles têtes. On s'y retrouve entre amis ou entre camarades de classe pour discuter de tout et de rien ou pour faire les travaux scolaires dans un environnement différent et stimulant.

Il existe toutes sortes d'établissements différents : les cafés de quartier, les grandes chaînes, les cafés Internet, les cafés étudiants, les cafés « branchés », les cafés plus « grano »... C'est à vous de choisir le style qui vous convient et qui vous plaît le plus, et d'y établir votre quartier général. Profitez-en pour savourer tous les types de thé, de café et de jus proposés, ou pour goûter aux spécialités de la maison. Cela fait partie du plaisir !

Vous pouvez y rencontrer toutes sortes de gens de tous les âges et de toutes les nationalités. Certains vont dans les cafés pour travailler, pour lire, pour étudier, pour jouer aux échecs, pour regarder un match à la télé ou pour discuter entre amis. À l'adolescence, les cafés servent souvent de point de rassemblement des étudiants qui, après les cours, s'y rejoignent pour discuter, rigoler ou faire leurs devoirs. En effet, si vous êtes capable de vous concentrer dans une atmosphère un peu plus chaotique, les cafés offrent une alternative amusante aux bibliothèques ou à la petite table de travail qui occupe les trois quarts de votre chambre !

Les serveurs qui travaillent dans les cafés sont habituellement très sympathiques et ne demandent pas mieux que de vous servir et de vous recommander leurs spécialités. Alors, n'hésitez pas à leur demander conseil. N'oubliez pas qu'ils sont souvent payés au salaire minimum et qu'un petit pourboire est toujours bienvenu...

Ils seront généralement encore plus heureux de vous aider !

QUELQUES CAFÉS QU'ON TROUVE AUX QUATRE COINS DU QUÉBEC :

- Café Dépôt

- Van Houtte

- Presse Café

- Tribune Café

- Café Crème

- Second Cup

- Starbucks

- Café Suprême

- Java U

SUJETS CONNEXES :
o GANG DE FILLES
o SORTIES
o PARTY

ALLEZ-Y !
GOÛTEZ ET GÂTEZ-
VOUS !

- Chai latté (lait ou lait de soja)

- Café au lait

- Chocolat chaud

- Cappuccino

- Café moka

- Brownies

- Muffins

- Gâteaux

- Scones

- Biscotti

Le café équitable, c'est quoi ?

Le commerce équitable permet aux petits producteurs des pays du Sud regroupés en coopératives de vendre leurs produits à un prix plus juste, en éliminant les intermédiaires entre eux et les importateurs ou exportateurs. Cela leur permet notamment d'améliorer leur qualité de vie et d'investir dans leurs propres projets de développement durable.

> *L'étiquette Certifié équitable et son équivalent anglais Fair Trade Certified sont des appellations réservées contrôlées par des organismes de certification. Ce logo apposé sur les emballages garantit que le café a été produit et commercialisé dans le respect de certaines normes relatives entre autres à la qualité du café, aux conditions de travail des paysans et au respect de l'environnement. (Source : http://www.granddictionnaire.com/btml/fra/r_motclef/index800_1.asp)*

Comment
animer une soirée

✓ Mica (Collaboration spéciale)

TRUCS DE BASE

- Mettre de la musique qu'on aime pour créer une bonne ambiance.

- Prévoir quelque chose à grignoter (plateau de crudités, chips, etc.).

- Tamiser un peu l'éclairage.

LES SOIRÉES ORGANISÉES

Soirée meurtre et mystère

Ce type de jeu est très populaire auprès des gens de tous les âges. On se réunit à plusieurs pour une soirée, et chacun doit incarner un personnage présent lors d'un meurtre fictif qui a été commis. À l'aide de questions prédéterminées, on doit ensuite trouver qui, parmi les personnes présentes, est le meurtrier. Ce genre de jeu est disponible dans le commerce. On peut aussi l'emprunter à la bibliothèque.

Soirée d'échange de vêtements

Le principe est simple : chaque fille doit apporter un sac de vêtements qu'elle ne porte plus parce qu'elle ne les aime plus ou parce que la taille ne convient plus. Ensuite, à tour de rôle, chacune doit montrer un vêtement et les intéressées doivent lever la main. S'il n'y a qu'une intéressée, elle obtient immédiatement le morceau. Si plusieurs sont preneuses, on le fait tirer au sort ou on le fait essayer à chacune et le groupe vote pour celle à qui le vêtement va le mieux. C'est une belle façon de renouveler votre garde-robe sans dépenser d'argent. (Il est fortement recommandé de faire approuver par vos parents le choix des vêtements que vous déciderez de donner.)

Soirée de karaoké

Le karaoké est une activité qui plaît à la majorité des filles. Chantez vos chansons préférées et laissez s'exprimer la star en vous. Plusieurs endroits offrent le matériel nécessaire en location pour vous permettre d'organiser chez vous un karaoké endiablé.

LES SOIRÉES IMPROVISÉES

Jeux de société

Si on n'en a pas chez soi, on peut demander à nos amies d'en apporter. Voici des suggestions : Cranium, Monopoly, Gangster, Uno, Skip-Bo, Scategories, etc. Les jeux de cartes peuvent également être très amusants. Tout le monde connaît au moins un jeu de cartes : le paquet voleur, la dame de pique, le 8, etc.

Le chapeau

Il vous faut du papier, des crayons, un chapeau (ou un bol) et un sablier (ou un chronomètre). Le jeu requiert au moins quatre joueurs.

Chaque personne doit écrire le de nom d'une personnalité connue (acteur, chanteur, sportif, politicien, scientifique, animateur, etc.) sur chacune des 10 languettes de papier qui sont mises à sa disposition. On place tous les papiers dans le chapeau. Ensuite, on doit déterminer les équipes en pigeant au sort le nom des joueurs. Il y a trois volets à ce jeu. Premier volet : on dispose du temps d'un sablier (une minute) pour faire deviner à son ou à ses partenaires, à l'aide d'indices, le plus grand nombre de noms pigés dans le chapeau. Par exemple, si on pige « Céline Dion », on peut dire : elle a fait un spectacle à Las Vegas; elle a un fils qui s'appelle René-Charles; elle chante la chanson-thème du film Titanic; etc. Dès que notre équipe devine le nom, on passe à un autre, et ce, jusqu'à la fin de notre sablier. Ensuite, c'est au tour de l'autre équipe. On alterne les équipes jusqu'à ce que le chapeau soit vide. Il est important de calculer le nombre de bonnes réponses que chaque équipe a obtenues pendant le premier tour. Deuxième volet : on remet tous les noms dans le chapeau et on recommence le jeu, mais, cette fois-ci, on n'a droit qu'à deux mots pour faire deviner le nom des personnalités. Il est donc important d'avoir bien écouté ce qui s'est dit durant la première période. Ça peut ressembler à ceci : Vegas et Titanic. À la fin du tour, on compile encore les points. Troisième volet : on remet tous les noms dans le chapeau et on recommence le jeu, mais, cette fois, il faut mimer. On a le temps d'un sablier pour mimer le plus grand nombre de noms. Pour en revenir à l'exemple de Céline Dion, on pourrait faire le geste du coup de poing sur le cœur ou mimer la scène du film Titanic dans laquelle les deux personnages principaux se retrouvent à la proue du paquebot. Quand cette dernière ronde est finie, on calcule le total des points. L'équipe gagnante est celle qui a obtenu le plus grand nombre de points. Ce jeu vous fera passer des moments magiques, c'est garanti !

La chanson arrêtée

Pour ce jeu, on choisit de préférence une chanson qu'on connaît assez bien. On doit chanter en même temps que l'artiste. À un moment donné, un autre joueur baisse le son de la chanson pendant au moins 10 secondes, puis le remonte. Le concurrent doit continuer à chanter pendant le moment de silence et il doit être synchronisé avec la chanson lorsqu'elle reprend. On peut aller chercher les paroles des chansons sur Internet pour faciliter un peu les choses.

Lipsync

Divisez-vous en équipes, puis choisissez une chanson pour votre performance. On détermine les rôles : chanteuses, choristes, danseuses. On peut aussi désigner une personne qui agira à titre de metteur en scène. Costumez-vous et soyez créatives. La scène vous appartient !

Qui suis-je ?

Matériel requis : des crayons, du papier et du ruban adhésif. Voici ce que vous devez faire : écrire sur un bout de papier le nom d'une personnalité connue ou d'un personnage fictif (Dora, Superman, etc.). Personne ne doit voir ce qu'on écrit. Ensuite, on échange son papier avec celui de quelqu'un d'autre; on ne doit absolument pas voir ce qui est écrit sur le papier que l'on reçoit. On colle alors le papier sur son propre front avec un bout de ruban adhésif. On s'assoit toutes en cercle et, à tour de rôle, on pose une question à laquelle on peut uniquement répondre par oui ou par non. « Est-ce que je suis une femme? Est-ce que je suis une actrice? Est-ce que… » Le but du jeu est de deviner le plus rapidement possible quel est le nom qui est affiché sur son front.

Le détecteur de mensonge

Chacune des joueuses doit trouver deux vérités (deux choses qui lui sont vraiment arrivées) et un mensonge. On joue à tour de rôle, une personne à la fois. La personne qui commence doit énoncer ses trois affirmations. Les autres la questionnent et doivent trouver laquelle est un mensonge. Lorsqu'on a trouvé, c'est au tour d'une autre d'aller dire ses trois affirmations.

Le dictionnaire

Tout ce dont on a besoin, c'est un dictionnaire. Une personne le prend et choisit au hasard une page. Elle doit ensuite choisir un mot qu'elle a déjà entendu et lire à haute voix la ou les définitions. Les autres doivent essayer de deviner de quel mot il s'agit. C'est la personne qui trouvera le mot qui prendra ensuite le dictionnaire pour continuer le jeu.

Bonne soirée, et amusez-vous !

SUJETS CONNEXES :
○ PARTY

470

Comment
oublier un gars

EN 6 ÉTAPES FACILES

Je sais, ce n'est pas facile de comprendre l'amour. Ce n'est pas facile de maîtriser nos sentiments, ni de se sentir vulnérable face à quelqu'un qu'on aime. Quand on est amoureuse de quelqu'un, on a souvent peur de se faire blesser ou de se faire rejeter par l'autre. Plusieurs filles m'écrivent pour me demander comment oublier un gars qui ne partage pas leurs sentiments et comment apaiser la douleur d'une peine d'amour. Évidemment, il s'agit d'un processus personnel et il faut savoir s'armer de patience pour guérir une blessure du cœur.

Certains échecs amoureux prennent plus de temps à cicatriser que d'autres, et il n'existe pas de potion magique pour se défaire de la douleur et pour cesser d'aimer l'autre. J'ai toutefois une bonne nouvelle à vous annoncer ! Il existe différents trucs pour vous aider à retomber sur vos pattes et à vous sentir un peu mieux suite à un échec amoureux. Ayant moi-même traversé ces moments difficiles, je vous encourage à suivre ces petites règles, qui vous permettront de vous sentir mieux dans votre peau et de réaliser que vous méritez avant tout d'être heureuse !

RÈGLE NUMÉRO 1 :

Faites disparaître toutes les traces du gars qui vous a brisé le cœur.

Cela ne veut pas dire que vous devez tout balancer à la poubelle, mais, pour l'instant,

vous n'êtes pas prête à dormir à côté de sa photo, ou d'enlacer le toutou qu'il vous a offert à la Saint-Valentin. Je sais que vous êtes tentée d'écouter vos chansons préférées en boucle et de pleurer en relisant ses lettres, mais, croyez-moi, cela ne vous avancera à rien. Je vous suggère donc de mettre tous vos souvenirs de lui dans une boîte ou un sac et de ranger le tout dans le fond de votre garde-robe, jusqu'à ce que vous vous sentiez prête à y remettre le nez sans pleurer toutes les larmes de votre corps.

RÈGLE NUMÉRO 2 :

Faites une liste des choses qui vous déplaisent chez lui.

Je sais, ça sonne un peu mesquin, mais, pour l'instant, vous devez vous concentrer sur les aspects négatifs de sa personnalité et sur les choses qui vous rendaient malheureuse lorsque vous étiez avec lui. Vous vous en sentez incapable parce que la douleur le rend maintenant parfait ? Laissez-moi vous aider. Songez à la façon dont il vous traitait devant ses amis, ou son amour pour le sport auquel vous ne comprenez rien, et pour son XBOX sur lequel il passait plus de temps qu'avec vous. Était-il assez romantique ? Partageait-il ses émotions ? Prenait-il vraiment soin de vous ? Chaque relation se termine pour une ou plusieurs raisons, et n'allez pas croire que vous avez tous les torts. Je sais qu'il est gentil et que ça ne sert à rien de lui garder rancune, mais ce n'est pas le temps de penser à ses qualités. Lorsque vous serez guérie, vous pourrez y penser de façon saine et posée.

RÈGLE NUMÉRO 3 :

Passez du temps entre filles !

C'est le meilleur moment pour rattraper le temps perdu et passer du temps de qualité avec vos amies ! Après tout, l'un des plus grands avantages de vous retrouver célibataire, c'est de pouvoir passer plus de temps avec votre gang et de faire les activités qui vous manquaient tant. Vous avez besoin de vos amies pour traverser cette période difficile, alors ne vous gênez pas pour les écouter et pour organiser des soirées pyjamas délirantes qui vous changeront les idées. Profitez de ces moments pour reprendre le temps perdu et pour vous informer de ce qui se passe dans la vie de vos amies, et écoutez leurs conseils. Vos amies vous connaissent bien et veulent votre bonheur avant tout, alors vous devez vous fier à leur jugement !

RÈGLE NUMÉRO 4 :

Faites-vous plaisir !

Je sais que ça sonne un peu cliché, mais, après une peine d'amour, vous pouvez en profiter pour être un peu égoïste et pour vous gâter ! Achetez votre magazine préféré, allez au cinéma, allez magasiner, louez les films que VOUS aimez voir et que votre ex trouvait ridicules. Je vous conseille aussi de faire une liste des rêves que vous voulez réaliser, des objectifs personnels que vous vous fixez et des qualités incroyables que vous possédez. Prenez un joli cahier et écrivez tout ce qui vous passe par la tête. Si vous avez toujours rêvé de suivre des cours de ballet, d'apprendre à jouer de la guitare, de vous inscrire au marathon ou de vous impliquer dans un comité à l'école, je vous assure que c'est le temps idéal pour le faire. En vous fixant des buts et des objectifs personnels à atteindre, non seulement vous vous changerez les idées, mais vous entreprendrez aussi un projet personnel qui vous rendra fière et qui vous redonnera confiance en vous.

RÈGLE NUMÉRO 5 :

Ne perdez pas confiance en vous.

Après une rupture ou un échec amoureux, on a souvent tendance à perdre confiance en soi et à douter de ses capacités. On se sent toute petite dans nos souliers et on se sent rejetée, abandonnée. Il ne faut toutefois pas s'apitoyer sur notre sort. Je sais que c'est une période difficile à traverser, mais n'oubliez pas que vous êtes extraordinaire et que vous méritez d'être heureuse. Vous et vous seule avez la capacité de vous sentir mieux dans votre peau. Le gars de vos rêves vous a laissée tombée ? Je sais, la douleur est difficile à tolérer, mais rappelez-vous que vous n'êtes pas responsable des sentiments des autres, et

SUJETS CONNEXES :
o *GARÇONS*
o *AMOUR*

que vous ne pouvez rien changer à ce qui est extérieur à vous. Vous ne pouvez pas forcer le gars à vous aimer, ou à rester avec vous s'il ne ressent plus les mêmes sentiments à votre égard. N'allez surtout pas croire que vous ne méritez pas d'être heureuse ! Vous êtes exceptionnelle et vous méritez d'être avec quelqu'un qui vous aimera en retour et qui vous comblera de bonheur. Si vous êtes rongée par la culpabilité ou si vous sentez que vous avez vos torts dans la rupture, c'est à vous de faire la paix avec la situation et de mettre les choses au clair avec votre ex pour pouvoir progresser et passer à autre chose, mais surtout, ne perdez pas confiance en vous. Faites une liste de vos forces et de vos qualités, rappelez-vous que vous êtes spéciale, et dites-vous que si ce gars ne s'en rend pas compte, c'est sa perte avant tout !

RÈGLE NUMÉRO 6 :

Profitez de votre célibat et regardez autour de vous

Même si vous ne le réalisez pas tout de suite, il y a de grands avantages à être célibataire. Vous pouvez vous concentrer sur vos activités, vos amies et vos travaux sans être perturbée à tout moment par l'autre et, surtout, vous pouvez faire ce qui vous plaît, quand ça vous plaît, dans les limites imposées par vos parents, bien entendu ! Bref, vous êtes libre d'être qui vous voulez et de faire des tas de nouvelles rencontres. Regardez autour de vous, et je suis sûre que vous verrez des tas de gars mignons que vous avez sans doute envie de connaître. Aussi, vous pouvez passer tout le temps qu'il vous plaît avec vos amies et votre famille, alors apprenez à profiter de cette nouvelle liberté pour vous épanouir et profiter de la vie !

Courriel
et clavardage

> Mon chum habite à
> 3 heures de chez moi, alors une
> chance que les courriels existent !
> Annie

Quand on se retrouve dans une situation difficile, qu'on a besoin d'exprimer un sentiment ou de partager une expérience personnelle, on ne trouve pas toujours les mots pour en parler.

Dans plusieurs des courriels que j'ai reçus, les filles me demandaient par exemple comment s'y prendre pour révéler leurs sentiments à un gars ou comment faire une déclaration d'amour quand on est gênée et qu'on a peur d'être rejetée. Évidemment, les plus courageuses opteront pour l'approche directe, mais beaucoup d'entre vous préféreront exprimer ce qu'elles ressentent par écrit. Voici l'un des innombrables avantages du courrier électronique. En 2009, les courriels font partie de notre quotidien. C'est à se demander comment on se débrouillait avant leur arrivée !

Bien qu'ils soient moins personnels qu'une lettre écrite à la main, les courriels permettent d'échanger rapidement de l'information, de rester facilement en contact avec des gens qui habitent loin de nous ou de transmettre un message à plusieurs destinataires, permettant évidemment un échange super rapide et sans frontières. De plus, comme je l'ai mentionné précédemment, les courriels permettent parfois d'exprimer par écrit des choses qu'on n'ose pas dire en personne. Que ce soit à vos parents, à vos amies ou à un gars qui vous rend dingue, l'écriture permet à plusieurs filles d'y voir plus clair et d'exprimer plus facilement ce qu'elles ressentent.

Les courriels vous permettent aussi de communiquer rapidement avec vos camarades de classe si vous avez des questions concernant un cours ou un devoir, ou de transmettre vos travaux par l'intermédiaire de vos ordinateurs. C'est rapide et ça économise du papier !

Danger !

Vous êtes sûrement familière avec le principe des virus informatiques. Sachez toutefois que beaucoup d'entre eux se transmettent par l'intermédiaire d'un courriel ou d'un message envoyé par messagerie instantanée. Si vous ne connaissez pas le destinataire d'un courriel ou que l'objet vous en semble douteux, effacez tout de suite le message sans l'ouvrir pour éviter les mauvaises surprises. Vous pouvez aussi personnaliser les paramètres de votre boîte courriel pour bloquer des gens dont vous ne désirez pas avoir de nouvelles, ou encore pour filtrer les courriels entrants de façon à ce que ceux qui proviennent d'une certaine adresse se retrouvent directement dans votre boîte « courrier indésirable ».

Clavardage

Beaucoup de gens utilisent aussi la messagerie instantanée pour correspondre avec leurs amis ou leur amoureux. MSN Messenger est l'un des logiciels les plus connus et les plus utilisés. Le clavardage permet à un internaute « d'avoir une conversation écrite, interactive et en temps réel avec d'autres internautes, par clavier interposé » (Source : Grand dictionnaire terminologique). En d'autres mots, ça vous permet de parler aux amis de votre réseau en direct sur l'ordinateur. Bien qu'il s'agisse d'un moyen de communication un peu impersonnel, cela permet tout de même de sauver du temps et de discuter en direct avec des gens aux quatre coins de la planète. Certains sites, comme Facebook ou Gmail, offrent aussi un logiciel de clavardage assez simple, mais d'autres, comme MSN Messenger ou Skype, vous permettent même d'avoir une conversation audio et vidéo avec votre interlocuteur, d'envoyer des fichiers, de partager des photos, etc. Vous devez toutefois rester prudente et filtrer les informations et les documents qu'on vous envoie pour vous assurer qu'ils soient sécuritaires et qu'ils ne contiennent aucun virus. N'acceptez pas d'ajouter à votre liste de contacts des gens que vous ne connaissez pas, et n'engagez pas de conversation vidéo avec des inconnus. Certaines personnes ont des intentions malveillantes, et vous devez toujours être alerte lorsque vient le temps d'utiliser Internet. Aussi, bien que la messagerie instantanée permette aux gens de rester en contact, d'entretenir de longues discussions et d'exprimer des sentiments qu'ils n'oseraient jamais dévoiler en personne, ne devenez pas trop accro à ce moyen de communication; si vous avez un chum qui vous ignore à l'école et ne vous adresse la parole que sur MSN, ce n'est pas sain pour vous ; il ne s'agit alors plus d'une relation interpersonnelle, mais bien d'une relation cybernétique superficielle. Par ailleurs, n'oubliez pas qu'il n'y a rien de tel qu'une bonne promenade pour s'aérer l'esprit et se changer les idées, alors évitez de passer vos journées entières devant votre ordinateur et prenez soin d'entretenir aussi des relations réelles avec les gens de votre entourage ! C'est plus personnel et plus bénéfique pour la santé !

Les messages SMS

Les messages SMS, ou textos, sont de plus en plus populaires chez les utilisateurs de téléphones cellulaires. Ils permettent d'envoyer rapidement un court message à un autre utilisateur de cellulaire sans avoir à faire gonfler le montant de sa facture. Par exemple, les gens enverront des messages textes pour confirmer une heure de rencontre, pour savoir où se trouve tel commerce, pour prendre rapidement des nouvelles, etc. Il s'agit d'une façon expéditive et informelle de communiquer avec quelqu'un et d'obtenir des informations. Il existe même tout un langage alphanumérique pour les habitués afin de simplifier les messages et économiser du temps. Il faut toutefois savoir qu'il s'agit encore ici d'un moyen de communication pratique, mais très impersonnel, et qu'il ne faut pas en abuser. De plus, sachez qu'il est impoli d'envoyer et de lire des messages lorsque vous êtes accompagnée de quelqu'un, lorsque vous mangez en famille ou lorsque vous faites une activité avec une amie, alors apprenez à contrôler l'usage de votre messagerie texte et ne sous-estimez jamais l'importance des contacts humains ! Mieux vaut un vrai câlin et un contact humain qu'un émoticone ☺ !

Été

UN SYNONYME DE LIBERTÉ !

Pour tous les Québécois, l'été est synonyme de liberté ! Après un rude hiver, les bottes mouillées et le rhume, la saison du barbecue, des festivals et de la piscine est enfin de retour.

Que vous soyez de nature sportive, artistique ou bohème, les activités sont illimitées, alors sortez vos sandales, votre minijupe et votre bikini, car l'été passe souvent trop vite !

Durant les vacances d'été, certaines d'entre vous doivent partir en voyage avec leur famille. Ne ronchonnez pas trop. Les occasions de passer du temps en famille se feront de plus en plus rares, alors aussi bien en profiter pour vous préparer de bons petits repas, vous baigner tous ensemble, visiter des musées ou simplement vous balader dans les rues. D'autres filles optent pour les camps de vacances, que ce soit à titre de monitrice ou de campeuse. Ce sont alors des tas d'aventures qui vous attendent, à commencer par les randonnées en vélo, le camping sauvage, les guimauves près du feu, les potins entre filles et la baignade dans le lac !

Pour celles qui décident de rester chez elles, toutes les régions du Québec offrent une foule d'activités et organisent toutes sortes de festivals tout au long de la période estivale. Pourquoi ne pas en profiter pour faire des choses différentes et mettre un peu de piquant dans votre quotidien

- **Festival de Saint-Honoré dans l'vent**, Saguenay-Lac-Saint-Jean

- **Les Cartonfolies,** Bas-Saint-Laurent

- **Festival d'été de Shawinigan**, Mauricie

- **L'International des Feux Loto-Québec**, Montréal

- **Festival International de Jazz de Montréal**, Montréal

- **Festival Juste pour rire**, Montréal

- **FrancoFolies de Montréal,** Montréal

- **Festival International du Domaine Forget**, Charlevoix

- **Festival d'été de Tremblant,** Laurentides

- **Festival d'été de Québec,** Québec

- **Les Fêtes de la Nouvelle-France**, Québec

- **Festival forestier de Senneterre**, Abitibi-Témiscamingue

- **Circuit des Arts,** Memphrémagog Cantons-de-l'Est

SUJETS CONNEXES :

o *PRINTEMPS*
o *AUTOMNE*
o *HIVER*

Si vous optez toutefois pour des activités plus traditionnelles, je vous suggère les balades en bicyclette (mais soyez prudente et portez un casque, même si ce n'est pas le plus beau look qui soit !), la baignade, les journées au parc, les promenades dans la nature ou dans les rues de la ville, les pique-niques sur les plaines d'Abraham, sur le mont Royal... Ah ! me voilà bien nostalgique ! C'est fou comme l'été nous manque quand il neige et qu'il fait -20 degrés dehors !... Mais rappelez-vous qu'au Québec, c'est grâce à l'hiver qu'on apprécie autant l'été !

Petits conseils

La crème solaire !!! Elle est essentielle pour vous protéger des rayons du soleil et elle vous donnera une plus belle peau. Après tout, aucune fille n'a envie de se retrouver prématurément ridée !

Plutôt que de vous enfermer pour lire, allez dans un parc, profitez de l'air frais, faites de l'exercice, marchez ! Souriez ! L'été est si vite terminé !

Consultez le site :

> *http://www.festivals.qc.ca/ pour tout savoir au sujet des festivals et autres activités organisés dans votre région.*

❝ *Ne croupissez pas dans la routine ! Profitez de l'été pour partir à l'aventure, faire du camping et vous balader dans la nature !* ❞

Facebook

UNE POPULARITÉ JAMAIS VUE

En mars 2012, Facebook regroupait 901 millions de membres actifs partout sur la planète (source : Statistics : Facebook). Ce site de réseautage est maintenant offert dans plus de 70 langues et offre des centaines de milliers d'applications. Au Canada, on révèle que plus de la moitié des internautes sont maintenant membres de Facebook (Source : Branchez-vous !).

Ce site de réseautage social a vu le jour à Harvard. Au départ, il permettait aux jeunes de cette université de communiquer entre eux, mais est bientôt devenu accessible aux autres universités américaines. À l'époque, l'étudiant devait entrer son adresse courriel pour s'identifier. C'est finalement en septembre 2006 que Facebook est devenu ouvert à tous.

Le réseautage personnel permet aux gens d'établir un réseau de relations interpersonnelles sur Internet. Les utilisateurs de Facebook peuvent ainsi agrandir leur réseau social par l'intermédiaire de leurs amis ou en adhérant à des groupes populaires avec lesquels ils ont des affinités. Par exemple, si tu es une admiratrice incontestée de Rihanna, tu peux joindre son groupe d'admirateurs sur Facebook pour partager des informations à son sujet et en apprendre davantage sur sa musique et sur les sites à visiter. Facebook permet également de reprendre contact avec de vieux amis ou avec des connaissances qu'on a un peu perdues de vue. De plus, Facebook facilite la publication d'albums de photos où il est possible d'identifier les gens et de créer davantage de liens. Ce site de réseautage est aussi très utile pour organiser des événements et lancer l'invitation aux gens de notre réseau d'amis.

En d'autres mots, Facebook permet à ses utilisateurs d'entrer des informations personnelles et de gérer leur vie scolaire et professionnelle, d'afficher des photos et d'exprimer leurs opinions tout en interagissant avec les gens inclus dans leur réseau d'amis. C'est à toi de décider de l'usage que tu désires faire de ta page Facebook. La plupart s'en servent pour partager des infos, des photos et pour exprimer leurs sentiments, tandis que d'autres en profitent pour partager des informations telles que leurs champs d'intérêt et leur scolarité, pour ensuite lier connaissance avec des gens partageant ces mêmes informations. Le cercle d'amis et de connaissances de ceux-ci est donc étendu à des inconnus partageant leurs goûts et leurs intérêts.

Sois prudente !

Lorsque tu joins un site de réseautage personnel tel que Facebook, tu dois évidemment prendre garde aux informations que tu révèles et qui pourraient attirer les regards indiscrets et malveillants. Il ne faut jamais sous-estimer les dangers d'Internet et il faut se protéger contre les gens qui abusent de ce type de réseautage. Heureusement, Facebook t'offre une option de sécurité qui te permet de choisir qui peut consulter ton profil et voir chaque type d'information

SUJETS CONNEXES :
o COURRIEL
o CLAVARDAGE
o INTERNET

(photos, statut, babillard) que tu publies sur ta page. Prends soin de bien lire et de choisir les options qui te conviennent le plus. Aussi, évite d'accepter des gens que tu ne connais pas du tout comme amis, et ne publie pas d'informations trop personnelles ou de photos compromettantes sur ta page. Facebook te permet avant tout de donner des nouvelles aux gens de ton entourage et de rester en contact avec eux tout en restant à jour. Tu peux également façonner des listes d'amis pour que certains aient accès à ton profil entier, et que d'autres n'aient accès qu'à ton profil limité (c'est-à-dire tes informations générales, ta photo de profil et ton statut, mais c'est à toi qu'il revient encore de choisir les infos visibles sur le profil limité). Si tu es prudente et tu utilises correctement tes options de sécurité, tu éviteras les mauvaises surprises et tu pourras consulter ta page en toute tranquillité d'esprit.

Salut, Lou !
Aujourd'hui, je suis allée espionner le mur Facebook de Thomas et j'ai réalisé que Sarah lui écrivait souvent des petits messages d'amour super quétaines, genre « Bonne journée, mon coco ! » ou « J'ai passé une super soirée, mon amour ! » Euh, est-ce qu'elle est obligée de partager ça avec ses 250 amis? En même temps, ça me permet de la surveiller de près et de rire un bon coup ! Vive Facebook !

Léa xox

Gardiennage

Quand on entre dans l'adolescence, on a parfois envie de gagner ses propres sous et d'acquérir plus d'indépendance et d'autonomie. C'est entre autres pour cette raison que plusieurs jeunes envisagent de faire du gardiennage. Si tu penses devenir gardienne, tu dois toutefois être prête à assumer toutes les responsabilités qui accompagnent cet emploi et être bien consciente de la tâche qui t'attend.

Le gardiennage est une façon de ramasser des sous, mais aussi de développer ta débrouillardise et ta maturité tout en acquérant une expérience de travail qui te sera utile durant toute ta vie. En effet, ce n'est pas une tâche à prendre à la légère puisque c'est toi qui devras prendre soin des enfants et qui seras responsable de leur bien-être pendant l'absence de leurs parents. Tu représenteras l'autorité et deviendras la personne-ressource aux yeux des enfants.

Tout d'abord, sache qu'une bonne gardienne doit faire preuve de leadership, d'autorité et de jugement. Tu dois toujours songer à la sécurité et au bien-être des enfants que tu gardes et tu dois te montrer responsable et digne de confiance aux yeux de leurs parents qui ont besoin de quitter leur domicile en ayant l'esprit tranquille et en sachant que leurs enfants sont entre bonnes mains. Quand tu interagis avec les enfants, tu dois les mettre en confiance en étant sûr de toi et en assumant ton rôle de leader. Ça ne veut pas dire que tu dois te contenter de faire la loi et d'imposer les règles ; tu dois plutôt trouver un équilibre en apprenant à les écouter et à t'amuser avec eux tout en faisant preuve d'autorité.

Trouver un emploi

Si tu cherches à gagner plus de sous et que tu désires acquérir plus d'expérience en gardiennage, assure-toi de passer le mot dans ton entourage ; il ne faut jamais sous-estimer la portée du bouche à oreille. Tu peux aussi visiter les voisins pour leur proposer tes services, ou alors mettre une annonce dans le journal local, sur Internet ou sur les babillards de ton quartier et des centres communautaires. Informe-toi d'abord sur le salaire moyen offert pour le gardiennage et sois réaliste lorsque tu donnes tes disponibilités ; n'oublie pas que tu as aussi des devoirs, des responsabilités et des tâches à accomplir, alors évite de trop t'en mettre sur les épaules.

Avant de garder

Si tu t'apprêtes à garder pour la première fois, mieux vaut y aller une étape à la fois pour te familiariser avec ton travail et pour te sentir plus en confiance. Par exemple, il est préférable de rencontrer les parents et les enfants avant d'entamer ton travail de gardiennage. Ainsi, tu peux leur poser toutes les questions qui te traversent l'esprit et connaître un peu plus ton environnement de travail. Tu peux également suivre le cours de Gardiens avertis de la Croix-Rouge qui t'apprendra les principales règles de base pour devenir une gardienne hors pair ainsi que les lignes directrices de secourisme à appliquer en cas d'urgence. La plupart des parents préfèrent engager des jeunes ayant suivi le cours de la Croix-Rouge[1].

Prends le temps de préparer un petit curriculum vitae que tu pourras remettre aux parents pour qu'ils connaissent un peu ton parcours et tes expériences de travail. Informe-toi aussi sur les règles de la maison. À quelle heure les enfants doivent-ils se coucher ? Que doivent-ils manger ? Ont-ils des allergies alimentaires ou autres troubles de santé ? Ont-ils le droit de regarder la télé ou de lire avant d'aller dormir ? Doivent-ils prendre leur bain avant de se mettre au lit ? Ont-ils le droit de prendre une collation ? Y a-t-il des jeux et des activités à éviter ? Dois-tu superviser leurs devoirs ? S'ils sont en âge de le faire, ont-ils le droit de parler au téléphone ? Souviens-toi qu'en l'absence des parents, c'est toi qui montes la garde et qui représentes l'autorité.

Règles de sécurité

Assure-toi de savoir où se trouve la trousse de premiers soins en cas d'urgence. Quels sont les numéros d'urgence ? Qui dois-tu appeler en cas de problème ? Est-ce que les parents ont un cellulaire ? Demande-leur aussi où se trouvent les extincteurs en cas d'incendie et les bougies en cas de panne d'électricité. Demande aux parents quelles sont les habitudes à l'extérieur de la maison. Y a-t-il un parc qu'ils ont l'habitude de fréquenter ? Jusqu'à quelle heure les enfants peuvent-ils jouer dehors ?

Peux-tu avoir un double de la clé pour être certaine de ne pas rester coincée à l'extérieur ? Assure-toi aussi d'avoir toutes les choses (vêtements, doudou, couches, nourriture, biberon) dont tu auras besoin.

1 Cours de secourisme et de RCR offerts par la Croix-Rouge canadienne : 1-877-356-3226 ou www.croixrouge.ca, http://gardiensavertis.ca/

Pendant que tu gardes

Tu sais déjà que pour être une gardienne hors pair, tu dois faire preuve de professionnalisme, d'honnêteté et de maturité. Respecte les directives qui t'ont été données par les parents qui t'ont engagée et assure-toi de respecter leur intimité. Sache aussi que les parents apprécient les gardiennes qui ramassent les jouets et la vaisselle avant de partir. N'impose pas ta loi aux enfants et assure-toi de leur accorder l'attention et le respect nécessaires. Enfin, si tu es malade ou que tu as un empêchement, assure-toi de prévenir les parents plusieurs jours ou heures à l'avance pour qu'ils aient le temps de trouver une solution. Laisse aussi tes coordonnées à tes parents ou à un adulte responsable pour être joignable en tout temps. Assure-toi d'écouter les jeunes que tu gardes et n'oublie pas que tu représentes un exemple de comportement, alors sois certaine d'avoir toute ta tête pour assumer une tâche aussi importante. Pour ce qui est du reste, amuse-toi et laisse-toi entraîner par ton cœur d'enfant !

Gym

MAINTENANT : UN PEU DE GYM !

Je vous propose ici quelques exercices physiques qui vous aideront à rester en forme sans devoir vous enfermer dans un gym ! Ces exercices simples et complets peuvent être effectués dans le confort de votre salon, et ils vous permettront de raffermir vos bras, vos cuisses, vos fesses et vos abdominaux. Allez, les filles ! C'est parti !

Les cuisses
(au moins 3 séries de 10 répétitions)

A- Extérieur de la cuisse :

Allongez-vous sur le côté en appuyant votre tête sur votre bras ou en prenant appui sur

votre coude. La jambe d'appui peut être étendue ou fléchie à 90° tandis que l'autre jambe est tendue et légèrement soulevée. Élevez et abaissez lentement la jambe tendue (celle du dessus) dans le prolongement de votre corps. Vous pouvez utiliser un haltère pour ajouter de la résistance et faire travailler davantage votre cuisse. Faites de même pour l'autre jambe.

B- Intérieur de la cuisse :

Allongez-vous sur le côté en appuyant votre tête sur votre bras ou en prenant appui sur votre coude, puis ramenez la jambe opposée devant vous. Tournez

l'autre jambe vers l'extérieur de façon à effectuer une flexion du pied (les orteils sont vers vous). Soulevez cette jambe le plus haut possible sans bouger vos hanches. Ne déposez pas la jambe sur le sol entre les répétitions. Faites de même pour l'autre jambe.

Les bras
(au moins 3 séries de 10 répétitions)

A- Poitrine

Allongez-vous sur le dos (sur un matelas de sol ou sur un tapis de yoga), tendez les bras de chaque côté et fléchissez légèrement les coudes, puis levez les haltères au-dessus de la poitrine. Redescendez ensuite jusqu'à la position de départ en vous assurant que vos bras ne descendent pas plus bas que vos épaules.

B- Biceps

Installez-vous debout, les pieds écartés de la largeur de vos hanches et les genoux légèrement fléchis. Prenez un haltère dans une main, puis fléchissez votre avant-bras en ramenant l'haltère vers votre épaule, et revenez à la position de départ. Gardez votre avant-bras légèrement fléchi en tout temps. Répétez pour l'autre bras, ou alternez d'un bras à l'autre.

SUJETS CONNEXES :
o QUELQUES TRUCS POUR
ÊTRE EN SANTÉ
o GYM
o SPORT

Les abdominaux

A- La planche

Allongez-vous sur le ventre, puis prenez appui sur vos coudes, sur vos avant-bras et sur vos orteils en contractant les muscles de vos abdominaux et de vos fessiers de

Les fessiers
(au moins 3 séries de 10 répétitions)

A- Flexion des jambes (squat)

Installez-vous debout et écartez les pieds de la largeur de vos hanches, puis fléchissez

façon à allonger votre dos et à vous assurer que votre corps soit bien droit. Maintenez la position 30 secondes ou faites 3 répétitions de 15 secondes.

B - Les obliques

Allongez-vous sur le dos et fléchissez une jambe à 90° en gardant la plante de votre pied sur le sol. Soulevez l'autre jambe et posez votre cheville sur le genou de la jambe opposée. Posez les mains de chaque côté de votre tête. Soulevez légèrement le haut de votre corps en contractant les abdominaux et en dirigeant une épaule vers le genou de la jambe opposée. (Par exemple, dirigez l'épaule droite vers le genou gauche. Votre cheville gauche doit être posée sur votre genou droit. Voir l'image.) Effectuez 3 séries de 15 répétitions de chaque côté.

les genoux. Gardez toujours le dos droit. Baissez les genoux et sortez les fesses vers l'extérieur en adoptant une position légèrement accroupie, comme si vous vous apprêtiez à vous asseoir. Relevez-vous en contractant les fesses, les cuisses et les abdominaux. Vous pouvez utiliser des haltères. Faites 3 séries de 10 répétitions.

B- Fente (lunge)

Installez-vous debout en tenant un haltère dans chaque main. Faites un grand pas vers l'avant, puis pliez les genoux de façon à ce que le genou arrière se trouve à quelques centimètres du sol et que le genou avant soit en ligne droite avec votre cheville. Redressez-vous et reprenez la position de départ. Faites 3 séries de 10 répétitions pour chaque jambe.

Hockey

Le hockey est notre sport national. Quand on se promène aux quatre coins du Québec en plein cœur de l'hiver, on est assuré de voir des jeunes pratiquer ce sport dans la rue ou dans les arénas. La popularité du hockey est non seulement liée à notre climat rigoureux qui nous force à pratiquer des sports hivernaux pendant plusieurs mois, mais également au club de hockey des Canadiens de Montréal, qui fait partie de la Ligue nationale de hockey.

De 1979 à 1995, la ville de Québec possédait elle aussi son équipe de hockey professionnel, les Nordiques de Québec, mais, en 1995, la franchise a été vendue et déménagée à Denver, au Colorado. L'équipe a alors pris le nom de l'Avalanche du Colorado. Depuis quelques années, une rumeur court selon laquelle Québec pourrait ravoir une équipe de la LNH. Depuis 2010, cette rumeur est devenue de plus en plus tangible, l'entreprise Quebecor figurant parmi les noms des investisseurs prêts à faire l'acquisition des nouveaux Nordiques, mais les pourparlers pour la construction d'un nouvel aréna sont toujours en cours.

À l'époque, la rivalité entre les Canadiens et les Nordiques était telle que les gens se disputaient parfois durant les fêtes de famille parce qu'ils n'étaient pas partisans de la même équipe ! Depuis le départ des Nordiques, plusieurs Québécois et anciens admirateurs de l'équipe québécoise se sont rangés du côté des Canadiens de Montréal, qui ont remporté leur dernière coupe Stanley en 1993.

Quand « la ville est hockey »

Au cours des dernières années, le hockey professionnel a atteint une popularité sans précédent. À Montréal, durant les séries éliminatoires de 2008, 2009, 2010 et 2011, tous les autobus de la ville scandaient « Go, Habs, go ! » sur leurs tableaux d'affichage, plusieurs voitures arboraient le drapeau des Canadiens et tous les restos et bars de la ville étaient bondés lors des matchs de l'équipe locale. Après une victoire des Glorieux, des centaines de personnes célébraient dans les rues et les klaxons retentissaient de toutes parts. Cet enthousiasme se faisait sentir aux quatre coins du Québec. Le Réseau des sports (RDS) a enregistré des cotes d'écoute de plus de deux millions de spectateurs par match pendant les séries (source : www. rds.ca), et des gens de partout à travers la province se faisaient entendre dans la métropole pour encourager leur équipe.

Le hockey n'est pas seulement un sport; il s'agit aussi d'une importante part de notre culture et de nos traditions. Les gens profitent des soirées de hockey pour se réunir, bavarder et passer un bon moment entre amis. Ce sport permet aussi aux Québécois de se sentir unis en s'alliant pour encourager leur équipe. Bien qu'on ait souvent tendance à juger les joueurs de hockey, qui sont payés une fortune pour pratiquer ce sport, le Québec et le Canada ne seraient pas les mêmes sans leur sport national !

Les règles

Pour celles d'entre vous qui ne connaissent rien au hockey professionnel, voici une petite description des principales règles, qui vous aidera à comprendre davantage ce qui se déroule sur la patinoire au cours d'un match. Une fois que vous vous serez familiarisées avec les règles, vous prendrez goût aux matchs et vous deviendrez vite de véritables mordues de hockey !

Un match de hockey est constitué de 3 périodes de 20 minutes chacune. Deux équipes s'affrontent et doivent compter dans le but adverse autant de fois que possible au cours du match. S'il y a égalité à la fin d'un match, une période de prolongation de cinq minutes est ajoutée. Si aucun joueur ne parvient à compter durant la prolongation, celle-ci est suivie d'une « fusillade » durant laquelle, tour à tour, les membres de chaque équipe tentent de déjouer le gardien de but adverse. La fusillade se poursuit jusqu'à ce qu'il y ait un gagnant. Durant les séries éliminatoires, en cas d'égalité, des périodes de prolongation de 20 minutes sont ajoutées jusqu'à ce que l'une des deux équipes compte un but.

Chaque équipe doit avoir six joueurs sur la patinoire : un ailier droit et un ailier gauche, un joueur de centre, deux défenseurs et un gardien de but. L'entraîneur de l'équipe effectue des changements de joueurs environ toutes les 40 secondes au cours d'un match.

Lorsqu'un joueur est puni parce qu'il a enfreint une règle (pour cause de rudesse, pour avoir retenu l'autre joueur, pour bâton élevé, etc.), il doit se rendre au banc des pénalités pendant deux minutes dans le cas d'une pénalité mineure, et pendant quatre ou cinq minutes dans le cas d'une pénalité majeure.

Au cours d'une pénalité, l'équipe punie se voit privée d'un joueur. L'autre équipe est donc en supériorité numérique et peut attaquer plus librement.

En ce qui concerne les hors-jeu, les joueurs d'une équipe ne doivent pas précéder la rondelle dans leur zone d'attaque. Les facteurs déterminant un hors-jeu sont :

- la position des patins du joueur : un joueur est hors jeu quand ses deux patins se trouvent de l'autre côté de la ligne bleue, dans la zone d'attaque, avant que la rondelle n'ait complètement franchi cette même ligne;

- la position de la rondelle : la rondelle doit avoir entièrement franchi la ligne bleue de la zone d'attaque.

En cas de violation de cette règle, le jeu sera arrêté et devra être repris :

- au point de mise en jeu situé dans la zone neutre si la rondelle a été transportée de l'autre côté de la ligne bleue par le joueur attaquant ;

- à l'endroit d'où provenait la passe ou le lancer quand la rondelle a été passée ou lancée de l'autre côté de la ligne bleue par un joueur attaquant ;

- à l'un des deux points de mise en jeu situés dans la zone défensive de l'équipe fautive, si l'arbitre ou le juge de lignes décide qu'un joueur a intentionnellement causé un hors-jeu.

©Ryan Morgan

La saison 2012-2013

En septembre 2012, la LNH a déclaré un lock-out, à défaut d'avoir pu signer un contrat de travail avec le syndicat des joueurs. Pour cette raison, la saison de hockey n'a débuté qu'en janvier 2013 ! Les Canadiens de Montréal ont été éliminés par les Sénateurs d'Ottawa en quart de finale.

La saison 2013-2014

Lors de la dernière saison, le CH s'est rendu jusqu'en finale de son Association avant d'éliminé par les Rangers de New-York, permettant ainsi à tous ses partisans de rêver à la Coupe Stanley. On se croise les doigts pour la saison prochaine!

SUJETS CONNEXES :
- *GARÇONS*
- *SPORT*

Musique

TOUT LE MONDE EN RAFFOLE !

Que ferait-on sans musique ? Qu'importe le style, le genre, le rythme et la sonorité, tout le monde raffole de la musique. Il existe un nombre infini de styles, et chacune forge ses propres goûts musicaux. Il s'agit d'un choix personnel basé sur ses goûts, sur son humeur, sur sa propre personnalité.

En effet, la musique sert aussi à exprimer son identité au même titre que la tenue vestimentaire. Les gens qui partagent des intérêts musicaux ont même parfois tendance à se regrouper et à développer une forte amitié fondée entre autres sur cet intérêt commun et sur le sentiment d'appartenance à un style particulier. Il y a le genre alternatif, le grunge, le punk ou les styles plus classiques. Il existe des styles qui peuvent plaire à tout le monde, et c'est parfois un casse-tête de s'y retrouver et d'apprendre à connaître tous les styles de musique.

Pour certains, la musique est un simple passe-temps, une façon de se détendre ou de se distraire dans l'autobus. C'est aussi une manière de rêvasser dans sa chambre et d'associer ce qu'on vit aux paroles d'une chanson, ou de se défouler quand on en a besoin. Pour d'autres, il s'agit véritablement d'une passion. Vous rencontrerez certainement des gens qui vous impressionneront avec leurs connaissances musicales à tout casser. Comment font-ils pour s'y retrouver et pour connaître autant de groupes ? Et que dire des animateurs de radio, des D.J. et des disquaires ? Comment font-ils pour être au courant des dernières tendances musicales tout en connaissant très bien les classiques rétro, pop et électro ? Il s'agit d'une passion comme une autre, alors ils trouvent le moyen de se tenir au courant.

Avec Internet, la tâche est devenue de plus en plus facile. Par ailleurs, ces gens fréquentent souvent les magasins de musique et de disques, lisent des tas d'articles sur le sujet, écoutent la radio de façon assidue. Quoi qu'il en soit, leurs connaissances sont épatantes !

> **La musique marque aussi certaines périodes de notre vie à tout jamais. Je me souviens qu'à l'adolescence, j'étais une fan inconditionnelle du groupe Nirvana.**

Aujourd'hui, dès que j'entends les chansons de ce groupe, je replonge directement dans mes quatorze ans et dans toutes les expériences que j'ai vécues à l'époque. C'est ainsi pour le premier slow qu'on danse, les premières fêtes qu'on organise et toutes les chansons qu'on dédie à nos petits amis. Même si le temps file, la musique reste et nous permet de revivre ces moments précieux avec intensité et nostalgie.

La musique donne aussi le rythme des générations. Certains chanteurs ou styles de musique sont associés aux années 1970, 1980, 1990 et maintenant 2000. Sachez que les genres musicaux qui ont marqué votre génération vous suivront toute votre vie et vous permettront de partager une grande complicité avec les gens de votre âge.

> *Pas besoin de vous rappeler que la musique nous permet aussi de danser et de nous défouler entre copines.*

Peu importe les goûts personnels de chacun, il existe des « classiques » qu'on adore chanter à tue-tête et sur lesquels on adore danser. La musique permet aux gens de se rassembler, de batifoler, de se défouler et de faire les fous. Elle crée parfois une ambiance intime durant les soirées entre amis, ou une ambiance déchaînée dans les fêtes et les discothèques. On choisit souvent un style de musique particulier pour les différents moments de la journée. Une musique douce pour étudier ou pour s'endormir, un style plus intense pour rêvasser, un rythme énergique pour se déchaîner sur la piste de danse ou pour faire le ménage de notre chambre, etc. En résumé, la musique met toujours de la vie dans notre train-train quotidien.

Tous les goûts sont dans la nature

Quelles que soient vos préférences musicales, vous devez apprendre à respecter les goûts des autres sans toujours vouloir imposer votre propre musique. Il en est de même pour vos parents. Même si vous en avez ras-le-bol de leur musique classique, de leurs chants grégoriens ou de leur musique pop des années 1970, apprenez à respecter leur intimité musicale au même titre qu'ils respectent la vôtre. Dans le même ordre d'idées, bien que vous ayez parfois envie de faire trembler les murs au rythme de votre chanson préférée, apprenez à respecter les autres personnes qui vivent dans la maison, ainsi que vos voisins qui doivent subir le grondement incessant de votre musique. Bref, ne montez pas trop le volume de votre radio. Si vous aimez écouter de la musique à tue-tête, mettez des écouteurs et faites comme bon vous semble, mais prenez garde de ne pas devenir sourde !

La folie Internet

Il est aujourd'hui de plus en plus facile de trouver de la musique sur Internet, et même de la télécharger gratuitement (et illégalement). Sachez toutefois que lorsque vous agissez de la sorte, vous nuisez directement à l'industrie du disque et à la carrière des chanteurs que vous adorez. En effet, avec le piratage, personne ne profite de l'acquisition que vous faites, par voie de téléchargement, d'un disque ou de chansons, puisque c'est du vol. Cela nuit particulièrement aux artistes qui commencent dans l'industrie et tentent de vivre de leur musique. Profitez plutôt d'Internet pour faire des recherches sur les différents genres musicaux, sur les chanteurs qui vous plaisent ou que vous avez envie de découvrir et sur les groupes québécois plus underground qui méritent d'être entendus et appréciés. Vous pouvez également visiter les sites Internet de vos artistes favoris pour télécharger légalement leurs chansons en payant, sans toutefois être obligée de vous rendre chez le disquaire.

La musique est un art et une passion qui se développent. Par conséquent, je vous conseille aussi de vous créer une petite bibliothèque musicale dans votre ordinateur, ce qui vous permettra de rassembler vos morceaux de musique au même endroit, de les faire jouer plus facilement, de mettre ceux que vous préférez sur votre lecteur MP3, de diviser votre musique en catégories, genres ou chanteurs, et aussi de vous faire des listes de lecture musicale que vous pourrez sélectionner quand bon vous semble. La modernité et la technologie ont leurs avantages, alors aussi bien en profiter pleinement !

New york

LA VILLE QUI NE DORT JAMAIS

New York fait souvent partie des destinations proposées lors des voyages étudiants organisés à l'école secondaire.

Si vous avez l'occasion de visiter la ville qui ne dort jamais, je vous conseille fortement de vous joindre à l'expédition, car vous ne regretterez pas l'expérience.

Sachez d'abord qu'il y a moyen de visiter New York sans dépenser une fortune. Plusieurs agences de voyages offrent des forfaits de quelques jours qui incluent l'hôtel, le transport en autobus et parfois même l'entrée gratuite dans certains musées ou sites touristiques. De plus, une fois à New York, il existe des tonnes de façons de découvrir la ville avec votre groupe sans vous ruiner !

Je vous propose évidemment de vous balader à pied dans la ville. New York est remplie de richesses et de petits recoins qui gagnent à être découverts. Promenez-vous dans Central Park lors d'une chaude journée d'été ou faites du patin au Rockefeller Center, si vous visitez la ville au cours de l'hiver. Je vous conseille fortement de visiter l'East et le West Village, un quartier situé tout près de l'Université de New York (NYU). Ce quartier est bondé d'étudiants, de petits cafés sympathiques, de disquaires, de boutiques originales et d'artistes qui débordent d'imagination. C'est aussi dans le Village que vous pourrez apercevoir la maison du personnage de Carrie Bradshaw dans la série Sex & the City, ainsi que le fameux appartement de la série Friends. SoHo est pour sa part un quartier huppé, rempli de galeries d'art et de lofts immenses, où vous vous sentirez en toute sécurité. Baladez-vous aussi sur la 5e Avenue; c'est là que se trouvent les plus grands designers du monde ! Même si vous ne disposez pas du budget nécessaire pour vous procurer les vêtements et accessoires qui y sont disponibles, ça ne coûte rien de faire du lèche-vitrine ! Évidemment, qui dit New York dit Broadway, alors n'hésitez pas à découvrir le quartier des arts situé aux abords de Time Square. Si vous en avez la chance, je vous conseille d'assister à l'un des spectacles à l'affiche pour profiter pleinement de votre aventure new-yorkaise.

Il est évident que vous serez tentée de magasiner et de faire des emplettes. Canal Street est une rue bondée de gens et de vendeurs itinérants toujours prêts à négocier le prix des parfums, des bijoux et des montres. Pour les chaussures, je vous suggère Shoemania (un magasin immense à Union Square) qui offre toute une gamme de chaussures à bas prix. Pour les vêtements, je vous suggère évidemment de visiter l'immense boutique H&M de la 5e Avenue (sinon, il y a des H&M un peu partout dans New York), les magasins Macy's, Abercrombie & Fitch, American Eagle Outfitters, Strawberry, etc. En fait, il y a tellement de boutiques à New York que, peu importe votre style, vous êtes certaine d'y trouver quelque chose qui répondra à vos besoins.

Pour les restos, si votre budget est limité, je vous suggère d'essayer les petits cafés qui offrent des menus spéciaux très abordables le midi et le soir, ou alors de goûter aux fameux hot-dogs et shish-taouks qui se vendent à tous les coins de rue. Plusieurs épiceries offrent aussi des comptoirs à salades et des repas chauds délicieux et très abordables.

La ville de New York est également remplie de richesses culturelles. Je vous recommande de visiter le Metropolitan Museum of Art (MET), l'American Museum of Natural History et le musée Guggenheim. Ce dernier se spécialise dans l'art moderne et contemporain, et vous y retrouverez aussi des œuvres de peintres célèbres tels que Van Gogh et Picasso. Vous pouvez également vous rendre au sommet de l'Empire State Building pour y contempler une vue grandiose.

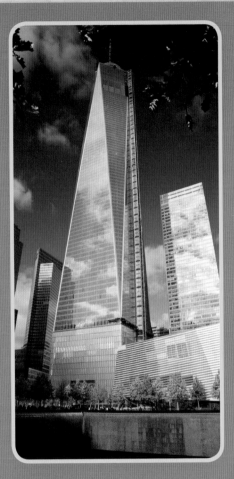

Comme vous pouvez le constater, la ville de New York est remplie de choses à découvrir et d'activités à faire. Il est certain que vous ne vous y ennuierez pas. Bien que New York soit beaucoup plus sécuritaire qu'elle ne l'était il y a quelques années, je vous recommande d'être extrêmement prudente et de ne pas vous promener seule pour demeurer à l'abri des dangers et pour éviter de vous égarer. Bien qu'il s'agisse d'une ville grandiose, certains quartiers demeurent plutôt risqués et il est déconseillé d'y aller seule. Restez également à l'affût des pickpockets et assurez-vous que votre sac à main soit bien fermé, surtout si vous montez à bord du métro ou de l'autobus. Si vous participez à un voyage scolaire, restez toujours avec votre accompagnateur et assurez-vous de respecter les rendez-vous et les couvre-feux. Pour le reste, je suis certaine que vous raffolerez de l'expérience new-yorkaise et que vous tomberez amoureuse de la Grosse Pomme !

Paris

PARIS... MÊME SON NOM FAIT RÊVER !

La Ville lumière attire des millions de visiteurs par année et est souvent considérée comme l'une des villes les plus belles et les plus romantiques du monde. J'ai personnellement eu la chance d'y vivre quelque temps, alors laissez-moi vous vanter ses mérites et vous mettre l'eau à la bouche.

La population du Paris intramural est d'un peu plus de 2 000 000 de personnes. Il s'agit à la fois de la capitale et de la ville la plus peuplée de France. Paris est divisée en 20 arrondissements municipaux créés en 1860. Il n'est pas toujours facile de s'y retrouver sans guide de voyage, mais le nom des arrondissements est inscrit à côté de tous les noms de rues. Les arrondissements forment une spirale partant du centre de Paris.

Chacun d'eux est administré par un conseil semblable au conseil municipal de nos villes du Québec, et possède une atmosphère unique et des attraits bien particuliers. Paris est riche tant au point de vue historique que culturel. En effet, elle est connue mondialement pour ses musées, dont le Louvre et le musée d'Orsay, pour ses monuments, comme la fameuse tour Eiffel et les Champs-Élysées, ainsi que pour sa vie artistique et littéraire. Les plus grands auteurs de la littérature française sont passés par Paris à une époque ou une autre pour se tremper dans son bain de culture, s'inspirer, y vivre ou s'y faire connaître. Vous n'avez qu'à penser à Marcel Proust, Honoré de Balzac et Victor Hugo, pour n'en nommer que quelques-uns. Paris est également une ville marquée par l'histoire de la Révolution française et par l'occupation de l'Allemagne durant la Deuxième Guerre mondiale. Quand on la visite, c'est non seulement son architecture centenaire et sa beauté à couper le souffle qui nous émerveillent, mais aussi tous les souvenirs et toute l'histoire qu'elle recèle.

Les incontournables

Ça peut sembler cliché, mais je vous assure que personne n'est déçu en visitant Paris. Si vous avez la chance d'y aller, vous serez époustouflée par sa beauté et vous vous sentirez prise d'un romantisme qui vous donnera envie de courir dans les rues à la recherche du grand amour ! Blague à part, Paris est à mes yeux incomparable. Vous pouvez profiter de votre séjour pour explorer ses richesses et vous instruire grâce aux innombrables musées qui ont tous des tas de choses à offrir. C'est également en parcourant les rues de Paris que vous découvrirez ses nombreux trésors. Parmi les incontournables, le cimetière du Père-Lachaise est un lieu de recueillement à l'abri du vacarme de la ville, où il est possible de visiter la tombe de plusieurs grandes célébrités, d'Édith Piaf à Jim Morrison, en passant par Molière. Vous serez impressionnée et émue par la tranquillité des lieux. Si vous vous baladez dans le 4e arrondissement, vous aurez la chance de voir le célèbre centre Pompidou, qui porte le nom du 19e président de la République française. Il s'agit d'un centre artistique très original où on peut visiter des expositions consacrées à la peinture, aux

SUJETS CONNEXES :
o *VOYAGE*

arts plastiques, à la musique, à la littérature, à la mode et au cinéma. Profitez aussi de la proximité des quartiers du Marais et des Halles pour déambuler dans les rues étroites, déguster un kebab, vous asseoir dans un café, faire les magasins et visiter les nombreuses galeries d'art. Ensuite, déplacez-vous vers le 8e arrondissement et promenez-vous sur les Champs-Élysées, au nord-ouest de la ville, en commençant par la place de la Concorde où vous pourrez admirer l'Obélisque, jusqu'à l'Arc de triomphe qui surplombe l'avenue. Si vous vous baladez ensuite dans le Champ-de-Mars, vous aurez la chance de voir la fameuse tour Eiffel. Cette dernière fut construite par Gustave Eiffel pour l'exposition universelle de 1889 et mesure plus de 300 mètres de hauteur. Il vous est par ailleurs possible de gravir la tour Eiffel (si vous en avez le courage) et d'admirer Paris, si la température le permet. Vous pouvez aussi acheter une crêpe, l'une des spécialités du pays, et vous asseoir au pied de la tour pour relaxer au soleil et profiter de la vie !

Évidemment, qui dit Paris dit capitale de la mode ! Vous pouvez donc profiter de votre séjour là-bas pour faire du lèche-vitrine devant les boutiques de renommée internationale et faire un peu de magasinage. Prenez toutefois garde à votre portefeuille; Paris coûte très cher, surtout depuis que la France a adopté l'euro comme monnaie ! Il est toutefois possible de visiter la ville sans vous ruiner et de profiter des plaisirs gourmands offerts dans les boulangeries en dégustant les sandwichs sur baguette, les croissants et les cafés au lait tout en vous baladant dans une des plus belles villes du monde. Je suis personnellement tombée sous le charme de Paris et, si vous avez la chance d'y aller au cours de votre vie, n'hésitez pas, car je suis sûre que la ville saura vous charmer tout autant que je l'ai été !

Party

OCCASION IDÉALE POUR S'AMUSER ENTRE AMIS

À l'adolescence, on commence à vouloir organiser des partys. C'est une occasion idéale pour s'amuser entre amis, célébrer, discuter, danser, se faire belle et flirter avec les garçons.

En tout premier lieu, vous devez déterminer à quel moment vous voulez organiser la fête. Si possible, choisissez un moment où vous n'êtes pas dans les examens et les devoirs jusqu'au cou, et optez pour une soirée de fin de semaine ou pour un jour de vacances. Vous devez ensuite déterminer l'endroit où aura lieu la fête. Si vos parents vous le permettent et qu'il y a suffisamment de place chez vous, c'est génial. S'ils sont hésitants, établissez des règles que vous devrez respecter pour préserver leur confiance en vous. Dites-leur par exemple à quelle heure le party débutera et à quelle heure il se terminera, et qui participera à cette fête. Si vous ne pouvez pas organiser la fête chez vous, vous pouvez le faire chez un ou une amie dont les parents sont d'accord et dont la maison est assez grande pour accueillir plusieurs invités. Vous pouvez aussi organiser une soirée à l'école et demander au directeur ou au responsable la permission d'utiliser une grande salle ou le gymnase.

Vous devez ensuite songer aux invitations. Je vous conseille d'inviter les gens en qui vous avez confiance et qui savent s'amuser tout en étant responsables. Ne négligez pas les gens à qui vous parlez moins, puisque les fêtes sont l'occasion parfaite pour créer des liens et apprendre à mieux se connaître. Ne vous fiez pas aux apparences et ne faites pas trop de discernement entre les « cool » et les « rejets ». Les groupes d'amis les plus cool sont ceux qui se situent entre les deux, ceux dont les membres savent être amis avec tout le monde ! Évitez d'inviter les personnes qui causent toujours des ennuis et en qui vous n'avez pas confiance. Vous n'avez pas envie de perdre le contrôle et que la soirée se termine mal. Le but de la fête est de se faire plaisir et de se détendre, alors évitez les trouble-fêtes et les stress inutiles. Vous pouvez faire des invitations personnelles sur papier, envoyer un courriel, téléphoner aux gens que vous voulez inviter ou simplement leur en parler à l'école. Je vous conseille toutefois quelque chose d'un peu plus formel (comme un courriel) pour vous assurer que personne n'oublie les détails (comme l'heure et l'adresse) et qu'ils ne soient pas trente à vous appeler à la dernière minute.

Vous devez ensuite choisir l'ambiance que vous désirez pour votre fête. Vous pouvez opter pour une fête costumée, pour une soirée thématique ou pour une fête surprise pour l'anniversaire de quelqu'un. Pensez aussi aux boissons, aux crudités, aux croustilles et autres trucs que vous voudrez consommer (en toute légalité, bien entendu !). Bref, vous constaterez bientôt que vous devez faire un budget pour être certaine de pouvoir y arriver. Vous pouvez demander à vos parents de vous aider, ou alors demander une petite contribution à vos invités, que ce soit de la nourriture, des boissons, des décorations ou un peu d'argent. Vient ensuite le moment de choisir la musique que vous voudrez pour la soirée. Vous ne voulez sans doute pas courir dans tous les sens tout au long de la fête, alors prévoyez plusieurs disques et plusieurs styles différents. Certains de vos amis sont peut-être excellents dans ce domaine et s'offriront pour planifier la musique ou faire les D.J. tout au long de la soirée !

Il est bientôt l'heure de vous préparer pour la fête. Choisissez des vêtements dans lesquels vous vous sentez belle et à l'aise. Maquillez-vous de façon à vous sentir jolie et bien dans votre peau. Bref, faites-vous plaisir ! Après tout, c'est une occasion spéciale. Si vous êtes l'hôtesse ou l'organisatrice principale de la fête, efforcez-vous de discuter un peu avec tous vos invités et d'être de bonne humeur avec tout le monde. Souriez, amusez-vous !

Votre attitude aura une influence directe sur l'ambiance de la fête et sur les invités. Les fêtes sont une occasion idéale pour danser, discuter, écouter de la musique et créer des liens avec des copines ou des garçons qui nous plaisent plus que d'autres. Flirtez sans dépasser vos limites personnelles et amusez-vous sans détruire la maison ni trahir la confiance de vos parents. Vous savez que tout est question d'équilibre, alors lâchez votre fou en toute lucidité, et bon party !

Salut, Lou !
Ce soir, je suis allée faire un tour au party d'Alex. Évidemment, les nunuches s'étaient donné le mot pour s'asseoir dans un coin et me dévisager. Au moins, j'avais Jeanne, Éloi et Katherine pour me supporter ! Et ça m'a permis de passer plus de temps avec Alex. On s'entend vraiment bien tous les deux, et je sens que ça énerve encore plus Maude, qui est en pause avec José et qui ressent le besoin d'avoir l'attention de TOUS les gars. J'ai une mauvaise nouvelle pour elle : Léa Olivier n'a pas dit son dernier mot !

Léa xox

Poutine

TRADITION CULINAIRE QUÉBÉCOISE

« Plat composé de frites et de fromage fondu en sauce. »
(Source : Multidictionnaire de la langue française)

« Mets de restauration rapide fait d'une portion de pommes de terre frites agrémentées de fromage en grains et arrosées d'une sauce chaude. Ce mets québécois semble avoir été spontanément créé en milieu populaire, dans l'environnement de la restauration rapide. » *Source : http://www.granddictionnaire.com/btml/fra/r_motclef/index800_1.asp)*

La poutine est sans contredit l'une des traditions culinaires les plus importantes au Québec. D'ailleurs, rares sont les Québécois qui ne raffolent pas de cette espèce de ragoût de frites, de sauce brune et de fromage en grains ! On sait que la poutine provient du milieu rural québécois et qu'elle a fait son apparition au cours des années 1960, mais son origine exacte demeure très controversée, puisque plusieurs villes et villages revendiquent la paternité de ce mets typiquement québécois ! L'histoire la plus répandue veut que la poutine ait fait son apparition au Lutin qui rit, un petit restaurant de Warwick, dans la région des Bois-Francs. Un client nommé Jean-Guy Lainesse aurait demandé à Fernand Lachance, le patron du restaurant, de lui servir un plat de frites avec du fromage en grains. M. Lachance lui aurait alors répondu : « Ça va faire toute une poutine », puisque, à l'époque, le mot « poutine » était utilisé pour désigner un drôle de mélange ! Le restaurateur aurait ensuite ajouté ce plat à son menu.

La poutine qu'on connaît aujourd'hui contient également de la sauce brune, et on dit souvent que ce mets est plus savoureux lorsqu'il est préparé avec du fromage frais du jour. L'origine du mot « poutine » n'est pas prouvée, mais plusieurs croient qu'elle provient du mot anglais « pudding », ou alors d'une adaptation de termes issus des patois de certaines régions du Québec, ou des dialectes de France.

La poutine a évolué au cours des années et elle est maintenant servie sous différentes formes qui sont offertes dans la plupart des restaurants rapides, d'un bout à l'autre du Québec. On trouve par exemple la poutine italienne, où la sauce brune est remplacée par de la sauce à spaghetti, la galvaude, à laquelle on ajoute du poulet et des petits pois, le dulton, auquel on ajoute des morceaux de saucisse ou de bœuf ainsi que des oignons, et le frite sauce qu'on sert sans fromage. Les restaurants se spécialisant dans la poutine offrent également toute une gamme de variantes dans les ingrédients ; les choix sont donc devenus infinis !

SUJETS CONNEXES :
o QUÉBEC
o CULTURE

OÙ MANGER LA MEILLEURE POUTINE ?

> Suite à un petit sondage effectué sur ma page Facebook, voici les meilleurs endroits où manger une poutine au Québec, ainsi que le nom de celles qui m'ont fait la recommandation !

- ♥ Cap-Saint-Ignace : Resto Bar 51 (Kassandra)

- ♥ Fromagerie Boivin, Ville Saguenay (Camille)

- ♥ La Banquise, Montréal (Joa)

- ♥ Ashton, un peu partout dans la région de Québec

- ♥ La Fringale, L'Anse-Saint-Jean (Geneviève)

- ♥ Le Vieux Moulin, Pont-Rouge (Maëlle)

- ♥ Chez Bergeron, Bonaventure (Catherine)

- ♥ Poutine Olympique, Valleyfield (Alexandra)

- ♥ Chez Sam, Mont-Joli (Marie-Josée)

- ♥ Chez Henri, Joliette (Marie-Christine)

- ♥ Patate du Domaine, Saint-Jérôme (Amélie)

- ♥ Le roi du Chien-Chaud, Dolbeau-Mistassini (Megan)

- ♥ Chez Patrice, Berthierville (Béatrice)

- ♥ Patio Vidal, Gatineau (Marie-Anne)

- ♥ Chez Grégoire, Mercier (Brunante et Zoé)

- ♥ Le roi du Coeur, Saint-André-Avellin (Magalie)

- ♥ Chez Boichard, Richelieu (Jade)

- ♥ MAGGI, Acton Vale (Sara)

- ♥ La banquise, Montréal (Shirley)

Printemps

LE RENOUVEAU, LA RENAISSANCE DE LA NATURE

Après cinq ou six mois d'hiver, nous avons parfois l'impression que la chaleur est un rêve inaccessible. Le mois de mars semble interminable, et lorsqu'une autre tempête de neige s'abat sur notre région, nous croyons que l'été ne reviendra plus jamais et que nous demeurerons des survivants du pôle Nord pour l'éternité.

Puis, vers la fin du mois de mars, la température commence à s'adoucir, la neige se transforme en pluie et l'odeur change à l'extérieur. C'est le printemps, le renouveau, la renaissance de la nature ! Ce sont les bourgeons dans les arbres, les fleurs dans les champs, le soleil qui recommence à chauffer ! Enfin, de l'espoir ! On peut mettre son manteau d'hiver de côté et aller prendre l'air sans risquer l'hypothermie !

Les activités que nous pouvons pratiquer au printemps sont nombreuses. En tant que Québécois, nous devons évidemment mentionner le temps des sucres ! C'est l'époque de l'année où les gens s'entassent dans des cabanes à sucre pour savourer les produits de l'érable et manger des mets québécois traditionnels tels que le jambon à l'érable, la tarte au sucre, les œufs et le bacon, les oreilles de Christ et la tire sur la neige. On repart souvent avec un petit mal d'estomac, mais il faut en profiter ; ça n'arrive rien qu'une fois par année ! Si vous n'êtes pas folle des cabanes à sucre, le ski de printemps est peut-être une option qui saura vous plaire. Les conditions sont idéales pour descendre les pentes, puisque la température est assez douce pour que la neige reste belle et poudreuse sans que vous ne sentiez plus vos orteils en haut de la montagne. C'est une belle occasion de faire du sport en profitant

des splendeurs du printemps. Le ski de fond et les balades dans la nature sont d'autres façons plus économiques de prendre l'air et de sentir cette nouvelle fébrilité. En effet, les Québécois semblent souvent sortir de leur hibernation au printemps. Leurs sens s'éveillent et leurs corps aussi. Alors, mettez-vous de la partie, enfilez un jupe avec des collants et profitez du redoux pour prendre le premier café de l'année sur une terrasse !

Si vous avez l'habitude de célébrer Pâques, amusez-vous cette année ! Décorez des œufs, offrez du chocolat aux êtres chers et passez un peu de temps en famille. Je sais que, pour la plupart d'entre vous, la semaine de relâche arrive au début du printemps, et que vous ne comptez pas passer ces quelques jours de vacances entre quatre murs ! Organisez des activités et des sorties avec vos amis, et profitez de vos temps libres pour faire ces millions de petites choses que vous laissez toujours en plan... Nettoyez votre garde-robe, rangez vos disques, faites le ménage de vos papiers ou terminez le roman que vous avez commencé en septembre et que vous n'avez jamais eu le courage de continuer ! Après tout, l'été s'en vient, et vous aurez bientôt d'autres chats à fouetter !

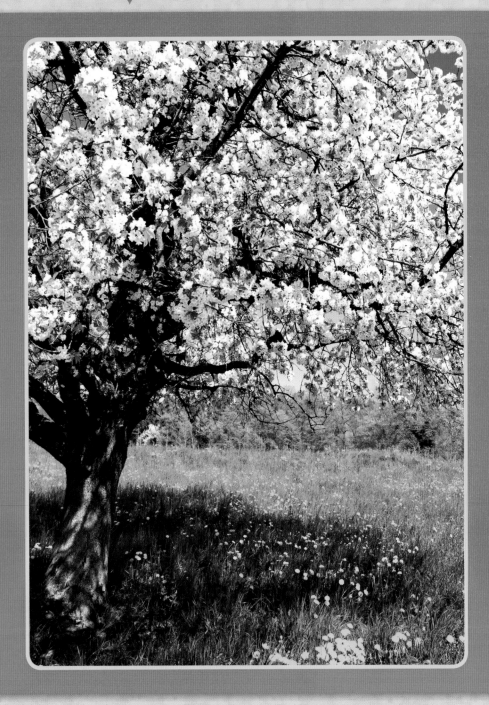

Scoutisme

et guidisme

✓ Collaboration spéciale
D'avril Morin

Le scoutisme est un mouvement éducatif basé sur des valeurs d'égalité, d'entraide, de respect et de dépassement de soi. Ses membres sont des garçons et des filles de toutes les croyances et de toutes les nationalités. On peut rentrer dans le mouvement scout dès l'âge de 7 ans et par la suite, comme on le dit si bien : « Scout un jour, scout toujours ! »

Les débuts du mouvement scout

Le mouvement a été fondé en 1907 par un général anglais, Robert Baden-Powell, héros de la Deuxième Guerre des Boers, qui fut par la suite nommé lord. Celui-ci avait entrepris d'utiliser de jeunes Sud-Africains comme éclaireurs et messagers. Avec leur aide, il réussit à sauver la ville de Mafeking (Afrique du Sud) qui avait été assiégée par de trop nombreuses troupes ennemies. Cette expérience lui apprit que les jeunes pouvaient accomplir de grandes choses si on leur en laissait la chance. De retour en Angleterre, Baden-Powell se rend compte que beaucoup de jeunes, surtout dans les quartiers défavorisés, ont besoin de modèles positifs à suivre et d'activités constructives à faire, afin de les aider à s'élever au-dessus de leur condition et de les éloigner des tentations de la drogue et de la délinquance. C'est alors qu'il décide d'utiliser ses connaissances auprès des jeunes dans un objectif de paix et d'entraide. Le premier camp scout a donc lieu en août 1907, sur l'île de Brownsea en Angleterre. Par la suite, le scoutisme s'est développé à une vitesse fulgurante. Olave, la femme de Baden-Powell, fonda le guidisme, le scoutisme pour les filles. Et seulement un an après le camp de Brownsea, des groupes de scouts et de guides s'étaient formés au Canada et dans une dizaine d'autres pays.

Les scouts du monde

Présentement dans le monde, il y a 28 millions de scouts répartis dans 160 pays qui sont enregistrés auprès de l'Organisation mondiale du mouvement scout. Si on ajoute à cela tous les pays où il y a des scouts, mais pas d'organisation reconnue mondialement, il n'en reste que six où il n'y a pas de scouts. Dans ces pays, le scoutisme est interdit par des gouvernements totalitaires.

Ici, au Canada, il y a environ 74 000 scouts (filles et garçons).

C'est quoi être scout en 2010 ?

Être scout en 2010, ça veut dire être dynamique, imaginatif, curieux, sportif, créatif. Ça veut dire aller au bout de ses rêves. C'est aussi être un citoyen du monde ouvert au changement et sensible aux enjeux de notre planète. Être un scout en 2010, c'est vouloir changaer le monde, mais surtout pouvoir changer le monde en faisant des gestes concrets et inspirants pour les autres.

Les activités

Les scouts sont des pionniers en matière de plein air depuis leurs débuts. Au Québec, dans les années 1930, le scoutisme a grandement contribué à l'essor du camping. Encore aujourd'hui, les scouts sont des modèles dans le domaine du plein air. Ils n'ont pas froid aux yeux et savent transmettre leur savoir et leur passion de la nature. Ce sont des aventuriers qui savent atteindre leurs objectifs. Les scouts encouragent les jeunes à relever des défis qu'ils choisissent eux-mêmes. Que ce soit sauter en parachute, descendre une rivière en canot, faire des ateliers de cirque ou voyager à l'autre bout du monde, le mouvement scout avec sa philosophie d'ouverture permet de le faire.

Les scouts se rencontrent régulièrement (en général une fois par semaine) pour s'amuser, faire du sport et des jeux créatifs, au travers desquels ils apprennent à se connaître et à se dépasser. C'est aussi lors de ces réunions qu'ils découvrent et organisent les éléments nécessaires à l'accomplissement de défis toujours plus grands.

Le totem

Une particularité bien connue des scouts est le totem. C'est une pratique inspirée par les Amérindiens qui consiste à donner un nom le plus descriptif possible à la personne qui fait partie des scouts depuis un certain temps. Le totem est composé de deux parties. La première est un élément de la nature qui représente le mieux possible la personne. Le plus souvent, c'est un animal, mais cela peut aussi être une plante, un nuage, un vent On y ajoute ensuite un qualificatif qui vient compléter la description, si possible la qualité la plus forte de sa personnalité, ce qui la rend unique. Un totem bien choisi reste vrai pour toute la vie. Bien que chez les scouts le totem ait un caractère officiel, rien ne t'empêche d'en trouver un pour les personnes que tu connais bien. Fais-en l'expérience avec tes ami(e)s. Tu pourrais être étonnée des résultats.

Pour en savoir plus sur les scouts, voici quelques liens Internet :

Pour de l'information sur tout ce qui a trait au scoutisme : *http://fr.scoutwiki.org*

Pour trouver les scouts de ta région, le site officiel des scouts du Canada est : *http://www.scouts.ca*

Si tu t'intéresses à ce que les scouts font ailleurs dans le monde, le site de l'Organisation mondiale du mouvement scout (OMMS) est *http://scout.org/fr/*

QUELQUES SCOUTS BIEN CONNUS :

- *Jean-René Dufort, animateur de l'émission Infoman*
- *Guillaume Lemay-Thivierge, comédien*
- *Patrick Huard, humoriste et comédien*
- *Andrée Waters, chanteuse*
- *Guy Lafleur, joueur de hockey*
- *Hergé, auteur de bandes dessinées (Tintin)*
- *Dakota Fanning, actrice*
- *Daniel Radcliffe, acteur (Harry Potter)*
- *David Beckham, joueur de soccer*
- *Gérald Tremblay, maire de Montréal*
- *Marc Garneau, astronaute*
- *Bill Gates, cofondateur de Microsoft*
- *Steven Spielberg, réalisateur américain*
- *Neil Armstrong, astronaute, premier homme sur la Lune*
- *Texte de Castor Alerte et de Béluga Inspirée*

Sortie

NE RIEN MANQUER

L'adolescence, c'est la période de la vie durant laquelle on commence à acquérir une certaine indépendance, et où on ne demande pas mieux que de passer du temps avec ses copines ou avec son amoureux. On commence à fréquenter les cafés, les salles de billard, les parcs, les cinémas, et parfois même les bars.

Il existe toutes sortes d'activités : les sorties plus tranquilles, les balades en voiture, les activités sociales, les danses, les discothèques, les films, les cafés, les restos et même les sorties plus culturelles (les musées, les galeries d'art, etc.). Bref, c'est le moment où on veut tout explorer, tout expérimenter et surtout ne rien manquer.

Le consentement des parents

À cet âge, on doit encore souvent demander la permission à ses parents pour sortir, et on doit respecter un couvre-feu. Je sais bien que ça peut être casse-pieds de quitter une fête qui bat son plein parce que vos parents vous y obligent, ou de rater l'anniversaire de votre meilleure amie parce que vos parents vous forcent à passer du temps en famille, mais sachez qu'on passe pratiquement toutes par là. Vos parents ne font pas ça pour vous rendre la vie impossible ; c'est souvent parce qu'ils sont inquiets et qu'ils veulent vous protéger, ou alors parce qu'ils vous voient encore comme une petite fille. Si vous trouvez qu'ils sont trop sévères, rien ne vous empêche de discuter calmement avec eux pour essayer de trouver un compromis. Il est toutefois essentiel de ne pas abuser de leur confiance et de ne pas leur mentir (même si c'est souvent tentant et que presque toutes les filles le font à un moment ou à un autre), car cela risquerait d'empirer les choses. Je vous conseillerai donc de prévenir vos parents lorsque vous découchez ou lorsque vous rentrez plus tard pour qu'ils ne s'inquiètent pas. Soyez honnête avec eux, et ils verront tôt ou tard qu'ils n'ont aucune raison de ne pas vous faire confiance. Laissez un numéro où ils peuvent vous joindre et essayez de respecter le couvre-feu qu'ils vous imposent. Si vous savez d'avance qu'une sortie risque de s'éterniser, prévenez-les ou alors profitez-en pour dormir chez une copine afin de leur éviter de vous attendre dans la cuisine en imaginant les pires scénarios.

Les hauts et les bas de votre nouvelle vie sociale

Les sorties vous permettent d'expérimenter toutes sortes de choses, d'avoir du plaisir, de passer du temps entre amis et, bien souvent, de faire de nouvelles connaissances. Sans vouloir vous faire la morale, je vous recommanderai tout de même d'être prudente avec les nouvelles personnes que vous rencontrez. Certaines d'entre elles ne partagent peut-être pas les mêmes valeurs que vous et pourraient essayer d'abuser de votre naïveté. Faites confiance à votre instinct si vous avez des doutes, car mieux vaut rester prudente et attendre un peu avant de faire entièrement confiance à ces nouveaux amis. Aussi amusantes soient-elles, les sorties nous amènent souvent à dépenser de l'argent, alors faites attention de ne pas tomber dans les excès, surtout si vous n'en avez pas les moyens. D'un point de vue plus positif, les sorties permettent toutefois de se changer les idées, de s'amuser, de passer du bon temps seule ou avec ses amis et de profiter de la vie. Si vous n'êtes pas encore tout à fait certaine du genre d'activités qui

SUJETS CONNEXES :
o *PARTY*
o *GANG DE FILLES*
o *MAGASINAGE*

vous plaît le plus, faites des essais et restez fidèle à vous-même. Vous connaissez tout de même votre nature et vous apprendrez tôt ou tard quelles activités correspondent le mieux à vos intérêts.

Les fins de semaine

Que ce soit parce que leurs parents ne le leur permettent pas ou parce qu'ils ont des devoirs à faire, les adolescents ne sortent pas, habituellement, les soirs de semaine. Ils le font plutôt durant les fins de semaine, qui sont faites à la fois pour travailler et pour s'amuser. Certaines en profitent pour terminer leurs travaux scolaires, d'autres pour passer du temps en famille ou avec leurs amis. Quoi qu'il en soit, il est important de prendre le temps, durant la fin de semaine, de relaxer, de décompresser et de s'amuser. Même si vous êtes stressée pour un examen, que vous êtes bouleversée par une dispute ou que vous avez simplement le cafard, efforcez-vous de vous changer les idées, seule ou avec les gens que vous avez envie de voir. L'important, c'est d'avoir du plaisir en demeurant responsable et en n'abusant pas de la confiance de vos parents. C'est une question d'équilibre et de bon sens, alors vous n'avez qu'à en discuter avec eux pour trouver un terrain d'entente !

Sport

BIENFAITS POUR LA SANTÉ PHYSIQUE ET PSYCHOLOGIQUE

Je n'ai pas besoin de vous énumérer tous les bénéfices de l'activité physique. Vous savez sûrement déjà que les activités sportives entraînent toutes sortes de bienfaits pour vous ! D'une part, le sport sert à vous mettre en forme en musclant et en raffermissant votre corps.

Bien que ça demande un peu d'efforts et qu'on doive parfois lutter contre la paresse, une fois qu'on s'y met, qu'on sue à grosses gouttes et qu'on dépense son énergie de façon aussi saine, on peut rapidement en mesurer les retombés. Le sport sert à vous faire sentir bien dans votre peau, et permet à votre corps de rester en forme et de maintenir un poids santé. Sur le plan psychologique, le sport vous permet de vous défouler et de vous laisser aller sans penser à rien d'autre. Quand on pratique un sport, on s'amuse, on se surpasse et on décroche de la réalité et des petits tracas du quotidien. En fait, ça remet souvent les choses en perspective. On se sent beaucoup plus posée et beaucoup plus calme après s'être dépensée physiquement.

De tout, pour tous les goûts

Il existe toutes sortes de sports que vous pouvez pratiquer en équipe ou individuellement. Certaines filles sont adeptes du gym, du jogging ou de la marche. Elles en profitent pour passer un peu de temps seules, pour écouter de la musique et pour prendre du recul face au reste du monde. D'autres préfèrent les sports d'équipe où elles peuvent rigoler entre amies et développer leur esprit sportif. Dans des sports collectifs, il est important de jouer de façon à respecter les autres et à suivre les règles du jeu. Par ailleurs, le fait de jouer en équipe vous force à devenir une bonne gagnante et une bonne perdante, et ainsi à vous surpasser en tant qu'individu. Vous apprenez à côtoyer des gens et à respecter vos coéquipiers, en plus de rencontrer des tas de nouvelles personnes qui ont sans doute beaucoup de choses à offrir.

Ne soyez toutefois pas trop compétitive et apprenez à être bonne joueuse. Vous êtes là pour aider votre équipe, certes, mais aussi pour vous amuser. Profitez donc de la présence des autres pour en connaître davantage sur eux, sur les techniques de jeu, et pour oublier vos problèmes du même coup.

Pour celles qui méprisent le sport

Certaines filles détestent les sports. Le simple fait d'enfiler un pantalon de course ou de voir des chaussures de sport leur donne envie de vomir. Si c'est votre cas, sachez d'abord qu'il s'agit parfois d'un intérêt qui se développe au fil du temps. Si vous donnez la chance à un sport, vous découvrirez tous les bienfaits et avantages que cela vous procure, et vous constaterez à quel point vous vous sentez mieux dans votre peau. C'est de cette façon que le sport devient un besoin, car il vous permet vraiment de décrocher, de vous surpasser, de vous défouler et de vous sentir bien dans votre corps. Si vous êtes toujours sceptique et que vous avez de la difficulté à vous imaginer qu'un sport puisse réellement contribuer à votre épanouissement, efforcez-vous tout de même de faire un minimum d'exercice physique. Il existe des moyens très agréables d'être active, et cela n'implique pas nécessairement de faire partie de l'équipe de basket de votre école. Vous pouvez commencer par la marche ou le

SUJETS CONNEXES :
○ *HOCKEY*
○ *GYM*

jogging, seule ou avec une copine. Lors d'une chaude journée d'été, prenez votre lecteur mp3 et allez faire une balade dans les rues de votre ville. Ça ne demande pas beaucoup d'efforts, ça vous permet de faire du lèche-vitrine, et vous faites alors de l'exercice sans même vous en apercevoir. Vous pouvez aussi demander à une amie de se joindre à vous pour courir dans le parc, pour escalader une jolie montagne, pour faire une balade en nature ou pour vous promener dans la ville. Vous pouvez aussi vous déplacer à bicyclette, à pied ou en patins à roues alignées tout au long de l'été. Non seulement c'est bon pour l'environnement, mais ça vous permet aussi

de faire de l'exercice ! Bref, choisissez une activité qui vous plaît et tentez d'intégrer le sport à votre vie quotidienne. Vous constaterez rapidement la différence. Vous vous sentirez mieux dans votre peau, et je vous assure que vous serez fière de vous !

Téléréalité

UNE EXPLOSION DU PHÉNOMÈNE

Un spectacle pas si réel...

L'idée consiste à filmer en temps réel des événements tirés de la réalité et de les faire passer au petit écran. En d'autres mots, on suit la vie quotidienne de « vraies » personnes, anonymes ou célèbres, et on assiste aux événements marquants de leur vie.

Afin que les émissions de téléréalité obtiennent autant de succès, les producteurs s'inspirent la plupart du temps de situations de la vie réelle, ou de problèmes auxquels font face la plupart des individus au cours de leur vie. Ceux-ci peuvent donc sans peine s'identifier aux protagonistes et se reconnaître dans ce qu'ils vivent. Les émissions de téléréalité auront ainsi souvent trait au travail, à l'amour, à l'amitié, à la colocation, aux rêves, aux parents, à la décoration, etc. Le quotidien devient donc un sujet d'art, c'est-à-dire que toute l'importance est donnée aux banalités de la vie.

Il ne faut toutefois pas se laisser duper par la téléréalité. En effet, plusieurs ont souligné le fait que, puisque les émissions ne diffusent que les moments les plus intenses et les plus intéressants d'une journée, il ne s'agit pas réellement de banalités. De plus, il va sans dire que, puisque les gens qui participent à une émission de téléréalité reçoivent des consignes et souhaitent remporter un prix, devenir plus populaires ou faire augmenter les cotes d'écoute, leurs actes et leurs réactions ne sont pas aussi spontanés qu'on pourrait le croire au départ. Lorsqu'on regarde une émission de téléréalité, on se rend vite compte qu'il existe tout de même une mise en scène ou une ligne directrice que les participants doivent ou veulent suivre de façon à respecter les règles ou à gagner la faveur du public. Ce n'est pas comme si une caméra atterrissait dans votre salon pour filmer vos moindres gestes. Il s'agit souvent d'un jeu, et les participants, bien que réels, se battent pour gagner la compétition ou remporter un prix.

Il existe différents types d'émissions de téléréalité. Dans certains cas, les participants qui concourent pour remporter un prix, se font peu à peu évincer par les autres joueurs ou par le public en fonction de leur prestation ou simplement de leur popularité. (Loft Story, Occupation Double, etc.), alors que d'autres émissions sont conçues pour couronner le concurrent qui a le plus de talent et qui pourra décrocher un contrat de danse ou d'enregistrement d'album (Star Académie, Canadian Idol, La Voix, So You Think You Can Dance, Dancing With The Stars, Canada's Next Top Model, The X Factor, etc.). Il y a aussi des émissions de téléréalité qui donnent aux concurrents la possibilité de trouver l'amour (The Bachelor, L'Amour est dans le pré), de vivre une aventure (Survivor, The Amazing Race, La ruée vers l'or, etc.), de refaire la décoration de leur maison, de vivre dans un autre milieu social durant quelque temps (Naufrage des villes, etc.). Il existe même des téléréalités qui suivent de jeunes enfants qui font des compétitions de gymnastique ou des concours de beauté (Mamans, gérantes d'estrade, Toddlers and Tiaras, etc.).

Il est important de souligner l'aspect de voyeurisme qui accompagne la téléréalité. En effet, les spectateurs observent la vie quotidienne et les moments intimes et « réels » vécus par les participants. On est rivé à notre écran, et on les observe dans leur vie quotidienne. Les participants, par ailleurs, sont tout à fait conscients du fait qu'ils sont filmés et regardés. C'est pour cette raison que les aspects de « réalité » et de « spontanéité » sont mis en doute ; les participants jouent le jeu et font ce qu'il faut pour attirer l'attention vers eux afin de remporter la partie ou de gagner un prix.

Malgré tout, la téléréalité est très populaire dans notre société, et plusieurs apprécient ces émissions. Ce dont il faut se rappeler, c'est qu'il s'agit avant tout d'un jeu. On ne doit pas se laisser berner par les événements soi-disant « réels » qui surviennent au petit écran. Il faut plutôt prendre tout cela avec un grain de sel et éviter de juger inutilement les participants qui ont accepté volontairement de jouer le jeu. Après tout, vous êtes la première à les regarder, alors ne jugez pas trop vite !

Occupation double © Eric Carrière - Agence QMI

Voyage

ENVIE DE DÉCOUVRIR LE MONDE

Quand on est jeune, on commence peu à peu à développer le goût de l'étranger. L'envie de découvrir le monde et les endroits qu'on ne connaît pas encore se fait sentir. C'est souvent lors de nos premiers voyages en famille qu'on devient une mordue de l'aventure et de l'inconnu. Si c'est votre cas, sachez que toutes sortes de voyages se trouvent à votre portée, adaptés à votre budget, à vos accompagnateurs et au temps dont vous disposez.

À l'adolescence, on voyage la plupart du temps avec sa famille. Comme vous n'êtes pas encore majeure, il est normal que vos parents soient réticents à l'idée de vous voir voyager seule. Quoi qu'il en soit, les voyages en famille peuvent être à la fois très formateurs et très amusants, alors ne soyez pas trop découragée à l'idée de passer quelques semaines avec vos parents. Tout d'abord, ces voyages en famille vous permettront de vous faire découvrir des tas d'endroits que vous n'auriez pas pu découvrir seule. Vous pouvez ainsi apprendre à connaître la culture et les petits trésors de l'endroit que vous visitez. Ces connaissances vous permettront d'acquérir une plus grande expérience et une maturité qui vous feront grandir. De plus, voyager avec les membres de sa famille est l'occasion idéale pour passer du temps de qualité avec eux et pour faire toutes sortes d'activités enrichissantes. Profitez-en pour discuter avec eux et pour vous informer de leur vie. On dispose souvent de peu de temps pour passer des moments de qualité dans notre vie quotidienne; les voyages constituent de belles occasions pour rire ensemble et se faire plaisir en famille.

Au secondaire, vous pouvez aussi participer à des voyages scolaires, à des expéditions avec votre classe ou à des séjours linguistiques à l'étranger. Ça fait parfois peur de quitter la maison et de partir seule vers l'inconnu, mais c'est très formateur pour votre personnalité et pour votre caractère; vous apprendrez à affronter vos peurs, à vous ouvrir aux autres cultures et à développer une plus grande maturité et une plus grande indépendance. Après tout, les voyages forment bel et bien la jeunesse ! Si vous voyagez avec votre classe, profitez-en pour parler avec des gens que vous connaissez moins et pour apprendre à les connaître davantage. C'est souvent durant ces séjours hors de l'école qu'on fait de belles rencontres et qu'on partage avec certaines personnes des moments inoubliables. On développe alors avec elles une complicité à laquelle on ne s'attendait pas. On apprend du coup à être plus sociable et plus confiante dans ses rapports avec les autres. Assurez-vous cependant de respecter les règles et d'écouter votre professeur pour que le voyage ne tourne pas au vinaigre. Lorsqu'on sort du quotidien et qu'on découvre une autre ville, un autre pays ou une autre culture, on perd parfois nos points de repère et on se sent un peu égarée. Les gens avec qui vous voyagez, les responsables et les adultes qui vous accompagnent sont là pour vous guider dans votre aventure et pour s'assurer que vous puissiez vivre une expérience enrichissante en vous sentant à la fois encadrée et protégée.

Si vous avez l'âme plus aventureuse et que vous avez envie d'aider les gens dans le besoin, il se peut que vous envisagiez d'effectuer une mission humanitaire dans une région ou un pays en difficulté. Comme vous êtes encore très jeune, vos parents se

SUJETS CONNEXES :
o *CULTURE*
o *NEW YORK*
o *PARIS*
o *ÉTATS UNIS*

montreront probablement réticents à l'idée de vous voir partir seule à l'étranger, courir des risques et mettre votre vie en danger. Vous pouvez donc commencer par vous impliquer au sein d'un organisme humanitaire local et par vous informer auprès des centres d'aide de votre région pour rester au courant de ce que vous pouvez faire pour vous sentir utile. Ces organismes planifient parfois des expéditions sécuritaires durant lesquelles vous êtes encadrée et ne courez aucun danger. Je vous conseille toutefois de prendre votre temps avant de vous lancer dans une telle aventure. Rien ne vous empêche d'agir ici pour commencer et de planifier un voyage dans quelques années.

Si vous n'avez pas beaucoup d'argent, il existe toutes sortes de façons de bouger et de vivre des aventures sans devoir aller très loin ni débourser de fortes sommes. Vous pouvez organiser un voyage de camping ou de randonnée pédestre, ou encore passer quelques jours au chalet d'une amie. Vous pouvez partir en expédition dans un village que vous ne connaissez pas ou faire une longue randonnée à vélo et explorer la nature qui vous entoure. Le Québec est immense et il est rempli de trésors et de lieux pittoresques qui valent la peine d'être découverts. Que ce soit au Saguenay, en Mauricie, en Estrie, en Gaspésie ou dans Charlevoix, il y a des centaines de monuments, d'attraits touristiques et de paysages à découvrir, alors n'hésitez pas à explorer votre propre province et toutes les beautés naturelles qui la rendent si unique.

Si vous passez quelques semaines au chalet avec votre famille, que vous allez en voyage aux États-Unis ou à la plage avec vos parents et que vous avez peur de vous ennuyer, demandez-leur si une amie peut se joindre à vous. Si vos parents acceptent et que ceux de votre copine donnent aussi leur accord, vous pourrez profiter de ces journées pour vous amuser ensemble tout en passant du bon temps en famille.

Quoi qu'il en soit, sachez que les voyages et les aventures forment le caractère et vous ouvrent davantage aux différences culturelles. Ils vous permettent d'apprendre des tas de choses sur des endroits que vous ne connaissiez pas et, aussi, d'en apprendre plus sur vous-même. Vous découvrirez que vous êtes plus aventureuse et plus téméraire que vous ne le croyiez, et vous pourrez développer votre sens des responsabilités et ainsi devenir plus mature tout en vous amusant. Bref, n'hésitez pas à foncer et à partir à l'aventure, car un monde d'expériences excitantes vous attend, alors aussi bien en profiter !

10 SUGGESTIONS DE VOYAGE

- Le tour de la Gaspésie (Québec)

- Aix-en-Provence (France)

- Cape Cod (États-Unis)

- New York (États-Unis)

- West Palm Beach (États-Unis)

- Vancouver (Canada)

- Barcelone (Espagne)

- Prague (République tchèque)

- Cancun (Mexique)

- Nouvelle-Orléans (États-Unis)

Sommaire

Numéros

Centre antipoison du Québec : 1-800-463-5060

Centre d'aide aux victimes d'actes criminels : 1-800-820-2282

Drogue : aide et référence : 1-800-265-2626

Gai Écoute : 1-888-505-1010

Info-Crime : 1-800-711-1800

Info-Santé : 811

Jeunesse J'écoute : 1-800-668-6868

Police, incendie et ambulance : 911

Prévention Suicide : ....1-866 APPELLE (1-866-277-3553)

Protection de la jeunesse : 1-800-463-9009

Association canadienne pour la liberté de choix (ACLC) : 1-888-642-2725

Association québécoise d'aide aux personnes souffrant d'anorexie nerveuse et de boulimie : ....1 800 630-0907 ou (514) 630-0907

Clinique jeunesse (Montréal) 514-844-9333